Monsieur Watson doit mourir

Du même auteur

En liberté dans les champs du Seigneur
Gallimard

Deux saisons à l'âge de pierre
Payot

Le léopard des neiges
Gallimard, « L'Imaginaire »

Urubamba
Payot

PETER MATTHIESSEN

Monsieur Watson doit mourir

Traduit de l'américain
par Brice Matthieussent

ÉDITIONS DE L'OLIVIER

ISBN 2-879-29-004-X

Cet ouvrage est paru chez Collins Harvill
sous le titre : *Killing Mr. Watson.*

AUX FAMILLES DES PIONNIERS DU SUD-OUEST DE LA FLORIDE

Pendant mes six années de recherches, j'ai été très aidé par au moins un membre de presque toutes les familles mentionnées, et je remercie des dizaines de Floridiens autochtones pour leur courtoisie ainsi que pour l'aide et le temps qu'ils m'ont accordés, même si certains n'ont pas vécu assez longtemps pour voir ce livre achevé – ainsi Ruth Ellen[1] Watson, Rob Storter, Robert Smallwood, Sammie Hamilton et Beatrice Bronson ; trois d'entre eux m'ont fourni des souvenirs d'enfance de M. Watson.

Je suis particulièrement reconnaissant envers Larry (Watson) Owen pour son aide aussi précieuse que variée, envers Mary Ruth Hamilton Clark et Ernie House. Mes remerciements sincères à Frank et Gladys (Wiggins) Daniels, Marguerite (Smallwood) et Fred Williams, Nancy (Smallwood) et A.C. (Boggess) Hancock, Bert (McKinney) et Julia (Thompson) Brown, Loren « Totch » Brown, Bill et Rosa (Thompson) Brown, Louise Bass, Paul Duke, Doris Gandees, Preston Sawyer, Buddy Roberts, Edith (Noble) Hamilton.

Je suis également redevable aux recherches, aux écrits et aux bons conseils de l'historien Charlton W. Tebeau, auteur de *Man in the Everglades ; Collier County : Florida's Last Frontier ; The Story of Chokoloskee Bay Country*, ainsi qu'à d'autres ouvrages excellents sur la Floride des pionniers.

Aucun de ces amis ou informateurs n'est responsable des interprétations auxquelles je me suis livré, et dont j'endosse l'entière responsabilité.

1. Il ne s'agit pas de son vrai prénom.

Note de l'auteur

Un homme que les membres de sa communauté connaissent toujours sous le nom d'E.J. Watson a été réimaginé à partir de quelques « faits » tangibles – recensements et registres de mariages, dates figurant sur des pierres tombales, etc. Toutes les autres informations sont un mélange de rumeurs, de ragots, d'histoires et de légendes qui, en huit décennies, se sont agrégés pour constituer un mythe.

Ce livre est le reflet de mes intuitions concernant M. Watson. Il s'agit d'une fiction où l'immense majorité des épisodes et des récits sont de ma propre invention. Ce livre n'est en aucune manière « historique », car presque rien ici ne relève de l'histoire. D'un autre côté, il n'y a ici presque rien qui n'aurait pas pu se produire – c'est-à-dire rien qui infirme le peu que nous connaissions de manière sûre. J'espère et je crois fermement que cette vie imaginaire contient beaucoup plus de la « vérité » de M. Watson que les « faits » fantaisistes à partir desquels la croyance populaire a brodé la légende de Watson.

Prologue : 24 octobre 1910

Les oiseaux de mer, clairsemés et dépenaillés, sillonnent à nouveau l'air. Les sternes blancs semblent souillés dans la maigre lumière, ils volent avec raideur, sondant un élément dans lequel ils n'ont plus confiance. Incapables de localiser les vairons perdus dans la tempête, ils errent au-dessus de l'eau troublée en poussant de petits cris affligés, à l'affût des signes et des indices marins susceptibles de les rendre à l'ordre du monde.

Dans le sillage de l'ouragan, la côte labyrinthique où les deltas des Everglades rencontrent le golfe du Mexique paraît anéantie, hébétée, écrasée en un plat bourbier par la violence divine. Jour après jour, un vent lugubre et mauvais harcèle les mangroves, gonflant les marées désordonnées qui se ruent à travers les îles détruites et remontent loin dans les méandres des rivières, abandonnant derrière elles une écume marron, des herbes aplaties et saturées de sel, du bois flottant. Sur la grève et tout le long des rivières côtières, un soleil gris et lointain jette ses mornes reflets sur des andains de mulets pourris hauts d'une trentaine de centimètres.

Au-dessus du campement insulaire de l'ancien tumulus indien de Chokoloskee et jusqu'à l'horizon du golfe, le ciel sinistre et tourmenté paraît spectral, déchiqueté, tourneboulé. Les nuages sont bas, lourds de pluie, et les vautours aux ailes noires virevoltent au-dessus des arbres brisés. Au bord du chenal, là où des quais et des piliers, des bateaux broyés, des cabanes arrachées à leurs fondations jonchent le rivage, tout un bric-à-brac violemment extirpé de son lieu d'origine a été soustrait à l'inondation par les branches situées au-dessus de l'eau. Une corde à linge danse dans les arbres ; des toits de chaume s'entortillent sur leurs piliers comme de vieux balais de paille ; des bâtisses en bois s'affaissent. L'air humide charrie l'âcre puanteur du poisson, la putréfaction des animaux morts et des légumes avariés, celle des excréments qui débordent des fosses dont les petites cahutes ont été emportées. Des casseroles, des bouilloires, de la faïence, une baratte à beurre, des bassines en fer-blanc, des seaux, des bottes couvertes de vase et de sel, des matelas de crin gorgés d'eau et des poupées violentées gisent épars sur le sol pâle et mort.

Une mouette solitaire donne des coups de bec maussades dans la chair molle d'un mulet rejeté sur la grève, un chien aboie sans conviction devant tant de silence.

Une silhouette au calicot ourlé de boue appelle un enfant, se baisse pour ramasser une Bible, puis, de ses doigts blêmes et gourds, en essuie la vase. Elle se redresse en pivotant lentement vers le sud. Du mur des mangroves, tout au fond de la baie, le roulement de tambour du moteur du bateau croît puis s'éloigne avant de reprendre, un peu plus fort.

— Oh, Seigneur, murmure-t-elle d'une voix toute vibrante. Oh, non, s'il vous plaît, doux Jésus, non.

Sous le ciel bas d'un crépuscule gris-jaune, le receveur des postes Smallwood, agenouillé sous son magasin, rassemble ses derniers poulets noyés. Ce que l'ouragan a laissé du quai de Smallwood — quelques malheureux piliers — se dresse selon des angles incongrus au bout des déblais du chenal qu'il a creusé pour les canoës indiens. Plus loin, l'eau couleur d'étain s'étend de tous côtés jusqu'aux murailles noires de la mangrove.

Il s'accroupit dans la chaleur putride. Des voix chuchotent, comme lors d'un enterrement. Une paire de pieds nus, puis une autre, descendent en silence vers l'embarcadère. Il reconnaît ses voisins à leur démarche et à leur pantalon. Dominant les chuchotis et les souffles rauques, il distingue bientôt le roulement de tambour du moteur, étouffé par l'éloignement, venant de l'est et du golfe du Mexique à travers la passe de Rabbit Key. Une saute de vent, et le *put-put-put* se met à battre comme un pouls, comme si Smallwood entendait son cœur pour la première fois.

Trois jours plus tôt, quand ce même bateau était parti pour le sud, les dix familles de l'île l'avaient regardé s'éloigner. Smallwood fut le seul à agiter la main, mais lui aussi pria pour que ce soit la fin, pour que la silhouette massive qui tenait le gouvernail et sombrait dans les ténèbres des arbres bas et lointains disparût à jamais de leurs existences.

— Il va revenir, avait dit le vieux D.D. House.

Le clan House habite à une centaine de mètres à l'est du

magasin. Ted Smallwood voit les bottes noires du dimanche de son beau-père descendre le tumulus indien, avec Bill House, le jeune Dan et Lloyd pieds nus derrière lui. Appelant sa sœur, Bill monte sur la galerie puis entre dans le magasin qui fait aussi office de poste et au-dessus duquel habite la famille Smallwood. Il entend les planches de pin craquer sous les pas au-dessus de lui.

Dans la chaleur moite, en pleine crise de malaria, Smallwood se sent pris d'une telle faiblesse que, lorsque ses fesses émergent et qu'il tente de se relever, le sang lui martèle les tempes et les arbres virent au noir. Cet homme corpulent heurte lourdement le mur de sa maison en bois et, quelque part à l'intérieur, sa femme pousse un cri angoissé. Lentement il se redresse et cambre son dos endolori. Il prend une profonde inspiration, s'étrangle, tousse et frissonne. En graillonnant, il chasse de sa bouche et de ses narines le goût douçâtre de la pourriture des poulets.

— Regardez ce qui nous rampe de là-dessous ! C'est-y pas le receveur des postes ?

La pelle du receveur, enfoncée dans la terre noire en guise de réponse, grince contre les vieilles coquilles d'huître blanches de l'énorme tas de fumier. Lorsqu'il l'y enfonce à nouveau, elle ricoche sur une racine. Les garçons House éclatent de rire.

— Garde cette pelle à portée de main, mon vieux. P't-êt qu'on va en avoir besoin.

— Vous avez quatre carabines, à ce que je vois, leur rétorque Ted Smallwood. Croyez que ça suffira ?

Le vieux s'arrête pour contempler son gendre. Daniel David House a les sourcils argentés et une moustache qui rejoint ses larges favoris. Bien qu'il ne porte pas de col sous sa barbe, il est habillé comme pour un dimanche, en chemise blanche, redingote noire lustrée, bottes cirées et pantalon noir empesé maintenu très haut par des bretelles. Il se tient à l'écart des garçons aux cheveux couleur sable et aux yeux lents que lui a donnés celle qui s'appelait autrefois Ida Borders.

— Où qu'est elle, sa dame ? fait le vieux.

— Elle est à l'intérieur avec sa marmaille. En compagnie de votre fille et de vos petites-filles, monsieur House.

Quand le vieux pivote sur lui-même en grognant, Ted hausse la voix :

— Ces femmes et ces enfants, ils seront aux premières loges !

Henry Short, le visage dénué de toute expression, passe en tenant sa carabine le long de la jambe.

— Toi aussi ?

— Laisse Henry tranquille, dit Bill House en sortant.

A trente ans, Bill House est un homme rubicond et solide aux traits marqués par le soleil.

Mamie Smallwood a suivi Bill au-dehors. Quand son frère se retourne pour la calmer, la jeune femme potelée s'écrie :

— Laisse-moi ! Elle pleure. Où est son petit garçon ? Il n'a que trois ans !

Le vieux Dan secoue sa tête massive et continue de marcher, refusant d'en entendre davantage. Le jeune Dan et Lloyd le suivent de près en descendant vers le rivage.

Une jeune femme arrive à l'angle de la maison.

— Monsieur Smallwood ? S'il vous plaît ! Dites-moi ce qui se passe !

Lorsque le receveur des postes reste muet, elle s'écrie :

— Oh, Seigneur !

Et elle repart en courant. Elle appelle toujours son fils.

Les hommes de l'île se rassemblent, au moins une vingtaine. Tous ont des fusils ou des carabines.

Charlie T. Boggess, qui s'est foulé la cheville pendant l'ouragan, boite.

— Ça va, femme, ça va ! crie-t-il à son épouse qui l'appelle.

Et au receveur des postes :

— Pourquoi qu'il a pas continué ? Jusqu'à Key West !

— T'entends donc pas les cris d'Ethel ? répond Ted. Tu ferais mieux de clopiner jusqu'à chez toi et de t'occuper de ta cheville.

Isaac Yeomans arrive et dit :

— Key West ? Crédié, non ! Ce gars-là est pas du genre à se débiner.

L'alcool rend Isaac impétueux ; il semble presque ragaillardi par ce que les autres redoutent.

— Tu te souviens de Sam Lewis, Ted ? A Lemon City ?

Smallwood hoche la tête.

— Ils ont aussi lynché Sam Lewis.

Bill House s'arrête sur les marches :

— C'est pas une foule pour un lynchage !

— Tiens donc ? Le receveur des postes hausse la voix pour s'adresser au père de Bill : Et s'il revenait juste ici pour emmener sa famille et poursuivre son chemin ?

Bill House lui répond :

— Poursuivre son chemin, Ted, comme tu viens de dire, et refaire la même chose ailleurs.

— Monsieur Smallwood ? Vous n'auriez pas vu le petit Addison ?

Les hommes tournent le dos à la jeune femme et scrutent le plan d'eau vers le sud. Le bateau qui arrive fait comme un petit halo sombre dans la lumière plombée de la baie de Chokoloskee.

Henry Short appuie sa Winchester 30.30 dans une fourche du gros estourbe-poisson que l'ouragan a abattu en travers de la clairière. Son arme est invisible lorsqu'il se penche contre l'arbre et il croise les bras comme pour signifier que rien de tout cela ne le concerne.

Le crépuscule tombe derrière le bateau qui arrive. Les hommes armés se tiennent à demi-cachés dans les fourrés, trop tendus pour chasser les moustiques à coup de claques. Entre chien et loup, dans l'ombre de l'arbre, le receveur des postes ne distingue plus les visages sous les vieux chapeaux fatigués. Ses voisins paraissent aussi anonymes que des hors-la-loi.

Sans ralentir, le bateau pénètre parmi les bancs d'huîtres. La silhouette de l'homme de barre se détache maintenant, son large chapeau rabattu sur le front.

Isaac Yeomans casse son fusil en deux, regarde le barillet, y glisse deux cartouches, s'enfonce son chapeau de feutre sur le crâne.

— Franchement, tu devrais te joindre à nous, Ted. Le regard d'Isaac se perd au-dessus de l'eau : Nous aussi, on est copains avec lui. Tout ça nous débecte autant que toi.

— Il paie ses factures, il joue franc jeu avec moi. J'ai pas la moindre bricole à lui reprocher.

Smallwood parle d'une voix pressante à Yeomans et à Boggess, qui sont ses amis depuis quinze ans.

— Vous deux, vous avez jamais eu le moindre ennui avec lui et puis de toute façon vous arriverez à rien. Baissez donc ces fusils.

D'autres hésitent près du magasin, comme s'ils rechignaient à descendre vers l'embarcadère. Ils portent la même chemise depuis une semaine, ils sont à cran et ils ont peur, ils veulent à tout prix entraîner Ted Smallwood dans leur camp. A tout le moins, la participation du receveur des postes rendra sans doute plus respectable ce qui doit se passer. Si personne n'est innocent, alors personne ne saurait être coupable.

Des réfugiés de l'ouragan, venus de la rivière de l'Homme perdu restent en arrière, sur la galerie du magasin, à une centaine de mètres de l'embarcadère.

L'un d'eux lance :

— On dirait bien que vous êtes tous décidés à le descendre.

Henry Thompson est un homme grand et bronzé, aussi efflanqué qu'un chien.

Un autre opine aussitôt du chef en se raclant la gorge :

— J'croyais que vous vouliez décrocher un mandat ! Que vous aviez l'intention de l'arrêter !

— Mais cézigue se laissera pas arrêter, dit Bill House. Les gars ici présents ont découvert ça l'autre jour.

— Vaudrait mieux que tout le monde participe ! lance le vieux Dan House.

Un homme dit :

— Moi je crois que Ted sait aussi bien que nous ce qu'il faut faire. Il veut pas être impliqué là-dedans.

Un autre caquète :

— Bon Dieu, Ted, pourquoi que t'aurais la trouille de c't embuscade ! Il va se retrouver tout seul contre deux douzaines de fusils !

— Peut-être que j'ai pas peur de ce que vous croyez. Peut-être que ce qui me fait peur, c'est de tuer de sang froid.

— *L'autre*, il a pas peur du sang, Ted. Plus le sang est froid, plus ça lui plaît.

— Personne n'a jamais prouvé ça devant un tribunal !

— Y a pas d' tribunal ici pour le prouver.

Derrière les hommes se cachent des gamins en guenilles armés de lance-pierres et de carabines 22 à un coup. Lorsqu'on les apostrophe, ils se glissent furtivement parmi les arbres, puis convergent à nouveau derrière les hommes avec des yeux brillants de ratons laveurs.

Affublé de ses vieux vêtements couleur de feuille, perdu dans les ombres brunes de l'orée du bois, Henry Short se fond à l'écorce de l'arbre comme un engoulevent rentrant ses ailes duveteuses. Il paraît concentré sur la vague d'étrave blanche soulevée par le bateau sombre qui fend le clapot gris du chenal, et sur le *put-put-put* du moteur, tel un crépitement de fusils de plus en plus sonore. La silhouette du marin solitaire monte lentement dans le ciel du soir.

Les femmes appellent dans le bois. Le vieux Dan crie à son gendre :

— Puisque t'es son ami, va donc chercher son gosse !

Il décrit des cercles parmi les arbres dénudés par la tempête. Le bois est silencieux, les derniers oiseaux se sont tus, les chiens restent tranquilles. Seuls les moustiques sont de sortie, qui chantent leur mélopée au milieu des gombos tordus.

Il appelle, appelle sans cesse.

Un cochon sauvage pousse un grognement abrupt qui déchire le silence.

La jeune mère le suit lorsqu'il retourne vers la maison et y pénètre. En tablier blanc derrière les grillages noircis de sel, les femmes planent comme des fantômes. Aucune ne pleure. Leurs petites filles tirent doucement sur les jupes de leur mère. Le pouce dans la bouche, les enfants suivent des yeux la progression du bateau.

Smallwood entre sans bien savoir où il va. Sa femme étreint la main de la mère du garçon.

— Vous auriez dû le garder à la maison, dit-il.

Quand il cogne sa lampe, Mamie presse un doigt contre ses lèvres, comme si là-bas l'homme dans le bateau risquait de l'entendre.

— Papa est derrière tout ça, n'est-ce pas ? murmure-t-elle. Bill et Dan aussi !

Smallwood écrase un moustique, puis approche la main de son visage, à la recherche d'une trace de sang.

— Allume ce fumigène, dit-il.

La petite Thelma court vers le seau tout cabossé qui contient un mélange bien noir de terre humide et de charbon de bois de palétuvier.

Il regarde sa Mamie Ulala, sans accorder la moindre attention à la jeune femme, qui semble comme hypnotisée.

— Ils sont tous responsables, dit-il. Tous sauf les réfugiés de l'Homme perdu.

Cette sombre journée déclinait depuis une éternité. Même la jeune femme, avec son pâle pressentiment, semble en être consciente. Il se fait tard et une vie court rapidement vers son terme.

— Ils veulent en finir, marmonne-t-il.

La petite Thelma et son amie Ruth Ellen sont tapies dans l'angle, où elles protègent les plus jeunes enfants contre une terreur imminente. La mère de Ruth Ellen sert contre elle bébé Amy, née cinq mois plus tôt à Key West.

— Ad, chuchote-t-elle à l'adresse du garçon absent. Oh, par pitié !

Le moteur se tait ; suit une longue plage de silence.

— Papa, dit Thelma en se mettant à pleurnicher.

Quand le receveur des postes la prend dans ses bras, elle suce son pouce. Hors de lui, il la lance presque à son épouse et suit la jeune femme dehors. Il ne peut s'empêcher de bâiller.

Aperçue au travers des branches brisées, dans le vent qui balaie la grève, la chaloupe arrive près de l'embarcadère de Smallwood, juste à l'ouest du quai démoli par la tempête. Le cœur de Ted bat si fort que le marin l'entend sans doute, y lit un avertissement, devine la présence des insulaires parmi les arbres obscurcis.

Dans les dernières lueurs du jour, le receveur des postes distingue le petit Addison caché au milieu des raisins de mer, observant tous ces adultes armés. La voix de Smallwood se brise quand il veut appeler le garçon et personne ne l'entend. Il descend très vite les marches sans essayer de l'appeler encore.

Qu'avait-il redouté ? Que ses voisins n'interprètent son appel comme un cri d'avertissement ?

Averti ou pas, l'homme aborderait au rivage.

Maintenant, Henry Short quitte l'abri des arbres comme une ombre, traverse la clairière derrière les hommes, descend vers le rivage. Il entre dans l'eau sans une éclaboussure, juste à droite de Bill House et du père de Bill.

Un bruit de succion et un lappement quand la vague d'étrave déferle sur la grève. Le temps s'arrête, aspiré dans l'entonnoir du ciel. Le cœur de Smallwood s'emballe, ses mains se lèvent vers ses oreilles.

La proue du bateau écrase de vieux mollusques morts. Silence.

La terre tourne. Un accueil paisible, un échange de voix. Les hommes avancent, se déploient sur le rivage. Smallwood ne trouve plus d'air à respirer. L'heure des règlements de comptes insupportablement repoussée, le soulagement du receveur des postes est mitigé, sans joie.

Bientôt, Mamie et son amie s'aventurent au-dehors. Elles parlent et sourient pour se calmer les nerfs, elles descendent la petite pente qui mène à l'eau.

Une brindille se brise, le crépuscule se tend. Tout bascule dans le claquement sec d'un coup de feu, deux détonations jumelles. Il y a juste le temps d'un écho, le temps d'un cri perçant, et puis la dernière soirée de l'ancienne époque dans les Iles explose en une fusillade assourdissante.

La jeune femme se tient bien droite, assez guindée, devant la maison de Smallwood, comme pour une photo, sa robe marron assombrie par le crépuscule, le visage blême comme du sel.

Mamie court la rejoindre, mais c'est elle qui serre contre sa poitrine une Mamie sanglotante, elle qui lui caresse les cheveux en regardant fixement le receveur des postes par-dessus l'épaule de son épouse sans même la pitié d'un clignement d'yeux. Elle semble calme. C'est Mamie qui a crié ; il entend encore son hurlement. Il s'approche d'elle d'un pas hésitant, saisi de faiblesse et de timidité.

Mamie s'écarte violemment de lui tandis que ses lèvres remuent. D'une voix basse et terrible, elle dit :

— Je m'en vais ! Je quitte cet endroit maudit ! Je m'en vais !

Les enfants écarquillent les yeux. Il pousse les fillettes à l'intérieur, sous le staccato des cris des garçons et les aboiements des chiens effrayés. Quand la petite Thelma se met à gémir, il la secoue violemment :

— Rentre, j'te dis !

Le visage de la fillette se décompose devant la fureur de l'adulte et elle rentre en courant.

La jeune femme rejoint son petit garçon qui a trébuché dans sa fuite éperdue et dont les genoux sont couverts de la boue de l'ouragan. Elle le serre contre elle, comme pour le soustraire aux hommes armés qui piétinent dans le noir, tel un seul et gigantesque animal. Certains se retournent pour regarder.

Dans un instant, elle va ramper sous la maison, traînant sa progéniture dans les ténèbres, parmi les déchets de poulet.

— Non, Seigneur, non, chuchote-t-elle, submergée de terreur.

— Oh, Dieu, gémit-elle.

— Oh, Seigneur, crie-t-elle, ils sont en train de tuer monsieur Watson !

Henry Thompson

Nous n'avons jamais eu le moindre ennui avec monsieur Watson et d'après ce que nous savons il en a jamais causé, pas à ses voisins. D'ailleurs, tous les ennuis lui tombaient dessus de l'extérieur.

Ed J. Watson est arrivé à la crique du Mi-chemin en 92, il a travaillé un moment sur les fermes de légumes et il a travaillé dans la canne. Un sacré bosseur, mais apparemment il sarclait point la canne pour avoir de l'argent, non, on aurait plutôt dit qu'il prenait la température de notre communauté, pour savoir de quoi il retournait et qui vivait où. C'était un beau gars solide, âgé d'une trentaine d'années, le cheveu roux foncé, bien bâti, large d'épaules mais sans un poil de graisse, du moins pas à cette époque. Il mesurait pas loin d'un mètre quatre-vingts et il se tenait très droit, on le remarquait tout de suite et personne badinait avec lui. Dès que vous rencontriez ce type, vous aviez envie de lui plaire – c'était ce genre d'homme. Il portait un chapeau noir à large bord, un tablier en bleu de Nîmes par-dessus un habit à larges poches. A une époque, nous coupions du platane avec une hache et une scie à bras, deux trois cordes par jour – un boulot éreintant dans une humidité infernale, au cas que vous l'auriez jamais fait, et même sa salopette était pleine de sueur –, Ed Watson ne changeait jamais de tenue. Même qu'il blaguait en expliquant qu'il gardait sa redingote parce qu'il attendait une visite imminente en provenance du nord.

Personne savait d'où venait cet homme et personne le lui demandait. On posait jamais de question indiscrète, pas dans les Dix Mille Iles, pas à cette époque. Aujourd'hui les gens vous chantent une autre chanson, mais dans le temps y avait pas grand-monde dans notre secteur qui, ailleurs, n'ait pas été légèrement impopulaire. Avec toute la Floride à disposition, qui d'autre serait venu s'installer sur ces îles submergées, pourries de pluie, où y avait même pas assez de terrain élevé pour construire un chiote, mais tellement de moustiques pour vous sucer le sang les mauvais étés qu'il vous semblait vous être gourré de chemin et avoir débarqué directement en enfer.

Le vieux William Brown coupait de la canne en écoutant les hommes déclarer combien cet étranger, Ed J. Watson, était aimable et tout. Mais vu que le vieux William il pipait mot, les autres se sont sentis obligés de lui demander son avis ; alors, lentement, il a bu une gorgée d'eau et il a soupiré :

— J'ai jamais rencontré un gars vraiment mauvais qui soit pas aimable et agréable à sa manière. Le loustic qui déblatère du matin au soir, j'ai fait ci et j'veux faire ça, pas la peine de faire gaffe à ce gars-là. Mais le gus qui prend tout du bon côté et qui vous embobine, alors là, mieux vaut garder ses distances avec çui-ci.

Mais Willie Brown, un petit bonhomme costaud et vivace qui a toujours pensé le plus grand bien de monsieur Watson, Willie Brown il a répondu :

— Allons bon, papa, tu essaies de nous dire que cet homme est un sale type ?

Et son père de rétorquer :

— Je sens tout bonnement quelque chose, voilà tout, comme quand je sens l'humidité.

Les hommes avaient beau respecter le vieux William, y en a pas eu un seul ce jour-là dans le champ pour le prendre au sérieux.

Quoi qu'il en soit, on a très vite remarqué qu'il suffisait de s'approcher un peu près de monsieur Watson pour qu'il se défile de côté comme un crabe qu'a envie de se donner un peu d'air. Mon demi-oncle Tant Jenkins racontait qu'un jour il était tombé sur monsieur Watson en train de se soulager la vessie et monsieur Watson avait effectué un demi-tour si rapide que Tant crut qu'il voulait lui pisser dessus. Pourtant, c'était pas son outil qu'il tenait à la main. Quand Tant Jenkins a repéré le revolver, l'arme était déjà à moitié rengainée dans la salopette, au point qu'il a jamais été bien certain de l'avoir vraiment vue.

Tant a toujours été impertinent et comme qui dirait rigolard. Il lui lance donc du tac au tac :

— Ça alors, monsieur Watson ! Vous attendez de la visite en provenance du nord ?

Et monsieur Watson de lui répondre :

— Tous les visiteurs qui arriveront ici sans prévenir me trouveront prêts à leur offrir un gentil accueil bien chaleureux.

Très agréable, voyez, très très aimable. Mais il laissait jamais personne l'aborder par surprise.

Pendant beaucoup d'années, Tant Jenkins et moi on s'est occupé des bateaux de monsieur Watson. Surtout quand Tant buvait, c'est-à-dire presque tout le temps, il taquinait ce pauvre monsieur Watson, c'était quelque chose de terrible. Il lui racontait qu'aucun ami de S.S. Jenkins n'avait à craindre un danger venant du nord ou du sud, mais que parfois l'est et l'ouest donnaient du fil à retordre à Tant. Monsieur Watson adorait cette blague.

— Eh bien, Tant, disait-il alors, quand je sais que c'est toi qui fais le boulot, je dors sur mes deux oreilles.

Ed Watson avait de l'argent en poche lorsqu'il est arrivé à la crique du Mi-chemin, mais cela ne me regarde pas et vous non plus. Pendant toutes ces années où j'ai fréquenté monsieur Watson et jusqu'à l'époque détestable de la fin, il a toujours payé rubis sur l'ongle. On a seulement appris plus tard qu'il était en fuite et peut-être même que la crique du Mi-chemin — à mi-chemin entre Everglade et la rivière Turner, dans la partie est de la baie de Chokoloskee — était trop proche des représentants de la loi à son goût. Aujourd'hui, y a plus grand-chose là-bas sauf quelques vieilles citernes, mais la crique du Mi-chemin abritait à l'époque dix ou douze familles, davantage qu'Everglade, Chokoloskee ou n'importe quel autre endroit entre l'île Marco et le cap Sable au sud. Y avait sans doute pas plus d'une centaine d'âmes le long de ces cent cinquante kilomètres de côte, en comptant celles qui ont fréquenté temporairement l'embouchure des rivières.

Monsieur Watson n'habitait pas la crique du Mi-chemin depuis plus de quelques jours quand il a acheté comptant le vieux schooner de vingt-trois mètres de William Brown. Ensuite, il s'est offert le vieux *Veatlis* de Ben Brown et il est toujours resté l'ami de cette famille. Il s'arrêtait souvent à la crique du Mi-chemin, il discutait agriculture avec les Brown, chaque fois qu'il passait dans la baie. Y a pas beaucoup d'hommes qu'achèteraient un schooner en connaissant que dalle aux bateaux, mais un gars qui sait bien faire une chose apprend le plus souvent à en faire une autre, et Ed Watson était capable de s'atteler à n'importe quoi. Au bout d'un moment, il est devenu l'un des meilleurs marins de toute la côte.

J'ai aussitôt deviné que monsieur Watson était un homme bien décidé à arriver, j'ai vu ma chance et j'ai accepté de le guider dans toutes les îles. J'avais déjà travaillé pendant un an là-bas, à chasser la plume et d'autres gibiers pour le vieux Chevelier avant de refiler ce Français à Bill House. Bill et moi on était tout jeunes à l'époque, à peine quatorze ans, mais dans le temps on se lançait de bonne heure dans la vie. Jusqu'aux premières années de ce siècle, y avait pas d'école régulière à Chokoloskee, alors on se mettait au turbin. Rien d'autre à faire quand on y pense.

Les gens me demandent souvent si je me serais embarqué avec monsieur Watson en sachant sur lui ce que je sais aujourd'hui. Eh bien, bon sang, je sais fichtrement pas ce que je sais aujourd'hui et eux non plus d'ailleurs. Avec toutes ces histoires qui ont entouré ce type, comment démêler le vrai du faux ? J'étais juste un gamin, même si je refuse de l'admettre, et tout ce que je voyais c'était un battant aux manières paisibles et avenantes, qui se comportait en accord avec notre conception du gentleman. D'ailleurs, des conceptions, c'était tout ce qu'on avait dans notre région, car de gentleman on n'en avait jamais vu, à moins de tenir compte du prêcheur Gatewood, qui apporta pour la première fois le Seigneur à Everglade en 88 et Le remporta quand il s'en alla.

Monsieur Watson et moi, on coupait du platane dans toute la région de Bay Sunday et de la rivière Chatham, on le transportait jusqu'à Key West, trois dollars la corde. En dehors de Richard Hamilton, qui a filé là-bas dans les années 80 et qui est resté cinquante ans dans les îles, la plupart des pionniers des îles étaient des vagabonds. Y avait même quelques anciens déserteurs de la guerre de sécession à qui on n'avait jamais dit que la guerre était terminée. Cézigues avaient jamais rien connu d'autre que des cabanons en chaume, un youyou, un casier de pêche, quelques armes et peut-être un pichet d'*aguedente* pour repousser les moustiques dans la soirée. Des chasseurs de plume et des bouilleurs de cru pour l'essentiel. Mettaient de la terre dans une baignoire, faisaient leur feu dans leur youyou, laissaient le café au chaud matin, midi et soir.

Un homme qui se dénommait lui-même Will Raymond était le seul colon sur la rivière Chatham — il s'agissait plutôt d'un squatter, qui campait avec sa femme et sa fille dans une hutte de palmette sur ce grand monticule de quarante acres, juste dans la Courbe. Will Raymond ressemblait à presque tous les habitants des Dix Mille Iles : il voulait vivre à l'écart de tout, voyez, il se nourrissait de gruau d'avoine et de mulets, il rassemblait quelques peaux d'alligators et des plumes d'égrettes, il vendait un peu de gnôle de contrebande aux Indiens. Le Français possédait la Courbe de la rivière avant lui, et le vieux Richard Hamilton encore avant : le plus gros monticule indien au sud de Marco et de Chokoloskee, ce qui explique pourquoi le Français s'y est installé. Les Indiens ont toujours appelé cet endroit Pavioni. Mais à cette époque, Pavioni était recouvert de fourrés car Will Raymond n'était pas un bon cultivateur et monsieur Watson le maudissait chaque fois que nous descendions cette rivière, en disant quelle pitié c'était de voir tant de bonne terre à l'abandon. Et peut-être qu'il avait déjà réfléchi que la Courbe de la Chatham se trouvait de l'autre côté de la frontière, dans le comté de Monroe, où les représentants de la loi les plus proches étaient à cent cinquante kilomètres au sud, à Key West. Mais personne y a jamais pensé, pas à ce moment-là.

Oh oui, on en voyait plein dans les îles, de ces hommes des bois qui ressemblaient à Will Raymond, de ces dingos efflanqués aux femmes à la langue vipérine, l'orbite creuse sous le chapeau enfoncé très bas, les cheveux noirs filasse comme les chevaux, des gars susceptibles, en cavale. Ils perdent la boule à intervalles plus ou moins réguliers, leur bonne vieille religion s'imbibe de whisky, se mâtine d'armes à feu, et ils tirent une balle dans le cœur d'un de leurs malheureux voisins. Pour moi, Will a fait ça plus d'une fois, même qu'il en avait l'habitude.

Will devait être salement recherché – mort ou vif, comme on dit. Probable qu'il aurait dû prendre un nouveau nom, repartir à zéro, rapport à ce que la loi a eu vent de son existence, et des adjoints basés à Key West sont venus le traquer. Pas question, leur a dit Will, il préférait être damné plutôt que d'obtempérer et de rester calme, et pour le prouver il leur a fait siffler une balle aux oreilles. Mais il était calmé pour de bon quand la fumée s'est dissipée ; les adjoints ont jeté son cadavre dans leur bateau. Ils ont ensuite demandé à la veuve Raymond si sa fille et elle désiraient une place avec le défunt dans le bateau qui rentrait à Key West, et elle leur a répondu :

– Merci bien, c'est pas de refus.

Presque aussi sec, Ed Watson a retrouvé la piste de la veuve et acheté la concession de Will deux cent cinquante dollars. C'était une somme rondelette à l'époque, mais il y avait quarante acres de bonne terre, sans compter le terrain situé de l'autre côté de la rivière, le monticule le plus élevé au sud de Chokoloskee, et puis Pavioni avait tout de suite plu à monsieur Watson. Protégé sur trois côtés par la végétation dense de la mangrove — fallait venir à lui par devant ou pas venir du tout. Et il admirait le chenal profond de cette rivière, parfois il parlait même de draguer l'embouchure, d'y aménager un port, une escale pour le cabotage.

Oh, il avait de grands projets, pour sûr, d'ailleurs c'était presque le seul gars qu'en ait jamais eu par là-bas. Il s'est tout de suite mis à construire un beau chalet en utilisant des madriers de platane pour la charpente, il a installé des persiennes en bois et des stores en toile sur les fenêtres de devant, il a acheté un poêle à bois, une lampe à pétrole et un tub en métal galvanisé pour ceux qu'auraient eu envie de se laver. En plus, nous mangions bien, tous les poissons et toute la viande qu'on voulait, il avait un grand fait-tout en fer où il préparait des galettes de maïs aussi grandes que l'ustensile. Il rajoutait un peu d'huile à sa bonne farine, puis il cuisait ça sans rien d'autre. Toute ma vie je me rappellerai ces délicieuses galettes de maïs.

Monsieur Watson disait que la cahute de Will Raymond aurait même pas convenu à des cochons, si bien qu'il la rafistola un peu avant d'y enfermer nos cochons. Nous avions deux vaches, et puis des poulets, mais E.J. Watson avait un vieux penchant pour les cochons. Moi, les cochons, ça me fait ni chaud ni froid, mais cet homme aimait les cochons à la folie et les cochons le lui rendaient bien, ils le suivaient partout, aujourd'hui encore je l'entends les appeler au bord de la rivière, comme il faisait tous les soirs. On les enfermait pour la nuit à cause des panthères, très nombreuses le long des rivières, et il leur donnait les rebuts du jardin, les déchets de sa table pour que leur chair n'ait pas un goût de poisson à force de bouffer du crabe et des huîtres à marée basse, comme ces vieux cochons à dos tranchant de Richard Hamilton. Il entretenait une vieille carne pour labourer la terre et parfois il profitait d'une belle soirée pour monter en selle et faire le tour de sa ferme de quarante acres comme s'il s'agissait d'un domaine de quatre mille quatre cent quarante acres.

Monsieur Watson nous faisait turbiner comme des nègres, mais lui-même travaillait comme un nègre avec nous. Il a fait venir deux vrais nègres de Fort Myers pour le sale boulot, et *eux* trimaient pour de bon — cet homme savait faire bosser ses journaliers. Les nègres avaient une trouille bleue de lui parce qu'il était dur, mais en un sens ils l'aimaient bien quand il buvait pas. Il leur racontait des histoires de nègres qui les faisaient pouffer de rire pendant des heures, mais moi je les ai jamais trop appréciées ces blagues de négros. En fait, les nègres et moi, on pense pas pareil.

Les Calusas du temps jadis, c'est eux qui ont construit ce monticule de coquillages, les mêmes peut-être qui ont tué le vieux Ponce de Léon à cet endroit voilà quatre siècles. Et les Calusas étaient toujours là, disait le Français, en 1838, à l'époque de l'expédition militaire dans les îles. Pour lui, les gens de Pavioni étaient les derniers des grands Indiens pêcheurs, il prétendait que ce gros monticule de Pavioni était calusa depuis deux mille ans, exactement comme le gros monticule de Chokoloskee. Ces peaux rouges ont dû écailler pendant un sacré bout de temps, pour balancer un monticule de quarante acres par-dessus leurs épaules. Quelque part dans les environs de Pavioni, sur un monticule caché des rivières, il y avait forcément des tombes sacrées, affirmait le Français. Il parlait parfois de rites sacrés, de sacrifices humains et de fariboles du même acabit, comme si c'était de notoriété publique, mais j'ai jamais vraiment marché dans toutes ces combines.

Le vieux Chevelier a consacré presque toutes ses dernières années à rechercher ce monticule perdu, tirant les oiseaux à plumes et les spécimens de musée juste pour survivre. Presque tout ce que je sais sur les Indiens vient de lui. Sans doute qu'il avait rien d'américain et qu'il était athée comme pas deux, mais c'était l'homme le plus cultivé qui soit jamais venu ici. Bizarre que ce soit un étranger qui en sache plus que nous sur les Indiens. Nos propres parents, ils s'en contrefichaient des Indiens. Ils disaient :

— On commence par descendre ces saletés de Peaux-Rouges et on pose les questions après, parce qu'ils sont pas moins répugnants que l'Espagnol commun.

Le vieux Richard Hamilton passait le plus clair de son temps à pêcher lorsqu'il habitait là ; quant à Chevelier et à Will Raymond, qui ont occupé l'endroit après lui, eux non plus n'ont jamais cultivé l'endroit à proprement parler. Ed Watson fut le premier, depuis les Indiens, à défricher tous les épineux, à déterrer des racines de palmette grosses comme votre jambe et à déblayer suffisamment toutes ces vieilles coquilles d'huître pour aménager une ferme. Voilà pourquoi on appelle ça aujourd'hui le Lieu de Watson. Il cultivait toutes sortes de légumes, de la canne pour le sirop, des tomates et des poires-alligators que la vieille Clyde

Mallory Line acheminait directement de Key West vers New York. Un jour, monsieur Watson est revenu de Fort Myers avec des patates douches ! Les fermiers de la crique du Mi-chemin et de Chokoloskee, ils rigolaient volontiers derrière son dos, mais monsieur Watson a continué d'envoyer ses patates douches pendant trois quatre ans avant de reconnaître que la patate payait pas, mais il en gardait toujours quelques-unes sous le coude pour notre table.

Nos légumes nous rapportaient pas mal d'argent, mais il y en avait trop qui se gâtaient avant d'atteindre la criée de Key West. Coleman et Bartlum, marchands et fournisseurs généraux – nous figurons sans doute toujours dans les livres de comptes là-bas. Mais bientôt, sauf pour notre propre table, nous avons renoncé à cultiver les légumes. Tant qu'il a pu effrayer quelques journaliers, monsieur Watson s'est dit qu'il y avait davantage d'avenir dans la canne à sucre, car la canne ça pourrit pas. Un peu plus tard, il a réfléchi que fabriquer le sirop sur la plantation au lieu de leur expédier toutes ces tiges pesantes était beaucoup plus sensé dans un endroit isolé comme la rivière Chatham, car on pouvait stocker le sirop jusqu'à ce que son cours atteigne le prix désiré.

Par ailleurs, il a remarqué qu'il valait mieux laisser la canne faire ses épis avant de la couper. Car le sirop distillé d'une canne plus mûre était beaucoup plus fort et n'avait pas besoin de sucre. Monsieur Watson a vraiment commencé à gagner de l'argent avec notre sirop de qualité supérieure, et il s'est payé le plus gros schooner de Key West, qu'il a appelé le *Gladiator*. Il versait ce sirop dans des bidons de quatre litres, à raison de six bidons par caisse, puis il le transportait à Port Tampa ou à Key West. Notre sirop « Fierté des Iles » devint célèbre. Il y avait des planteurs à la crique du Mi-chemin comme les Storters et Will Wiggins, le vieux D.D. House à la rivière Turner, qui fabriquaient beaucoup de bon sirop, mais monsieur Watson les a enfoncés en un rien de temps.

Ed Watson était le seul planteur au sud de Chokoloskee qui a jamais fait mieux que survivre au milieu des rivières, c'était le meilleur fermier que j'aie jamais vu. Et en même temps, nous pêchions aussi, nous vendions du poisson salé, nous ramassions les œufs de tortue à la bonne saison, nous tirions l'alligator et l'égrette dès que l'occasion se présentait. A l'intérieur des terres, sur des cours d'eau comme Last Huston Bay ou Alligator Bay, y avait plein d'égrettes et aussi des courlis roses et chaque fois qu'on pouvait on tirait un chevreuil ou deux, parfois une dinde. Avec des pièges, on attrapait des loutres, des ratons laveurs et des panthères pour leur peau, et quand on avait de la chance on tuait un ours. Je me prenais pour un as avec une pétoire, mais croyez-moi, monsieur Ed J. Watson était un tireur hors pair. Le seul homme que j'aie jamais vu tirer comme ça était Henry Short.

Après que D.D. House eut déménagé sa ferme de la rivière Turner vers les buttes de la rivière Chatham, Henry Short venait souvent de la Butte House le dimanche pour voir comment le jeune Bill s'entendait avec le vieux Français qui vivait en amont de la rivière, sur Possum Key. Henry et moi, on était comme cul et chemise, j'ai jamais eu le moindre grief contre lui, mais quand il rendait visite aux Hamilton, ils laissaient le Nègre manger à leur table. Je parle pas de la famille de James Hamilton. Je parle de celle de Richard Hamilton.

En dehors de moi et de monsieur Watson, y en avait qu'un qui chassait les oiseaux à plumes dans ces bras d'eau : le vieux Chevelier. Un après-midi, monsieur Watson aperçut le youyou du Français qui arrivait de derrière Gopher Key. Parfois Chevelier avait des Indiens avec lui, et ce jour-là j'ai vu un canoë en écorce se glisser derrière les herbes avec la discrétion d'un alligator. Dans les Everglades, les Indiens utilisent des pirogues creusées dans un tronc de cyprès et des perches pour se pousser. De ma vie j'ai jamais vu un Indien pagayer dans un canoë.

Dans une pirogue, les braves se tiennent debout, si bien qu'ils vous voient toujours les premiers et vous avez de la chance de repérer un seul Indien. Mais les Indiens vous surveillaient presque tout le temps, une chose à laquelle on s'habituait ou pas. Ils nous ont épiés, nous autres hommes Blancs, quand nous avons pénétré sur leur territoire, et ils nous ont épiés quand nous en sommes sortis, exactement comme des bêtes sauvages, le chevreuil, la panthère, ils s'arrêtent à la lisière de leur abri et ils jettent un coup d'œil par-dessus l'épaule. Ça fait une drôle d'impression d'être observé comme ça, on a bien vite l'impression que les arbres aussi vous observent. Mais on entendait rien d'autre que le gémissement des guêpes, car les cours d'eau étaient pleins de nids de guêpes à cette époque.

Si monsieur Watson a vu cette pirogue, il lui a pas accordé la moindre attention. Chevelier enlève son chapeau de paille pour s'essuyer la tête, monsieur Watson lève son fusil, tire et lui fait sauter le chapeau de la main. Cette balle lui a frôlé l'oreille et l'a fait détaler comme un canard dans les mangroves.

Je m'en suis trouvé tout stupéfié et vous m'entendrez jamais prétendre le contraire. Un silence est tombé sur le plan d'eau à un kilomètre à la ronde. Y avait plus rien à voir dans ces longs tunnels de mangrove, rien que l'air tout vert et les racines aériennes marron et puis des reflets éblouissants à l'endroit où le soleil traversait les arbres, mais je sentais les yeux noirs dans ces visages de pierre juste entre les feuilles.

Monsieur Watson se met alors à crier aux arbres :

— *Sir,* ce chapeau peut être remplacé à la Courbe de Chatham !

J'ai deviné que le Français comprendrait pas la plaisanterie. M'est avis qu'il avait flanqué une trouille bleue à ce pauvre vieux type, car nous n'avons pas entendu le moindre murmure dans les mangroves.

J'ai raconté à monsieur Watson tout ce que je savais sur Chevelier, je lui ai dit que c'était un ermite qui collectionnait les oiseaux rares pour les musées, qu'il utilisait trois fusils de calibres différents pour pas les abîmer, qu'il arrondissait ses fins de mois en vendant des plumes, qu'il possédait toutes sortes de livres là-bas dans son chalet, qu'il savait tout sur les Indiens et sur les bêtes sauvages, qu'il baragouinait le dialecte indien et que les Indiens féroces qui lui rendaient visite ne s'approcheraient jamais de la baie de Chokoloskee. Ces Indiens farouches faisaient le commerce des peaux et des fourrures avec Richard Hamilton, ils se prenaient pour des Choctaws ou un truc de ce genre, mais personne ne s'était jamais beaucoup intéressé à eux. Le Français était toujours fourré avec cette bande de Peaux-Rouges qui fréquentaient Hamilton et c'était sans doute le vieux Richard qui les lui avait présentés.

Je pouvais pas m'arrêter de lui parler du Français, parce que monsieur Watson me dévisageait d'un regard si dur que je devenais nerveux. Ce type vous regardait au-delà des yeux sans rien manifester, ou bien il vous fixait pendant une minute ou plus sans un seul battement de cils. Et puis il clignait juste une fois, très lentement, comme une vieille tortue, en gardant les yeux clos pendant quelques instants comme s'il se les reposait d'un spectacle aussi répugnant.

Ce fut ce jour-là, pendant qu'il se reposait les yeux, que je remarquai pour la première fois son expression sauvage, ses cheveux châtain couleur sang caillé, sa peau rougeaude et ses côtelettes brûlées par le soleil. Ses côtelettes avaient des reflets dorés, à croire qu'il resplendissait de l'intérieur. Et puis ses yeux bleus m'ont à nouveau dévisagé, plongés dans l'ombre du chapeau de feutre noir qu'il ne quittait jamais, été comme hiver. Le seul chapeau dans les Dix Mille Iles, j'imagine, à porter une étiquette à l'intérieur : Fort Smith, Arkansas.

Alors il lève les yeux et me coupe d'une voix sèche :

— Qu'est-ce que fiche ce vieux bonhomme dans son trou ?

Je lui ai parlé du tas de coquillages que les anciens Calusas avaient élevé sur ce tertre et du long chenal en coquillages qui rejoint l'océan. Puis j'ai ajouté que, selon moi, le vieux Chevelier cherchait le trésor des Calusas sur Gopher Key.

Il cligna des yeux, mais sans émettre de commentaire, attendant poliment que j'achève mon laïus. Puis il déclara que, sans chercher noise à personne, il donnerait beaucoup pour jouir de la compagnie d'un homme cultivé comme m'sieur Chevelier — qu'il prononçait Che-*ve*-lier et non Che-ve-*lir*, comme nous — et qu'il s'y était sans doute pris comme un manche pour faire la connaissance de cet oiseau rare.

Il avait raison. Je connaissais ce Français, je savais qu'il avait du cran, sinon il aurait jamais réussi à vivre tout seul dans les îles, où le vrombissement des stiques est parfois si bruyant qu'on a l'impression qu'une espèce de météore est en train de vous tomber dessus. Richard Hamilton allait entendre parler de cette balle malencontreuse et cette histoire était loin d'être terminée. Mais à dater de ce jour, nous avons été les seuls à fréquenter les rookeries d'égrettes.

J'ai travaillé pour Ed J. Watson pendant cinq ans dans les années 90 et je me suis occupé de ses bateaux au cours des années suivantes, quand il allait et venait dans la région. S'il avait accompli tous les forfaits dont on l'accuse, il me semble que j'aurais eu vent de quelque chose. S.S. Jenkins a bossé un bon moment chez Watson et si vous arriviez à faire causer Tant, il vous dirait la même chose. Tout un tas de gens de Caxambas, de Chokoloskee, de Fakahatchee, dont un bon paquet de mes parents, ont travaillé à la Courbe de Chatham à un moment ou à un autre, et beaucoup plus encore ont traité avec lui ici ou là. E.J. Watson n'était pas tendre en affaires quand ça le prenait, car il avait la fibre du commerce, mais le seul qui puisse jamais prétendre que monsieur Watson lui ait causé du tort était Adolphus Santini, qui s'est fait taillader le cou dans ce bouge de Key West. Là-bas, des hommes vous diront que le vieux Dolphus était saoul et qu'il aurait dû voir venir le coup de couteau, mais je préfère rien affirmer, car j'y étais pas.

10 janvier 1960

Monsieur,

Les documents ci-joints relatifs à E.J. Watson sont extraits d'entretiens avec des pionniers floridiens, réalisés il y a des années pour mon livre History of Southwest Florida, *qui a d'abord attiré votre attention sur mes modestes recherches. Bien que je ne me sois pas particulièrement attaché à notre sujet, ces entretiens (disposés ici en une chronologie approximative) contiennent beaucoup de commentaires remarquables sur « monsieur Watson ». Ils affirment sans conteste possible la place privilégiée qu'il occupe dans l'imagination de cette communauté perdue dans un univers sauvage et tellement isolée du siècle nouveau sur ces îles côtières.*

*Je joins aussi à ma lettre d'intéressantes coupures de presse tirées de l'*American Eagle *et du* Press *de Fort Myers, dont des extraits de leur rubrique des nouvelles locales. Ces récits, contemporains des événements, semblent beaucoup plus véridiques que les innombrables livres et articles de revue dans lesquels le nom d'E.J. Watson est apparu depuis, qui ont tendance à se contredire sur les points essentiels comme dans le détail et qui ne donnent certes pas une image cohérente avec l'homme évoqué dans ces récits par ceux qui le connaissaient le mieux. Pourtant, ils posent autant de problèmes qu'ils en résolvent à propos de ce personnage énigmatique qui plane derrière les rares faits tangibles de sa sombre histoire.*

Je vous soumets le résumé suivant de la vie de Watson avec la conviction sincère qu'il est véridique dans ses grandes lignes comme dans ses détails les plus significatifs. Pour l'essentiel, il s'inspire de deux brèves chroniques publiées dans les années 50, chacune étant considérablement plus précise que n'importe lequel des récits connus. L'une a figuré dans une lettre soumise à la rubrique

« La Floride pionnière » du Herald *de Miami par feu le docteur M.B. Herlong, « un médecin pionnier dans son Etat », qui dans sa jeunesse connut apparemment la famille Watson, tant en Caroline du Sud qu'ensuite dans le nord de la Floride. L'autre, due à feu Charles Sherod « Ted » Smallwood, qui fut élevé non loin du district de monsieur Watson dans le nord de la Floride et devint son ami dans les Dix Mille Iles, expose les réminiscences de Smallwood. L'absence de contradictions entre ces deux récits (dus à des témoins directs et entièrement indépendants l'un de l'autre) paraît renforcer leur validité.*

Edgar Watson est né le 11 novembre 1855 dans le comté d'Edgefield, en Caroline du Sud, juste de l'autre côté de la frontière nord-est de la Géorgie. Selon le docteur Herlong, né lui aussi dans le comté d'Edgefield, le père d'Edgar était Elijah Watson, employé occasionnel de la prison d'Etat et fêtard notoire, surnommé Lige Œil-Bagué à cause d'une cicatrice de couteau qui lui entourait l'œil. Selon le médecin, Lige Œil-Bagué brutalisait si violemment sa famille lorsqu'il buvait, que Mme Watson se sentit obligée de fuir avec ses deux enfants pour se réfugier chez des parents à elle dans le nord de la Floride.

La famille voyagea donc vers la région de Fort White, dans le comté de Columbia, assez tôt dans la vie de notre sujet, puisque tant Herlong que Smallwood affirment qu'il grandit dans cette région. Le docteur Herlong déclare qu'Edgar et sa sœur Minnie « grandirent et se marièrent sur ce territoire ».

« Par une nuit où brillait un beau clair de lune, poursuit le docteur Herlong, j'ai entendu un chariot passer devant chez nous. Il faisait assez clair pour me permettre de reconnaître Edgar Watson et sa famille dans le chariot. On raconta qu'ils partirent s'installer en Géorgie, mais ils n'y restèrent sans doute pas longtemps. »

Sans doute Ted Smallwood a-t-il raison de dire que monsieur Watson épousa trois femmes dans le comté de Columbia et l'on peut penser que, dans ce chariot, se trouvaient un fils de son premier mariage, Robert ou « Rob » Watson ; sa deuxième femme, Jane S. Watson ; sa fille, Carrie, née en 1885 ; et un tout jeune garçon, Edgar E., né en 1887. Un autre fils, Lucius, naîtrait dans l'Ouest. Quelle que soit sa cause, la fuite de Watson eut lieu avant le début 1888, date à laquelle la présence des Watson est signalée pour la première fois en Territoire indien. La rumeur populaire prétend qu'avant de quitter le comté de Columbia, il avait tué son beau-frère, qui fut « mis en pièces ». Une autre rumeur parle de « deux cousins ». Smallwood évoque « une fusillade » où un beau-frère se trouva impliqué, mais il ne dit pas que l'issue en fut fatale. Herlong ne parle d'aucune tuerie dans le comté de Columbia à cette époque, mais aucun de nos deux témoins ne se demande pourquoi Edgar Watson entreprit ce long voyage au cœur de la nuit.

Bien que les faits relatifs à cet épisode soient probablement perdus, les nombreux comptes rendus de son association ultérieure avec Belle Starr, la « Reine des hors-la-loi », en Territoire indien, affirment tous que, lorsque M. Watson partit vers l'Ouest, il était recherché pour meurtre dans l'Etat de Floride.

Je suis en correspondance avec des historiens et des bibliothécaires dans l'Arkansas et l'Oklahoma, car j'espère que certains détails du séjour de M. Watson en Oklahoma pourront émerger de ce tombereau de mensonges et d'âneries qu'on a écrits sur Mme Starr. Au cas où je découvrirais quelque chose, vous en seriez aussitôt informé...

A la fin de son séjour dans l'Oklahoma, M. Watson revint apparemment dans l'Arkansas, où il fut jugé et jeté en prison en tant que voleur de chevaux. Il s'évada, semble-t-il, puis rentra en Floride, bien que certains récits évoquent un bref séjour dans l'Oregon. (On trouve aussi mention d'un séjour précédent au Texas, mais aucune preuve n'en a jamais été donnée.) Pendant plusieurs années après 1889, ses déplacements sont obscurs, même s'il semble évident qu'il a rompu avec sa famille.

M. Watson confia à Ted Smallwood qu'à son retour en Floride au début des années 90 il visita Arcadia, alors une ville sauvage d'éleveurs sur la rivière Pease (sur certaines cartes, Peace, à cause du traité de 1842 qui mit fin à la Seconde Guerre séminole), où il descendit un « mauvais bougre » nommé Quinn Bass. « Watson dit que Bass avait mis un type à terre et qu'il le tailladait à coups de couteau, Watson ordonna à Bass d'arrêter, ajoutant qu'il l'avait déjà bien assez amoché comme ça, mais Bass perdit la tête et se retourna contre Watson, lequel se mit à le cribler de balles de Smith & Wesson .38. » (Bien que M. Watson soit apparemment la source de ce récit concernant Bass — et sans doute aussi celle du séjour dans l'Oregon —, il nous incombe de décider s'il a dit la vérité.) Selon la chronologie de Smallwood, cet événement eut lieu peu de temps avant son apparition dans le sud-ouest de la Floride, « en 1892 ou 93 ».

Après Arcadia, M. Watson partit pour Everglade et la crique du Mi-chemin, deux petites communautés de fermiers sur la baie de Chokoloskee, dans la partie nord des Dix Mille Iles. Ces avant-postes de pionniers au milieu des marécages du continent, avec l'île toute proche de Chokoloskee, constituaient les derniers centres de civilisation sur la côté sud-ouest.

Richard Hamilton

J'ai une vie bien remplie, j'ai vécu longtemps et vu plus de choses que je n'aurais voulu. Je me rappelle ce que j'ai vu, tout ça m'a mis un peu de plomb dans la cervelle, mais j'ai toujours cavalé comme un jeune chevreuil et j'ai jamais eu le temps de m'améliorer. Le peu que j'ai appris, je le dois à ce vieux Franchouillard qui, en dehors de moi, était le plus proche voisin de monsieur Watson.

La première fois que j'ai rencontré ce vieux grigou, j'ai essayé de le faire calter de la rivière Chatham. Ça se passait pendant l'hiver 88, deux trois ans avant le jour où M. Ed Watson s'est pointé à la Courbe. Nous vivions à Pavioni à l'époque, là où est aujourd'hui le Lieu de Watson. Y avait quarante acres sur cette butte de Pavioni, mais nous en cultivions un seul, pour notre usage personnel. On gagnait correctement notre vie, on salait le poisson, on coupait le platane, on rassemblait les plumes d'égrette à la saison des amours, on se trouvait quelques peaux d'alligator, quelques loutres, on faisait un peu de commerce avec les Indiens et tout ça coulait de source.

Ce matin-là, j'ai senti quelque chose dans l'air, même si j'ai jamais rien entendu d'anormal. En regardant vers le sud au-dessus de mon champ, j'avise ma bonne femme, Mary Weeks, et j'ai l'impression de découvrir une inconnue. Dans une saute de vent bizarre, avec la lumière qui change tout à coup sur la rivière, ce que je vois c'est plus ma Mary, mais une grosse bonne femme toute noire à la bouche cruelle, en longue robe de guingan, des pieds nus mastocs, une sale grimace à moitié cachée dans l'ombre de sa capeline. Elle est là-bas au bord de la rivière et elle tend le bras, comme si qu'elle avait une vision dans le ciel aveuglant en direction du golfe. Je l'entends point, mais elle braille dans le vent, la bouche arrondie comme un trou.

La grosse Mary est pas du genre à venir vous harceler, elle se contente de vous hurler ce qu'elle veut sans décoller de sa place.

Parfois je fais la sourde oreille, comme si je remarquais rien d'anormal. Mais ce jour-là, j'avais senti anguille sous roche, si bien que je pose ma houe et que je laisse tomber mes patates douces en disant à mes deux gars plus vieux de continuer leur besogne.

Ce vieux chnoque tout maigrelet arrive du Golfe à la rame, cinq bons kilomètres contre le courant. Il porte des knickers avec une cravate et une veste posée en travers du banc, à croire qu'il avait voulu prendre l'air. Jamais rien vu de plus loufoque sur la Chatham. Me suis dit qu'il venait d'un de ces yachts à vapeur qui se pointaient souvent l'hiver sur la côte du golfe et je lui ai crié de faire demi-tour, de redescendre la rivière vers l'endroit d'où qu'il venait, bon Dieu. Mais voilà pas qu'il chasse mes paroles d'un geste, comme si j'étais une mouche. Il prend sa longue-vue et la braque sur la mangrove, comme si qu'il y voit autre chose qu'une mangrove, puis il continue d'approcher en faisant la sourde oreille. Faut qu'il rame dur, car la mer descend, il donne des petits coups de rame rapides et rigolos comme tout, mais sacrément énergiques, même que ça m'a étonné.

Quand il arrive à la berge, il est tout pâle et éreinté, mais nonobstant plein d'excitation.

— Comment *do you do* ? qu'il fait en enlevant son chapeau.

Puis il tend la main vers la rivière.

— Coucou ! lance-t-il.

— Coucou toi-même, que je lui dis en prenant mon fusil.

Ce petit étranger a des lunettes épaisses et des yeux ronds de cinglé. Ses cheveux noirs se dressent sur sa tête comme une brosse ; il a les joues si osseuses que la lumière se reflète dessus, des lèvres rouges et humides et une mince moustache qui fait tout le tour de sa bouche, et puis des oreilles pointues dont le diable aurait été fier. Cette fois, il piaille d'une voix de fausset :

— Coucou de la *mawn-grove* !

— Fais gaffe à tes gestes, que je lui réponds.

— Qu'est-ce que, *hell, you* fichez ici ?

Sa voix est cassante et indignée, comme si j'avais rien à faire sur ma propre terre. Il est trop malingre pour suer sang et eau, mais il prend tout de même un mouchoir pour se tamponner le visage, puis il tend le bras afin de saisir une pétoire posée à l'avant de sa barcasse. Il a tout plein d'oiseaux morts à ses pieds et il veut déplacer son riflard parce qu'il pointe vers mes genoux, mais je savais pas ça à ce moment-là et puis je voulais pas courir de risques. Je remonte donc le canon de mon fusil pour le lui fourrer sous le nez, histoire de lui faire comprendre de quel bois je me chauffe.

— *Hell* alors ! qu'il répète sans raison particulière.

Quand il hausse les épaules et que sa main s'éloigne de son riflard, je remarque qu'il a plus tous ses doigts.

— T'as déjà commis c't erreur avant, à ce que je vois.

— Vous *self*-excitez pas, m'sieu, qu'il dit en se tamponnant le visage derechef.

J'ai jamais rencontré un loustic pareil et je commence à m'énerver. Je prends son fusil dans le bateau, je le casse en deux, je lance les cartouches dans la rivière. Il jette les mains en l'air, roule les yeux au ciel.

— *What* gâchis ! qu'il braille. *Shit* alors, quel pays de merde !

— Z'avez les oreilles bouchées, je lui dis en reposant le fusil dans le bateau. Retournez de là où ce que vous venez.

— Vous êtes trop *enerved*, mon brave, il me dit.

Et le voilà qui saute au-dessus de l'étrave, écarte le canon de mon fusil et grimpe sur la berge. Les mains sur les hanches, il regarde autour de lui comme si qu'il inspectait sa nouvelle propriété.

Derrière moi, j'entends ma femme ricaner. La vieille Mary Weeks a la lippe torve et le rictus mauvais. J'enfonce le canon de mon fusil dans le dos du cinglé et, crédié, le voilà-t-y pas qui pivote, m'arrache le fusil des mains, me fait reculer et, une fois qu'il m'a bien fait reculer, il casse le fusil en deux, en fait tomber les cartouches et les lance à l'eau comme deux souris crevées.

Je vous le dis, ça m'a effrayé, sa vivacité, sa force et puis sa folie. Le gars qui essaie ça quand un inconnu le tient en joue, faut qu'il soit marteau ou tellement las de la vie qu'il préfère se faire trucider plutôt que de supporter les simagrées de quelqu'un. Prenez Willie Brown, il est petit et très fort, mais il est bâti en force et puis il est jeune, alors que ce type-là il a de la bouteille et on dirait un avorton. A ce moment-là, je comprends qu'il a le diable au corps. Même Mary Weeks en reste médusée, d'ailleurs elle ricane plus, et Mary Weeks rate pas une occasion de ricaner.

Mais alors John Leon sort de la cabane en traînant la carabine. Il a beau avoir quatre ans, le John Leon, il connaît son affaire. Il moufte pas un mot, mine de rien il traîne la carabine à travers la cour, jusqu'au moment où il pourra aligner c't étranger dans sa mire et appuyer sur la détente sans risquer de gâcher sa poudre. Son idée, c'est de descendre cet *hombre* en vitesse et de s'expliquer avec lui ensuite.

L'étranger me rend mon fusil tandis que Mary Weeks court maîtriser notre benjamin. Elle s'intéresse plus guère à moi, mais John Leon est son espoir et sa consolation.

Le vieux fou se frotte le dos d'un air dégoûté.

– Vous *shootez* les étrangers juste parce qu'ils débarquent sur votre rivage ? qu'il demande, exaspéré par toute ma famille. Dans ce pays de *shit*, même les petits *babies* tirent sur les *pipples* comme moi sur les zoziaux !

Il époussette son veston et l'enfile sans se soucier de la chaleur. Ses lunettes sont accrochées au bout d'une ficelle. Il se les colle sur le nez, puis se dresse sur la pointe des pieds pour voir à qui il a affaire sur cette satanée rivière.

– C'est la Courbe de la Chatham ? Il regarde encore autour de lui en secouant la tête. Vous êtes *squattaire* ? Vous avez des droits de *squattaire* ?

Le vieux grigou a repéré mes vêtements poussiéreux, il me prend maintenant pour une sorte de domestique.

Dans ce temps-là, y avait sans doute pas plus de dix âmes en tout sur ces cent vingt kilomètres de côte, jusqu'au cap Sable au sud ; voilà pourquoi ce type est tellement surpris de découvrir des pionniers au bord de la rivière. Il se plaint que la Courbe était inhabitée quand il y était passé pour chasser la plume il y a quelques années. Quoi, la semaine dernière seulement, les gens d'Everglade et de Chokoloskee lui avaient assuré qu'il pouvait s'y balader sans problème.

– Des années et des années, *years* et *years*, que mon cœur s'est fixé sur cette place ! s'écrie-t-il en joignant contre son cœur l'extrémité de ses dix doigts. Car personne sait que *you* être ici ?

– I' savent bien que j' vis ici, dis-je.

Il se retourne alors pour m'examiner plus attentivement. Puis il regarde la femme au seuil de la cabane et notre petit garçon.

– Vous avez rencontré John Weeks là-haut à Everglade ? Cette femme est sa fille et ce petit bonhomme est mon plus jeune fils. En entendant ces mots, Mary détourne le regard et rentre dans la cabane : « Ou plutôt il devrait l'être.

Elle tape sur une casserole.

Je vois bien à son visage que l'étranger a eu vent de certaines rumeurs à ce sujet.

— Ah ! fait-il, je com-*prawng* !

Y avait au moins une chose de sûre : c'était pas un Yankee.

Vu que notre visiteur prenait les choses tellement à cœur, je lui ai dit de rester un peu, de se balader à sa guise sur le terrain, mais il hausse les épaules comme s'il me faisait une fleur. Nous descendons alors avec la marée pour prendre son barda sur un schooner de Key West, commandé par le capitaine Carey, qui était ancré à Pavilion Key. Le capitaine lui crie :

— Vous êtes sûr que tout va bien ? Quand voulez-vous que je vienne vous chercher ?

Mais le vieux perché à la poupe lui adresse pas le moindre signe de la main, il se retourne même pas et le capitaine finit par baisser le bras en secouant la tête.

Ce Français est tellement occupé à me poser ses questions qu'il n'attend même pas que je lui réponde. Au fil des jours, je lui apprends que ceci était autrefois la rivière Pavilion, mais que les Indiens du coin, qui connaissent rien à rien, disent *Pavioni*. Alors, voilà-t-y pas que ce satané je-sais-tout de Franchouillard m'explique à moi d'où vient le nom de Pavilion ! Il me dit qu'un pirate espagnol de la mer des Antilles avait campé ici sur une île située au large avec une jeune fille capturée sur un navire marchand hollandais. La fille disait que le pirate avait beau avoir tué toute sa famille, elle accepterait avec plaisir de subir le sort pire que la mort, pourvu qu'il épargne sa chère vie. Parfait, mais l'équipage du pirate en a eu tellement marre de regarder pendant qu'il faisait la bête à deux dos avec elle, ils disaient que ce serait elle ou lui, si bien qu'il a pas eu d'autre choix que de l'empoisonner. Avant de partir et parce qu'il aimait cette fille, il lui a construit un abri de chaume pour la protéger du soleil pendant qu'elle agonisait. Quand un bateau de guerre américain l'a capturé, l'Espagnol a évoqué sa prévenance envers la jeune Hollandaise pour prouver qu'un homme aussi courtois ne méritait pas la pendaison. Après l'avoir pendu, les Américains allèrent sur l'île en question et découvrirent ce qui restait de la fille sous cet abri. Ils appelaient ça un *pavilion*, ils ont donné ce nom à l'île et aujourd'hui encore nous l'appelons « Pavilion ».

Chevelier m'a dit qu'il n'avait trouvé aucune « Chatham » dans les vieux textes. Il a dit que « rivière Chatham » venait sans doute du nom indien *Chitto Hatchee*, ou « Rivière du Serpent » comme elle était appelée sur les vieilles cartes de guerre vers 1840. Fakahatchee, où John Leon est né, cela signifie Rivière Fourchue.

Ce Français connaissait la langue indienne comme s'il était né avec.

Ce vieux bougre – je pense toujours à lui comme à un vieux bougre à cause de la raideur de son corps, même s'il comptait point beaucoup plus de saisons que moi – il nous a ensuite raconté qu'il était arrivé de France avec un « ornithologue » français nommé Charles Bonaparte. Lui-même était ornithologue et il se privait pas de le dire, mais il vendait aussi des plumes d'oiseau pour joindre les deux bouts. Même qu'il ressemblait à un oiseau rare tout décati, comme je vous le dis, bon dieu, la tête toute hérissée de pennons, les yeux globuleux, la démarche raide – et puis cette sécheresse qu'ont les hommes qui vivent trop longtemps sans femme. M'est avis qu'il passait trop de temps avec ses amis emplumés, car lorsqu'il s'excitait, ses cheveux se dressaient sur l'arrière de sa tête comme une crête d'oiseau, il semblait tout prêt à chier, parole, et il caquetait aussi bien que ces perroquets de Caroline qu'il chassait.

Ce fut juste là, à la Courbe de Chatham, que Jean Chevelier abattit le premier faucon courte-queue qu'on ait jamais vu en Amérique du Nord, enfin, un truc de ce genre. Y avait pourtant pas de quoi pavoiser, parce que c'était un volatile plutôt moche – sa queue était fichtrement trop courte, à mon goût. Pourquoi donc qu'il croyait que cette bestiole piteuse qu'on pouvait même pas bouffer allait le rendre célèbre, j'en sais rien. Il avait vu les perroquets de Caroline, très loin à l'intérieur des terres, sur les cours d'eau douce. Des petits oiseaux vert vif, gros comme une colombe, tout rouges et jaunasses sur la tête, mais si timides qu'il avait jamais pu s'en approcher.

Ces perroquets grouillaient comme de la vermine sur les buttes. Je lui dis que j'en mangeais volontiers quelques-uns quand j'allais là-bas chasser le chevreuil et la dinde.

– *Eat it* ? Mange ? Le perroquet ?

Il couinait en se frappant le front. Je lui ai répondu que c'était il y a longtemps et que j'en avais pas revu un seul depuis. Je crois qu'on m'a dit assez récemment que tous ces jolis volatiles avaient quitté la région pour de bon.

A la Noël 1888, le capitaine Carey apporta des cadeaux de Key West pour tous les enfants : à chacun il donna une pomme, une gâterie au sucre de canne et une chandelle romaine. Ce soir-là, le vieux Chevelier dit :

— Ça vous plairait de m'aider à prendre des oiseaux ?

Puis il énumère toutes les espèces qu'il désire – et pas un seul oiseau à plumes dans sa liste. Veut aussi des œufs sauvages. J'opine du chef pour lui montrer que je le suis, et quand il cite le nom du « faucon à queue d'hirondelle », j'opine de plus belle et dis :

— *Tonsabe.*

Alors il me fonce dessus :

— D'où c' qu'il vient, ce mot ?

Je lui réponds que c'est le terme indien pour faucon à queue d'hirondelle et il me demande alors d'un air vraiment matois :

— Quel indien ?

— Choctaw, je lui réponds.

J'ai choisi de m'appeller par le nom de ma mère pour éviter les ennuis dans la vie quotidienne. Les Choctaws étaient de bons Indiens, je lui assure, ils ont aidé le vieux Andy Jackson à lutter contre les Creeks, ils l'ont aidé à voler presque toute la Géorgie pour les pauvres Blancs. Mais quand ils l'ont nommé président, le vieux Hickory a ramassé tous les Choctaws avec ces saletés de Creeks et il a envoyé toute cette triste racaille de loqueteux et de misérables en Oklahoma. J'ai dit au Français que le vieux Hickory avait malgré tout un petit faible pour les Choctaws.

Ce Français ne s'intéressait pas beaucoup à mes récits historiques. Il me demande le nom de cette rivière dans ma langue et je lui dis que les anciens noms de ce pays ont été perdus. Il hoche rapidement la tête, comme s'il venait de poser un piège.

— *Tonsabe* est un ancien nom, un *old name*, n'est-ce pas ? Il sourit. *Tonsabe* est un mot calusa, *is not it* ?

Il m'a pris par surprise et mon visage m'a trahi. Ce mot n'est pas utilisé par les Mikasukis, et pas davantage par les Muskogees, ce mot vient en droite ligne de mon grand-père, le chef Chekaika.

Dans ce temps-là, le nom de Chekaika était détesté des Blancs, si bien que, finaud, je lui réponds :

— Les Choctaws et les Calusas étaient très proches.

Mais il continue de me regarder dans le blanc des yeux, hochant la tête comme s'il lisait mes pensées. Puis il s'installe sur une caisse et ses genoux touchent presque les miens.

— Très peu de calusa mots survivre, dit-il en hochant toujours la tête et en me dévisageant.

Je décide de lui faire confiance juste un peu, parce que c'est pas souvent que je trouve quelqu'un qui sait de quoi je cause. Eh bien, que je dis, mes parents n'étaient pas Calusas, pas exactement, ils étaient ce que les Blancs appellent des Indiens espagnols.

Bon dieu, ça le met dans une telle joie qu'il bondit sur ses pieds avant de se rasseoir presque aussitôt. Il me dit que les Indiens espagnols sont les descendants des Calusas que les Espagnols emmenèrent à Cuba. Etant Espagnols, ils ont ramené en douce quelques Indiens sur cette côte pour faire du grabuge quant les Américains se sont emparé de l'Etat de Floride.

— *What* ! Tu es Calusa !

Et quand je ne lui réponds pas, il me fait son drôle de sourire.

— Tu sais tout sur les tombes calusas !

Je hausse encore les épaules.

Chevelier m'a dit qu'il avait étudié les cartes et tout le tintouin, lu les archives espagnoles à Madrid, exploré tous les gros tumulus des Dix Mille Iles avant de décider qu'à l'époque espagnole la Courbe de Chatham était l'un des principaux tumulus calusas. A un endroit très proche d'ici, les Calusas ont pris dix-huit canoës et ont attaqué Juan Ponce de Leon et peut-être bien qu'ils se sont retirés dans ces bras de rivière cachés pour échapper aux véroles espagnoles, car ces véroles ont causé beaucoup plus de dégâts que toutes les épées et les tromblons réunis. Si sa théorie était exacte, alors quelque part dans ces îles vertes oubliées de Dieu se trouvait un tumulus funéraire, construit en un lieu plus élevé que les monticules des villages, avec du sable blanc, et un signe décisif serait des traces de chenaux aboutissant à la pleine mer, semblables à ceux qu'il avait déjà vus plus haut sur la côte. Le temple serait maintenant détruit et le sable blanc recouvert de végétation, mais malgré tout il y avait bel et bien un tumulus funéraire sur une de ces fichues îles, forcément ! Il était très excité, mais il prit un air dégoûté quand je haussai les épaules.

— J'suis rien qu'un vieux crétin d'*Andien*, je lui dis.

— Les Indiens disent *crétin d'Andien*, les Yankees disent *crétin d'Indjin*. Pourquoi ça ?

— Peut-être que le crétin d'*Andien* est foutrement trop crétin pour apprendre à prononcer *crétin d'Indjin*. A votre avis ?

— *Lisse-ten*, qu'il me dit. Ecoute, Je suis *very interested* par les *Indiang pipples. Shit* alors, ces pauvres Blancs entravent que couic, c'est rien que des tombes pilleurs ! Des sépultures violeurs !

Il déblatère ainsi pour faire ami-ami avec ce type un peu loquedu qui s'entend peut-être pas très bien avec ses voisins Blancs.

Il voulait étudier un tumulus funéraire calusa, m'avoue-t-il d'un trait.

— Trésor calusa ?

Je le gratifie de mon sourire le plus suave. Il ne répond pas.

Tout le temps que le Français me causait de son tumulus, il surveillait mes yeux comme un joueur de cartes pour voir si je pouvais le mettre sur une piste. Maintenant, je le connaissais un peu et je crois qu'il voulait vraiment étudier ce tumulus, tout comme il désirait étudier les oiseaux, parce que c'était un vrai savant, il était né curieux et c'était le gars le plus fouineur que j'aie jamais connu. Mais ces tombes, il commencerait par les piller, car d'une certaine manière il était affamé par la vie, et puis cupide, et il tenait peut-être là sa dernière chance d'acquérir gloire et fortune. Je l'observais aussi attentivement qu'il m'observait et je voyais sa main mutilée trembloter pendant qu'il parlait.

— Eh bien, je dis, un jour que j'étais occupé à *sépulture violer* avec mon fils aîné, on avait aligné une douzaine de jolis crânes sur une bûche, histoire de leur faire prendre l'air, comprenez ? On en décalotte quelques-uns pour faire des jolis cendriers et on équipe l'intérieur pour les cigares. Indépassable comme humidor humain. (Je fredonne un peu, je prends mon temps). Tous ces crânes de peaux-rouges décorés artistement pour les touristes, ça peut vous rapporter un joli magot à Key West.

Il ouvre des yeux comme des soucoupes :

— Comm*aung* ? lâche-t-il.

Ces Français disent « *Come on* ! » (« Allons donc ! ») comme s'ils posaient une question : « Com-*maung* ? »

— Bah, évidemment ! L'un de ces crânes avait un joli trou dedans, d'ailleurs je l'ai donné à mon fils et il a planté une plume de busard dans le trou, le résultat était très beau.

Je le laisse digérer ça pendant une bonne minute.

Puis il me dit d'une voix toute drôle :

— Où était donc cette *place* ?

Pas une seconde il ne s'est douté que je le menais en bateau.

— Ah, pas question ! je lui réponds. Même mon pire ennemi, je le guiderais jamais là-bas !

Je baisse alors la voix et je m'approche du Français, jusqu'à lui toucher les genoux.

— Quand on a eu aligné ces crânes sur la bûche et qu'on a mis la plume en place, eh ben tout d'un coup les arbres sont devenus complètement silencieux autour de nous ! Et ce silence était tellement silencieux qu'il nous sonnait aux oreilles ! (Je m'interromps et opine du chef une ou deux fois) : Alors là, on a eu une pétoche terrible, on s'est carapatés à toute vitesse et pour rien au monde on retournerait là-bas. On a abandonné les douze crânes alignés sur cette bûche, tout souriants pour nous dire au revoir. Parce que ce silence qui nous sonnait aux oreilles, vous savez ce que c'était ? C'était les esprit vengeurs des *Andiens* calusas !

Je lui exhibe alors mon visage d'Andien buté et je refuse de répondre à ses questions, disant que c'est pour son propre bien, et il est forcé d'accepter mon silence têtu à cause de son grand respect pour les nobles Peaux-Rouges. Il s'est éloigné en secouant la tête à l'idée qu'un Andien puisse violer des sépultures andiennes, mais bien décidé à piller à la première occasion. Je connaissais précisément le tumulus que cherchait le Français, mais après ce jour et jusqu'à sa mort l'un de mes gosses lui servit généralement de guide afin de le lancer sur des fausses pistes et de l'éloigner le plus possible de son but.

Tous ces petits bras d'eau et ces chenaux ont une espèce ou une autre de tumulus de coquillages à leur entrée ; le vieux grigou pouvait donc en explorer une bonne centaine sans jamais trouver le bon. Mais au sud et à l'ouest de Possum Key, bien caché du monde au milieu de kilomètres de mangroves, il y avait un vieux et gros tumulus de coquilles de clams appelé Gopher Key, avec un chenal de construction calusa que nous appelions le Bras de Sim et qui débouchait droit dans le golfe du Mexique. Je sais pas grand-chose sur le vieux Sim, c'était peut-être un de ces paumés de la guerre civile qui s'était planqué sur cette *key*, il attrapait plein de tortues terrestres pour son dîner. Gopher Key n'était pas l'endroit que Chevelier recherchait, mais il y a trouvé assez de coquillages pour creuser pendant le restant de ses jours.

Bref, nous l'avons emmené là-bas pour qu'il s'occupe. Il s'est senti tout excité en découvrant combien l'île était bien cachée et puis ce long chenal rectiligne recouvert de coquillages l'a convaincu que Gopher Key était un lieu sacré. Pendant quelques années, ce pauvre petit bonhomme fou furieux a consacré presque tout son temps libre à déblayer des coquillages blancs. La chaleur était terrible et puis les stiques l'ont tellement piqué que bientôt il n'y a plus eu une seule goutte de sang français dans sa vieille carcasse. Walter, mon garçon – le moricaud – il disait :

– Le temps que les stiques en aient fini avec lui, ce Français aura perdu tout son sang de Français et il parlera le ricain aussi bien que nous.

A propos de sang, mon grand-père était Andien Espagnol pur sang, il voulait rien avoir à faire avec les Muskogees et les Creeks Mikasukis – les Séminoles – qui envahissaient son pays calusa. Il a fini par comprendre le conseil du chef Tecumseh : si les divers peuples andiens renonçaient pas à leurs querelles pour combattre les Blancs tous ensemble, il ne resterait plus la moindre parcelle de terre pour laquelle lutter. Comme de juste, les Blancs ont menti et n'ont respecté aucun de leurs accords. Ici en Floride, ils voulaient parquer tous les Andiens qu'ils avaient pas tués, expédier ces connards de Peaux-Rouges en Oklahoma.

Chekaika ramena donc quelques Andiens espagnols et des Mikasukis, puis il remonta la Calusa Hatchee et flanqua une rouste au lieutenant-colonel William Harney et à ses soldats qui établissaient des comptoirs de commerce en territoire andien. Parole, Chekaika a chassé cette crapule d'Harney en caleçon dans les fourrés, ce qui ne fut ni oublié ni pardonné. Le chef Billy Jambes-Arquées, qui à l'époque était un jeune homme, a participé à ce coup de main. Ensuite, Chekaika prit dix-sept pirogues, contourna le cap Sable, pénétra dans les Keys puis dans le port d'Entry sur Indin Key et tua le docteur Henry Perrine, le célèbre botaniste, ce qui provoqua un grand scandale. Les gens parlèrent de massacre, mais ce docteur Perrine voulait faire drainer un chenal au cap Sable, en territoire calusa ; les gens passent toujours ça sous silence.

D'Indin Key, Chekaika revint à Pavioni, mais il se dit que l'armée connaissait ces potagers et que Pavioni serait le premier endroit où ils viendraient le chercher, si bien qu'il partit avec son peuple et remonta la rivière du Requin jusqu'à une grosse butte située à peut-être soixante kilomètres de la côte est. A l'époque la rivière du Requin s'appelait Chok-ti Hatchee, la Longue rivière, car c'était le principal cours d'eau des Everglades, elle coulait tout du long vers le sud à partir de la Grande eau, Okee-chobee. Les Blancs, qui ignoraient le mot *Chok-ti*, crurent que ces crétins d'Andiens essayaient de dire *Shark* (requin), et l'affaire fut entendue.

Un après-midi il montra à ma mère le beau faucon à queue d'hirondelle qui allait et venait comme un cerf-volant parmi les arbres. *Ton-sa-be*, dit-il très lentement et avec grand soin, pour que sa petite fille s'en souvienne toujours, le soleil et l'oiseau et les herbes aquatiques scintillantes à l'ouest du tertre. *Tonsabe*. Ce mot dégringola de ses lèvres comme une voix montant de la terre. Il lui dit que, vues d'en-haut, les ailes de cet oiseau reflétaient le ciel bleu, mais que seul Dieu pouvait les voir d'au-dessus ; ainsi, *tonsabe* était l'oiseau de Dieu, envoyé pour veiller sur nous.

Certains de ces Séminoles imbibés de whisky acceptèrent de l'argent sale pour dénicher le camp du chef Chekaika et l'armée envoya Harney de Fort Dallas afin de traquer mon ancêtre sur la rivière Miami. Les soldats l'attaquèrent par surprise sur sa butte. Ma mère et d'autres enfants coururent se réfugier parmi les roseaux, mais son père fut tué et ils le pendirent avant qu'il soit passé de vie à trépas. Les membres de sa famille revinrent au clair de lune le lendemain, ils l'avaient vu osciller dans l'ombre de ce grand acajou, pivotant sans arrêt sur lui-même. Ils le détachèrent et l'ensevelirent à l'andienne.

Les Mikasukis appellent cette butte le Lieu de la Pendaison et ils considèrent Chekaika comme un Mikasuki, même s'il était entièrement Calusa. Chekaika fut l'homme le plus grand dans la mémoire du Peuple, et les Mikasukis l'affirment aujourd'hui encore. Certains Mikasukis revendiquent aussi le chef Osceola, bien que ce chef ait été un demi-sang Creek Muskogee. Ces pauvres Andiens sont désespérés, à mon avis.

Après que Harney se fut vengé du chef Chekaika, il partit vers l'ouest à travers les Glades et il arriva à ce qu'on appelle aujourd'hui la rivière Harney. Les Blancs dirent qu'il fut le premier à traverser les Glades ; les Andiens ne comptent pas, bien sûr, et n'ont jamais compté. Après ça, il est parti dans l'Ouest, où il a massacré tout un tas de Sioux. Ça lui a valu ses galons de général, mais il est jamais devenu président comme Andy Jackson et Zach Taylor, et tous les guerriers andiens on les a regroupés ici, parce que nous autres les Peaux-Rouges on a botté le cul de Bill Harney du début jusqu'à la fin.

Au printemps qui a suivi la mort de Chekaika, les quelques guerriers restants ont profité de la Danse du Maïs Vert pour passer la consigne que tout Andien surpris à causer avec un homme Blanc serait tué, moyennant quoi ils ont continué de se planquer pendant vingt autres années, jusqu'à ce que les Blancs en aient marre de prendre des raclées et préfèrent se lancer dans leur propre guerre civile.

Les Guerres de Floride furent les seules guerres indiennes que l'U.S. Army ne gagna jamais ; il leur fallut ruser, corrompre et voler pour accomplir leur sale boulot, pour que les Andiens s'entre-déchirent. Ils réussirent finalement à mettre la main sur Billy Jambes-Arquées, qui avait commencé à se battre avec Chekaika sur la Calusa Hatchee. Ils ont emmené ce vieux Billy à Washington, ils lui ont donné le nom de Billy J. Arquees, ils l'ont fourré dans un hôtel rupin où aucune raclure de Peau-Rouge n'était normalement acceptée. Quelques années plus tard, ils l'ont couvert d'argent et Billy a emmené son peuple vers l'Ouest en lui faisant abandonner son Territoire.

Avant le départ de Harney pour l'Ouest sauvage — Chevelier m'a raconté ça — ce fils de pute recommandait le drainage des Everglades, exactement comme le docteur Perrine. Ça revenait à recommander la ruine de la Floride du sud, même si ça ne s'est pas fait avant le début du siècle nouveau.

Ma mère a quitté Deep Lake pour partir vers l'Ouest, à Wewoka, en Oklahoma, avec le peuple de Billy Jambes-Arquées, et elle a tout de suite rejoint la mission catholique pour que ses gosses crèvent pas de faim. J'ai passé toute ma jeunesse là-bas, en Territoire andien. Ensuite, je me suis engagé comme soldat dans l'armée de l'Union, dans un régiment de cavalerie composé de mes frères et de négros qui passaient leur temps à violer, à se bagarrer et à ripailler sur tout le Territoire et même au-delà. Certains de ces hommes étaient à moitié andiens et à moitié négros, ils descendaient d'esclaves costauds qui s'étaient enfuis dans la sauvagerie avant d'être adoptés par des Andiens qui appréciaient leur courage, et il y avait là les hommes les plus gros et les plus forts que j'aie jamais vus. Les Andiens nous appelaient les soldats-bisons, car les plus foncés avaient la couleur du bison, avec le même duvet sombre et laineux. Les femmes andiennes qui nous voyaient arriver s'allongeaient aussitôt et s'enfournaient du sable dans leur intimité pour nous retirer toute envie, voyez, au point que fallait d'abord les capturer au lasso. Ça faisait partie du jeu et elles y prenaient apparemment autant de plaisir que nous. Enfin, la plupart.

Aujourd'hui, je me sens peut-être un peu honteux d'avoir pris les armes contre mes propres frères andiens ; mais à l'époque où j'étais soldat, je considérais pas ces tribus de l'ouest comme des humains. Ces plaines solitaires n'étaient pas notre pays, et puis ces Kioways, ces Comanches, ces Pawnees et les autres étaient rien que des couillons de renégats, même qu'ils entravaient pas une seule de nos paroles.

Seulement plus tard, j'ai eu l'occasion de parler avec un vieux medecine man, un Creek ; il m'a demandé où j'étais né, dans quelle tribu, je lui ai dit que je venais de Floride et alors il m'a lancé :

— Comment se fait-il que tu ne restes pas sur ta terre ?

J'ai mis un certain temps à comprendre ce qu'il voulait dire, à l'andienne ; mais quand j'ai pigé, j'ai laissé tomber les soldats-bisons et je suis parti vers le sud et l'est, vers la Terre de Floride. Aux dernières nouvelles, l'Union était toujours à mes trousses, mais c'était il y a longtemps. J'étais ce que vous appellerez peut-être un déserteur et j'ai pas cessé de déserter depuis, du moins rapport à l'homme Blanc et à ses manières.

J'avais trois bonnes raisons de rentrer chez moi. Les Andiens d'ici – les Mikasukis sauvages qui se planquaient dans les cyprès – étaient restés de vrais Andiens, ils avaient pas capitulé devant les missions, ils s'étaient jamais occupé de l'Union. Et puis ces îles étaient un lieu sacré de la terre natale calusa. Enfin, Chekaika avait vécu à Pavioni avant de se réfugier à Long River, si bien que Pavioni constituait pour moi une espèce de foyer.

Vers 1875, je me suis mis en cheville avec William Allen, qui fut le premier pionnier dans les îles. Il s'est installé sur la crique de Haïti Potato – *haïti potato*, la patate haïtienne, c'est la cassave, m'a appris le Français –, et il a changé son nom en rivière d'Allen. On a d'ailleurs gardé ce nom-là jusqu'aux années 90, quand la famille Storter a choisi d'appeler ça Everglade. J'ai jamais été du genre à craindre les boulots durs et je m'entendais sans problème avec tous les autres pionniers jusqu'au jour où j'ai approché Mary Weeks, à l'île de Chokoloskee, là-bas dans la baie.

Chukko-liskee, comme disent les Andiens, signifie *vieille maison* – vieille maison calusa, à mon avis, vu que les Andiens des cyprès étaient point là aux premiers temps. Personne se rappelait la moindre vieille maison, mais le Français s'est mis dans le crâne que c'était forcément une espèce de temple. Ce gros monticule se trouve tout là-bas, à l'endroit où la Turner descend des Glades avec sa bonne eau bien fraîche – la rivière Turner s'appelait jadis Chukko-liskee, et il est bien abrité derrière sept ou huit kilomètres d'îles. Les campements d'Everglade et de la crique du Mi-chemin étaient rien que des berges de boue à moitié submergées, mais l'île de Chokoloskee est un monticule de coquillages de cent cinquante acres, haut de trois mètres à certains endroits. Ces Andiens savaient fichtrement bien ce qu'ils faisaient, ils seraient jamais chassés d'Old House Key, par aucun ouragan.

Mon beau-père, le vieux John Weeks, s'est lancé dans l'agriculture avec des chariots au cap Sable pendant la guerre de sécession, puis il est monté vers la crique de Haiti Potato et il s'est baladé dans les îles. Il a décrit un cercle complet pour finir par se retrouver à son point de départ, au cap Sable, avant de mourir. Ce type râblé fut le premier pionnier sur l'île de Chokoslokee. Assez vite, il a vendu la moitié de l'île aux Santini, et ensuite le vieux Ludis Jenkins – le papa de Tant Jenkins – est arrivé avec sa femme Daniels et ses enfants Daniels. L'une des filles Daniels épousa ensuite Nicholas Santini et l'autre mit au monde Henry Thompson.

Le vieux John Weeks, il passait pour Blanc, il devait surveiller son honneur, mais moi j'ai mis un certain temps à comprendre les manières des Blancs. Si j'étais un Choctaw, comme j'ai dit, alors j'étais « un bon Andien ». Et si j'étais mulâtre, comme ils disaient, alors j'étais un homme libre, un citoyen à part entière. Mais nous étions en 1876, juste à la fin de la Reconstruction, quand les Rebelles ont rétabli la situation dans tout le Sud et que l'existence est devenue plus atroce que jamais pour les gens qu'avaient pas la peau assez rose à leur goût. Alors ces pauvres Blancs décident de protéger leurs femmes et de virer de leur campement ce putain de Choctaw, peut-être de l'enduire de goudron et de plumes pendant qu'ils y sont. Vous avez déjà vu un type couvert de goudron et de plumes ?

Eh ben je me suis trissé vite fait, mais j'ai emmené Mary Weeks avec moi. On est partis vers le sud en descendant les Dix Mille Iles, tout du long jusqu'au monticule calusa de Pavioni.

Les premières années, personne est jamais venu nous enquiquiner. Ce fut seulement après l'arrivée de Watson, quand les buttes se firent rares, quand les hommes de la baie se déplacèrent vers le sud pour trouver de bons lieux de pêche, qu'ils changèrent d'attitude. Ils se montraient même amicaux envers moi lorsque je montais faire mon petit commerce et quand ils ont remarqué que j'exhibais pas ma bonne femme. Ils la considéraient comme une souillon qui avait filé avec un café au lait et tant que je me vantais pas de ma conquête en l'exhibant devant des citoyens craignant Dieu, eh ben c'était pas la faute du nègre, voilà ce qu'ils disaient. Parce que rapport aux femmes Blanches, vous savez bien, les nègres se contrôlent plus. Etant un animal au fond de son cœur, le pauvre diable perd complètement les pédales.

Mais attention, cela veut surtout pas dire que cette crapule infecte ne se fait pas châtrer, brûler et lyncher, car les Chrétiens bon teint sont pas près de tolérer ses diableries noires. Mais tant qu'il respecte leurs sentiments religieux, comme je fais, tant qu'il enferme sa putain qui aime les nègres, tant qu'il vit avec les fuyards et les desperados, tout au fond de l'enfer dans ces îles enténébrées où seul le diable est témoin de leurs sacrilèges — eh ben alors, nom de Dieu, vivre et laisser vivre, pas vrai, les gars ? Que le Seigneur béni qui habite aux Cieux s'occupe de Ses propres pécheurs, et qu'Il les envoie Lui-même à leur perdition le jour du Jugement dernier.

Certains étés gris dans les îles, quand cette pluie tombe sans discontinuer, que les chiards pleurent, et que pendant des jours et des jours et des jours y a rien d'autre que la boue, la faim, les stiques mauvais, tout ça baignant dans une vapeur infernale assez dense pour étouffer une saleté de grenouille — ces longs étés gris et caniculaires me convainquaient presque que le jour du Jugement dernier était bel et bien arrivé.

Dès qu'on s'est installé au bord de la Chatham, cet endroit est devenu notre territoire Hamilton. Les Blancs étaient les bienvenus à ma table, mais pas davantage que n'importe quelle autre couleur. C'était peut-être le seul endroit de la région où je pouvais m'en tirer, mais ça veut pas dire que j'étais pardonné. Sally, la sœur de Mary, épousa Jim Daniels, et plus tard leur fille Blanche se maria avec Frank Hamilton dont le père, James, s'installa vers cette époque sur la rivière de l'Homme perdu. Ce James Hamilton n'était un parent en aucune manière, je crois même pas que c'était son vrai nom, mais son fils s'est marié dans notre famille. Comme quoi James Hamilton est devenu un parent par alliance et ils sont restés nos voisins pendant de nombreuses années, mais ils disaient aux gens qu'il y avait point de rapport avec nous.

Belle lurette que j'ai renoncé à m'étendre sur tout ça. Suffit que je regarde ma main foncée pour savoir que, y a pas à tortiller, mon sang est un drôle de mélange. En revanche, John Leon passerait pour Blanc n'importe où, et puis Eugene lui aussi il a la peau blanche, comme Annie, la plus jeune. Mais le Walter, lui, il est plutôt foncé, de bons traits minces, mais sa peau a de l'ombre dedans, et ma fille aînée est d'une belle nuance café au lait. Cette couleur vient peut-être de ma mère, de l'époque où les Andiens et les esclaves étaient en cavale tous ensemble à travers tout le nord de la Floride. Cette vieille femme était andienne jusqu'à la moelle, elle s'est jamais considérée autrement que comme une Andienne.

Quant à Mary Weeks, sa mère à elle était complètement Séminole, même qu'on disait que c'était la petite-fille d'Osceola. Alors, si cette bande de Hamilton sont pas des Andiens, autant dire qu'il reste plus le moindre Andien sur tout le territoire des Etats-Unis d'Amérique.

Cette première année 1888, le Français acheta mon titre de propriété pour la Courbe de Chatham. Il m'a dit d'un ton bourru qu'on pouvait très bien y rester, mais certains signes m'ont convaincu qu'il était temps d'en partir. Je me suis jamais senti bien à Pavioni, j'ai jamais aimé l'endroit. Pavioni était lourd d'histoire ancienne, lourd de méfaits qui remontaient aux premiers temps. C'était ce que les Andiens appellent un lieu de pouvoir, mais il s'agissait d'un pouvoir mauvais, d'une chose sombre.

Les Andiens se fient aux signes, ils ont besoin d'aucun prétexte pour quitter un endroit qui leur revient pas, ils se contentent de bouger leur cul pour le poser ailleurs. Les premières années, tous nos biens tenaient dans un seul bateau, on voyageait léger. On se levait, on partait, on dressait une cabane vite fait dès qu'on débarquait, une hutte en chaume où on pouvait se reposer un moment.

Possum Key, voilà où qu'on est allé, c'était seulement à quelques kilomètres en amont sur la rivière. On avait sept ou huit bons acres de terre, bien plus de jardin qu'on en avait besoin. Ce printemps-là j'ai chassé la plume pour le Français ; Possum était toute proche des grandes rookeries sur les cours d'eau des Glades derrière Alligator Bay, et puis pratique pour les Mikasukis qui faisaient le commerce des plumes et des loutres. Les derniers renégats mikasukis se cachaient dans Big Cypress, sur les buttes situées derrière la fondrière de l'Homme Perdu, et c'étaient les derniers Andiens sauvages du continent. Ils ont jamais signé le moindre traité avec aucun Grand-père Blanc. Une pirogue arrivée à Everglade à la fin des années 80 contenait les premiers Andiens vus par des Blancs depuis trente ans. Mais ils espionnaient les environs de Possum Key peut-être deux ans avant ça, ils nous apportaient entre autres choses des dindes, des quartiers de chevreuil, et on transportait leurs fourrures et leurs plumes d'oiseau jusque chez Storter, on leur achetait de la camelote, on commandait quelques fusils à la quincaillerie du colonel Wall à Port Tampa et on leur donnait aussi un peu d'alcool de canne pour qu'ils puissent faire ribote.

Chevelier dormait mal à Pavioni, tout comme nous, mais il mit un an à le reconnaître, ce qui prouve à quel point il était scientifique et combien il renâclait à abandonner toute cette bonne terre. C'était la cupidité en lui. Quand je lui ai dit que Pavioni avait une mauvaise influence sur lui et qu'il n'y dormirait jamais bien tant qu'il cultiverait pas la terre, il s'est mis à me crier dessus en agitant les bras. Mes gamins avaient appris à très bien l'imiter :

– Qu'est-ce que *you* croyez *I am* ? Un crétin d'*Indian sou-per-sti-cious* ?

Très vite, presque tous les habitants de la côte imitèrent Jean Chevelier, nous parlions son sabir presque aussi bien que lui.

Jean Chevelier céda son titre de propriété au premier *hombre* qui se présenta, un gars du nom de Will Raymond.

– *It is* seulement que je peux pas *cultivate* ces quarante *ay-caires, shit* alors ! *It is very* dommage, *big* gâchis et *what* honte !

Nous avons donc pris le Français avec nous à Possum Key, nous lui avons construit une maison pour abriter tous ses livres, ses oiseaux empaillés et tenir à l'abri de la pluie ses vieux os criblés de piqûres de stiques, et pour tout notre labeur on a pas eu droit à un seul merci. Quand on a eu terminé, il nous a virés comme des malpropres, apparemment ravi de nous voir déguerpir.

Oh oui, nous avons adopté le Français dans notre famille, même s'il s'en rendait pas compte. Jusqu'à la fin, il a pesté et déblatéré comme un raton-laveur. Y a eu un jeune gars qu'est venu l'aider un moment, Henry Thompson, et après le départ d'Henry il a pris Bill House, mais il a jamais fait confiance à aucun des deux, il les a jamais laissés s'approcher, de peur que ces gars-là vendent la mèche du trésor qu'incessamment sous peu il était certain de découvrir sur Gopher Key. Il menait ces deux petits gars à la dure, il les rossait et s'arrangeait pour qu'ils aient toujours peur de lui. Il était tout bonnement trop costaud pour un homme de son âge, voilà pourquoi les gens disaient toujours qu'il était possédé par le diable.

Le Français s'enflammait et clamait qu'il ne marchait pas dans la combine Notre-Père-qui-êtes-aux-Cieux :

— L'homme *made* à l'*im-èdge* de Dieu ? Complète *sti-ou-pi-di-ty* ! Qui dit ça ? Homme Noir ? Homme Rouge ? De quel homme *you* parlez ? Homme Blanc ? Homme Jaune ? Dieu est de toutes ces *colors* ? *Say tabsurde* ! *Homo sapiens*, faut qu'il *shit*, comme n'importe quelle *focking crit-chure. You* dites à moi que Dieu doit *shit* aussi ?

Il fusillait du regard les murs verts, le ciel blanc, la chaleur moite, le silence de l'été, et il opinait du chef.

— *Well*, peut-être, *afteur aul you* êtes dans le vrai, Ritcharde. Peut-être ce *foking place* est l'endroit où Il a fait sa crotte.

Ou alors le vieux pointait brusquement l'index vers le soleil, vers une ride argentée sur l'eau, en disant :

— *Look* vite ! Tu vois ? *Ça, it is* Dieu ! *Ça*, c'est *the Big Miis-taire* !

Il voulait dire « le Grand Monsieur », au cas où vous ne parleriez pas anglais.

Etant catholique, Mary Weeks détestait les discours païens du Français pire que des blasphèmes. Même un Dieu qui avait des envies pressantes était plus supportable qu'un Dieu qui surgissait dès que vous aviez le dos tourné.

— C'est vrai, *is not it* ? Zoziau *shit* sur votre tête, *that* c'est Dieu aussi !

Pour préserver la paix, je me contentais de secouer la tête en entendant ces hérésies françaises, mais j'étais intimement convaincu de la vérité de ses déclarations sur le soleil, les rides argentées de l'eau, oui, sans oublier la merde d'oiseau. Mais pour préserver la paix des ménages, je lui disais qu'il causait comme un crétin d'Andien.

Pavioni passa donc entre les mains de Chevelier, puis entre celles de Will Raymond. Un temps, l'île s'appela le Lieu de Raymond, comme si Will avait été une espèce de notable régional. Je crois point qu'il l'était. Comme je veux accuser personne, je dirai seulement que le Français et le vieil Atwell, là-haut sur la Rodgers, ils étaient quasiment les seuls habitants des îles, dans les dernières années du siècle, à pas être recherchés quelque part ailleurs.

Will Raymond aurait sans doute dû se trouver un nouveau nom, repartir à zéro. Sa veuve vendit son titre de propriété à un inconnu et cet inconnu resta ici, parmi les rivières, pendant près de vingt ans, moins quelques années au milieu de son séjour. Si le mauvais pouvoir de Pavioni le dérangea, j'en ai jamais eu ouï-dire. Je me suis lié d'amitié avec lui, je me suis un peu décarcassé pour entretenir cette amitié, car durant toutes ces années monsieur Watson fut notre voisin le plus proche, toujours quasiment à portée de fusil.

Monsieur Watson était un vraiment bon voisin, ah, ça oui ! Un bon fermier aussi, le premier à exploiter l'essentiel de cette bonne terre. Il s'est aussitôt attelé à construire une maison en bois de palmier, avec deux grandes pièces. Il avait des cochons, deux vaches, de la volaille rouge, il a amené une jument baie pour labourer, il a installé une distillerie de sirop, son schooner allait et venait entre Port Tampa et Key West, bref il se débrouillait bien. Ensuite il a fait venir des charpentiers et du bon bois de pin, il s'est construit une belle maison en bois peinte en blanc, avec des quais et des annexes. Les seuls entre Fort Myers et Key West qui pouvaient soutenir la comparaison avec le Lieu de Watson étaient Bill Collier à Marco et George Storter à Everglade, tous les deux des hommes remarquables le long de cette côte. Eh bien, Ed Watson leur tenait la dragée haute sur presque tous les plans.

Pourtant, je gardais mes distances et j'ai averti mes gens qu'ils devaient faire pareil. Si monsieur Watson avait besoin d'aide, nous accomplirions nos devoirs de voisins, vous voyez, et vice versa, mais toutes les fois que nous étions sur sa rivière, nous ne nous arrêtions jamais chez lui pour passer un moment en sa compagnie.

Un beau jour, nous en avons eu marre de Possum Key. Les stiques harcelaient les jeunes enfants et leur mère ne parvenait pas à les éloigner, surtout quand elle préparait les repas dehors et qu'elle vaquait à ses tâches avec un seul fumigène. J'ai donc installé ma famille sur une île située au large de l'embouchure de la rivière, où le vent de mer maintenait les stiques dans les buissons. J'ai toujours appelé cet endroit Trout Key à cause de toutes les truites de mer nichées dans les berges herbeuses du rivage, mais les pauvres Blancs l'appelaient Mormon Key, rapport à ce vaurien de Richard Hamilton qui avait d'autres enfants d'une femme du peuple qui habitait toujours près d'Arcadia. Au bout d'un moment ce nom idiot est resté et nous l'utilisons aussi.

Les gars de Chokoloskee me traitaient de mulâtre et c'est ce qu'ils écrivirent en face de mon nom dans le recensement de 1880. Ils médisaient sur mon compte, pas tant à cause de ma peau foncée, mais parce qu'un basané s'était dégotté une épouse Blanche. Pourtant, la Mary Weeks, qui fut décrite comme Blanche, elle avait la peau plus sombre que moi et elle l'a toujours, mais c'était la fille de John Weeks, moyennant quoi personne faisait attention à la couleur de sa peau. John Weeks était Blanc et la mère de Mary était une Séminole, si bien que cette belle couleur lui vient de sa mère, à moins que le vieux John me cache quelque chose. Ma Mary, elle dit à nos gosses que je suis Andien, mais quand on est saouls et qu'on se chamaille, elle se rappelle volontiers que son papa jurait que j'étais un mulâtre et qu'il a écrit ça pour que tous le voient dans le recensement de 1880. Elle maudit le jour où, comme elle dit souvent, « un homme de couleur » est entré dans sa vie pour lui voler son cœur de jeune fille Blanche.

Henry Short fut l'un de ceux qui l'ont entendue raconter ça et j'ai vu un muscle se crisper sur sa mâchoire. Plus tard, pour le provoquer, je lui ai demandé la raison de ce rictus et Henry a fini par lâcher le morceau : il voulait pas me manquer de respect, mais certaines gens disaient peut-être que s'enfuir avec Richard Hamilton avait fait de ma femme une godiche, mais que j'y étais pour rien. Sûr qu'il y a plein de façons différentes d'interpréter ça.

Henry Short venait rendre visite à Bill House, qui a travaillé avec Chevelier un an ou deux, et au cours des années suivantes il s'arrêtait souvent chez nous à Mormon Key. Un jeune gars solide et bien tourné, couleur de bois clair, il ressemblait encore plus que moi à un Andien. Il était plus clair de peau que nous tous sauf Gene et Leon, et il avait pas les traits aussi marqués que Gene, mais les gens de la baie l'appelaient Henry le nègre, Short le nègre. Gene aimait pas qu'il mange avec nous, il disait que, si les Hamilton avaient un nègre à leur table, les gens allaient forcément jaser qu'on était tous des nègres aussi. Walter, son frère à la peau foncée, il regardait Gene jusqu'à ce que le Gene il détourne les yeux.

— Moi, je crois que j' peux manger avec Henry Short, il disait, si Henry Short peut manger avec moi.

Ce qui veut pas dire que Gene se gourrait sur ce que les gens raconteraient. Non, il se gourrait pas.

Selon la manière de penser de Jean Chevelier, y aurait dû y avoir une loi où tout homme n'épousant pas une femme de couleur différente serait castré. Ainsi, l'*Homo sapiens* mettrait fin à son malheur et à ses imbécillités sans nom sur les races et il retrouverait la couleur du Premier Homme, laquelle selon Chevelier était sans doute très proche de celle de Richard Hamilton. Il disait que les Hamilton avaient pris un bon départ dans la vie, car ils étaient de presque toutes les couleurs et que tout ce qui nous manquait, c'était un zeste de Chinois.

Si vous vivez à l'Andienne, alors vous êtes Andien, et la couleur compte pas. Voilà comment on respecte la terre, indépendamment des origines. Mary Weeks, elle est comme qui dirait catholique, nos gamins sont catholiques itou, même moi je suis pas entièrement contre, je lis ma Bible, parce que j'ai été élevé dans une mission catholique, là-bas, dans l'Oklahoma. Mais au fond de mon cœur je suis resté Andien, ça explique pourquoi je retourne sans cesse vers le sud et la rivière de l'Homme Perdu, le plus loin possible de ces pauvres Blancs à langue de vipère.

Les Blancs connaissent que dalle aux Andiens, ils savent que tirer dessus, et la plupart de ces Andiens qu'on voit aujourd'hui, ils connaissent plus rien non plus. Pendant la première guerre Séminole, les esclaves en fuite combattaient aux côtés des Séminoles et vivaient comme des Andiens, plein d'entre eux faisaient ça. Prenez quelques-uns de ces vauriens de Séminoles Muskogees dans la région du lac Okeechobee, beaucoup ont eu droit à une bonne dose de pinceau à goudron, mais on s'en douterait jamais à voir comment ils se comportent avec les gens de couleur.

Ces Andiens de Cypress, des Creeks Mikasukis, certains connaissent encore un peu la vie à l'andienne. Ils pourront pas entretenir ça très longtemps et ils le savent ; d'ailleurs c'est peut-être pour ça qu'ils sont si désespérés. Dans l'ancien temps, si une femme Mikasuki fricotait avec un Noir ou un Blanc, peu importe, sa tribu les tuait souvent tous les deux et elle abandonnait l'enfant illégitime au milieu des cyprès pour qu'il y meure. Sans doute que ça leur mettait un peu de baume au cœur sur le moment, mais à long terme ça faisait pas la moindre différence. Aujourd'hui les gens n'arrêtent pas de bouger et ils se mélangent tous. Peu importe notre couleur présente, on finira tous café au lait quand la fumée se sera dissipée.

Après le départ de Bill House, le vieux Chevelier adopta quasiment Leon et la jeune Liza qui se mirent à crapahuter avec lui, à s'occuper de lui, à le surveiller et il resta là sur Possum Key jusqu'à sa mort.

Jusqu'à la seconde moitié du XIXe siècle, la partie sud de la péninsule de Floride, et en particulier la région isolée du sud-ouest, demeura presque inexplorée. Le labyrinthe des îles, des mangroves et des rivières sombres dont les eaux montaient et descendaient avec les marées, cette région pluvieuse et infestée de moustiques était quasiment inhabitée malgré sa merveilleuse abondance de poissons et de gibier. « Les Dix Mille Iles, comme l'a écrit un naturaliste, constituent une enclave de mystère : lugubre, monotone, étrange, possédant néanmoins une indéniable séduction. Pour l'étranger de passage, chaque paysage de cette région paraît exactement identique aux autres ; chaque îlot et chaque passe semblent être les copies conformes de centaines d'autres. Même ceux qui connaissent ses chenaux tortueux s'y perdent souvent ... et ils errent sans espoir pendant des jours dans son dédale. »

Sur des milliers d'îles, moins d'une centaine — pour la plupart situées au nord — s'élèvent à plus d'une trentaine de centimètres au-dessus du niveau de la mer, et la surface de presque tous ces affleurements est trop réduite pour qu'on puisse y construire le moindre bâtiment : les îles plus ou moins habitables sont au nombre d'une trentaine sur le golfe, qui ont des berges sablonneuses atteignant parfois deux mètres de haut, et il y a une quarantaine d'îles-« monticules » à l'intérieur de l'archipel. Sur celles-ci et pour se protéger contre les ouragans, les Calusas ont construit d'importantes buttes de coquillages — ou, plus exactement, des sortes de déblais en pente douce — qui s'élèvent jusqu'à sept mètres de hauteur et sur lesquelles se sont accumulées des couches de terre convenant à l'agriculture. Il y avait aussi de gros monticules sur le continent, près de la rivière Turner, qui furent ensuite cultivés par les pionniers de Chokoloskee.

La Courbe de Chatham, le plus gros monticule de coquillages entre Chokoloskee et le cap Sable, est décrite pour la première fois dans le journal du chirurgien général Thomas Lawson qui, en février 1838, pendant la première guerre Séminole, dirigea une expédition de l'U.S. Army contre les « Indiens espagnols » — des gens d'origine calusa, ramenés de Cuba en Floride par les Espagnols — afin de décourager la contrebande d'armes et de munitions entre Cuba et les Indiens Séminoles :

> *Nous avons jeté l'ancre devant l'embouchure de la rivière Pavilion, près de laquelle nous avons aperçu une fumée ; sur les berges de cette rivière, à une douzaine de kilomètres en amont, le pilote nous déclara sans ambiguïté que nous trouverions une vingtaine de familles d'Indiens et peut-être d'autres en provenance de l'intérieur du pays... Là encore, nous devions être déçus, car il n'y avait pas âme qui vive dans cette ville, ni homme ni bête... Le site de la ville est très beau, et les terres de part et d'autre de la rivière meilleures que toutes celles que j'ai vues dans cette partie du pays. Le seul inconvénient de cet endroit, c'est qu'il n'y a pas d'eau douce dans le voisinage...*

Plus tard, une autre expédition armée trouva un village de douze maisons en palme séchée ainsi qu'un grand jardin de quarante acres, mais nous ignorons de quels Indiens il s'agissait ; c'était peut-être la dernière bande de Mikasukis sauvages, placés sous le commandement d'Arpeika, autrement appelé Sam Jones, ou peut-être s'agissait-il des derniers « Indiens espagnols ». A la fin des années 80, Pavioni, comme l'appelaient les Indiens, fut occupé brièvement par Richard Hamilton, qui revendit son titre à un Français, M.A. LeChevallier, qui à son tour le revendit à un fugitif, Will Raymond.

Richard Hamilton et Chevelier, qui s'installèrent sur des îles voisines, furent les plus proches voisins de M. Watson pendant de nombreuses années. Dans le recensement de 1880, Hamilton est identifié comme mulâtre, bien qu'il se considérât lui-même comme un Choctaw et que, selon certaines rumeurs ultérieures, il fût le petit-fils du grand chef guerrier hispano-indien Chekaika, qui perpétra le massacre du docteur Perrine et bien d'autres à Indian Key en 1840, et qui fut ensuite abattu puis pendu par les hommes du lieutenant colonel Harney dont l'expédition de poursuite partit de la rivière Miami dans les Everglades.

> *Notre tente se dressait non loin de l'arbre auquel on avait pendu Chekaika. La nuit était belle et, tandis que j'étais allongé sur mon lit, la lune montante, très brillante, offrait à ma vue les proportions gigantesques de ce grand guerrier très redouté de son vivant. On raconte qu'il était l'Indien le plus énorme de toute la Floride et que la seule mention de son nom terrorisait sa tribu.*

L'expédition se poursuivit vers le sud et l'ouest, aboutissant enfin à ce qu'on appelle aujourd'hui la rivière Harney — et ses membres furent les premiers Blancs à traverser la péninsule du sud de la Floride.

Sur les cartes côtières et géodésiques établies en 1889, la Courbe de Chatham porte le nom de « Lieu de Raymond », mais Will Raymond disparut très vite de la Courbe de Chatham, abattu par des adjoints du shérif de Key West. Pourquoi Richard Hamilton, puis Chevelier, abandonnèrent si vite ce vaste monticule est encore plus mystérieux. Mais Pavioni avait une réputation de maléfices, et E.J. Watson, qui acquit les droits de propriété de la veuve Raymond, fut le seul Blanc à y rester plus d'un an ou deux ; il cultiva la Courbe pendant près de vingt ans.

Monsieur LeChevallier, connu le long de cette côte sous le sobriquet de « Jeen Chevelier » (prononcé « Chovel-lir ») ou tout simplement comme « le vieux Français », fut un personnage important au cours des premières années que M. Watson passa dans le sud-ouest de la Floride. Monsieur Chevelier (autant l'appeler ainsi, car la « baie de Chevelier » commémore cette orthographe dans les Dix Mille Iles) fut sans doute dans cette région le premier chasseur et commerçant à grande échelle d'égrettes et d'autres espèces tuées à cause de leurs plumes décoratives. En 1879, il créa un comptoir de plumes d'oiseaux à Tampa Bay, qui l'occupa apparemment pendant environ cinq ans. En 1885, il loua le sloop Bonton *pour emmener son équipe à partir de son nouveau camp sur la rivière Miami, contourner les Keys jusqu'aux Dix Mille Iles. Cette équipe incluait Louis et Guy Bradley, de jeunes chasseurs de plumes de la région. (Guy Bradley devint ensuite le premier garde-chasse du comté de Monrœ, doté d'un salaire payé par l'Audubon Society. Il fut assassiné par un ancien associé en 1905 — l'un des nombreux meurtres de la région que la rumeur attribua à M. Watson qui, à cette époque, avait mauvaise réputation.) Charles Pierce fit un compte rendu très vivant de ce voyage, qui eut lieu au printemps et à l'été de cette même année 1885 :*

> *J'avais beaucoup entendu parler d'un vieux Français, M. LeChevelier, un taxidermiste collectionneur d'oiseaux empaillés et de plumes, qui habitait sur la rivière Miami... M. Chevelier, qui est français, ne parle pas un bon anglais... Les pélicans sont le principal objectif du voyage, les plumes viennent en second, mais aussi les cormorans, en fait toutes les espèces d'oiseaux. M. Chevelier a des débouchés pour ses produits à Paris. On lui donne cinquante cents pour un pélican, vingt-cinq pour un petit sterne, dix dollars pour un grand héron blanc et vingt-cinq dollars pour un flamant. Les grands hérons blancs sont rares, les flamants encore plus. Sans cela, nous rendrions vite riche ce vieil homme.*

Malgré sa main droite mutilée par son propre fusil, Chevelier écuma la région avec ses jeunes associés. Le livre de bord du Bonton *est un catalogue d'oiseaux abattus ; sa lecture est égayée çà et là par des descriptions saisissantes d'orages et de marins, de moustiques et de l'ancienne Key West, où toute cette bande était la bienvenue, aidée par l'associé de Chevelier, « le capitaine Cary ». Il s'agit sans doute d'Elijah Carey (voir les interviews de House et de Hamilton), qui rejoindrait plus tard Chevelier dans ses expéditions de chasse à l'oiseau.*

Dans les Dix Mille Iles, le Bonton *jeta l'ancre au large de la rivière du Requin ainsi qu'« à l'intérieur de Pavilion Key », pour chercher des becs-à-cuiller roses, des égrettes, des fous et des pélicans blancs. En remontant la côte, « nous arrivâmes à une île sur laquelle était construite une hutte en palmette où vivait un vieux Portugais nommé Gomez avec sa femme blanche. M. Chevelier connaissait Gomez depuis quelques années déjà. » Il s'agit de Panther Key, autrement nommée Gomez Key, d'où Gomez les guida pour chasser le bec-à-cuiller rose (ou « courlis rose ») le lendemain matin.*

Comme M. Watson, Juan Gomez était une légende locale dans les îles ; on racontait que pendant sa jeunesse, l'empereur Napoléon lui avait parlé aimablement à Madrid, en Espagne, et qu'il avait ensuite navigué avec un boucanier nommé Gasparilla. Selon ses propres calculs, Gomez avait cent huit ans à l'époque de la visite du Bonton, *et il vivait toujours en 1900, date à laquelle un visiteur décrivit cette région comme « un dédale de chenaux compliqués... un endroit qui servit jadis de refuge aux pirates et qui, aujourd'hui encore, conserve des relents d'histoires sanglantes. »*

Bien que durement critiqué quelques années plus tard par W.E.D. Scott (dans la publication de l'Audubon Society intitulée The Auk*), pour ses « destructions massives » à Tampa Bay en 1879, M. Chevelier était un naturaliste chevronné. Les oiseaux abattus pour leurs plumes finançaient sans aucun doute ses recherches scientifiques, car il avait fait des collections au Labrador et offert des oiseaux empaillés au Smithsonian Institute dès 1869. Depuis l'époque de Scott, trois oiseaux empaillés d'origine « LeChevellier » sont apparus dans les vitrines du Smithsonian et du Musée américain d'histoire naturelle de New York. Scott lui-même mentionne sept spécimens d'oiseaux rares attribués à « A. Lechevallier », dont deux faucons courte-queue trouvés à « Chatham Bay » en 1888 et début 1889.*

Jean Chevelier subit l'attirance fatale de cette côte sauvage, où il devait passer le reste de son existence. Il passa sa première année sur le grand monticule calusa de la Courbe de Chatham, après avoir acheté un acte de renonciation à Richard Hamilton (voir les interviews); le clan Hamilton, qui resta proche du Français, fut aussi étroitement associé à M. Watson.

Bill House

J'ai travaillé quelques années pour le Français, à guider, chasser des plumes et ramasser des oiseaux, des nids et des œufs. Chevelier prétendait qu'il tirait jamais les oiseaux rares, sauf pour en avoir un exemplaire, et il racontait volontiers comment il avait formé des gars comme Louis et Guy Bradley, sans oublier Henry Thompson et moi-même, à ne pas tirer au jugé dans des vols d'oiseaux, mais à choisir avec précision le volatile qu'on désirait vraiment. A mon avis, c'était vrai le plus souvent, disons presque tout le temps.

Les chasseurs de plumes ne tiraient jamais que pendant la saison des amours, quand les plumes d'égrettes ont leurs plus belles couleurs. Lorsque leur couvée commence à se couvrir de plumes et que ça braille fort parce que ça a toujours faim, les parents perdent le peu de bon sens que Dieu leur a accordé, ils viennent s'occuper de leur marmaille quoi qu'il arrive, et un type armé d'un fusil Flobert qui claque pas plus fort qu'une brindille peut rester là sous les arbres dans une grande rookerie et dégommer les oiseaux l'un après l'autre, aussi vite qu'il peut recharger son arme.

Une rookerie dévastée, c'est une image à laquelle on préfère pas trop penser. Le tas de carcasses qu'on laisse derrière soi après les avoir déplumées et avant de passer à la rookerie suivante est vraiment pitoyable, et puis c'est une manière rudement stupide de faire son beurre, car il reste plus le moindre adulte pour nourrir les petits affamés, pour les protéger du soleil et de la pluie, sans parler des corbeaux et des busards qui arrêtent pas de tourner autour pour les mettre en charpie. Une rookerie vraiment importante, comme celle de cette île où le Français travaillait, à Tampa Bay, quatre ou cinq cents acres de mangrove bien noire, peut-être dix nids par arbre – bon dieu, ça vous prenait trois ou quatre ans pour la nettoyer, mais après ça les oiseaux en avaient bel et bien disparu.

C'est le silence de mort après toute la fusillade qui me revient aujourd'hui en mémoire, même si je ne me suis jamais attardé sur les lieux pour l'écouter ; simplement, je m'en souviens en rêve. Les arbres blancs fantomatiques, le sol blanc et mort, le soleil, le silence, la puanteur sèche du guano, les croassements, les cris, le frou-frou d'ailes noires et puis la vermine qui s'active sans bruit — ratons-laveurs, rats, opossums, mordant et déchiquetant, et puis les fourmis qui envahissent les arbres pâles en rubans sombres et serpentants pour attaquer à coups de mandibules ces petites créatures toutes chétives et nues, pelotonnées au bord du nid, le gosier palpitant et le bec grand ouvert en attendant une nourriture et une eau qui n'arriveront plus jamais. Les plus chanceux périssent avant qu'une autre bête les trouve, parce qu'il y a tant de petits que les charognards ne peuvent pas tous les dévorer. Ces saletés de busards s'empiffrent tellement qu'ils peuvent à peine voler, ils restent perchés sur les branches mortes comme ces excroissances bizarres sur l'écorce du cyprès d'étang en plein hiver.

Le Français ressemblait à une espèce de raton-laveur — même que c'était son portrait tout craché ! Des yeux noirs et brillants, des sourcils fournis, une démarche chaloupée, des petites jambes maigres pour patauger, le tout prêt à mordre. Peut-être qu'il avait le cœur au bon endroit, mais peut-être que non.

Chevelier n'a jamais fait ami-ami avec l'humanité et il détestait cordialement les riches Yankees qui descendaient de leur yacht pour faire les crétins sur nos rivières pendant l'hiver, défouraillant sur tout ce qui bougeait ; il détestait cordialement les gars comme Ed Watson qui dégommaient les meilleurs rookeries au printemps. J'ai dit au Français que, pour vivre ici dans les Iles, fallait attendre de toute chose la saison, mais le vieux bonhomme me maudissait en français, agitant alors sa main bousillée pour me chasser. Aussi sec, il se mettait à vitupérer les grandes idées de Watson rapport au développement de cette côte et au drainage de toutes les Everglades pendant qu'il y était ! *L'Empereur !* que Chevalier l'appelait. *L'Empereur !* Cette histoire de drainage remontait jusqu'au général Harney, qui s'était pointé sur la mauvaise côte en traversant la rivière Harney, mais l'idée n'avait jamais rien donné avant Watson. Eh ben, ils ont aménagé de grands chenaux et des digues, ils ont quadrillé tout l'est des Glades, mais ici à l'ouest c'est resté plus isolé que jamais, parce que les gros bestiaux et les beaux oiseaux ils ont presque tous disparu. Cet endroit, on l'appelait le pays de Dieu, et on l'appelle toujours comme ça, parce que personne sauf Dieu en voudrait pour rien au monde.

Parole, on voulait pas entendre parler d'envahisseurs : aussitôt que le gouvernement fédéral installait des balises de chenal pour les yachts, on les retirait de l'eau. Les gens du coin avaient pas besoin de balises et on en voulait surtout pas. D'après ce qu'on avait entendu, dans le nord de la Floride il restait plus un seul oiseau sur les rivières ; pourtant les coupables étaient pas les chasseurs de plumes, mais les touristes yankees sur les vapeurs. Les vrais chasseurs gâchent pas leur poudre et leur temps sur ce qu'on peut pas vendre ni manger, mais ces gars-là tiraient sur tout ce qui volait. Ils blessaient bien plus qu'ils ne tuaient et ils faisaient ça en grand, abandonnant les oiseaux morts au fil de l'eau.

Nous on avait pas le temps de s'amuser, on était trop occupés à survivre, à se bagarrer contre les stiques. Dans les Iles, on travaillait de l'aube au crépuscule, rien que pour s'en tirer. On avait même pas idée de ce qu'étaient les sports de loisir, jusqu'au jour où on s'est tous fait embaucher comme guides de pêche ou de chasse. C'était quelques années plus tard, après que tout le poisson et le gibier eurent disparu pour de bon.

Le vieux Français se battait comme un fou contre un ornithologue yankee nommé Scut qui a écrit dans une revue que Jean Chevalier abattrait plus d'oiseaux que quiconque sur la côte du Golfe.

— *Shit* alors, pestait le Français, ce Scut vient ici en *vacation* pour regarder ses *foking* amis à plumes. Il visite une *big rookery* à Pinellas, qualifie LeChevallier de pire *but-chaire* dans la *west Florida* ! Eh bien, qui m'achète mes spécimens d'oiseaux ? Qui écrit que le pic-vert à bec d'ivoire est très *rare* avant d'aller tuer le seul pic-vert à bec d'*ivory* qu'il ait jamais trouvé ? Qui c'est ? Ce *foking* Scut ! Il me fait la honte parmi mes *colleagues*, il *attacks* moi dans la *Au-du-bon Society* ! En même temps, il achète à mon *colleague* de Punta Rassa ce faucon courte-queue trouvé par LeChevallier à la Courbe de Chatham ! Et *after* ma mort, tu vas voir ! Ce *foking* Scut trouve le premier faucon courte-queue en *North* Amérique ! Attend de voir ça, ce que je te dis !

Parfois ses vieux associés, les chasseurs de plumes Louis et Guy Bradley quittaient Flamingo pour monter vers le nord, prospecter de nouvelles rookeries le long de nos côtes. Nous étions contents d'avoir de la compagnie, mais on leur fournissait jamais le moindre renseignement. Guy causait pas beaucoup, mais il vous dévisageait toujours avec une telle insistance qu'on se sentait forcément un peu nerveux. C'est le premier chasseur que j'ai entendu dire qu'y avait de moins en moins de plumes dans le sud-ouest de la Floride. Guy Bradley disait :

— Je suis tout simplement pas d'accord pour continuer de trucider les zoziaux. Vrai, j'ai plus le cœur à ça.

J'ai jamais dit à Guy que je ramassais les œufs d'oiseaux pour le Français. L'œuf de milan à queue fourchue valait jusqu'à quinze dollars, selon la clarté de la coquille. Dans toute l'Amérique et l'Europe, les gens voulaient posséder des œufs d'oiseau sauvage, allez donc savoir pourquoi.

Un soir, le vieux revient de Gopher Key et à côté de son assiette je lui ai installé un joli assortiment d'œufs de queue-fourchue, mais tout ce qu'il a trouvé ç'a été de ronchonner et de grommeler des vacheries sur ces putains de crétins de pauvres Blancs qui posaient les œufs de milan là oùsqu'ils risquaient de se casser. Voyant qu'il prenait même pas le temps de les regarder, j'ai compris que j'allais avoir droit à un sermon. Quand j'ai signé avec le Français, Henry Thompson m'a prévenu que le vieux crapaud houspillait tout le monde pour cacher à quel point sa vie était solitaire dans les marais, mais ce soir-là j'en étais plus si sûr. Je l'ai gratifié de mon meilleur sourire du dimanche et, près du poêle, je lui ai chantonné d'une voix toute guillerette :

— Essayez donc de m'attraper, *Mister Chevelier !*

Il avait pas besoin de davantage pour se gonfler comme un dindon et se mettre à déblatérer :

— Y a que dans cette sacrée Amérique que « Monsieur le Baron Antoine de LeChevallier » peut devenir « Mis-tère Jeen *Shovel-liir* » ! Ces *stioupid* pauvres blanc-becs m'appellent *Shovel-liir* ! *But* pourquoi ? Par le *devil*, je *ask you it* — *but* pourquoi ?

Il enfonça violemment sa fourchette dans son gibier et son gruau d'avoine au milieu de l'assiette en fer-blanc, puis il brandit sa fourchette vers moi comme s'il avait l'intention de m'arracher les yeux.

— *What is this* folie *of* armes dans ce *foking* pays barbare ? Première fois je vais à la Courbe de Chatham, Richard Hamilton me colle sa carabine sous le *nose* comme je te fais avec cette fourchette ! Et puis John Leon, son *blond an-gèle*, il sort de la cabane pour me *shooter* à son tour ! Un *little boy* haut comme trois pommes ! Il veut me *shooter* aussi ! Ensuite, Will Raymond, c'est lui qui se fait *shooter* ! *But* pourquoi ? *Because* Will Raymond, il a *shooté* un autre *crazy* blanc-bec ! Et qui reprend le flambeau ? Ce *foking* Watson ! *Foking crazy man !* Satan fou ! Essaie de m'arracher la tête ! *But* pourquoi ? *For* le plai-siiir ! Je l'entends encore rire ! Satan fou !

Henry Thompson lui glissa alors que son monsieur Watson était un as de la carabine, qu'il ne manquait jamais sa cible sauf délibérément ; je dis alors au Français qu'il s'agissait peut-être comme qui dirait d'une blague.

– *Une blague ? You crazy*, comme les autres ? Chevelier dressa son pouce et son index collés pour montrer que la balle lui avait frôlé l'oreille : Un homme qui blague avec des balles de fusil... ? *Ça*, une blague ?

Le lendemain, Chevelier m'a ordonné de l'emmener en barque jusqu'à Mormon Key, car il désirait discuter quelque chose avec Richard Hamilton. Il nous fallait passer devant le Lieu de Watson et je guettais le propriétaire, j'ai rentré les rames et me suis laissé dériver devant chez monsieur Watson pour qu'il entende pas mes dames-de-nage grincer, vu que je remontais le courant.

C'était avant la construction de la grande maison blanche, y avait juste la vieille cabane en palmette de Will Raymond, où Watson enfermait désormais ses cochons, et un petit chalet en chaume pour les humains. J'ai pas vu le moindre signe d'Henry Thompson, mais j'ai aperçu Watson parmi les hautes tiges de canne à sucre, si bien que j'ai dirigé la barque vers la berge pour qu'il ne nous voie pas.

Bon dieu, voilà le gaillard qui se raidit comme un chat surpris en terrain découvert, il tourne lentement la tête et il regarde droit vers nous. Il était déjà à demi-accroupi, et quand il nous a repérés, il s'est laissé tomber sur un genou et sa main a plongé dans sa chemise. Cette vivacité et sa manière de deviner qu'on était là, ça m'a fait froid dans le dos.

Pourquoi donc qu'il avait un feu pour travailler dans les champs ? Et pourquoi qu'il le dégainait aussi vite ?

J'ai aussitôt la réponse. Cette vieille andouille de Français se tient tout droit derrière moi et fait un barouf de tous les diables ; je me retourne et découvre qu'il tient sa pétoire braquée sur Watson ! Je lui gueule *assis !* et d'un bon coup de rame je lui retire la barcasse de sous les pieds. Il tombe sur le cul à l'arrière et passe presque par-dessus bord. Je rame de toutes mes forces et me planque sous la berge, puis je contourne la Courbe avant qu'Ed Watson ait le temps de descendre jusqu'au bord de l'eau et de nous aligner. On venait tout juste d'apprendre ce qu'il avait fait à Dolphus Santini, là-bas à Key West. Quand on a été en sécurité un peu plus bas, je dis au Français :

— S'il vous plaît, monsieur, pointez donc pas votre pétoire sur Ed J. Watson, pas quand le pauvre Bill House il est dans la barque avec vous !

Pendant que M. Chevelier était parti à Key West, je devais gagner ma vie chez les Hamilton. Je me sentais pas trop à l'aise dans leur compagnie, même s'ils étaient gentils avec moi. Mme Mary Hamilton, on disait qu'elle était Blanche, mais les Hamilton aimaient pas trop les Blancs, même que c'était sans doute pour ça qu'ils vivaient à l'écart, tout en bas des Iles. Cette bande de Hamilton, c'étaient rien que des parias, ils s'entendaient pas avec les nègres et les Blancs voulaient pas entendre parler d'eux, et tout naturellement ils ont fait ami-ami avec le Français. Le vieux Richard, il se disait Choctaw et il avait un visage d'Andien, pour sûr, mais un seul coup d'œil à son gamin Walter vous apprenait que la vérité se résumait pas à cette histoire de Choctaw.

De toute cette bande, seul Eugene a réussi à se faire des copains à Chokoloskee, et dès le début il a été très gentil avec moi. Mais bizarrement je me sentais pas d'affection pour Gene, j'ai jamais réussi, pendant toute ma vie. Déjà gamin – en 1895, il avait que douze ans – Gene avait quelque chose à prouver, il était jamais je-suis-comme-ça-c'est-à-prendre-ou-à-laisser comme son frère Leon.

Henry Short rendait souvent visite aux Hamilton, il mangeait à leur table et il tenait cette famille en haute estime. Les Hamilton se comportaient comme n'importe quels Blancs, mais je crois qu'Henry aurait été d'accord, sinon avec eux il se serait pas senti comme chez lui.

Henry prétendait qu'il venait pour me voir, et peut-être qu'il y croyait à son bobard, parce qu'on a été élevés ensemble, mais en fait la seule personne qu'il venait voir c'était la jeune Liza. Je crois que ç'avait été le coup de foudre, de son côté en tout cas. Elle était même pas encore une femme, mais d'une couleur café au lait doré et j'aurais volontiers sacrifié mon bras droit, ou du moins le gauche, pour la voir allongée au soleil sans ses frusques. Rien que d'y penser, ça m'épaississait le sang. Henry aussi était dans tous ses états ; suffisait d'un regard entre nous pour qu'on éclate de rire, tout ça pour vous dire que la jeune Liza elle nous mettait vraiment la tête à l'envers.

Henry Short, qui a été élevé par mon papa, était seulement à moitié nègre, peut-être moins, il avait la peau très claire et les traits fins, mais le vieux Richard et lui avaient une tignasse moche comme tout. Un jour qu'Henry et moi on était chez les Hamilton, le vieux Richard causait de ses ancêtres andiens, et comment qu'Henry Short aussi ressemblait à un Choctaw. Henry, il me coulait sans arrêt des regards gênés, je l'ai jamais vu plus agité que ce jour-là, parce que le Henry Short il était très à cheval sur la vérité. Il finit enfin par chuchoter :

— Crédié, m'sieur Richard, j'suis pas Choctaw, j'suis cent pour cent négro, parole d'Henry.

Le vieux jette un coup d'œil inquiet autour de lui pour voir où est sa femme et après ça il dit :

— Eh ben, va surtout pas raconter ça à ma Mary.

Et il éclate de rire. Négro ou pas, il s'en fichait, tant que sa bonne femme était pas au parfum.

C'était la grande époque de la ségrégation pour les nègres dans ce pays, et le vieux Richard savait sans doute qu'Henry avait peut-être dit ça pour me prouver que manger à la table des Hamilton lui montait pas à la tête. Ou peut-être qu'ils me taquinaient tous, réflexion faite. J'en sais fichtrement rien. Zut alors, on les connaît pas, ces gens, on croit simplement les connaître. Drôle d'impression, de se retrouver minoritaire — ça vous est déjà arrivé ? En tout cas, je peux vous garantir que ça m'a pas plu du tout. Ça m'a trop fait gamberger.

De retour à Chokoloskee, j'ai répété aux gars ce qu'Henry Short avait dit à Richard Hamilton, mais très vite tout ça a été déformé, parce que les gens cherchaient toujours un bon prétexte pour se moquer du vieux Richard. Selon leur version, c'était le nègre Henry qui disait à ce mulâtre à peau dorée :

— Crédié, non ! Z'êtes pas Choctaw ! Z'êtes cent pour cent négro, exactement comme moi !

Non, non, que je leur disais, c'est pas comme ça que ça s'est passé ! Mais je rigolais aussi et j'ai payé ce rire pendant toute ma vie. Parce qu'on raconte *toujours* cette vieille histoire sur le cent pour cent négro, ils se contrefichent de la vérité et je fais la grimace chaque fois que je suis forcé de l'entendre.

En tout cas, le jeune Eugene Hamilton n'a pas beaucoup

apprécié la sortie d'Henry. Gene bondit de table si vite qu'il en renverse son assiette.

— Eh ben on est pas des négros, mon gars, du moins moi j'en suis pas, mais à te voir assis à notre table on dirait vraiment qu'on aime les négros par ici !

C'est surtout moi que Gene regardait, pas Henry, et je me suis dit qu'il s'agissait d'un message que Bill House était censé rapporter à Chokoloskee ; Gene Hamilton aimait pas manger à la même table qu'un nègre, même si les autres supportaient ça.

— C'est pas ma table, dit Gene à Henry tout en fusillant son père du regard, alors je peux pas t'en chasser, mais c'est pas pour autant que je serais obligé d'y manger !

Là-dessus, il prend son assiette et sort à grands pas sur les marches.

Richard Hamilton a jamais aimé les grandes scènes, mais il sait toujours pas comment régler ce problème. L'aîné, Walter, qu'est beaucoup plus foncé qu'Henry Short, il regarde Gene qui sort en fulminant et il éclate de rire.

— Va au diable ! lui crie Gene.

En entendant ce langage, sa mère arrive en courant de la cabane où qu'elle faisait la cuisine et lui flanque un bon coup de louche en bois sur le crâne.

Je croise le regard de Walter et le regrette aussitôt ; car il me fait un clin d'œil alors que Gene passe la porte, mais assis là dans sa peau foncée, il était rudement honteux. Je lui ai lancé un bon regard de reproche après ça, sans doute pour la première fois. Excepté la jeune Liza, Walter Hamilton le foncé était le plus beau de cette splendide famille.

Les Hamilton arrêtèrent le *Bertie Lee*, capitaine R.B. Storter, qui emmena le Français à Key West. Deux semaines plus tard, le vieux était de retour avec Elijah Carey, qui voulait s'associer avec nous dans le commerce de la plume. Il y avait des rookeries plus importantes aux environs du cap Sable, que les Bradley exploitaient avec les Robert, mais le cap était vraiment trop éloigné de Gopher Key. Avec Watson dans les parages, M. Chevelier voulait de la compagnie et pour s'en assurer il confia à Carey les espoirs qu'il avait de découvrir son fameux trésor calusa. Il se faisait trop vieux pour creuser toute la sainte journée parmi les coquillages blancs et sous un soleil de plomb, et il voulait pas me laisser l'aider de peur que je vende la mèche à Chokoloskee.

Le capitaine Lige Carey est resté un moment, il s'est construit sa propre maison sur Possum Key. Un soir, Lige a raconté ce qui s'était passé à la criée des légumes de George Bartlum, là-bas à Cayo Hueso – ou Bone Key – c'était le vrai nom de Key West, nous apprit Lige – comment Watson est arrivé rond comme une queue de pelle pour annoncer à Dolphus Santini, de Chokoloskee, qu'il avait besoin d'aide rapport à un titre de propriété dans les Iles.

Adolphus Santini comptait parmi les plus vieux colons de Chokoloskee, c'était notre principal propriétaire terrien et fermier jusqu'à ce qu'il nous quitte, en 99. John Weeks arriva le premier en 74, si on ne compte pas celui qui planta les gros citronniers, et il donna la moitié de l'île aux Santini, histoire d'avoir de la compagnie, laquelle famille récupéra l'autre moitié après le départ de Weeks pour Flamingo. Les Santini construisirent leur première vraie maison au-dessus du niveau atteint par la mer pendant l'ouragan de 73 et ensuite ils construisirent une chapelle – c'étaient des catholiques.

Nicholas, le frère de Dolphus, qu'on appelait Tino, était pêcheur, il prenait des œufs de tortue pendant environ quatre mois à la saison de printemps. Il prétendait que les Santini étaient Corses comme Napoléon, mais il a jamais expliqué pourquoi ils avaient quitté la Caroline du Sud et personne a essayé de leur tirer les vers du nez ; c'était le genre de question qu'on posait jamais dans les Dix Mille Iles. Le vieux James Hamilton, là-bas sur la rivière de l'Homme perdu, il a révélé sur son lit de mort qu'on le connaissait ailleurs sous le nom de Hopkins, mais personne lui a jamais demandé pourquoi il s'était lassé de son premier nom, et lui-même l'a jamais expliqué.

Vers 1877, les Santini signèrent un titre de propriété concernant « cent soixante acres, plus ou moins, sur l'île de Chokoloskee dans la région des Dix Mille Iles de Floride. » C'est plutôt moins que plus, car y a pas cent cinquante acres sur toute l'île. Un vieil éclaireur des guerres andiennes nommé Dick Turner, le même gars qui a guidé l'U.S. Army pendant le raid destiné à trucider les derniers guerriers de Billy Jambes-Arquées et où le capitaine s'est fait tuer près de Deep Lake – Dick Turner donc a signé un titre de propriété en 78 pour quatre-vingts acres de monticules calusas qu'il cultivait sur la rivière Turner. Ensuite, il les a revendus à un gars de Key West, qui les a lui-même revendus à mon père, Daniel David House, pour deux mille dollars. A ma connaissance, les titres de Santini et de Turner étaient les seuls de la région à être couchés sur le papier, excepté celui de Storter à Everglade, et même ceux-là ont pas été validés avant 1902. Tous les autres, Watson inclus, avaient seulement des droits de résiliation. Paie-moi pour que je fiche le camp, c'était rien que ça.

Watson connaissait l'existence de ces titres, il posait sans arrêt des questions là-dessus. Ce qu'il voulait faire, on l'a compris ensuite, c'était s'approprier le plus de terres hautes possible entre la Courbe de Chatham et la rivière de l'Homme perdu, peut-être même jusqu'à la Harney tout au sud, et puis remplir un acte de propriété comme Santini. Le Santini, il savait s'y prendre avec la loi et Watson est allé le trouver pour lui demander son aide. Mais des rumeurs avaient commencé de circuler sur E.J. Watson et peut-être que Ed pensait qu'il avait besoin du soutien d'un notable.

Vu que j'étais point là, je sais pas ce qui s'est passé au juste, mais Elijah Carey dit qu'il avait tout vu. Dick Sawyer a toujours prétendu qu'il était là lui aussi, Dick a jamais raté grand-chose, et il m'en a raconté long comme le bras sur ce qui s'est passé.

Santini était notre premier citoyen, c'était aussi le plus gros fermier, personne lui arrivait à la cheville, surtout parce qu'il était propriétaire de toutes les bonnes terres. Chokoloskee est rien qu'un gros monticule que les Calusas d'autrefois ont élevé à partir de rien. Les tomates poussaient bien en haut des tertres, la canne à sucre dans les petites vallées, et tous les légumes qu'on voulait entre les deux. En 1884, Santini avait plus de deux cents avocatiers et il cultivait aussi les pommes de la Jamaïque, les oranges douces et amères, les bananes, les goyaves – la plus grosse ferme de toute cette région. Presque tous nos produits de Chokoloskee descendaient vers le sud jusqu'à Key West, parce que Key West comptait dix-huit mille têtes en incluant tous les Yankees et les négros. A cette époque, Fort Myers, la plus grande ville du comté de Lee, n'en avait que sept cents. Entre les deux, sur la côte, et sans prendre les Andiens en considération, je crois pas qu'il y avait deux cents personnes, dont la moitié habitaient la baie de Chokoloskee.

Dolphus en avait marre qu'on lui rebatte les oreilles avec ce gars Watson qui habitait la Courbe de Chatham et qui élevait soi-disant des cochons plus gros que ceux de n'importe qui dans le secteur, et que Watson il savait faire pousser des tomates sur un banc d'huîtres, et qu'il savait cultiver presque n'importe quelle connerie, et à profusion par-dessus le marché. Il avait aussi entendu dire que Watson était recherché. Par ailleurs Dolphus était un picoleur et ce soir-là il était bourré. Selon le capitaine Elijah Carey, qui avait vu les choses de tout près, Santini avertit monsieur Watson que l'Etat de Floride n'accorderait aucun certificat de préemption à un citoyen qui n'avait pas payé ses dettes envers la société, il lui dit que Watson ferait mieux de s'occuper de ses oignons.

Watson n'a pas moufté, il a juste opiné du chef, comme si les conseils de Dolphus étaient très raisonnables. Puis il a fourré la main dans sa poche et il s'est approché de Dolphus en biais, sans dire un mot ; toute la foule s'est alors écartée vers un côté de la pièce comme des gentils petits canards, ils ont pas perdu une seconde pour faire de la place à cet homme. Pourtant, c'était avant qu'ils sachent ce qu'ils savent aujourd'hui sur Ed Watson.

Ce qui leur a surtout flanqué la trouille, c'est l'expression sur le visage de Watson, du moins à en croire Lige. Watson pouvait sortir des jurons pas piqués des hannetons quand il était en rogne, mais plus il jurait, plus on se sentait à l'aise, parce qu'il finissait toujours par sortir un truc si énorme que tout son coup de gueule se barrait en couille et il éclatait de rire. Mais quand il était vraiment en colère, il le battait froid. Son visage rougeaud se figeait comme çui d'un cadavre, il devenait de bois. Elijah Carey, il a remarqué que ses yeux de pierre ont cillé une seule fois — c'est comme ça qu'il a deviné sa fureur — et il a cligné très très lentement.

Watson, il avait certes pas encore touché le Santini, mais il se tenait beaucoup trop près de lui, même qu'il avait coincé le vieux Dolphus contre une table. Alors il lui susurra qu'il avait pas très bien entendu, mais d'une voix qui ressemblait fichtrement à une calomnie noire. Est-ce que Dolphus aurait l'amabilité de dire clairement ce qu'il avait en tête ? Watson lui parlait très doucement et cette voix suave aurait dû servir d'avertissement, mais Dolphus était trop pété pour l'entendre, il croyait sans doute qu'il avait estomaqué son bonhomme.

Au marché à la criée, tout le monde se tut, mais Dolphus était trop imbu de son propre vacarme pour entendre ce silence. Il s'est râclé la gorge, il a souri à tout le monde, lancé un clin d'œil à la cantonade, et puis il a dit :

— Notre Etat de Floride n'aime pas les desperados en cavale d'ailleurs.

Le couteau *bowie* de Watson s'est retrouvé contre sa gorge avant qu'il ait terminé sa phrase. Watson a tracé une mince ligne rouge contre la peau de Dolphus, puis il a demandé à Santini de lui faire ses excuses s'il voulait pas se faire trancher la gorge d'une oreille à l'autre. Comme Santini était trop terrifié pour parler, Watson a continué et lui a entaillé la gorge, il l'a presque décapité et le sang a giclé sur trois paniers de concombres. Il aurait volontiers fini son boulot si on l'en avait pas empêché. Le capitaine Lige dit qu'il avait fait partie des hommes qui lui avaient arraché le couteau des mains.

Quand Watson brandit ce couteau sous la mâchoire de Santini, pendant la fraction de seconde avant que le sang jaillisse, il parut aussi concentré que s'il fendait un melon en deux. C'est ça, dit Lige, qui effraya surtout les gars. Mais quand ils lui saisirent le bras, il perdit la tête, il gueula que personne pourrait jamais lyncher Ed Watson, et il fallut quatre ou cinq hommes pour l'immobiliser à terre. Et quand ils lui eurent retiré son couteau, il rigolait déjà.

— Je suis chatouilleux, voilà ce qu'il a dit en se marrant de plus belle.

Quelqu'un a couru chercher un médecin et tout le monde savait que Dolphus avait survécu à sa blessure quand la nouvelle atteignit Chokoloskee, même s'il devait conserver une grosse cicatrice pourpre pendant le restant de ses jours.

A l'audience, Watson leva la main droite et jura sur la Bible qu'il n'avait jamais eu l'intention de tuer M. Santini. S'il l'avait voulu, eh bien il l'aurait fait, ça tombait sous le sens. Il déclara cela d'un air vraiment sincère, tout le monde éclata de rire et lui aussi sourit, il adressa un grand sourire à Dolphus qui donnait l'impression de s'étrangler dans tous ses bandages.

Lawrence, le garçon de Dolphus, m'a dit un jour que Watson avait frappé son père sans le moindre avertissement, qu'il l'avait attrapé par derrière et lui avait tranché la gorge. C'est peut-être vrai, mais ça correspond pas avec la version de Lige Carey.

Dans ce temps-là, y avait point de loi dans la région, les hommes réglaient leurs différends entre eux et un assassinat n'avait rien de bien exceptionnel, même si les Iles n'ont jamais été aussi terribles que certains étrangers ont bien voulu le dire.

Mais la loi régnait à Key West, si bien qu'Ed paya à Dolphus neuf cents dollars en espèces sonnantes et trébuchantes pour qu'il porte pas l'affaire devant un tribunal et l'incident fut clos. Nous autres, on n'a jamais trop pensé à tout ça.

Key West commençait à se lasser d'Ed Watson et puis le shérif Frank Knight aimait se servir de sa machine à télégraphier, si bien qu'il a arrosé le pays pour voir si Ed avait un casier quelque part et on lui a répondu que cet homme était en cavale, tout comme l'avait dit Dolphus. Le télégraphe a dit qu'Ed A. Watson était le seul accusé du meurtre de Bell Starr, Reine des Hors-la-loi, assassinée en Territoire indien en 89. Il y avait eu une évasion d'une prison d'Arkansas et un autre meurtre dans le nord de la Floride quelques années plus tôt, et encore un autre à Arcadia alors qu'il descendait vers les Iles.

Watson expliqua tout cela sans problème. Il dit qu'Edgar A. Watson était un salopard célèbre, lui-même l'avait d'ailleurs rencontré, mais Edgar J. Watson était un bon citoyen et un homme honnête. Quand le mandat d'arrestation arriva pour le ramener dans l'Arkansas, Edgar J. était retourné parmi les rivières.

L'homme tué à Arcadia s'appelait Quinn Bass. Notre famille s'est installée un moment à Arcadia avant de descendre vers le sud jusqu'à la Turner, et mon papa connaissait le défunt quand ils étaient gosses et pour lui il valait mieux que Quinn Bass soit mort que vif. Là-bas, le shérif O.H. Dishong a sans doute pensé la même chose, car on a laissé Ed Watson se tirer de ce mauvais pas avec une simple amende, comme à Key West avec Santini. Sauf que dans le cas de Quinn Bass, la victime a jamais palpé son fric.

La rumeur s'est donc répandue que dans l'Arkansas, peut-être aussi dans le nord de la Floride, Ed Watson était toujours un homme recherché, ce qui expliquait très bien pourquoi il était venu s'installer ici. Comme de juste, les gens ont commencé de s'inquiéter. Ils avaient l'habitude des vagabonds et des tueurs au petit pied, mais pas de célèbres desperados tirés à quatre épingles qu'on recherchait dans tout l'Ouest sauvage.

Pourtant, personne n'a posé la moindre question à ce gars. Si des hommes de loi le pourchassaient dans quatre Etats, ce n'était pas nos oignons. C'était sa responsabilité à lui, et il l'assumait. Si quelqu'un avait vraiment eu besoin de changer de nom, c'était bien Ed Watson, mais contre vents et marées Ed est resté Ed et on ne pouvait qu'apprécier ça. En dehors de M. Chevelier, *tout le monde* aimait cet homme, je le jure devant Dieu. Nous avons compris dès le départ que c'était un bon fermier et un voisin généreux, et pendant toutes ces années nous avons fait de notre mieux pour oublier le reste.

« Key West » (de l'espagnol Cayo Hueso*) devint une base de la Navy dans les années 1830 afin de lutter contre les trafiquants et les pirates qui infestaient la région. Un témoignage datant de 1885 donne une bonne idée de la Key West qu'E.J. Watson connut sans doute au cours des premières années qu'il passa dans les Iles :*

> *Splendide clair de lune sur le port. Nous trouvons un ancrage près du quai. Beaucoup de bateaux et de lumières autour de nous. Tout est tranquille, hormis les poulets et les chiens.*
>
> *Vent du sud, très chaud et étouffant... Loue une calèche pour faire le tour de la ville. L'île fait dix kilomètres sur cinq, elle est joliment construite de maisons en bois aux volets verts, entourées de massifs de fleurs luxuriantes et de majestueux arbres tropicaux. Rues étroites ; routes cahotantes aménagées sur un socle naturel de calcaire... nombreuses flaques d'eau stagnante dans les rues. Beaucoup de visages et de voix espagnols ; hôtels étranges aux coutumes et aux fruits bizarres. Le cocotier tropical, que l'on voit partout, est très frappant ; certains jardins de maison en abritent plusieurs. Lauriers... amandiers, tamariniers couverts de leurs gousses en forme de haricot. Nombreuses variétés de la famille de l'acacia. Sappadillos, citronniers, palmiers dattiers, anones écailleuses, faux sycomores, banyans et beaucoup d'autres encore. J'ai rejoint le fort désert qui commande le port, avant de descendre sur la plage où une foule d'éponges étaient échouées. J'ai longé les cours où sèchent les éponges, puis je suis retourné à bord du bateau pour dîner. Soirée*

magnifique ; nous sommes tous restés sur le pont jusqu'à une heure tardive pour jouir de la chaleur, des dernières lueurs du couchant, puis du clair de lune.

Henry Thompson

Monsieur Watson m'a dit qu'il avait de la famille quelque part, mais il n'en parlait pas très souvent, en tout cas pas devant Henrietta Daniels. Henrietta – il appelait ma mère Netta – est venue entretenir la maison de monsieur Watson et elle a amené Tant avec elle. Tant Jenkins était son jeune demi-frère, pas beaucoup plus vieux que moi.

Ce jour-là, monsieur Watson est revenu d'Everglade tout excité, Tant chassait la plume dans les rivières. Il se carapatait dès que monsieur Watson s'en allait, en me laissant tout le boulot. Henrietta est installée sur le perron de devant, avec Minnie accrochée à son sein, et monsieur Watson a à peine amarré le bateau qu'il se met à brailler du quai :

– Netta chérie, tu ferais bien de songer à ramasser tes affaires, y a ma famille qui arrive !

Il me montre une lettre d'une certaine Mme Jane D. Watson, expédiée dans le nord de la Floride, et l'enveloppe contient une photo marron de trois gosses en costume du dimanche. Le jeune Eddie et le petit Lucius portent des cols blancs relevés et des costumes noirs, et miss Carrie, avec sa robe blanche immaculée, un gros ruban noué sur le devant et des chaussures à boucle, est la plus jolie jeune fille que j'aie jamais vue. Au dos est écrit : « Rob était intimidé, il n'a pas voulu poser pour la photo ! »

– Rob n'est pas timide, a rectifié monsieur Watson. Rob en veut tellement à son père que sa queue frémit comme un serpent à sonnettes !

Je sais pas pourquoi il a trouvé ça drôle, mais de fait il s'est mis à rire encore plus fort en remarquant que je riais pas du tout.

– Bah, soupira-t-il, je ne crois pas que Mme Watson aurait pris la peine de nous écrire si son mari était un si mauvais homme, qu'en penses-tu, Henry ?

Et il se remet à pouffer de rire, pour bien montrer qu'il était ravi par la tournure que prenait l'existence. Avant de quitter Everglade, dit-il, il leur avait télégraphié l'argent de leurs billets et il irait sans doute les accueillir à Punta Gorda vers la fin du mois.

Monsieur Watson était si heureux qu'il nous oublia complètement, nous et nos émotions. Me voilà donc sur le quai pour l'aider avec le bateau, mais je ne sais plus où poser les yeux, tellement j'ai honte, tant pour moi que pour ma mère. Je m'entendais bien avec monsieur Watson et au bout de deux ans sa maison était devenue mon foyer. C'était la première vraie famille que je connaissais, parce que monsieur Watson était comme un père avec moi et il me le laissait volontiers penser, pour dire à quel point il me traitait bien. Il me fallait maintenant m'en aller, moi aussi, sans avoir la moindre idée de l'endroit où j'irais pour repartir à zéro.

La première fois que ma mère vint à la Courbe de Chatham, je me débrouillais tout seul depuis quelques années et elle me faisait davantage l'impression d'être comme une sœur aînée turbulante. J'ai jamais connu mon père, je l'ai jamais vu, c'était un marin anglais à Key West qui allait et venait. Je suis né là-bas en 1879. J'avais un jeune frère, Joe, il s'appelait aussi Thompson, mais Henrietta laissa Joe derrière elle chez notre oncle John Henry Daniels à Fakahatchee, si bien que je le vois à peine d'une année sur l'autre.

Bon, Henrietta elle avait bon cœur, indépendamment de sa poitrine flasque et de ses gueulantes ; là-bas, avec elle et Tant nous faisions une famille réunie autour de la table, j'avais l'impression qu'on avait un endroit à nous. J'ai donc maudit la désinvolture avec laquelle monsieur Watson se préparait à la virer comme de la main-d'œuvre nègre, avec l'enfant qu'elle avait de lui par-dessus le marché. Je me sentais tout drôle et tout mari dans le cœur et la poitrine, prêt à me battre. Quand, sur le pont du bateau, il m'a balancé cette caisse de fournitures, je l'ai envoyée valser sur le pont si fort qu'une latte s'est brisée.

Le choc a été un peu plus violent que je voulais, ce bruit d'explosion l'a pris par surprise, parce qu'il s'est aussitôt accroupi en lâchant la caisse suivante et sa main a bondi vers sa poche à toute vitesse. Puis il s'est redressé lentement, il a ramassé la caisse, il l'a transportée lui-même sur le quai et il l'a posée soigneusement sur les planches à côté de l'autre.

— On dirait que t'as avalé une grenouille, mon gars. Vas-y, crache le morceau.

Il était furieux, mais je l'étais bien davantage ; je me suis enfoncé mon chapeau sur le crâne et j'ai craché, ni trop près ni trop loin de ces bottes western qu'il portait toujours quand il allait en ville. Je redoutais de parler, de peur que ma voix se réduise à un petit filet de rien du tout ou qu'elle soit toute brouillée, je lui ai donc coulé un regard en biais comme un chien sournois et j'ai posé les mains sur la caisse suivante pour lui faire comprendre que j'étais là pour bosser, et pas pour répondre à ses questions.

Mais ses yeux de pierre ont continué de me fixer, sans la moindre expression. Il m'a fait penser à un vieil ours énorme que j'ai vu avec Tant au début d'une soirée d'automne, juste derrière Deer Island, dressé sur ses pattes arrière au-dessus de la prairie salée, histoire de faire un tour d'horizon. Comme dit Tant, le faciès d'un ours ça bronche pas, ça bouge pas d'un poil, quoi qu'il pense. Il prend pas un air méchant ni exaspéré ni rien, pas avant de plaquer ses oreilles sur sa nuque, il est simplement *ours* jusqu'à la moelle, c'est comme ça qu'il se concentre sur sa nature d'ours. Ensuite, tout dépend de la dose d'ennuis que vous lui cherchez, il attendra que vous vous soyez décidé. Et monsieur Watson exhibait ce visage d'ours pour vous signifier qu'il avait dit ce qu'il voulait, qu'il n'allait pas le répéter et qu'il n'était pas prêt à accepter le silence en guise de réponse. J'ai pas réussi à croiser son regard.

— Enfin quoi, vous êtes pas le papa de la petite ? *Et nous*, on est pas votre famille, peut-être ?

Pour sûr, ma voix était toute bredouillante et haut perchée, et j'ai recraché bien fort pour cacher ma faiblesse et lui montrer lequel de nous deux se contrefoutait le plus de l'autre. Monsieur Watson regarde à côté de sa botte en opinant du chef comme si l'examen du glaviot d'autrui faisait partie de la politesse commune, et puis il lève les yeux pour m'examiner encore. Et tout ce temps-là, il a jamais cligné, pas une seule fois.

— Vous voulez que je transporte cette caisse ou quoi ? que je fais, histoire de le provoquer.

Il attend toujours. Il veut m'arracher ce truc du fond de moi-même.

Ça me rend encore plus fou de rage, mais me voilà encore à éructer mes âneries :

— Vous voulez me chasser de cet endroit avec elle, c'est pas vrai ? Hein, pas vrai ?

Il détourne les yeux comme s'il supportait pas ce qu'il voyait, exactement comme l'ours lâchant soudain un *whouf !* avant de se laisser tomber à quatre pattes. Il recule sur le quai et me lance une autre caisse, mais trop fort.

– Non, il dit. Rob sera avec eux et j'ai l'intention de le former à ton boulot. Avec toutes ces commandes pour notre sirop, nous aurons besoin d'un équipage à plein temps pour le schooner, alors Tant et toi vous vous occuperez de ce bateau, à condition que Tant revienne un jour des Glades.

Eh bien, nom de Dieu, les larmes me sont montées aux yeux et il l'a bien vu avant que je me détourne. Savez ce qu'il a fait ? Monsieur Watson est redescendu sur le quai, il m'a pris par les épaules, il m'a fait pivoter et il m'a regardé droit dans les yeux. Même qu'il voyait tout au fond de moi.

– Henry, a-t-il dit, tu n'es pas mon fils, mais tu es mon associé et tu es mon ami. Et le bon Dieu sait bien que ce pauvre vieux Ed Watson a besoin de tous les amis qu'il peut trouver, jusqu'au dernier.

Puis il m'a ébouriffé les cheveux avant de s'éloigner en sifflant *Bonnie Blue Flag*, pour faire la paix avec Henrietta Daniels. J'ai pris une caisse, mais je l'ai reposée presque aussitôt. Regarder mon nouveau bateau m'a donné quelque chose à faire pendant que je retrouvais mes esprits, au cas où, de la maison, il se serait moqué de moi. A seize ans, du moins en ce temps-là, on était déjà un homme et personne avait le droit de vous voir pleurer.

Longtemps je suis resté là, les pouces coincés dans la ceinture, hochant la tête devant le bateau comme si je réfléchissais au travail du capitaine. Connaissant Tant, je savais qui serait capitaine – à vingt ans, Tant était déjà bon chasseur, mais il se fichait des responsabilités comme de l'an quarante.

Cet après-midi-là, pour donner libre cours à sa joie ou peut-être simplement pour s'éloigner d'Henrietta, monsieur Watson est allé avec une houe dans le carré de maïs. Les nègres et moi, on sarclait les mauvaises herbes, hébétés par le poids de ce ciel blafard qui en plein été descendait très bas sur la mangrove, mais monsieur Watson chantait ses vieilles chansons. *Hourah ! Hourah ! Pour les droits du Sud, hourrah !* C'était le seul homme que j'aie jamais connu qui soit capable de trimer davantage que les autres tout en chantant à pleins poumons. *Hourrah pour le drapeau bleu à l'unique étoile !* Même qu'il a poursuivi assez longtemps pour imiter le solo de bugle : *Boo-*

pet-te-boopet-te-tou, *Ti-boopet-te-boopet-te-pou*, en faisant les cent pas autour de nous d'un air martial, la houe posée sur l'épaule.

Cet homme n'enlevait jamais sa chemise, pas même quand le tissu lui collait à ses épaules massives. Une fois, il m'a dit :

— Un gentleman ne retire jamais sa chemise quand il travaille avec des nègres. C'est bon pour eux, mais pas pour nous.

Il y avait pourtant une autre raison. D'habitude il portait une chemise rayée et sans col qu'Henrietta lui avait taillée dans de la grosse toile à matelas ; pourtant, elle était pas assez épaisse pour cacher l'étui d'épaule qu'on apercevait à travers le tissu quand il transpirait. Même tout là-bas dans la canne à sucre, il gardait son flingue à portée de main. Les nègres le voyaient bien aussi, et ça le dérangeait pas, il se contentait de grogner et eux maniaient leur houe avec une énergie redoublée.

Une autre fois, il m'a dit :

— J'ai appris à garder ma chemise sur le dos, Henry. Ça fait partie des bonnes manières. On sait jamais quand on risque d'avoir de la visite.

Ce jour-là, Tant a fait l'effronté devant monsieur Watson :

— De la visite du nord du pays ? qu'il a demandé.

Monsieur Watson s'est tourné vers Tant, et moi itou, première fois que je regarde *vraiment* Tant, tellement j'étais habitué à lui. Tant était maigre comme une canne à pêche, des cheveux noirs frisés et un grand sourire par-dessus le marché. Il a fait ce qu'il a pu pour le garder, son sourire, mais il a pas réussi. Alors monsieur Watson lui a dit :

— Fais pas trop le malin, petit gars.

Cette dureté avec Tant était très inhabituelle, et tout sourire a disparu du visage de Tant presque jusqu'au souper.

Tant était pas là le jour maudit où monsieur Watson, qui coupait une racine coriace, a brandi sa hache très loin en arrière et m'en a flanqué un bon coup sur le côté de la tête. Je me suis retrouvé allongé par terre, à moitié aveuglé par le sang, et tous les nègres terrifiés s'écartaient de moi comme si on venait de me trucider. Monsieur Watson a continué son boulot comme si de rien n'était, d'un grand coup de hache il a achevé cette racine.

— Voilà pour elle ! a-t-il lancé.

Puis il s'est approché de moi pour me remettre sur pieds. Il y avait du sang partout et j'avais la tête qui me brûlait.

— Faut donner davantage de place à un homme, Henry, qu'il m'a dit.

Il s'est jamais excusé, il m'a juste conseillé de courir à la maison, demander à Henrietta de me mettre un emplâtre, ajoutant qu'il me rejoindrait bientôt là-bas.

Henrietta, qui était déjà hors d'elle, a pesté et piaulé dans toute la cuisine.

— Dire que j'ai porté *son* enfant ! hurlait-elle en faisant virevolter la pauvre Minnie, décochant des coups de pied aux poules, heurtant violemment une casserole en fer-blanc pleine de patates douces.

Quand j'y repense aujourd'hui, je crois que ma mère était amoureuse de monsieur Watson, mais à l'époque je me disais qu'ils étaient malades et cinglés de coucher ensemble dans le même lit.

En découvrant mon visage couvert de sang, ma mère a poussé un grand cri :

— Il a fait ça essprès !

Ce diable sauvage voulait assassiner son pauvre garçon, voilà ce qu'elle a dit le jour où on a appris que monsieur Watson avait tué dans d'autres parties du pays. Elle tenait à me ramener aussi sec à Caxambas, un point c'est tout.

— En attendant, cria-t-elle alors qu'il arrivait sur la galerie de derrière, ne tourne *jamais* le dos à cette infecte crapule !

J'ai entendu dire que Netta Daniels manquait de jugeote et de moralité, mais personne a jamais prétendu qu'elle manquait d'énergie.

Monsieur Watson fit comme s'il avait rien entendu, il se lava le visage à la pompe à main qui puisait l'eau de notre citerne. A l'époque c'était la seule pompe de toutes les Iles, nous en étions fiers, et pas qu'un peu. Lorsqu'il se redressa pour s'essuyer le visage, il observait Henrietta. Sous ses épais sourcils couleur gingembre, ses yeux bleus scintillaient comme deux silex posés sur la serviette, et ces yeux-là ont vu mon regard descendre pile vers l'endroit où sa transpiration soulignait les contours de son arme. Il a tenu la serviette comme ça pendant une trentaine de secondes, jusqu'à ce qu'Henrietta arrête ses jérémiades et ses piaulements. Puis il l'a baissée en la faisant claquer, apparemment tout heureux d'avoir effrayé ma mère. Il a sorti son pichet d'alcool de canne et il s'est assis à une table dans l'autre pièce, le dos bien calé dans l'angle comme il faisait toujours.

Pour une fois, Henrietta ne lui a pas sauté sur le râble parce qu'il se balançait sur sa chaise, risquant ainsi d'en disjoindre les pieds, ce qui était sa manière à elle d'essayer de lui montrer tout le soin qu'elle prenait de son foyer. Là où le cœur se pose, là est le foyer, voilà ce qu'on lisait sur la pièce de couture rectangulaire qu'elle avait accrochée au mur de notre salon afin de rendre l'atmosphère plus intime et de prouver quelle bonne épouse elle ferait, pourvu qu'un homme ait assez de jugeotte pour apprécier toutes ses qualités. Mais ce jour-là, sachant ce qu'il avait entendu, elle craignait de parler encore.

Il le savait, bien sûr. Il a éclusé une bonne rasade avant de soupirer, comme ce pauvre lamantin dans la rivière la fois où nous avons tué son petit pour avoir de la viande fraîche. Enfin, il a chuchoté :

— Tu ferais bien de surveiller tes paroles, Netta. Même un assassin aussi crapuleux que moi, ça a sa susceptibilité.

Et il lui a demandé si elle avait plié bagages, si elle était prête à lever le camp.

Elle m'a tiré sur la galerie :

— J' veux pas te laisser ici, Henry ! On peut jamais savoir ce que cet homme va faire !

Elle aussi murmurait, mais fort, pour qu'il l'entende, et en guise de réponse il a grogné drôlement, comme un ours.

— Tu rentres au foyer avec moi, jeune homme, un point c'est tout ! dit Henrietta.

— Au foyer ? fis-je en levant les yeux au ciel. C'est où le foyer ? Là où qu'est le cœur ?

— Ce beau travail d'aiguille est dans notre famille depuis des générations, dit Henrietta sur un ton de reproche.

— *Quelle* famille ? demandai-je en me sentant le pire des vauriens.

— *Notre* famille ! Ta propre grand-mère a épousé M. Ludis Jenkins qui fut le premier colon à Chokoloskee, il y a vingt ans, les Jenkins, les Weeks et les Santini !

Personne ne tenait jamais compte du vieux Ludis, car il avait rien fait de sa vie et quand il en a eu marre, il s'est tiré une balle dans la tête. Je lui ai surtout pas rappelé ça. Je lui ai dit :

— Le papa de Tant a jamais été un parent d'aucune sorte.

Les yeux de ma jeune mère se sont emplis de larmes et j'ai eu pitié d'elle. Mais c'était la première fois qu'Henrietta déclarait qu'elle voulait m'emmener avec elle, et ça me déboussolait un peu. Elle était bien jeune à ma naissance et je suis arrivé par la porte de derrière. Elle ne m'a jamais amené ici, c'est moi qui l'y ai fait venir. Je l'ai fait embaucher par monsieur Watson, tout comme Tant. Elle avait pas plus de foyer que moi.

J'ai chuchoté que je comptais pas partir avec elle. Alors, elle a dit :

— Me réponds donc pas sur ce ton, tu es mon enfant !

— Depuis quand ? je lui ai rétorqué.

Ça aussi, ça lui a fait mal.

— En tout cas, j'ai dit, chuchotant toujours, je suis le nouveau capitaine de ce schooner, je suis plus un gamin !

— Depuis quand ? elle me répond en me frottant beaucoup trop fort le sang sur la tête.

— Fais gaffe ! je braille, je suis pas une patate douce !

— Depuis *quand* ? répète Netta et nous éclatons de rire tous les deux comme des gosses, sans savoir pourquoi.

Alors, fondant en larmes, elle m'a serré dans ses bras parce qu'elle avait pas la moindre idée où la petite Min et elle allaient bien pouvoir se poser.

Je me sens pris de faiblesse et de solitude et je lui rends son étreinte. Y avait quelqu'un qui me manquait, mais je savais pas très bien qui. Je suis même pas sûr aujourd'hui de l'avoir trouvé, même pas quand les diacres m'ont assuré que c'était Jésus.

— Je l'ai appelée Minnie à cause de la grande sœur souillon de cette crapule là-bas, a bafouillé Henrietta. Je déteste ce nom, et Min le détestera aussi !

Ça m'a rendu nerveux d'entendre Henrietta insulter la sœur de monsieur Watson, car il buvait pour de bon maintenant et son silence suintait à travers le mur.

Je la serre aussitôt contre moi. Du gombo qui pousse à côté de la citerne arrive le chant d'un petit oiseau jaune et vert qui gazouille même en été, *wip-di-tchi !* et bientôt il recommence, encore et encore.

Alors monsieur Watson m'appelle d'une voix forte :

— Viens un peu ici, capitaine, on a du pain sur la planche, tous les deux !

Henrietta me retient par la manche en ouvrant grand les yeux.

Comment cet homme avait-il bien pu entendre mes chuchotis et toutes mes vantardises ? Mais comme disait Tant, monsieur E.J. Watson pouvait entendre une grenouille péter pendant un ouragan. Ça venait pas tellement de sa pratique de la chasse, ajoutait Tant, que de celle d'être pourchassé.

Carrie Watson

CE JOURNAL INTIME APPARTIENT À MISS C. WATSON

15 SEPTEMBRE 1895. Le train qui nous a emmenés d'Arcadia vers le sud s'est arrêté pour la nuit à Punta Gorda avant de repartir vers le nord et les gentils machinistes nous ont laissés dormir sur les banquettes de peluche rouge après avoir balayé les épluchures de cacahuètes et tout ce qui traînait. Papa nous avait télégraphié ses instructions : nous devions nous installer au nouvel hôtel dès notre arrivée, pour nous reposer, mais maman a dit qu'elle avait appris qu'il ne fallait jamais compter sur le repos dans la vie, ni sur rien d'autre d'ailleurs. Il ne fallait pas dépenser du bon argent dans des hôtels, au cas où, comme d'habitude, quelque chose irait de travers et que monsieur E.J. Watson n'arrive pas. A propos, elle se trompait sans doute d'homme, car son mari s'appelait E.A. Watson du temps qu'elle le fréquentait. Pas à dire, maman était vraiment patraque.

La nuit dernière, j'étais tellement vannée que j'ai dormi comme une souche. Ai fait un cauchemar avec des crocodiles, mais ça ne m'a pas réveillée. A l'aube, ils nous ont aidés à descendre du train et ils nous ont laissés là sur le sable. Le train a lâché un grand coup de sifflet, il y a eu un ferraillement assourdissant et il s'est ébranlé, devenant de plus en plus petit, se transformant bientôt en une tache noire là où l'éclat des rails faisait un point d'acier brillant devant le soleil qui se levait. On a agité la main, longtemps, longtemps quand le train a disparu et il n'y a pas eu le moindre écho, seulement deux rails minces comme un feu argenté filant vers le nord et l'endroit d'où nous venions.

Le dépo est fermé jusqu'à la semaine prochaine et il n'y a pas âme qui vive. Les busards vont et viennent dans le ciel. Ce ciel du sud de la Floride est blanc de chaleur comme si des cendres tombaient du soleil. Dans la brise brûlante, les petits palmiers tout pointus exhibent leurs bouquets de couteaux noirs, et la boule de feu qui sort des palmes en montant aiguise leurs lames. Une fois le soleil un peu plus haut, le vent tombe, les cardinaux et les oiseaux moqueurs respectent un mutisme mortel et une chaleur étouffante s'installe pour une longue journée sèche, tellement sèche.

Maman essaie de nous remonter le moral, elle nous fait son petit sourire si drôle. Elle dit « Bon, bon, nous voilà maintenant au bout de la ligne, tout au fond du sud de la Floride ! » comme si ce silence de mort et cet effrayant soleil blanc, tout ce sable brûlant et ces ronces desséchées étaient tout ce que nous avions désiré depuis notre plus tendre enfance.

Toujours pas de signe de monsieur Watson, pas un mot.

Je l'appelle « monsieur Watson » comme maman, qui est très stricte sur nos manières et qui dit parfois, quand elle est mélancolique, que les bonnes manières sont à peu près tout ce qui nous reste. Mais dans mon cœur, je pense à lui comme à « papa » parce que c'est comme ça que je l'appelais dans l'Arkansas. Oh, je me souviens bien de lui, vraiment ! Presque toujours il était tellement drôle qu'il compensait le sérieux et la tristesse de notre chère maman. De Fort Smith il nous a rapporté des soldats de plomb et il s'est assis avec nous par terre dans le chalet pour y jouer. (Rob était trop vieux pour ça, bien sûr, il était occupé à donner leur pâtée aux cochons, il décampait dès qu'il entendait papa arriver.)

J'ai donné à Eddie les tuniques bleues des « satanés Yankees », car il était trop jeune pour faire la différence. Lucius n'était qu'un bébé à cette époque, il ne se souvient presque pas de papa, il fait juste semblant. Mais Eddie et moi, nous n'avons jamais oublié notre cher cher monsieur Watson et je suis certaine que notre Rob ne l'a jamais oublié, lui non plus (lui aussi ?).

J'ai tout plein de temps à te consacrer, cher journal, car Rob fait la tête, maman réfléchit et mes tentatives pour animer mes petits frères m'ont épuisée. C'est papa qui m'a donné l'idée de mon cher journal, il y a si longtemps, quand j'étais une petite fille. Un jour, j'ai découvert papa sous les arbres, occupé à écrire dans un livre relié en cuir. Je lui ai demandé ce que c'était, il m'a prise sur ses genoux et m'a dit :

– Eh bien, vois-tu, ma Carrie chérie, c'est une espèce de journal. J'appelle ça *Notes en bas de page à ma vie.*

Il me sourit de l'air timide qu'il prend parfois quand il croit qu'il n'a pas réussi à vous amuser. Il me dit que son orthographe n'est pas très bonne parce que, lorsqu'il était gamin tout là-bas en Caroline pendant la guerre de Sécession, son père était parti et il s'occupait de sa mère et de sa sœur, et il n'a jamais eu l'occasion d'aller à l'école. Mais depuis sa jeunesse il tient ce journal parce que c'est une tradition dans notre famille Watson.

Le journal de papa avait une serrure dessus et il m'a juré qu'il ne le montrerait jamais à personne, même quand je me suis mise à bouder et à prendre un air dépité.

— Vraiment jamais ? lui ai-je demandé.

— Peut-être un jour, a répondu papa.

Je savais que maman était terrifiée de le prendre entre ses mains, sans parler de le lire les rares fois où elle l'a trouvé ouvert, mais je croyais que c'était différent pour moi. Il m'a avertie que tout journal intime qui n'était pas complètement secret n'était plus intime, plus honnête et donc n'était plus « un ami sincère ». Je cache donc le mien à absolument tout le monde, maman comprise.

Rob allait sur ses douze ans quand papa est parti. C'était dans le comté de Crawford, Arkansas, alors que Lucius était encore un minuscule avorton. Rob a tenu la dragée haute à ces hommes qui sont arrivés au grand galop. Il leur a dit qu'ils étaient entrés illégalement sur la propriété de papa et qu'ils feraient mieux de faire gaffe s'ils ne voulaient pas se prendre une balle entre les deux yeux. Alors l'un des hommes a dit à un autre :

— I' veut dire une balle dans le dos.

Rob lui a sauté dessus avant que maman ait eu le temps de crier. C'était vraiment terrifiant, ce garçon pâle aux cheveux noirs qui plantait furieusement ses dents dans le genou de ce type, car il ne pouvait pas atteindre plus haut. Il a eu la main salement coupée par les éprons et il a valdingué sur le dos dans la poussière.

Maman nous a dit que papa devait partir à cause de ses affaires, partir pour l'Oregon. On est restés tout seuls pendant quelques années avant de quitter l'Arkansas et de retourner dans le comté de Columbia, en Floride, et nous avons passé un an avec grand-maman Ellen Watson et tante Minnie Collins et nos cousins.

Rob a été très mesquin quand il a été question d'aller retrouver papa. Il a obligé maman à reconnaître qu'elle avait écrit à papa et que papa ne nous avait jamais réclamés avant ça, bien qu'il prospérait sur sa nouvelle ferme. Sans doute qu'il avait même une nouvelle femme maintenant, voilà ce que Rob lui a dit. Rob est grossier envers ce pauvre papa, grossier envers maman, il lui rappelle toutes les deux minutes qu'elle n'est pas sa vraie mère et qu'il n'est pas obligé de lui obéir si ça ne lui plaît pas. Alors maman lui répond calmement :

— Je ne suis peut-être pas ta mère, Rob, mais je suis tout ce que tu as.

Elle vaque calmement à ses ocupations en laissant Rob la dévisager d'un air chagrin. A ces moments-là il semble tout penaud et tout drôle comme s'il venait de tomber de cheval sur la tête. Une fois, il m'a surprise en train de l'observer quand il était tout penaud comme ça et il s'est approché pour me flanquer un grand coup sur le crâne, mais il ne m'a pas dit un mot.

Rob passe pour être joli garçon avec ses cheveux noirs tout raides, ses sourcils noirs broussailleux et sa belle peau blanche qu'il tient sans doute de sa pauvre mère aujourd'hui morte. La seule chose qu'il a de papa, ce sont ses taches de rousseur sur les pommettes et ses yeux bleus, si bleus, tombés du sommet du ciel d'où nous vient tout ce bleu. Des yeux bleus avec des cheveux noirs, c'est presque effrayant. Ces petits points roux lui jaillissent de la peau comme des mouchetures de sang, tant sa peau est claire, alors que papa est si bronzé et rouge que ses taches ne se voient presque pas, sauf quand il est en colère. Alors, dit maman, elles brillent comme le feu. Nous autres les enfants, on a tellement envie de voir notre papa briller comme le feu !

Je ne ressemble ni à papa ni à maman. J'ai l'impression d'être une étrange petite chose que les gens appellent Carrie sans trop savoir d'où elle peut bien venir. Papa a le visage en forme de cœur alors que celui de maman est allongé, mais le mien est quelque part entre les deux, je n'ai le visage ni gros ni mince, mais des pommettes hautes avec des lèvres pleines, « des lèvres en piqûre d'abeille » comme l'écrit M. Browning (? ?) dans le livre de poèmes de maman. J'ai les cheveux châtains, Lucius et maman blond cendré, alors que ceux de papa sont marron roux avec des fils dorés en été.

Eddie ressemble davantage à papa ; il sera grand, large d'épaules et massif comme lui, avec les mêmes cheveux rouquins, bien que les siens sont moins fins et sa peau est plus claire. Toutes ses manières et son expression sont très différentes selon maman, comme si le feu de papa s'était éteint ou qu'il n'émettait plus la moindre chaleur. (Je ressemble beaucoup à papa, toujours selon maman, j'ai « son regard supérieur et pénétrant », ce que grand-maman Ellen appelle « les yeux fous des Watson ».)

Lucius a les traits fins de maman et cette petite grimace toute tordue qui se transforme si rarement en vrai sourire. Ses yeux sombres sont enfoncés dans leurs orbites, comme ombrés. C'est lui qui sera le plus grand. (Moi aussi, je suis assez grande ; « il va y avoir beaucoup de Carrie », dit maman pour me taquiner.) Lucius est doux, très sensible. Mais tout bien pesé, notre petit garçon n'est pas aussi sérieux que Rob et Eddie, il est plus joueur qu'eux. Quand à moi, j'ai le cœur léger. Maman dit que c'est surtout mon esprit qui est léger, que je ne me concentre pas assez sur mes études, que j'ai sans cesse envie de bondir sur mes pieds avant de sortir en courant, pour voir. Que faut-il faire quand on est tout bonnement curieuse ?

C'est moi qui ai vu la voile en premier, blanche comme une aile d'oiseau de mer, tout là-bas vers l'embouchure de la Peace River. Je savais bien que c'était papa et personne d'autre. Je n'avais jamais vu une voile et j'ai eu envie de courir jusqu'au quai et d'agiter la main à n'en plus finir. Mais maman a pali avant de dire :

— Nous ne sommes pas *certains* que c'est monsieur Watson, nous attendrons donc ici.

Bientôt la voile a été si près de nous qu'on entendait le grément tinter dans la brise, et maman a dit :

— Au cas où ce serait bien monsieur Watson, nous devrions nous lever pour qu'il puisse nous voir et pour qu'il n'aille pas inutilement là-bas devant cet hôtel.

Nous nous sommes tous levés, puis alignés devant le dépo, tous sauf Rob, qui est resté vautré de son côté. Rob avait refusé de mettre son costume du dimanche, il tenait à manifester clairement qu'il n'était pour rien dans toutes ces tribulations où notre famille acceptait la charité de papa dans le sud de la Floride.

Il n'était pas loin de midi, il n'y avait pas d'ombre et nous sommes restés là dans le vent brûlant à regarder le rivage. Dans la lumière éblouissante on aurait dit deux silhouettes noires, une grosse et une mince, qui tremblotaient vaguement. Je crois que le soleil me donnait le vertige.

— Maman, ai-je crié, laisse-moi courir au-devant d'eux !

Mais elle a secoué la tête et nous sommes donc restés là, raides comme des piquets.

Un homme massif en chapeau western noir et un grand échalas derrière lui ont traversé l'étendue de sable blanc entre le quai et le dépo. Voilà qu'arrivait notre papa perdu depuis si longtemps, mais personne ne souriait ! Comme j'avais pitié de lui ! Mais notre ligne ne s'est jamais rompue ; enfin, il s'est arrêté à quelques mètres, il a enlevé son chapeau à larges bords et il a fait un petit salut, mais personne n'ouvrait la bouche. Il portait toujours sa montre en or au bout d'une chaîne et il y a jeté un coup d'œil.

— Je suis désolé de notre retard, dit-il. Le mauvais temps.

Sa voix était profonde et agréable, un peu bourrue, comme s'il n'avait aucun droit sur nous, du moins pas encore. Il s'est approché de nous.

Monsieur Watson portait un costume de lin et un cordon noir autour du cou, des bottes brillantes et une moustache bien lustrée. Il a gardé son chapeau à la main. Il paraissait vraiment content de voir notre bande lugubre, il disait « Bon sang de bonsoir » en nous adressant un grand sourire, à ces quatre épouvantails alignés qui osaient se dire de sa famille.

Je voyais bien que maman mourait d'envie de lui rendre son sourire, mais elle pouvait tout bonnement pas. Le ravissant bonnet rose tout neuf pour lequel elle avait économisé en nous bassinant que cet achat était une dépense honteuse parce que, qui sait, elle n'aurait peut-être plus jamais l'ocasion de le porter — ce maudit bonnet était tout de guingois comme s'il fondait au soleil et qu'elle ne s'en était même pas aperçu, tellement que ma pauvre maman était épuisée à cause du manque de sommeil et de ses nerfs. Ses mains rouges, qui lui faisaient si honte, étaient serrées toutes blanches contre sa taille et son long visage élégant était pâle et creusé de fatigue. La voyant aussi abattue, j'ai senti mon cœur se briser parce que notre maman avait subi la tristesse et la pauvreté. Je me demande si c'est pour ça qu'elle a écrit à papa.

— Eh bien, madame Watson, a dit papa, c'est une bien belle famille que vous avez là !

Maman a hoché la tête, trop tourneboulée pour parler. Le mieux qu'elle a pu faire, ç'a été de sourire à ce garçon bizarre en guise de bienvenue, car il semblait tout aussi timide et effrayé que nous tous. Il était maigrichon et vraiment bronzé, les cheveux blanchis de soleil et des jambes très longues dans son pantalon trop court, le genre de vêtement qu'à l'école les autres garçons appelaient un « Poches-hautes » parce que ce pantalon lui arrivait à mi-mollets, découvrant ses chevilles poussiéreuses. En dehors de ses longs pieds nus tout bronzés, il était habillé comme Rob, une chemise de toile sans col et des bretelles qui lui remontaient le pantalon sur le ventre, peut-être aussi un sous-vêtement — ce que Rob appelle un sous-vêtement andien parce qu'il vous remonte en rampant sur le derrière. Mais j'ai du mal à imaginer que ce garçon portait le moindre sous-vêtement, même si je reconnais volontiers que tout ça ne me regarde absolument pas. Je dirai seulement qu'il avait l'air propre et qu'il ne sentait pas grand-chose.

Brusquement je lui ai adressé un grand sourire, qui a aussitôt quitté mes lèvres quand j'ai remarqué que ça lui flanquait une peur bleue. Ce garçon a rougi comme une tomate, son visage s'est plissé quelque chose de terrible, il a levé les yeux au ciel comme s'il y cherchait des oiseaux et quand il a baissé la tête, il ne nous regardait plus, il essayait de siffler.

Papa, tout d'un coup, il s'est avancé vers maman en lui tendant ses deux mains et j'ai regardé les mains rouges de maman se crisper une dernière fois comme si cette pression devait lui fournir le courage nécessaire. Ses pauvres doigts ont commencé de monter, puis se sont arrêtés avant de s'étreindre à nouveau, et les mains de monsieur Watson sont retombées à ses côtés. Ses mains s'ouvraient et se fermaient, juste un peu. Ces quatre mains désemparées étaient tellement tristes !

Je n'ai pas supporté une autre seconde de suspense, il fallait que quelqu'un fasse quelque chose, sinon la pauvre petite Carrie aurait fondu en larmes ! J'ai poussé un cri et me suis élancée, mes bras ont enlacé papa et je m'y suis accrochée de toutes mes forces en jouant mon vatout. Je savais qu'il regardait sa femme par-dessus le ruban rouge de mon nœud. Alors j'ai nettement senti qu'il poussait un grand soupir, quelque chose a lâché prise dans son énorme poitrine, et ses bras m'ont serrée contre lui.

Evidemment, quand je me suis retournée, maman souriait. Et bon sang, cette andouille de petite Carrie s'est mise à pleurnicher, et maman aussi, mais elle souriait à travers ses larmes, comme le soleil quand il pleut. C'était un beau sourire, presque involontaire, sinueux, plein d'espoir, j'ai jamais vu une expression aussi belle sur ce visage désorienté, et j'ai senti mes tempes toutes choses.

Son sourire a été comme un signal pour les garçons qui ont couru vers leur père et lui ont sauté dessus, pas parce qu'ils l'aimaient comme moi, ils étaient beaucoup trop jeunes pour ça, mais rien que pour le plaisir. Maman cachait assez bien ses larmes en grondant les garçons parce qu'ils froissaient le costume de lin de monsieur Watson, mais papa Ours grognait et se roulait par terre comme dans le bon vieux temps, menaçant de s'enfuir dans la forêt avec toute une brassée d'enfants qu'il pourrait ensuite dévorer à loisir dans sa caverne. Eddie hurlait pour se calmer les nerfs en faisant semblant d'être terrifié, mais le petit Lucius, seulement âgé de six ans, se laissait rebondir et lancer en l'air sans protester le moins du monde, tournant seulement la tête pour regarder maman par-dessus l'épaule de papa, histoire de s'assurer qu'elle ne s'en allait pas.

Pendant tout ce temps-là, ce pauvre idiot de Rob n'avait pas bougé d'un poil, il se balançait simplement sur les talons, les mains coincées dans ses poches de derrière en jetant des regards noirs à monsieur Watson. Si bien qu'en finale tout le monde s'est senti obligé de regarder le boudeur et sa moue lippue, exactement comme il le voulait. Mais comme Rob ne soutenait pas le regard de son père, Rob levait le menton vers le garçon que nous ne connaissions pas comme pour lui dire : « Non mais, qu'est-ce que t'as, toi ? Tu ferais fichtrement mieux de baisser les yeux si tu veux pas que j'te flanque mon poing dans la figure ! »

Maman l'avertit, d'un simple murmure :

— Rob ?

Papa posa les plus jeunes à terre, remit de l'ordre dans sa tenue, en prenant tout son temps et avec solennité.

— Eh bien, mon garçon, dit-il en s'avançant pour lui serrer la main.

Oh, j'ai eu sacrément peur en voyant ça, car je savais que Rob allait refuser. Cette main est restée tendue si longtemps que j'ai vu le vent en agiter les poils dorés.

Moi c'est sûr que je retirerais une main que personne veut serrer, mais pas notre cher papa ! Il avait deviné la réaction de Rob et il était prêt, gardant sa main devant lui, minute après minute, pendant que le visage de ce crétin virait au rouge foncé, que sa mine renfrognée se décomposait et qu'il lançait des regards désespérés à maman.

Alors Rob s'est mis à parler d'une voix affreuse, une voix que je n'avais pas entendue depuis quelques années dans le comté de Crawford, quand il portait cette ridicule petite moustache et qu'il avait de l'acmé.

— Pourquoi que tu t'en vas comme ça sans jamais donner de tes nouvelles, sans jamais venir nous chercher ? Même, tu l'aurais *jamais* fait si *elle* avait pas rampé devant toi !

Ce sombre crétin s'est arrêté net, car le poing de papa a volé derrière lui, armé comme le chien d'un fusil.

Maman s'est écriée :

— Oh, Edgar, s'il te plaît, il est tout chamboulé, il ne parle pas sérieusement !

Telles furent les premières paroles qu'elle adressa à son mari après cinq dures années de séparation.

Le bras de papa retomba et il s'adressa à Rob très calmement :

— J'ai quelques explications à donner, tu as raison, mon garçon. J'ai l'intention de les donner quand je serai prêt. Mais la prochaine fois que tu parles aussi irrespectueusement, fais bien attention que je ne t'entende pas.

— Ou tu me descendras ? D'une balle dans le dos ?

Ce furent réellement les paroles de Rob ! Et quelle mauvaise grimace ! Nous n'en avons pas cru nos oreilles ! Mais cette fois il s'était fait peur tout seul et il recula un peu, prêt à fuir.

Papa prit une profonde inspiration, puis se tourna vers maman.

— Mandy, lui dit-il, ce jeune homme ici-présent s'appelle Henry Thompson. C'est mon associé depuis quelques années et il va faire un excellent capitaine de schooner. Henry, j'ai l'honneur de te présenter ma femme, madame Jane Watson. Elle est maîtresse d'école et j'espère qu'elle s'occupera de ton éducation ainsi que de la mienne, parce que nous en avons rudement besoin. Cette belle jeune dame est miss Carrie et ces aimables jeunes gens sont Eddie et Lucius.

Lucius a six ans, mais papa l'a soulevé de terre comme s'il en avait seulement deux, puis il l'a tenu à bout de bras pour l'examiner une bonne fois.

— Je n'ai pas vu mon Lucius depuis qu'il portait des couches et il s'est magnifiquement développé.

Lucius a adressé un regard timide et triste à maman pour voir si, comme papa, elle pensait que lui-même avait magnifiquement tourné.

Le grand échalas a serré la main à tout le monde. Sa main était très dure et caleuse et je l'ai retenue dans la mienne une seconde de plus, j'ai refusé de la lâcher pour qu'il scrute à nouveau le ciel à la recherche d'oiseaux, mais je l'ai lâchée dès que j'ai remarqué que papa me regardait. Sans quitter Rob des yeux, il a dit :

— Et voici mon fils aîné, maître Robert Watson.

Il a ressorti sa montre en or, comme si Rob avait épuisé tout son capital de temps.

Henry Thompson lui a tendu la main, mais Rob l'a fait attendre un peu avant de s'en saisir. Soudain, par pure diablerie, Rob lui a tiré sur le bras pour le déséquilibrer, mais Henry n'est pas tombé. Il n'a pas voulu lacher la main de Rob et il a regardé papa, lequel a joint les mains derrière le dos et levé la tête vers le ciel bleu en se mettant à siffler.

Le garçon a tordu le bras de Rob et le lui a remonté derrière le dos jusqu' à ce que Rob crie. Quand Rob s'est mis à grincer des dents, nous avons compris qu'il ne crierait plus, même si on lui tordait complètement le bras comme une vieille aile de poulet. Mais vu que ce garçon ne connaissait pas encore ce détail sur notre Rob, maman lui a dit doucement :

– Monsieur Thompson ? S'il vous plait.

Henry Thompson a lancé un regard penaud à maman et a lâché Rob.

Aussitôt Rob s'est refouré les mains dans ses poches arrière. Son regard allait et venait entre Henry Thompson et son père, et il hochait la tête. Je savais ce qu'il pensait : si papa l'avait enmené avec lui en quittant l'Arkansas, ainsi qu'il aurait dû le faire, Rob Watson serait aujourd'hui son capitaine de schooner, et pas un pauvre crétin en forme d'asperge.

Henry Thompson

Alors qu'on cinglait vers le nord en direction de Punta Gorda, monsieur Watson et moi avons rencontré une mer hachée jusqu'à la baie de San Carlos, et le train était déjà reparti quand nous sommes arrivés. Je me suis senti vraiment désespéré, je vous jure, car ce train aurait été le premier que j'aurais pu voir. J'en ai jamais eu l'occasion pendant vingt autres années, pour vous dire à quel point ma vie dans les Dix Mille Iles m'isolait du monde.

Monsieur Watson et moi, on a marché jusqu'au dépôt. Le premier dépôt que je voyais, sans parler des rails. Jusqu'à quelques années après la fin du siècle, Punta Gorda était la fin de l'extension des chemins de fer de Floride du Sud sur la côte ouest, qu'on avait prolongés à partir d'Arcadia dix ans plus tôt. De là, les passagers à destination de Fort Myers descendaient vers le sud dans une voiture tirée par des chevaux, cinq heures de voyage sur d'anciens chemins à bestiaux jusqu'au ferry d'Alva. Ted Smallwood, il avait habité un moment près d'Arcadia et il s'est occupé de cette voiture dans sa jeunesse. C'est seulement en 1904, il me semble, qu'un pont de chemin de fer fut construit au-dessus de la Calusa Hatchee et que le *Florida Southern* a pu traverser jusqu'à Fort Myers. Le type à qui on doit ça est le même qui a épousé Carrie Watson.

Miss Carrie était aussi jolie que sur sa photo et j'ai eu le béguin dès que je l'ai vue. Mme Watson a été très gentille avec moi, tout le monde a été gentil sauf le jeune Rob, qui a un an de plus que moi et qui paraît très indiscipliné. Rob ne ressemblait absolument pas aux autres : tout maigrichon, avec des cheveux noirs et une peau pâle – pas tant pâle et fripée que tout simplement pâle, comme si le soleil trouvait jamais moyen de l'atteindre.

Nous avons passé la nuit à l'hôtel de Henry Plant, même qu'on a dîné au restaurant. Le lendemain matin de bonne heure, on est repartis vers les Iles à la voile et on a passé la nuit à Panther Key.

Juan Gomez l'appelait Panther Key parce qu'un jour une panthère a nagé jusqu'à son île pour lui manger ses chèvres, si bien qu'aujourd'hui encore cet endroit s'appelle Panther Key.

Johnny Gomez, comme on l'appelle dans le coin, a préparé pour les nouveaux-venus leurs premières langoustes de Floride. Il a jamais cessé de causer et pas une fois il a retiré d'entre ses dents sa vieille pipe en terre à l'embout cassé qu'il appelait son chauffe-nez. Monsieur Watson avait organisé ce festin avec lui en montant vers le nord, pour que ses enfants aient l'occasion d'entendre toutes les histoires du vieux, comment à Madrid, en Espagne, ce sacré Nap Bonaparte avait souhaité bonne chance à Juan, comment il était devenu pirate et avait écumé l'Atlantique avec Gasparilla. Monsieur Watson a fait boire un peu Johnny et il l'a tellement échauffé sur l'époque de sa gloire révolue qu'il s'est mis à confondre les siècles, c'est du moins ce que Mme Watson m'a chuchoté à l'oreille. Elle faisait l'impossible pour ne pas sourire pendant qu'il pérorait. Elle était maîtresse d'école, vous comprenez, elle avait de la culture, et elle m'a conseillé de ne pas boire comme du petit lait tout ce que racontait le vieux Johnny.

Une chose qu'était sûre, Johnny était plus de prime jeunesse. Il prétendait même avoir combattu sous les ordres de Zach Taylor à Okeechobee en 1837, à l'époque de la première guerre Andienne. Et c'est bien possible, car un jour là-bas à Marco, j'ai entendu le vieux papa du capitaine Bill Collier raconter aux gars qu'il connaissait ce rascal de Johnny Gomez à Cedar Key avant la guerre de Sécession, et que déjà à l'époque Johnny mentait comme un arracheur de dents.

Juan Gomez a divagué jusque tard dans la nuit et monsieur Watson buvait avec lui, s'assenant de grandes claques sur la cuisse et opinant du chef à chaque péripétie nouvelle, comme s'il attendait depuis des années de recevoir ce genre d'éducation. Il observait le visage de ses enfants, il me lançait un clin d'œil de temps à autre pour m'encourager, je l'ai jamais vu aussi heureux de ma vie. Les enfants aussi étaient heureux, tous sauf le jeune Rob qui ne souriait jamais et dont les yeux passaient de son père à moi, et puis dans l'autre sens. A sa lippe, je voyais bien qu'il nous avait en grippe, son père comme moi.

Monsieur Watson en imposait, pour sûr, installé là au sein de sa famille dans la lueur du feu crépitant, sous les étoiles du Golfe, avec ses enfants qui l'entouraient et les yeux de miss Carrie tout brillants d'adoration. Et moi, je savais déjà que si jamais cette fille me regardait un jour de la sorte, mon cœur s'arrêterait et que je serais heureux comme un agneau de rejoindre mon Créateur.

J'arrivais pas à la quitter des yeux, même que monsieur Watson m'a un peu taquiné quand nous sommes allés pisser. Debout là dans le noir, épaule contre épaule, il m'a averti d'homme à homme, mais aussi en ami, que je ne devais pas faire une ânerie que je regretterais ensuite. J'avais posé quelques questions détournées sur Carrie, mais sûrement qu'elles étaient pas aussi détournées que je croyais. Il m'a averti qu'elle avait seulement onze ans, alors que moi je croyais qu'elle allait sur ses quatorze, l'âge normal du mariage pour les filles des Iles. De gêne et sur-le-champ, j'aurais volontiers passé l'arme à gauche et j'ai rentré mon outil le plus vite possible dans mon pantalon.

Pour cacher mon embarras et changer de sujet, j'ai dit à monsieur Watson qu'à sa place je boirais pas comme du petit lait tout le baratin du vieux Juan le pirate, et il s'est contenté de sourire.

— Bah, Henry Thompson, tu n'es pas à ma place et tu ne le seras jamais, alors va doucement avec ce petit lait. T'en bois déjà bien assez comme ça, du petit lait.

Le lendemain, quand on a descendu la côte dans une bonne brise parmi les gerbes d'écume, toute la famille de monsieur Watson a été malade et j'ai dû retenir miss Carrie par sa ceinture pour l'empêcher, la pauvre, de passer par-dessus bord. Miss Carrie s'est fait gifler par une vague écumante qui longeait la coque, mais quand elle a réussi à respirer, cette fille a éclaté de rire sans faire attention aux traces de vomi qu'elle avait dans les cheveux. Elle montrait une belle énergie pleine de liberté ce jour-là et, à ma connaissance, elle l'a jamais perdue. D'une certaine manière, Carrie Watson avait conquis mon cœur et pendant toutes les années qui ont suivi je suis pas bien sûr de l'avoir jamais récupéré.

Eddie avait huit ans et Lucius six, mais ces deux petits frères au visage tout vert avaient du cran. Je leur préparais des appâts sur des lignes. Tout poisseux de vomi qu'ils étaient, ils se sont bagarrés avec les sérioles et les maquereaux d'Espagne comme si leur vie en dépendait, et Carrie pareil. Ils ramenaient ces gros poissons argentés sur le pont jusqu'à ce que leurs petits bras couverts de coups de soleil n'en puissent mais et qu'ils réussissent plus à tirer sur la ligne. Même Mme Watson paraissait contente, elle attirait l'attention de ses enfants sur les dauphins qui frôlaient la proue, sur les vagues gris-vert qui avançaient vers les plages étincelantes, sur les murs verts des mangroves où on voyait pas le moindre signe de présence humaine et sur les colonnes des nuages blancs qui dominaient les Glades. En écoutant ses belles paroles, je regardais l'endroit qu'elle montrait de la main, tout comme eux, à croire que je voyais cette côte pour la première fois.

Rob Watson a pas poussé le moindre cri de joie en découvrant les dauphins, mais il en perdait pas une bouchée et au bout d'un moment il a aidé à ramener le poisson, que nous comptions saler et fumer pour nos réserves. Je connaissais mon affaire sur le bout du doigt et Rob l'a bien remarqué, il observait attentivement comment que je m'y prenais et il apprenait vite. Mais je faisais à peine attention à lui, tellement j'étais occupé à me faire mousser auprès de cette ravissante au regard sombre. Cette journée sur le schooner qui filait vers le sud fut la plus heureuse que j'aie jamais connue, jamais je l'oublierai.

Tout le long de la côte, monsieur Watson évoquait ses projets de développement des Iles. Mme Watson, qui le regardait agiter les bras et abattre le poing, souriait et secouait la tête d'un air assez las.

Elle a surpris mon regard.

— Je me rappelle simplement, dit-elle, que monsieur Watson a toujours agité les bras de cette façon.

Elle parlait à voix basse pour ne pas le vexer, mais il a malgré tout entendu le commentaire de sa femme.

— Non, Mandy, fit-il, j'agite seulement les bras quand je suis heureux.

Il parlait plus doucement qu'il avait jamais parlé à Henrietta, passant la main au-dessus de la barre pour caresser tendrement son épouse, et pendant une minute elle a paru mélancolique, comme si quelque chose allait arriver qu'elle regretterait ensuite.

Henrietta n'avait pas quitté la Courbe comme on le lui avait ordonné, elle n'avait même pas balayé ni lavé la vaisselle. A la place, elle s'était saoulée, et la voilà à la porte d'entrée de la maison avec son bébé aux cheveux couleur gingembre, agitant le bras dodu de Tit' Min vers les gentils visiteurs. Ses yeux noirs de Daniels ont défié monsieur Watson, qui a sorti sa montre. Elle comptait rester jusqu'à ce qu'elle ait bien nettoyé la maison, dit-elle, après quoi elle irait chez Josie, la sœur de Tant, à Caxambas.

Monsieur Watson n'a pas pipé. Il a remis sa montre dans son gousset. Il avait la peau toute tendue sur les pommettes et puis les oreilles rabattues contre le crâne. Voyant ça, Henrietta s'est mise à trembloter en disant qu'elle avait envoyé un message à son frère Jim, mais qu'il n'était pas venu. Je savais que c'était du flan. Jim Daniels habitait tout au sud, à la plage de l'Homme perdu, près du vieux James Hamilton. Henrietta était restée parce qu'elle se sentait vexée et aussi parce qu'elle savait que monsieur Watson ne lui ferait pas de mal, pas devant ses propres enfants.

Monsieur Watson s'est approché tout près d'elle et lui a posé la main sur l'épaule, près du cou, sans dire un mot. Nous tous, on voyait pas le visage de monsieur Watson, mais celui d'Henrietta a blêmi. Elle a pleurniché :

— Tant n'est jamais venu me chercher, je vous ai dit.

Elle oubliait que Jim Daniels et non Tant était censé venir la chercher.

Quand monsieur Watson s'est retourné, son visage s'était calmé, mais ses yeux restaient froids. Il a présenté ma mère comme l'intendante de la maison. Les membres de sa famille regardaient les cheveux de Min, décolorés par le soleil en cette couleur de feu sombre typique de monsieur Watson. Voyant l'expression de sa femme et celle de Rob, il a pris son courage à deux mains, il a toussé et il s'est jeté à l'eau :

— Voici ta petite sœur, Rob. Elle s'appelle Minnie, comme ta tante Minnie.

A Mme Watson, il adressa une petite courbette pleine de regret.

Mme Watson ne semblait pas s'attendre à autre chose et, la connaissant comme j'ai appris à la connaître, je crois qu'elle a été soulagée qu'il ne mente pas. Elle a pris un mouchoir en dentelle pour se tamponner les lèvres, puis elle a souri à Henrietta. Ça m'a fait plaisir. Quand Henrietta est rentrée dans la maison, Mme Watson s'est tournée vers son mari et elle lui a dit tranquillement :

— Dommage que cet endroit n'ait pas été balayé avant notre arrivée.

Le lendemain matin, j'ai emmené ma mère à Caxambas.

Quand monsieur Watson apprit que sa famille venait le rejoindre, il se fit expédier de Tampa des planches de pin pour une nouvelle grande maison, avec des charpentiers, et tous les gens du cru sont venus l'aider. C'était du pin du comté de Dade, qu'on travaille facilement quand il est vert, mais qui à la longue devient si dur qu'il vaut mieux essayer d'enfoncer un clou dans un rail de chemin de fer — le meilleur bois de toute la Floride. Une fois sa maison terminée, il l'a peinte en blanc et il a entretenu cette peinture, si bien que pendant le demi-siècle suivant cette grosse maison blanche a dominé les rivières foncées. Sauf Storters à Everglade, y avait rien de comparable entre Fort Myers et Key West, même pas la vieille maison de Santini à Chokoloskee.

Les nouvelles familles implantées dans les Iles ne possédaient pas de maison semblable à celle de la Courbe de Chatham. Ce que les autres appelaient une maison, c'était rien que des vieilles planches noircies par la tempête et assemblées à la va-comme-je-te-pousse. La plupart se contentaient d'un sol en terre battue et d'un toit en palmette, ils cultivaient quelques cocotiers et des légumes, peut-être un peu de canne, et ils s'en tiraient en mangeant du courlis blanc et du mulet. Monsieur Watson, lui, expérimentait toutes sortes de légumes, le tabac, il avait son cheval et sa carriole, en plus de deux vaches, de cochons et de poulets. Les seules denrées qu'il échangeait, c'était le sel et le café. Il achetait des haricots verts, on les enveloppait bien serré dans des sacs de toile et on les accrochait avec un hameçon à merlin. On fumait notre viande, on faisait nous-mêmes notre gruau d'avoine, notre sucre et aussi un peu de gnôle. Les saisons quand les légumes se faisaient rares, on sillonnait à la perche les bras de rivière des Glades jusqu'aux crêtes couvertes de pins et on ramassait les racines de zamier pour en tirer l'amidon et la farine, on coupait la cime des palmistes en haut des buttes et on cueillait quelques herbes andiennes.

Miss Jane était fatiguée quand elle arriva à la Courbe de Chatham et il s'occupa d'elle. Même quand elle pouvait marcher encore un peu, il aimait la transporter dans ses bras, l'installer à l'ombre dans son fauteuil, là où la brise du Golfe arrivait toute fraîche, sous ces poincianes rouge-sang plantées des années plus tôt par le vieux Français. Quand je passais près de l'endroit où elle était assise tout immobile pour lutter contre la chaleur, dans sa robe bleu pâle comme le ciel du Golfe, je me demandais toujours quelles douces pensées lui traversaient l'esprit. Miss Jane regardait le mulet sauter, le tarpon rouler sur lui-même et les hérons silencieux voler le long de la rivière, et puis l'énorme alligator décati semblable à une bûche de cyprès sur l'autre rive. Chaque année il descend des Glades avec les pluies d'été et les enfants l'ont surnommé le crocodile géant.

Un jour elle m'a fait signe d'approcher et elle m'a dit :

— Puisque Tit' Min est ta demi-sœur, Henry, nous sommes pour ainsi dire parents, n'est-ce pas ?

Et quand j'ai hoché la tête, elle a ajouté :

— Alors s'il te plaît, ne m'appelle pas madame Watson. Qu'est-ce que tu penserais de « tante Jane » ?

Dès qu'elle a vu les larmes m'envahir les yeux, elle m'a pris très vite dans ses bras pour que nous puissions tous les deux faire comme si elle n'avait rien remarqué.

Pas très longtemps après l'arrivée de miss Jane, monsieur Watson décida d'emmener Mme Watson rendre une visite de courtoisie au Français.

— Le passé est le passé, me dit-il, que ça plaise ou non à ce vieux salopard de fils de pute !

Son idée, c'était que faire connaissance avec un homme cultivé convaincrait sa femme que la vie dans les Iles n'était après tout pas si terrible qu'elle le craignait. Il était un peu éméché mais paisible, assez amical et il a emporté sa cruche avec lui. Sans oublier ses armes :

— Au cas où le *m'sieu* apprécierait pas notre visite. Je ne suis pas prêt à supporter ses grossièretés verbales, ajouta monsieur Watson, pas devant Mandy.

Tante Jane se sentait pas très vaillante, mais ce jour-là il a pas fait trop attention à elle, il l'a juste portée dans ses bras jusqu'au quai. Un petit tour sur la rivière lui ferait beaucoup de bien, lui dit-il. Quand ils sont revenus en fin de soirée — c'était l'été, il restait un peu de lumière dans le ciel —, il me dit que l'accueil avait été plutôt froid, mais qu'au fil du temps la glace s'était nettement rompue. A la fin, me dit-il :

— *M'sieu* Chevelier s'est conduit en hôte parfait.

Entendant ces mots, tante Jane a souri de son mince sourire torve, trop fatiguée pour parler. N'empêche que cette visite lui a fait du bien. Le Français lui avait plu davantage qu'elle-même ne lui avait plu, elle envisageait même d'échanger des livres avec lui, ce qu'elle ne fit jamais.

Tante Jane conservait toujours ses livres auprès d'elle, mais au bout d'un moment elle ne les a même plus regardés. Monsieur Watson lui lisait quotidiennement la Bible parce qu'elle en avait besoin, et le dimanche il nous faisait la lecture à nous tous, « que nous en ayons besoin ou pas ». Tant que je l'ai connu, il ne s'est jamais lassé de cette bonne blague. *Déverse sur la terre les flacons de la colère divine!* — cet homme nous forçait à rester à genoux pendant une heure, fulminant et nous abreuvant de son message de feu infernal et de damnation. *Et la mer devint semblable au sang d'un mort et toutes les âmes vivantes périrent dans la mer!* Il était lui-même en proie à une telle fureur, planant au-dessus de nous en terrifiant ses ouailles, tonnant et postillonnant, qu'on aurait cru Jéhovah en personne — à moins que, selon l'interprétation de Rob, il se moquait du Seigneur Dieu tout-puissant. Aujourd'hui, je me dis que Rob avait peut-être raison. Oui, Rob avait sans doute raison. Pourtant, tous les jeunes qui ne louaient pas convenablement le Seigneur faisaient connaissance avec l'affûte-rasoir de monsieur Watson; d'ailleurs, il battait comme plâtre ce pauvre Rob presque tous les dimanches. Quant à Tant, il était moins terrorisé qu'il ne le prétendait et il affichait une sainteté excessive, roulant les yeux vers le Seigneur, roucoulant les cantiques jusqu'à ce que monsieur Watson soit obligé de se renfrogner pour ne pas éclater de rire.

Tant faisait l'effronté devant monsieur Watson, car il avait très vite compris qu'il ne courait aucun risque. Il s'était fait adopter par monsieur Watson d'une manière dont je serais jamais capable, malgré toute ma loyauté et le désir que j'en avais. Le comble — ça me rongeait le cœur —, c'était que Tant se fichait comme d'une guigne de ce pour quoi j'aurais donné mon œil droit; tout ce qui l'intéressait, c'était de s'amuser et d'avoir une route bien lisse devant lui.

Parfois, le soir, monsieur Watson lisait le livre de Rob, *Deux années sur le gaillard d'avant*. Le capitaine Thompson bat ce pauvre marin, qui hurle :

— Oh, mon Dieu! Oh, mon Dieu!

Et le capitaine de brailler :

— Fais donc appel au capitaine Thompson! C'est lui qui tient la barre! Il peut t'aider! Ton Dieu ne peut rien pour toi en ce moment!

Nous étions scandalisés quand il lisait ce passage, pas tellement par les mots que par sa manière de lire, car il était tout bonnement aux anges. Pour me taquiner, il m'appelait capitaine Thompson, car le capitaine du livre s'appelait aussi Thompson.

— Un type comme ça pourrait t'apprendre une ou deux choses, disait-il.

Tante Jane me conseilla devant lui de ne pas faire attention à ses paroles. Et à lui, elle glissa à voix basse :

— Tu leur fais du mal.

Une fois, j'ai demandé à monsieur Watson :

— Monsieur, vous croyez en Dieu ?

— Croire en Lui, m'a-t-il répondu, ne veut pas dire que j'aie confiance en Lui.

Il taquinait parfois tante Jane en nous disant que tous les plus grands cantiques étaient l'œuvre d'esclavagistes, car les esclavagistes avaient un net penchant pour la religion. Sa femme avait beau sourire, elle lui murmurait :

— Je prie pour que tu fasses la paix avec Dieu avant de mourir.

Nous ne comprenions rien à leurs messes basses, mais cela ne nous regardait pas. Il répondait de la même voix étouffée :

— C'est fait, c'est fait.

Puis il haussait sa belle voix vers le Ciel comme une offrande :

> ... qu'il est doux le son
> Qui sauva une épave comme moi !
> J'étais perdu, mais on m'a trouvé,
> J'étais aveugle, mais aujourd'hui je vois.
>
> J'ai déjà traversé
> Maints dangers, pièges et épreuves.
> C'est la grâce qui m'a permis d'arriver ici,
> Et la grâce me conduira chez moi.

Avant l'arrivée de sa famille, monsieur Watson avait jamais manifesté le moindre intérêt pour la religion, rien de rien, et il n'en manifesta pas davantage après leur départ. Moi non plus, d'ailleurs. Tout le temps que j'ai passé avec lui, je croyais seulement à ce que j'avais sous le nez, ni plus ni moins. Plus tard dans ma vie, certains m'ont reproché mes allures de païen, mais j'y pouvais rien. Je savais pas qui était Dieu, et apparemment Lui savait pas non plus qui j'étais.

Un matin, peu de temps après l'arrivée de tante Jane et des enfants, j'ai entendu des hommes crier sur la rivière ; aussitôt j'ai compris que les visiteurs du nord avaient retrouvé monsieur Watson. J'ai couru en bas pendant qu'il sautait sur son fusil. Mme Watson s'est mise à trembler en disant :

– Oh, s'il te plaît, Edgar !

Elle ne voulait pas d'ennuis et je crois que lui non plus en voulait pas, surtout avec des petits enfants dans la maison. Alors il a visé et tranché net la moitié de la moustache en guidon de vélo du chef de cette bande, qui s'était levé dans le bateau et beuglait qu'E.J. Watson était en état d'arrestation. Monsieur Watson lui a cloué le bec et, d'une seule balle, a chassé tous ces gens loin de sa rivière.

Plus tard, Bill House est venu nous voir et m'a raconté le début de l'histoire, après quoi je lui en ai donné le fin mot. Bill a trouvé ça plus drôle que moi, mais il était très excité et il avait toutes sortes de questions à me poser sur monsieur Watson. Bill House faisait partie de cette bande à Chokoloskee en ce lundi noir d'octobre 1910, et toute sa vie il a parlé de monsieur Watson.

Bill House

Peu de temps après qu'Elijah Carey eut réparé la vieille maison de Richard Hamilton, voilà qu'un célèbre chasseur de plume et bouilleur de cru nous arrive de Lemon City, au sud de New River. Il a traversé les Glades, puis pagayé de la rivière Harney jusqu'à Possum Key, apportant dans notre cabane un sacré parfum de la côte est. Il gardait son vieux chapeau de paille même dans la maison, il avait des bretelles en cuir, une chemise boutonnée jusqu'au cou et il conservait plein de barbe et de crasse pour repousser les moustiques. Une grosse chique de *Brown Mule* toujours plantée dans le visage, il crachait sur la terre bien propre de notre sol. Les gens disaient qu'Ed Brewer adorait assaisonner un tonneau de sa gnôle avec un peu de lessive de soude *Red Devil*, puis s'enfoncer dans les Glades, enivrer sa clientèle païenne pour qu'elle soit incapable d'aligner deux idées, et encore moins de le poursuivre, puis échanger la lie de ce que les Peaux-Rouges appelaient *wy-omee* contre toutes les peaux de loutre et d'alligator sur lesquelles il pouvait mettre la main. Le tord-boyaux vendu par des gars comme Brewer a tué plus d'Indiens que la soldatesque ; et à nous autres, honnêtes commerçants, elle nous a fait mauvaise réputation. Il avait une squaw avec lui ce jour-là, qui pouvait pas avoir plus de douze ans, tellement saoule qu'il l'a allongée à l'abri du toit et l'a plantée là. Ensuite, sa tribu a rejeté cette squaw parce qu'elle avait couché avec un Blanc, et c'est cette fille qui a mal fini à la Courbe de Chatham.

Ed Brewer était un homme prudent, à la parole lente, solidement bâti, flémard comme un mocassin d'eau, jusqu'au moment crucial où il bondissait soudain et vous piquait au bon endroit. Considéré comme Blanc, mais plus probablement métisse, avec des yeux noirs d'Andien et des cheveux noirs tout raides. Ses mains restaient tranquilles, mais ces yeux noirs papillonnaient drôlement, comme si qu'il écoutait des voix dans sa tête qui lui causaient d'affaires plus intéressantes pour Ed Brewer que ce qui se passait autour de la table. Les shérifs des deux côtes recherchaient ce pauvre type pour vente prohibée de *wy-omee* aux Mikasukis, si bien qu'il cherchait un endroit où se poser, où jouir enfin d'un peu de paix.

Quand il a fini par parler, il a coupé la chique au capitaine Lige, comme s'il était même pas là :

— D'après ce qu'on m'a dit, a commencé Brewer en faisant passer son splendide cruchon qui ne contenait pas de lessive de soude, ce gros monticule andien à la Courbe de Chatham serait sans doute l'endroit idéal pour un gars entreprenant comme moi.

Le capitaine Carey, un gros gaillard rougeaud aux manières douces et tranquilles, accepta une lampée de l'hospitalité de Brewer, après quoi ses yeux jaillirent presque hors de leurs orbites. Il secoua la tête pour s'éclaircir les idées, reposa violemment le cruchon sur la table et poussa un soupir comme un vieux marsouin tout dolent dans le chenal.

— Ouah ! fit-il en levant une grosse main potelée. Y a déjà un gars sur ce coup-là, Ed.

— C'est ce qu'on m'a dit, rétorqua Ed Brewer.

Les deux autres l'ont regardé comme s'ils s'attendaient à ce qu'il s'explique, ce qu'il n'a pas fait.

Pendant qu'on réfléchissait, le Français s'est servi un peu d'eau de feu, les sourcils haussés beaucoup plus haut que d'habitude, son nez osseux tout palpitant de dégoût, comme pour dire :

— Cette cochonnerie est sûrement pas ce que boivent les gens de ta qualité dans le *Vieux* monde !

Mais le capitaine Lige a repris le cruchon, il l'a hissé sur son coude, à l'américaine, juste par politesse et il s'est servi une autre lampée de la bibine de notre hôte. Dès qu'il a refait surface après une bonne quinte de toux, il a relaté une rumeur de Key West : le gars qui a dégagé le terrain de la Courbe de Chatham, en tuyautant le shérif sur l'endroit où il pourrait alpaguer feu Will Raymond, était personne d'autre qu'un type du nom d'Ed Watson.

— J'ai même entendu ça à Lemon City, renchérit Brewer en poussant à nouveau le cruchon vers Lige. Tout fils de pute capable d'une crasse pareille envers son prochain a rien à faire ici, si je vous ai bien compris.

— D'une certaine manière, oui et non, lui dit le capitaine Lige en levant sa paume rose pour conseiller la prudence. Il a acheté le titre à la veuve, il est donc dans son bon droit. Vis-à-vis de la loi, ajouta le capitaine Lige.

– La loi ! railla le Français, dégoûté. Dans la belle France, on tranche *foking* tête !

Nous avions tout fait pour ne pas le mêler à la conversation, mais il se lança dans une de ses tirades, citant *Detockveel* et *Lafyett* ainsi que d'autres vieux Franchouillards capables de nous apprendre une chose ou deux sur l'Amérique.

– *Foking* ! éructa Ed Brewer, histoire d'essayer ce mot.

Je comprends pas pourquoi Ed se mit à parler en français, à moins qu'il ait voulu décontenancer Chevelier. Alors Brewer nous dit que, selon les dernières nouvelles de Lemon City, cette crapule de Watson était recherché dans deux ou trois Etats. Nous avions donc la chance, conclut Ed, de faire notre devoir de bons citoyens tout en nous rendant un fier service par la même occasion.

Alors tous les citoyens qu'on était se sont rapprochés de la table pour cogiter de concert, pendant que Brewer dévoilait son jeu, ou du moins abattait quelques cartes. Ces trois hommes vigoureux – Carey, le Français et lui-même – allaient tomber sur le rable de Watson, prétendre qu'ils avaient un mandat et maîtriser ce fils de pute avant de le livrer au shérif, dit Ed Brewer. Même s'il y avait pas de récompense, Watson serait sûrement renvoyé dans l'Arkansas pour y purger sa peine, et pendant qu'il payait sa dette à la société, nous autres honnêtes citoyens aurions le monopole du commerce de la plume.

Voici comment Brewer apprit la vérité sur Ed Watson. Là-bas, à Lemon City, un ami de Brewer nommé Sam Lewis travaillait comme barman au salon de billard de *Pap Worth* et Sam Lewis lui présenta deux *hombres* qui avaient fui la ville de Dallas, au Texas. C'étaient des vieux amis de feu Maybelle Shirley Starr et ils posaient des questions sur Watson. Un jour, ils s'installèrent au bar et racontèrent à Ed Brewer comment ils étaient venus dans l'est, à Arcadia, pour trouver un peu de boulot dans les guerres entre domaines voisins. En ville, un flingueur de l'Oklahoma nommé Jack Watson, avait truffé de balles un certain Quinn Bass, et ils acquirent la certitude, à cause des descriptions qu'on leur en fit, que ce Watson n'était autre que le salopard qui avait abattu la pauvre Maybelle alors qu'elle caracolait sur son cheval le jour de son anniversaire, en février 89. Ed Brewer apprit donc à ces deux Texans qu'à Key West un gars correspondant à cette description avait suriné un type, quelque chose de bien.

— *Jack* Watson ? demandai-je.

— E. Jack Watson, dit Ed Brewer en balayant mon objection d'un geste. Exactement le même satané fils de pute dont qu'on cause ce soir.

Ce fut la première et la dernière fois que j'entendis raconter que Watson voyageait sous le nom de Jack — je gardais mes doutes. Mais le Français m'apostropha d'une voix sifflante :

— Paltoquet de mes *two* !

Bon, l'un de ces deux Texans, Ed Highsmith, jura d'aller descendre Jack Watson dès qu'il aurait assez dessaoulé pour mettre la main sur ce salopard.

— Et comment, déclara Ed Highsmith, quand j'serai p'us rond comme une barrique, j'vais aller m'occuper de ce E. Jack Watson.

J'ai compris qu'Ed Highsmith existait vraiment, car j'ai reconnu son nom, ainsi que celui de Sam Lewis, à cause d'une histoire de Ted Smallwood de l'an passé, quand lui et Isaac Yeomans défrichaient des terres pour les citronniers autour de Lemon City.

Lemon City, au nord de la rivière Miami, se réduisait à quelques bosquets et à peut-être deux cents habitants en comptant toutes les fermes des environs. Le chemin de fer de la côte est qui devait passer là amena des équipes de forçats enchaînés pour poser les voies, avec des contremaîtres armés de fouets tout noirs destinés à faire trimer ces criminels ; ceux qui clamsaient, on les jetait sans plus de cérémonie dans des fosses de chaux vive. Après ça sont arrivés les saloons ainsi qu'un bordel où il y a eu plein de bagarres, plein de fusillades.

D'après le récit de Ted, ces deux Texans, Ed Highsmith et George Davis venaient se saouler tous les samedis et se bagarraient avec qui ils voulaient. Le seul type à qui ils ont jamais cherché noise était un bouilleur de cru, Ed Brewer, qui les imbibait en leur jurant de les mettre sur la piste d'E. Jack Watson dès qu'ils auraient dessaoulé deux jours d'affilée.

Une fois, Ted et Isaac tombèrent sur ces deux olibrius ; Davis avait plein de dents bousillées qui saignaient. Selon Smallwood, Davis dit :

— On est des bons gars du Texas, un peu défigurés, d'accord, mais toujours pleins d'allant.

Deux jours plus tard, ils firent un scandale au bar-billard de *Pap*

Worth : ils se sont mis à balancer des boules de billard sur le barman sous prétexe qu'il leur disait sans arrêt de mieux se tenir.

Sam Lewis, le barman en question, avait la réputation de s'échauffer pour la moindre bricole et d'être un tireur hors pair avec sa Marlin .44, il dégommait les emmerdeurs si proprement qu'il se demandait s'il pourrait pas un jour trancher un pet en deux. Ainsi, quand Sam a décroché sa carabine du mur, les deux marioles ont décidé qu'il était temps de se carapater. Comme ils sortaient du rade, la balle de Sam est passée à une bite d'opossum du crâne de Highsmith avant de se loger dans l'encadrement de la porte, et seulement grâce à un gus qu'avait eu la bonne idée de relever brusquement l'arme au dernier moment. Highsmith et Davis furent tellement furieux, sans parler qu'ils étaient saouls comme des Polacks, qu'à travers la fenêtre ils ont beuglé à Lewis qu'ils reviendraient régler leurs comptes à la première heure le lendemain matin. Au réveil ils ont sans doute regretté leur promesse, mais ils se sentaient malgré tout obligés de tenir parole. A cette époque, l'honneur comptait encore pour quelque chose et on faisait attention de pas dire une chose qu'on pourrait pas honorer ensuite. Sinon personne vous prenait plus au sérieux et tout le monde se payait votre tronche.

Ted et Isaac mangeaient leur gruau au restaurant *Chez Doddy et Rob* quand les deux Texans se sont pointés dans la rue. Sam Lewis est sorti avec sa Marlin .44 et les a mis en joue. Il a dit à Highsmith que, s'il s'agenouillait pas dans la bouillasse pour s'excuser d'avoir braillé comme un putain de connard de Texan, il l'abattrait. Highsmith lui a répondu :

— Eh ben tire donc et boucle-la, espèce de con toi-même !

Il a pas pensé à demander à son pote s'il croyait que cette réponse était justifiée ou pas. Lewis a donc logé une balle dans le buffet d'Ed Highsmith, lequel est ressorti par la porte de derrière du restaurant pour déranger personne et s'allonger tranquillement par terre afin de réfléchir à tout ça.

George Davis a pivoté sur le côté pour offrir une cible plus réduite à Lewis, mais Sam Lewis lui a logé une balle dans le cœur et Davis est tombé raide mort dans la rue. Ils l'ont tiré à l'intérieur pour l'allonger à côté de son pote ; Highsmith a ouvert les yeux, compris la situation, puis refermé les yeux.

— Légèrement défiguré, il a soupiré, tout ça par ma faute.

Ted et Isaac sont entrés avec la foule pour entendre les dernières paroles d'Highsmith :

— Dites aux Francs-Maçons, lâcha-t-il, qu'Ed Highsmith est mort. Dites-leur que j'ai apporté la damnation ici sans la moindre aide de personne.

Certains penseront peut-être que Lewis avait fait ce qu'il fallait pour maintenir un peu d'ordre parmi cette bande d'excités. Mais Sam Lewis n'était pas du coin et personne l'appréciait beaucoup, et puis le malheureux George Davis laissait une petite famille derrière lui, moyennant quoi Sam Lewis fut traité de tueur assoiffé de sang capable de descendre un père de famille sans y regarder à deux fois et, étant eux-mêmes des pères de famille, les badauds coururent se mettre à l'abri. Personne ne s'est proposé pour creuser la tombe, de peur que Sam Lewis se mette en tête d'expédier quelques pères de famille supplémentaires auprès de leur créateur.

Comme les deux jolies filles Douthit regardaient, Isaac et Ted se sont avancés. Ils ont creusé une seule tombe assez vaste pour les deux cadavres, puis les deux Texans sont partis pour l'enfer main dans la main. Bob Douthit et quelques autres types ont constitué une chasse à l'homme — Ed Brewer prétendait en avoir fait partie, il voulait tâter de l'autre bord, j'imagine —, mais Sam Lewis s'est planqué avant de prendre la poudre d'escampette et de traverser le Golfe jusqu'aux Bahamas.

Tout le monde savait que Sam Lewis était têtu comme un âne rouge. Ils s'attendaient à ce qu'il revienne récupérer ses affaires, car il avait dit très clairement qu'il n'avait rien fait de mal, si bien que tous les habitants avaient décroché leurs armes pour lui réserver un accueil mémorable. Poussé par l'honneur, il revint, frappa à une porte après la tombée de la nuit, réclama à manger et quand la femme lui demanda « Qui c'est ? » bon dieu le voilà qui prononce son nom — Sam Lewis !

Un fermier qui gardait cette maison tira sur Sam Lewis et lui cassa la jambe. Il prit la Marlin .44 de Sam, se pencha au-dessus de lui pour gratter une allumette pendant que la femme criait :

— Si que c'est Sam Lewis, achève-le !

Il y avait aussi un jeune garçon en faction et ce gosse mourait d'envie de faire son boulot et de coller une balle dans le coupable. Mais Sam Lewis sortit un pistolet, descendit le fermier et tira une autre balle qui chanta aux oreilles du gamin. Après ça, il rampa dans une cabane. A travers la porte, il dit aux lyncheurs réunis tout autour qu'il accepterait de se rendre si on lui promettait un jugement et que sinon il en entraînerait le plus possible en enfer avec lui, ainsi que la loi l'y autorisait.

Ils ont accompagné Sam Lewis en prison à Juno, en Floride. Quand le fermier est mort quelques jours plus tard — tout cela se passait en juillet 1895 —, les gars sont allés à Juno, ils ont tiré Sam Lewis de prison et ils l'ont lynché, sans oublier de descendre le geôlier nègre pendant qu'ils y étaient. On pourrait appeler ça du joli boulot, effectué sans bavures.

Bref, Ed Brewer se disait que livrer le célèbre E. Jack Watson améliorerait sa réputation auprès du shérif et lui permettrait de palper la récompense. Mais Chevelier l'avertit qu'il y avait pas moyen de prendre Watson par surprise. La petite clairière qui dominait la Courbe était la seule enclave dans ces murailles vertes, vu que l'endroit était entouré sur trois côtés au moins par un tel fouillis de mangrove que même un Andien tout graissé aurait pas pu s'y faufiler. Par ailleurs, tout le monde savait que ces terres hautes, par temps d'orage, attiraient toutes les bestioles de ces rivières, c'était le pire endroit de toutes les Dix Mille Iles pour les serpents à sonnettes, sans parler des mocassins d'eau. En période de crue, les vipères grouillaient à la Courbe de Chatham et elles ne s'en allaient jamais.

— On arrivera de nuit par la rivière, dit Ed Brewer, on encerclera la maison et on lui tombera dessus le matin quand il sortira.

Lige Carey pouffa de rire, ce qui n'augurait rien de bon :

— Monsieur Watson est toujours armé et c'est un tireur d'élite, dit Lige.

Je remarque la tension de sa voix, et Brewer aussi, qui reprend :

— Vraiment, capitaine ?

Il saisit sa carabine, franchit le seuil de la cabane et décapite proprement un oiseau-serpent dont le cou pendait d'une branche morte au-dessus du bras de rivière. Il attend que l'oiseau percute l'eau, puis se renverse, ses pattes battant l'air. Ensuite, Ed rentre, repose sa carabine près de la porte et dit :

— Il me semble que trois hommes peuvent en maîtriser un, faut seulement qu'on gamberge un peu.

Comme j'ai rien dit depuis un moment, je fais :

— Autant qu'on soit quatre !

J'ai vraiment pas la moindre dent contre Ed Watson, mais je

veux pas rater ça et puis moi non plus, si je peux dire quelque chose, je tire pas trop mal. (Je tiens aussi à m'assurer qu'aucun de ces poivrots n'aille là-bas descendre ce pauvre Henry Thompson, qui est déjà assez désespéré sans qu'il ait besoin de se ramasser une balle perdue par-dessus le marché.) Je vois bien que les trois hommes sont réticents, parce que pour eux je suis encore un gamin. J'ai donc raté l'occasion de participer à une chasse à l'homme contre Watson ; m'a fallu attendre quinze autres années.

Selon l'opinion du capitaine Lige, que le Français et moi avons entendue très souvent, nous autres gentlemen du sud de la Floride étions malades et fatigués de la violence.

— Enfin quoi, s'écrie Lige, faire la loi nous-mêmes était bien pire en Floride que là-bas dans le Far West, où les hommes étaient des hommes, avec tous ces desperados et ces bons à rien qui se cachaient dans nos marécages inexplorés comme la lie au fond d'un cruchon de gnôle distillée la nuit.

Le vieux Lige, il s'est mis à beugler « De la gnôle ! » comme pour inviter notre hôte à faire son devoir, et là-dessus il me lance un gros clin d'œil et Ed Brewer il m'en sert un peu dans ma tasse en fer-blanc, *glou-glou, glou-glou,* pour que le petit paltoquet de mes deux s'imbibe avec les autres.

— Parlons-en de ce Watson ! s'écrie Lige.

Là-bas à Key West, la plupart des gens disaient que Dolphus Santini avait été malin d'accepter cet argent — mais Elijah P. Carey était pas d'accord et il se fichait du qu'en-dira-t-on, il a abattu sa grosse patte sur la table en faisant sauter le tord-boyaux hors des verres.

— Watson avait ce pognon dans sa poche ! Neuf cents dollars ! Bien mal acquis jusqu'au dernier cent pourri, vous pouvez me croire !

Ce qui arrivait à un notable devait pas rester impuni, dit le capitaine Carey. Eh bien, neuf cents dollars, cela faisait une sacrée amende, à mon avis ; c'était ce que Smallwood payerait pour toute la fichue propriété de Santini sur Chokoloskee. Lige Carey connaissait pas Santini, il savait même pas comment il était devenu notable dans la région. Si vous montrez neuf cents dollars à Dolphus, son regard se vitrifiait comme celui d'un serpent à sonnettes. Il était riche selon nos critères, il gagnait jusqu'au moindre sou à la sueur de son front et je crois qu'on peut dire qu'il les avait aussi gagnés cette fois-là.

Bref, il accepta l'argent d'Ed Watson. Peut-être que Dolphus s'inquiétait des honoraires des bavards, ou peut-être qu'il croyait que le procureur fédéral, qui était un compagnon de ribote de Watson, aurait un préjugé défavorable contre lui. C'était pas improbable, car ce bon vieux Ed était devenu sacrément populaire à Key West. Et peut-être aussi que Watson lui avait flanqué une telle pétoche qu'il voulait pas l'asticoter davantage. Comme il avait plus le choix rapport à sa cicatrice, il a décidé d'empocher le fric. Ainsi, quand ils se rencontreraient, y aurait plus de rancune. Watson pourrait lui demander :

— Alors, Dolphus, comment se porte cette cicatrice ?

Et Dolphus, allègre, pourrait lui répondre :

— Impeccable, E.J. ! Tout baigne !

Elijah Carey criait toujours :

— Mais comment Santini a-t-il pu accepter ce pot-de-vin après avoir subi une horreur pareille, au lieu de coller cette crapule derrière les barreaux, là où qu'était sa place ? Messieurs, s'écrie-t-il, j'en reste stupéfait !

— *Stioupéfaède* ! renifle le Français en se servant encore un peu d'eau de feu comme si c'était un médicament. Moi, je suis *very stioupéfaède* depuis le jour où j'ai posé le pied dans cette *foking America.* Ce qu'il faudrait ici, c'est la guillotine, dans chaque *foking viledge* de ce *foking country.*

Ça peut paraître effronté qu'un gamin mette son grain de sel, mais étant de la baie de Chokoloskee, j'étais le seul à connaître personnellement D. Santini et le moment était venu d'éclairer la lanterne de mes compagnons.

— Rien de stupéfiant à ça, messieurs ! susurre le jeune House.

Les autres citoyens, ils me dévisagent tous avec impatience et j'ai dû préciser ma pensée rudement vite avant que Chevelier me tombe dessus à bras raccourcis.

— Le vieux Dolphus aime l'argent, voilà pourquoi il en a tant. Avec neuf cents dollars, il peut acheter toutes les petites parcelles cultivables qu'il possède pas déjà sur Chokoloskee.

Y avait aucune loi dans les Dix Mille Iles, que je leur rappelai, chacun se défendait tout seul et un meurtre était pas ce qu'on pourrait qualifier de rare — même si les Iles ressemblaient aux Hamilton, comme disait Tant Jenkins : jamais aussi noires que ce qu'on prétendait qu'elles étaient. Nonobstant, les gens de Key West essayaient de faire régner un peu d'ordre après tant d'années d'anarchie, moyennant quoi Watson paya Dolphus en espèces sonnantes et trébuchantes pour éviter le tribunal, et ensuite tirons un trait sur le passé. Point final. D'ailleurs, personne accordait plus beaucoup d'attention à toute cette affaire.

— Mais c'est *le principe* de la chose qui me révolte ! s'écrie le vieux Lige. Le principe !

— *Ze prinncipeul* ! ajoute le Français en agitant l'index.

Ces deux gentlemen, ils me fusillent du regard avec un air scandalisé, mais Ed Brewer m'adresse un clin d'œil pour me faire comprendre qu'il voit les choses comme moi, étant un banal rat des marais, tout comme moi.

Bref, pour résumer une longue histoire, ce Brewer pouvait lui coller une balle dans le buffet, c'était un gars qui craignait ni homme ni bête, ou du moins il nous en avait convaincu quand le cruchon a été vidé. Chevelier et Carey tiraient pas mal non plus et on aurait vraiment juré que cette bande de rufians avait réglé le sort de Watson une bonne fois pour toutes. Mais depuis le début, le capitaine Lige n'avait pas vraiment le cœur à cet ouvrage. Peut-être qu'il considérait qu'un de ses associés était un hors-la-loi imbibé de gnôle qui louchait sur les biens de Watson, et l'autre un vieux cinglé de Français tellement dégoûté de la vie qu'il était incapable d'y voir clair, et encore plus de tirer juste.

Toutes les cinq minutes, le vieux Lige décrivait Ed Watson faisant les quatre cents coups à Key West, tirant sur les ampoules électriques des saloons, les dégommant infailliblement. S'il l'a pas dit cent fois c'est qu'il l'a jamais dit : ivre ou sobre, E.J. Watson était pas un gars avec qui badiner, mais ses associés étaient trop bourrés pour l'écouter. Aux premières lueurs du jour, ils s'entassèrent dans la barque et se dirigèrent à la perche vers la Courbe de Chatham dans l'intention de se laisser porter par la marée vers l'aval. Le capitaine Lige, il a pas eu assez de cran pour pas les accompagner.

Le dimanche suivant, je file en douce vers la Courbe de Chatham. Henry Thompson et moi, on s'est amarrés à une mangrove avant de taquiner l'anguille et de comparer nos versions de cette chasse à l'homme. J'ai dit à Henry que ces trois adjoints avaient passé toute la nuit à se donner du courage et il m'a raconté ce qui s'était passé le lendemain matin. Sûrement qu'ils avaient la gueule de bois et les nerfs en pelote, me dit-il, parce qu'ils se sont contentés de rester au milieu de la rivière en braillant :

— E. Jack Watson, sortez les mains en l'air ! Vous êtes en état d'arrestation !

Comme la Chatham est rudement large dans cette courbe et qu'ils étaient plus près de l'autre rive, il leur fallait crier à pleins poumons rien que pour se faire entendre.

Watson s'est levé de son lit et a installé sa pétoire par la fenêtre. Il avait déjà rencontré Ed Brewer dans les saloons de Key West, me dit Henry, il savait que c'était un bouilleur de cru, un gredin de la côte est, et il savait aussi que le shérif de Key West était pas près de prendre pour adjoint un criminel en cavale. Ainsi, quand Brewer s'est dressé dans le bateau pour crier, Watson a tiré une balle qui lui a tranché net la moitié gauche de sa moustache en guidon de vélo. Quand cette balle lui a chanté aux oreilles et que Brewer a hurlé, le capitaine Carey et le Français ont failli tomber par-dessus bord, tant ils se débattaient avec les rames.

Ce qu'il *aurait* dû faire, confia Watson à Henry, c'est balancer à cette vermine une balle juste sous la ligne de flottaison, couler leur vieille barcasse, les flanquer à la baille et attendre qu'ils nagent, parce qu'il y avait pas d'autre endroit que le Lieu de Watson où aller. Une fois un peu calmé et son rire apaisé, il a dit qu'il avait fait exprès d'amputer la moustache de Brewer et Henry Thompson témoigna pendant le restant de sa longue vie que Watson n'avait jamais eu l'intention de tuer Ed Brewer, car sinon il l'aurait fait. Comme de juste, Ed Brewer prétendit qu'Ed J. Watson avait essayé de lui éclater la tête. Après la mort de Watson, il racontait volontiers sa fusillade avec le plus dangereux desperado qui ait jamais vécu dans le sud de la Floride.

Quand les trois hommes furent de retour à Possum Key, Ed Brewer se rasa ce qui lui restait de moustache, hurlant quand le rasoir entaillait sa lèvre brûlée. Ils avaient beau être vannés et démoralisés, il maudit ses associés tant et plus, refusant de dire un mot aimable à quiconque. Avant midi, il était en route vers l'est et la rivière Miami.

A Lemon City, Brewer accusa E.J. Watson de tentative de meurtre, ce qui ne fit qu'aggraver la réputation de Watson. Lige Carey raconta l'histoire à Key West, où Watson fut surnommé le Barbier. Ce fut le premier sobriquet qu'on lui donna. Quelques années plus tard, ils l'appelèrent l'Empereur — le Français trouva ce surnom le premier — à cause de ses grandes ambitions pour les Dix Mille Iles. Mais seulement quand il fut sous un mètre de terre, on osa l'appeler Watson le sanguinaire.

La tentative d'Ed Brewer ne fut pas la dernière qu'on fit dans ces rivières pour s'emparer de Watson, mort ou vif. Après toutes ses frasques à Key West, les hommes de loi en eurent marre de lui et demandèrent un volontaire pour le ramener. Seul un adjoint répondit à l'appel et déclara :

– Vous savez, shérif, si je me coltine tous ces ennuis, je ferais aussi bien de postuler pour votre emploi quand je reviendrai.

Ce pauvre gars avait pas d'autre qualité que son courage, car Watson mit la main dessus dès qu'il débarqua à la Courbe, il lui retira sa quincaillerie et le mit à bosser dans la canne à sucre. Il obligea le long bras de la loi à lui fournir deux semaines de boulot de nègre avant de lui rendre son feu en lui disant qu'il avait de la chance d'être encore en vie. Cet adjoint était sans doute du même avis, car il s'en alla sans rancune et, de retour à Key West, il raconta à tout le monde que le Lieu de Watson était la seule plantation des Iles qui se réduisait pas à une petite chiure de scie de mer. Bon dieu, qu'il s'écriait, il était rudement content d'avoir travaillé pour un homme comme Ed J. Watson ! Tout ça a fait doucement rigoler Watson jusqu'au jour de sa mort.

En un sens, me dit Henry Thompson, Watson était exaspéré qu'on lui reproche des meurtres qu'il n'avait pas accomplis, mais d'un autre côté il les encourageait aussi, ces sales ragots – non, il les encourageait pas exactement, mais il les niait jamais vraiment. Sa réputation de tireur prompt à dégainer tenait les adjoints et autres enquiquineurs à l'écart de la Courbe de Chatham et l'aidait à acquérir des plantations abandonnées, qui étaient assez nombreuses dans les Iles avant qu'il s'y intéresse.

Le seul truc, c'était qu'il savait jamais quand un gars comme Highsmith ou Ed Brewer risquait de lui rendre visite. Il confia à Henry Thompson qu'il avait des ennemis et qu'il ouvrait l'œil ainsi que ses oreilles. Comme j'ai dit, y avait pas moyen de s'approcher de lui par voie de terre, à travers toute cette mangrove, et quand il a construit sa maison, il l'a construite suffisamment haut pour apercevoir le sommet de la moindre voile circulant dans le Golfe, par une fenêtre donnant à l'ouest et située sous les toits, moyennant quoi rien ne se déplaçait sur la rivière sans qu'il en ait connaissance.

Après Brewer et cet adjoint, personne ne vint jamais voir Ed Watson. S'il a descendu quelques renégats ou s'ils l'ont descendu, eh bien bon débarras ! Tant qu'il resterait sur cette rivière isolée, tout irait bien. Pourtant, il était sur ses gardes et lorsqu'il allait à

Fort Myers en bateau, il s'y rendait vite et armé. Il arrivait après la tombée de la nuit et il gardait un profil bas. Le shérif du comté de Lee, le vieux Tom Langford, il voulait pas entendre parler de lui ; quant à Frank Tippins, qui est devenu shérif au début du siècle nouveau, il ne savait pas vraiment ce qu'il voulait, à moins que ç'ait été la fille splendide d'Ed Watson.

Pendant les quelques années qui suivirent l'arrivée de sa famille, monsieur Watson se calma et demeura à l'écart des ennuis. Il dirigeait une belle plantation, une très prospère entreprise de sirop de canne et il aidait ses voisins chaque fois qu'il en avait l'occasion.

Certains dimanches, les jeunes Hamilton profitaient de la marée pour remonter à la voile la Courbe de Chatam et rendre visite au Français, puis ils redescendaient à Mormon Key en profitant du changement de marée. Mary Elizabeth et John Leon étaient rien que des gosses à cette époque, mais Liza était aussi joliment faite que tout ce que j'aie jamais vu, ça me faisait mal rien que de la regarder, et Leon était un bon gros gars bien costaud. Il bafouillait un peu, mais il apprit très tôt à sourire à la vie et il a toujours gardé cette attitude.

Peut-être qu'ils étaient frère et sœur, mais dans le bateau on aurait dit vanille et chocolat. Henry Thompson racontait volontiers que le père de Leon était un Blanc, le capitaine Joe Williams, qui était entré dans la bergerie à l'époque où Richard Hamilton habitait Fakahatchee, il avait entendu dire ça dans le clan Daniels. Comme beaucoup de gens des Iles ont une dent contre le vieux Richard, je ne sais pas si cette histoire est vraie ou pas – je me demande même comment les gens ont bien pu l'apprendre, à moins que Joe Williams ait reconnu Leon comme son fils, ce qu'il n'a jamais fait. Mais après toutes ces années la vérité n'a plus grande importance, car les gens s'accrochent à ce qu'ils ont envie de croire et ils ne veulent plus en démordre.

Leon et Liza sont restés très proches du vieux Français après mon départ de là-bas et jusqu'au moment de sa mort. Personne sait grand-chose là-dessus. Un jour il caquetait comme une vieille tortue acariâtre et le lendemain il avait passé l'arme à gauche. C'est arrivé à une époque où la réputation de Watson dans d'autres parties du pays le rattrapait, et bien évidemment la mort du Français fut attribuée à Watson qui, de notoriété publique, convoitait Possum Key.

Henry Thompson ne croit pas un mot de tout ça. Selon Henry,

Watson s'était pris d'amitié pour le Français, il lui avait même présenté sa femme. Watson appelait Chevelier la Petite Grenouille dans la Grande Mare, mais Henry pigeait pas pourquoi. Henry a jamais été très calé question blagues. En tout cas, ce vieil étranger au cœur brisé se mourait pour de bon dans son coin.

Ted Smallwood connaissait E.J. Watson depuis leurs premiers jours à la crique du Mi-chemin, ils avaient toujours été amis. Les deux familles venaient du comté de Columbia, tout là-haut dans le nord de la Floride, sur les berges de la Suwannee. Ted est descendu de Fort Ogden, près d'Arcadia, et il a travaillé un moment pour nous sur la Turner. Il a épousé notre Mamie en 97 avant d'acheter un lopin de terre aux Santini quand, la même année, il s'est installé à Chokoloskee. A l'époque, les seules personnes installées sur cette île étaient les McKinney, les Wiggins, les Santini, les Brown et les Yeoman. Il y avait encore une demi-douzaine de familles à la crique du Mi-chemin, une autre demi-douzaine à Everglade et encore quelques autres essaimées un peu partout à travers les Dix Mille Iles.

Comme nous, les McKinney ont commencé par une ferme sur la rivière Turner, avant de mettre sur pied une scierie. Un sol formidable la première année, mais quand il a été emporté et que le soleil de plomb a tué toute cette terre, C.G. McKinney n'arrivait plus à joindre les deux bouts. Il a donc défriché un autre monticule en aval, il a fait une récolte magnifique, mais l'année suivante impossible d'y faire pousser même un oignon. Le vieux C.G. — il donnait des noms fantaisistes à tout — il a baptisé l'endroit Ausecours.

McKinney est donc venu à Chokoloskee, il a construit une maison et un magasin en s'approvisionnant au comptoir des Storter à Everglade. Sa pancarte annonçait : « Ni transaction bancaire, ni hypothèque, ni assurances, ni emprunt, ni prêt. J'ai besoin de liquide pour faire bouillir la marmite. » Il essayait pas de maquiller sa camelote ; il appelait son pain « nid de guêpes ». Il avait un moulin à blé, il a ouvert un bureau de poste, il s'est même mis à soigner les gens quand le vieux doc Green a quitté la crique du Mi-chemin.

C.G. McKinney était un homme cultivé selon les critères locaux ; chasser la plume ne l'intéressait pas. Jean Chevelier vilipendait tous les chasseurs de plume sauf lui-même et il s'écriait « Hypocrite ! Hypocrite ! » quand on parlait de McKinney, qui avait participé à une seule chasse à l'égrette avant de laisser tomber définitivement. C.G. a vu tous ces oisillons abandonnés, les corbeaux qui les attaquaient, et il s'est dit que sa participation au carnage n'était pas inscrite dans l'ordre divin.

Ted Smallwood partageait les convictions de McKinney sur la chasse à la plume, mais je crois que son cœur restait insensible au massacre des alligators. L'année après son mariage avec notre Mamie, ce fut la grande sécheresse de 98, quand tous les alligators des Everglades se retrouvèrent les uns sur les autres dans les derniers trous d'eau et qu'un homme pouvait sillonner la campagne avec une charrette à bœufs. Tom Roberts chassait la plume quand il est tombé sur tout un tas d'alligators près de l'embouchure de la Turner ; sans plus tarder, il va à Fort Myers chercher des charrettes et du sel, il rassemble une bande de gars et les voilà partis pour trucider de l'alligator. Il y avait Tom, moi, Ted et deux autres gars, on en a tué quatre mille cinq cents en trois semaines dans trois trous d'eau qui faisaient un seul lac quand il pleuvait. C'est le lac Roberts, et voilà comment il a été baptisé. On a pas gâché de balles, on les tuait à la hache. On leur dépiautait le ventre, ce qu'on appelle les plats. Je crois pas que les busards aient encore fini de les nettoyer. On les a flottés sur la Turner jusqu'au comptoir de George Storter à Everglade, on y est arrivés de bonne heure et on a eu plein d'argent. Cette année-là, le schooner de R.B. Storter a transporté dix mille peaux d'alligator du seul lac Roberts jusqu'à Fort Myers.

Ensuite, ç'a été la guerre contre les alligators, les peaux venaient de partout, sans oublier les loutres. Bill Brown, du comptoir de l'Embarcadère à l'est d'Immokalee, il a rapporté cent quatre-vingts loutres d'un seul voyage, il en a tiré mille dollars et ils transportait des peaux d'alligator par carrioles entières. En un voyage il en a apporté mille deux cent soixante-dix à Fort Myers, c'est peut-être un record, ça s'est passé en 1905, et il en avait livré huit cents moins de trois semaines avant. Même les alligators ne supportent pas ce genre de massacre.

Oui, un sacré pan de la création divine fut détruit là-bas, et même alors ça me faisait une drôle d'impression. Bill Brown disait que toutes ces créatures aquatiques allaient de toute manière mourir bientôt, car le gouverneur Broward poursuivait ses projets de drainage, et comme il détestait le gâchis, il voulait éliminer jusqu'au dernier alligator des Glades. Trois années plus tard, c'était en 1908, le commerce des alligators étaient presque terminé.

Et les Andiens aussi, ils étaient presque achevés, vu qu'ils n'avaient ni bons fusils ni bons pièges, ils prenaient seulement de quoi assurer leur subsistance. Ils ont jamais massacré en grand toutes ces créatures, pas comme nous on l'a fait.

Ted n'a jamais dit si tuer tous ces alligators était au service de Dieu ou pas, mais sûr qu'il avait mis de côté plein d'argent liquide. Deux ans plus tard, son père et lui ont acheté toutes les terres de Santini sur Chokoloskee. Les Santini et leur gendre Santana, ils étaient catholiques, mais avant tout c'était une de nos familles de pionniers et les gens ont été surpris de les voir plier bagages. Nicholas – surnommé Tino –, sa femme était Mary Ann Daniels, la sœur de tante Netta, qui s'occupait de la maison de Watson, et peut-être que ça a abouti à une insulte que Dolphus a balancée à Watson en le regrettant tout aussitôt. Tino est monté à Fort Myers ; quant à Dolphus, il s'est carapaté vers la côte est, le plus loin possible d'E.J. Watson.

Selon les souvenirs de Ted Smallwood, E.J. Watson ne séjournait pas dans les Iles depuis longtemps quand, à Key West, il agressa « l'un de nos meilleurs citoyens », Adolphus Santini, de l'île de Chokoloskee. (Voir les extraits des interviews de Bill House, qui décrivent en détail l'épisode Santini.)

Dans ses mémoires, Mary Douthit Conrad corrobore le récit du meurtre Highsmith / Davis, fait par Smallwood, ce qui renforce du même coup la confiance qu'on peut accorder à son « Histoire d'Ed Watson », citée plus haut. Elle nous donne aussi des détails supplémentaires selon le point de vue du beau sexe. « Après toute cette excitation, la Ligue pour l'Amélioration du Village de Lemon City (aujourd'hui le grand Miami) organisa un gala d'entraide à l'église dans le but de réunir assez d'argent pour renvoyer Mme Davis et ses deux garçons chez eux, au Texas. »

Au cours de la dernière année de sa vie, Jean Chevelier fit une tentative maladroite pour arrêter M. Watson, avec l'aide de son ancien associé Elijah Carey et celle d'un chasseur de plume et bouilleur de cru nommé Ed Brewer. Cette tentative d'arrestation fut un complet échec et la chasse à l'homme tourna en eau de boudin.

A cause de la rareté des documents écrits à Key West, on ne sait pas grand-chose du capitaine Carey ; en revanche, Brewer apparaît dès 1892 dans la littérature de la frontière floridienne à l'occasion d'un récit de voyage entamé à Fort Myers, poursuivi par la remontée de la Calusa Hatchee, la traversée du lac Okeechobee et la descente de la rivière Miami : « A l'hôtel (le Hendry House *de Fort Myers), nous avons parlé avec plusieurs hommes qui avaient travaillé pour la* Disston Drainage Company *et qui prétendaient bien connaître la frontière des Everglades. Ils déclaraient qu'aucun homme, sinon des Indiens, n'avait jamais traversé les Glades, hormis un certain Brewer, qui avait été arrêté pour vente de whisky aux Indiens, puis relâché sous caution, quand les Indiens désireux de s'assurer la liberté de leur fournisseur l'accompagnèrent jusqu'à Miami. »*

Brewer servit ensuite de guide au lieutenant de la Navy, Hugh L. Willoughby, qui traversa les Everglades en 1896. Willoughby insista sur l'excellente réputation dans laquelle il tenait cet homme, malgré tous les avertissements qu'il avait reçus à propos de son comportement déplorable :

> *Ed Brewer... avait toujours gagné sa vie comme chasseur et trappeur. Il lui arrivait de rester dans les bois pendant six mois d'affilée, pas toujours dans les Everglades, sans voir âme qui vive, sinon parfois un Indien. C'était un homme de taille moyenne, solidement bâti sans être gros, pourvu de cheveux et d'yeux noirs, très endurci et capable de se sentir à l'aise pendant ses longues virées, avec un canoë, une casserole en fer-blanc, une couverture, une peau de cerf, une barre anti-moustique et une carabine, sans oublier, luxe suprême, une chique ou deux de tabac. L'année précédente, j'avais chassé avec lui et j'en avais conclu qu'il était l'homme qu'il me fallait pour affronter avec moi tous les dangers que j'allais rencontrer dans ma tentative de traversée des Everglades. Bien qu'averti par certains de mes amis que c'était un dangereux individu, je préférai faire confiance à mon propre jugement de la nature humaine plutôt qu'aux rumeurs invérifiables qui couraient sur lui. Au cours de notre compagnonnage solitaire, loin de toute loi hormis celle de notre cru, je l'ai toujours trouvé courageux et industrieux, se privant constamment, m'affirmant qu'il n'avait pas faim quand nos réserves diminuaient afin que je me sente plus à l'aise ; et puis, bien des nuits il resta éveillé une heure de plus pendant que je terminais mes notes et mettais au point la journée du lendemain, dans le seul but de me border de l'extérieur dans ma gaze.*

Ed Brewer est évoqué de manière moins élogieuse dans un livre utile sur l'arrière-pays du sud de la Floride à cette époque, qui restreint la portée des exploits de Willoughby (soulignant que les Glades avaient déjà été conquises plusieurs fois, à commencer par la traversée de Harney en 1842). Son nom apparaît aussi ailleurs, d'habitude en référence au voyage de Willoughby ou à cause de ses démêlées chroniques avec la loi. Quels que soient ses mérites et malgré l'humiliation que lui fit subir Watson, Ed Brewer fut une véritable personnalité de la région.

Richard Hamilton

La chose qui brisa tout l'élan de mon vieil ami le Français, ce fut une nouvelle en provenance de Marco Key, au printemps 95. Bill Collier, qui voulait cultiver la tomate, déblayait la boue d'un petit marécage de mangrove entre deux remblais de coquillages, le long de la piste de Caxambas, pas loin de sa propriété de Marco Key, quand sa pelle a rencontré quelques massues de guerre andiennes, des cordages, une louche constituée d'une conque et quelques vieux bois gravés vraiment bizarres. Le capitaine Bill tirait toujours profit de ce qui lui passait entre les mains et tout portait à croire qu'il venait de découvrir ce que le vieux Jean cherchait depuis si longtemps. Mais Bill Collier était aussi le seul homme de toute la côte assez ambitieux pour parler de sa découverte ; d'ailleurs, si vous étiez Andien, vous ne douteriez pas qu'il avait été guidé par les esprits calusas et que le moment était venu de mettre à la lumière toutes ces vieilleries.

Quand je racontais pareilles villenies païennes à nos enfants innocents, Mary me traitait d'horrible idolâtre et elle passait un savon terrible à son pauvre vieil époux. Mary perdit son héritage andien avant de le toucher — son papa, John Weeks, y veilla —, mais au fond de son cœur elle savait que je disais vrai.

Le capitaine Bill Collier montra sa trouvaille à un Yankee pêcheur de tarpon, qui le raconta à un autre, et en moins de temps qu'il en faut pour le dire, tous ces rigolos ont rappliqué dans le secteur pour pelleter et s'amuser. Ce qu'ils cassaient pas, ils l'emportaient dans le Nord en guise de souvenir, si bien que certains savants en ont ouï-dire, et un fameux pilleur de tombes du nom de Frank H. Cushing a aussitôt rappliqué à Caxambas. Ce même printemps, monsieur Cushing a examiné les fouilles du capitaine Bill et il est revenu pendant l'hiver 96 pour prendre tout un tas d'objets bizarres, de trucs religieux, que les vieux Calusas avaient fabriqués en sculptant le bois et le coquillage. Il y avait des bijoux en os et des coupes en coquille, des grandes cuillers, une tête de cerf, un poisson sculpté avec des morceaux d'écaille de tortue incrustés dedans et quelques horribles masques en bois portés par les chamans. M. Cushing a rapporté tous ces trésors en Pennsylvanie, et Hamilton Disston, de Philadelphie – celui qu'a fait un tel bazar en draguant la Calusa Hatchee – a acheté l'ensemble.

Ces Yankees ont raflé toute la gloire du Français. J'espérais du fond du cœur que personne serait assez niais pour lui raconter ça, au moins pas avant que je l'emmène sur place pour lui montrer ce qu'il avait cherché pendant près de dix ans. Autant qu'il jette un coup d'œil là-dessus avant de mourir. Mais à ce moment-là il était déjà vieux et décrépit, il pourrissait au fond de son lit pendant que John Leon et Liza essayaient de s'occuper de lui. Quand je lui ai annoncé que le moment était venu de lui montrer les tombes calusas, il m'a regardé comme si j'étais cinglé, avec la même expression que d'habitude.

— *Throw tar,* il a dit tristement, quelque chose comme ça.

Ce qui a vraiment tarabusté le Français, c'est une sculpture sur bois représentant un chat agenouillé comme un homme. Un dessin de ce chat figurait parmi les documents, et quand Lige Carey a apporté tous ces papiers à Possum Key, Chevelier l'a regardé bien attentivement, puis il s'est violemment radossé dans son lit. Après avoir fixé la porte pendant un moment, il a murmuré un seul mot, « Egyptien ! » et il s'est mis à pleurer. On aurait dit un homme qu'aurait pris une balle dans la moelle épinière, car il a pas bougé pendant des jours.

Enfin, il a dit au capitaine Carey :

– Je sais *very well* ce que je cherchais, dès la *first time* je cherche *big foking* monticules ! Mais je cherche à la mauvaise *foking place* !

Il n'est jamais retourné à Gopher Key, il a laissé sa vie partir à vau-l'eau. Le feu sacré l'avait quitté et il a pas duré l'année.

– J'ai *pays mal* ? disait-il à mes enfants pour leur expliquer ses larmes. C'est comme ça que *you Americans* dites ? Le mal pays ?

Quand Leon et Liza lui rendaient visite, ils l'installaient dehors comme une poupée pendant qu'ils nettoyaient sa cabane, mais il s'intéressait plus à rien, ni chez lui ni autour de sa bicoque, il restait là sur sa petite galerie à fixer le soleil jusqu'à ce qu'il y voit plus goutte. A force, il est devenu aveugle. Il jappait bien de temps à autre, mais c'était à peu près tout. Refusait de se laisser laver par mes enfants, il les repoussait en battant des bras, pour vous dire la fureur qui s'était emparée de sa caboche. Il s'intéressait pas davantage à manger, bref il dépérissait. Jean Chevelier est mort de ses propres humeurs noires, la vie l'a étouffé.

Le jeune Bill House était resté un moment absent de Possum Key, et Elijah P. Carey se contentait de brèves visites. Vers la fin, malgré toute sa solitude, le vieux s'est lassé du capitaine Carey.

— Je suis seul, dit-il un jour, peu importe qu'il soit là ou pas. Je préfère le silence.

Le capitaine Carey n'était pas un mauvais bougre, mais il se racontait trop de bobards. C'était un gars qui avait besoin de *parler*, il supportait pas le silence très longtemps, et quand le vieux Jean cessa de faire attention à lui, ne remarquant presque même plus sa présence, le malheureux se mit à adresser ses discours à toutes ces choses sauvages qui l'observaient dans les murailles vertes toutes proches. Il devenait tellement cinglé là-bas avec ce vieillard silencieux qui fixait le soleil, qu'il entendait le soleil rugir et les arbres gronder dans la nuit, en tout cas c'est ce qu'il nous a dit. Il lui fallait écouter le silence de Dieu, et ce qu'il entendait lui flanquait une trouille bleue, voilà comment que ça se passait. Il était pas fait pour la solitude, le capitaine Carey, et puis il redoutait toujours que son voisin, monsieur Watson, se souvienne qu'il avait participé à la chasse à l'homme avec Ed Brewer et qu'il décide de se débarrasser de lui pour de bon. Quant aux Andiens, il était sûr que ces diables rouges l'épiaient jour et nuit.

Le capitaine oublia tout de go qu'il méprisait les Peaux-Rouges, tant il se découvrit solitaire lorsqu'il s'aperçut qu'ils ne voulaient pas entrer en contact avec lui. Il a toujours été un gros gars chaleureux, prêt à vous enlacer l'épaule, mais les Andiens étaient pas vraiment amicaux, pas à cette époque. Pour le capitaine, ils mijotaient quelque chose. Il *sentait* leurs yeux posés sur lui, il pivotait soudain sur ses talons et il les repérait derrière lui. Il riait, voyez-vous, comme s'ils lui avaient joué une bonne farce, mais *eux* restaient de marbre. Les Andiens échangeaient leurs plumes et leurs peaux contre sa camelote, puis ils s'en allaient, sourds comme des fantômes, sans faire attention aux gueulantes du capitaine.

Lorsqu'il n'en pouvait plus, il nous rendait visite ; il se mettait dans tous ses états et le rouge lui montait au visage au souvenir de la méchanceté et de l'ingratitude de ce vieillard qu'acceptait même pas de lui *parler* ! Nous n'avions rien à lui répondre et de toute façon on causait pas beaucoup dans la famille, sauf le samedi. D'ailleurs, personne causait beaucoup dans les Iles, hormis notre piplette de Liza. Le silence de la rivière étouffait nos paroles comme la boue liquide remplit une empreinte fraîche de raton-laveur. Malgré tout, on restait un moment avec lui, on le calmait avec du bon café, du poisson et du gruau, tant et si bien qu'il voulait plus repartir, il désirait passer la nuit avec nous. Pourtant, il était pas très à l'aise en notre compagnie et, comme disait mon négrillon de Walter, on pouvait qu'avoir pitié d'un homme qu'acceptait la charité de sang-mêlé. Toute sa vie, notre Walter a parlé vraiment tranquille, et j'ai jamais appris à lire son sourire.

Un matin, ce gros homme Blanc s'est arraché à notre table et il est parti d'un pas égal, cap au sud. Il nous a laissé un peu d'argent, mais pas beaucoup, pour qu'on s'occupe de son vieil associé jusqu'à son retour et il a failli lever le bras pour nous dire au revoir. Il avait vraiment peur qu'on pense du mal de lui, ce qui était d'ailleurs le cas, car nous savions que nous ne reverrions pas Elijah Carey. Cette grande cabane que nous lui avions construite sur Possum Key est toujours là, toute envahie de ronces ; les fenêtres sont aveugles, la vermine grouille un peu partout et les fleurs poussent dans les fissures où le vent et la pourriture ouvrent des brèches au soleil et à l'air.

Peu après le départ du capitaine, E.J. Watson et sa dame firent une visite au vieux Français et eurent avec lui une belle conversation cultivée. Quand Chevelier m'a raconté ça, j'ai cru qu'il avait fait un cauchemar français, mais des années plus tard, Watson m'a dit la même chose. Ni l'un ni l'autre n'en parlait beaucoup. Pourtant, le vieux Jean confia ensuite à John Leon qu'il avait trouvé la confirmation de ce qu'il pressentait déjà : notre voisin était un assassin doublé d'un fou. Il nous supplia d'abattre Watson comme un chien à la première occasion.

Je crois que j'aimais bien ce vieux diable bourru. Il mâchait pas ses mots, il connaissait certaines choses et il s'est occupé de mon éducation, du jour où il est arrivé à la Courbe de Chatham. C'était quatre ou cinq ans avant que Watson se pointe dans les parages. Jean Chevelier a été le premier à deviner que monsieur Watson nous amènerait des ennuis et qu'il changerait notre existence ici dans les Iles.

John Leon et Liza s'occupèrent du vieux sur son lit de mort. Il les appelait son filleul et sa filleule, et il leur a laissé entendre qu'il leur léguerait sa propriété pour les remercier de leur bonté parce qu'il avait pas de famille. Leon, il s'en réjouissait déjà à l'avance, vu qu'il aimait bien Possum Key depuis qu'on y avait vécu, et puis il avait décidé de s'installer dans les Iles.

Une fois, John Leon emmena Gene à Possum Key parce que sa sœur ne pouvait pas l'accompagner ce jour-là. John Leon avait douze ou treize ans à l'époque, et Gene deux ans de plus. En remontant la rivière avec la marée, les deux garçons sont passés devant le Lieu de Watson sans voir âme qui vive ; mais en arrivant à Possum Key, ils ont trouvé Ed Watson debout sur le rivage qui les regardait approcher ; quand ils ont agité le bras vers lui, l'homme a pas bronché. Gene était d'avis de rebrousser chemin et de rentrer au bercail, mais son frère cadet lui a dit pas question, pas avant d'avoir servi à M. Jean son poisson et ses légumes. Watson les a regardés jusqu'à ce qu'ils aient amarré leur canoë. Ils se sont fait tout petits pour passer devant lui quand le Watson il s'est soudain raclé la gorge avant de leur lancer :

— Bonjour, les gars.

Il leur a demandé ce qu'ils voulaient et John Leon lui a répondu qu'ils apportaient des victuailles au Français.

— Il est mort de vieillesse, a fait monsieur Watson.

Il leur a montré un monticule de terre tout frais, où il l'avait enterré, et tous trois sont restés là un moment à méditer.

Alors, John Leon, il demande :

— Il a pas parlé de Liza et de moi ?

Watson secoue la tête négativement. Il dit qu'il a acheté l'acte de renonciation de l'île, qu'il en est désormais propriétaire et qu'il n'en sait pas plus.

Léon est embêté, il reprend :

— M. Jean paraissait pourtant en bonne forme avant-hier !

— Il ne paraît pas en bonne forme aujourd'hui, lui rétorque Watson.

Voyant le petit sourire de cet homme, Gene pousse un gémissement et prend les jambes à son cou vers le bateau, avec John Leon sur ses talons. Mes deux garçons n'avaient jamais rien entendu de mal sur Ed Watson — je leur confiais rien, car je voulais surtout pas les effrayer —, mais ce jour-là ils ont eu vent de quelque chose de louche et ils sont rentrés à toute vitesse à la maison.

Le récit de John Leon m'a laissé un peu perplexe, car il reconnaissait que monsieur Watson n'avait strictement rien dit pour leur faire peur. Et puis y avait aucun doute que, cette semaine-là, Jean Chevelier allait à grands pas vers sa récompense, s'il devait en avoir une. Il avait pas besoin du moindre coup de pouce d'E.J. Watson, malgré ce qu'Eugene dirait ensuite. Ainsi, ces deux gamins étaient peut-être tout bonnement bouleversés par la nouvelle de la mort du vieux.

Le seul mystère, c'est pourquoi mon vieil ami avait modifié ses dernières volontés. Lige Carey se plaignait toujours de l'ingratitude atavique de Jean Chevelier, et je crois qu'il avait raison.

La fois suivante où j'ai vu monsieur Watson, c'était au petit comptoir de commerce de McKinney à Chokoloskee, mais je lui ai pas posé la moindre question. Je lui ai jamais demandé, par exemple, comment un mourant envisageait de dépenser l'argent qu'il avait eu de Watson pour l'acte de renonciation, et pas davantage ce qu'était devenu cet argent après la mort du vieux Jean. A ma connaissance, personne en posait des questions, ni à cette époque ni plus tard, et je vais vous dire pourquoi.

Les gens se disaient qu'ils ne connaissaient pas Chevelier, en tout cas ils l'aimaient pas, c'était rien qu'un étranger, pas vrai ? Un possédé du démon, qui se fichait de qui le savait, alors peut-être que c'était le diable qu'était venu le prendre. Bref, tout le monde se contrefichait de savoir ce que ce vieux grincheux d'étranger avait fait de son fric. Peut-être que les mulâtres l'avaient doublé, à moins que Carey ait filé avec les dollars d'argent du Français, allez donc savoir ! On pouvait jamais faire confiance à ces pirates de Key West — c'était clair comme de l'eau de roche. Mais personne faisait le moindre reproche à Ed Watson, même derrière son dos, pour vous dire à quel point ils redoutaient que ça lui revienne aux oreilles, car après Santini, la peur d'E.J. Watson poussait aussi dru que le chiendent dans un potager au mois de juin. Watson le savait bien et il aimait le brusque silence qui annonçait son arrivée dans un lieu public ; plus tard, ce silence aussi a été retenu contre lui, comme le fait qu'il était plus cultivé que presque tout le monde, et puis plus malin, meilleur fermier et commerçant plus avisé que les autres.

Mais j'avais de l'amitié pour ce Français, tous les deux on était des étrangers et j'arrivais pas à trouver une bonne excuse pour enterrer l'affaire. Watson savait que mes gamins m'avaient sans doute mis au parfum de la tombe fraîche de Jean Chevelier sur Possum Key et il savait sans doute aussi que je pouvais pas laisser passer ça. Peu de choses lui échappaient. Dès que je suis entré dans le magasin, j'ai compris qu'il savait que j'étais sur l'île, et qu'il m'attendait. Fallait se lever de bonne heure pour prendre ce gaillard par surprise.

J'ai dit à John Leon de rester dehors. J'avoue bien volontiers que je me sentais plutôt déprimé.

Ed Watson et moi, on s'entendait bien et il était naturel de se dire bonjour. Il portait cette redingote qu'il mettait toujours quand il allait à Chokoloskee pour ses affaires. Il s'est un peu déplacé en me voyant entrer, inclinant la tête avec son célèbre petit sourire en coin, il a reposé sur le comptoir la boîte de lard qu'il était en train d'acheter et cette boîte a fait un petit claquement métallique. Ça lui libérait les mains tout en me servant d'avertissement.

Affronter Watson bille en tête le rendait dangereux, on le sentait se lover à l'intérieur. On m'avait raconté la vitesse avec laquelle il avait frappé Santini, en un clin d'œil Dolphus était passé de grande gueule à gorge tranchée. Le sourire de Watson trahissait rien, il attendait simplement que je bouge, prêt à lâcher la bride à ce que je voyais s'enfler derrière ses yeux.

— Tiens, comment va, Ed ? dis-je.

— Et toi ? fit-il d'une voix affreusement plate.

Il a pas prononcé mon nom. Le ton de sa réponse me soufflait qu'il était hors de question de l'interroger sur Chevelier sans sous-entendre qu'il en savait plus long qu'il voulait bien le dire, et sa voix me conseillait aussi de reculer pendant qu'il était encore temps.

Ce que j'ai fait. J'en suis pas très fier, mais c'est ce que j'ai fait. Si jamais son couteau jaillissait, sans parler de son feu, y a pas un homme de Chokoloskee qui prendrait parti pour Richard Hamilton, parce qu'aucun putain de Peau-Rouge, sans parler des négros ou des mulâtres, ne posait une question directe à un Blanc. Le seul à bondir à la rescousse, ce serait John Leon et je pouvais pas risquer de le mettre en avant, même si j'avais bien envie d'affronter Ed Watson, ce que j'ai pas fait.

Quand Watson constate que j'ai l'intention de me montrer raisonnable, il me tend la main et je la serre. La seule main qu'on m'a tendu de toute la journée.

— A propos, qu'il me demande, quelles sont les nouvelles de la nation choctaw ?

J'ai grandi non loin de l'endroit où vivait Watson, là-bas dans les Nations, sur le Territoire de l'Oklahoma, si bien qu'il s'agissait d'une question de pure forme. Mais quelques parents Daniels de ma femme nous ont entendus et ont pris sa question comme une blague dont Richard Hamilton faisait les frais. Alors, ils ont éclaté d'un gros rire pour flatter leur ami Ed, et moi aussi j'ai souri. Je me suis dit il y a tellement longtemps : vivre et laisser vivre, ne pas réagir aux mesquineries des Blancs — et je l'ai jamais regretté. Voici donc ma réponse :

— Il se passe jamais rien de neuf chez les Andiens, Ed, vous le savez bien.

Mon fils cadet est celui qui a répandu la rumeur selon laquelle il avait surpris Ed Watson la main dans le sac à Possum Key, et qu'on aurait vraiment juré que Watson avait tué le Français. Gene était terrorisé par Watson, il prétendait qu'Ed le détestait, mais la plupart d'entre nous s'étaient habitués à sa présence et le craignaient pas. Ed Watson a toujours été généreux avec ma famille, il a jamais manqué de nous aider pendant les périodes de vaches maigres. Les dernières années, John Leon est devenu très ami avec lui, et sa douce épouse Sarah encore plus. Ils savaient quel genre d'homme c'était et ils l'aimaient beaucoup. Oui, ils étaient fiers comme tout de connaître ce type.

Vous voulez mon avis ? Watson a jamais tué mon ami Chevelier et il a jamais acheté ni payé quoi que ce soit pour Possum Key. Il est allé là-bas pour en parler, il a trouvé Jean Chevelier mort et il a simplement pris sa succession sur l'île. Etant donné qu'il s'agissait seulement de cette crapule de Français, les gens ont été trop contents de le laisser agir à sa guise.

Même après la disparition de monsieur Watson, quelques années après le début du siècle, personne s'est installé sur Possum Key avant longtemps. Plusieurs années ont passé et quand les gens ont eu l'impression qu'il reviendrait pas sur cette terre, ils se sont mis à prétendre qu'il avait supprimé ce vieil étranger pour lui piquer son pognon avec le titre de propriété de Possum Key. Et m'est avis que c'est exactement ce que monsieur Watson voulait faire croire aux gens, car il savait fichtrement bien que personne bougerait. Il est moins fatigant d'éloigner d'éventuels squatters en les effrayant que de les abattre.

L'histoire de Chevelier comporte un autre aspect que je raconte rarement. Les Mikasukis de Cypress ont appris ce qu'on avait déterré à Marco, et ça leur a pas plu du tout. Ces vieilleries auraient dû rester là où qu'elles étaient. On avait troublé un lieu funéraire andien, la terre saignait du massacre des oiseaux et des alligators : les Mikasukis craignaient que les mauvais esprits de leurs anciens ennemis ne soient ainsi libérés.

Pour bien avertir les Blancs, leur medecine man en chef, docteur Tommie, se rendit à Fort Myers avec le commerçant de Fort Shackleford, à l'est d'Immokalee. Ce commerçant ramenait un chariot bâché tiré par trois couples de bœufs, un périple de cent kilomètres accompli en dix-huit jours, tout chargé de plats d'alligator pour le magasin d'Henderson. Docteur Tommie ne dit pas un mot sur toutes ces peaux jusqu'à ce qu'ils arrivent à destination ; alors, il se dressa sur le chariot pour protester contre la mise en coupe réglée de leur pays. Ce vieil Andien avertit très nettement les Blancs, surtout Bill Collier, Cushing et aussi M. Disston, qu'avait payé, que quelque chose de mauvais arriverait forcément si ces masques sacrés, ces coupes de cérémonie et le reste n'étaient pas restitués à la terre mère, leur propriétaire légitime.

Cela se passait au début de 1898, le Maine venait juste d'être coulé dans le port de la Havane et la guerre hispano-américaine menaçait, moyennant quoi personne accorda la moindre attention à ce fou furieux à la coiffe bizarre et à la longue tunique. Docteur Tommie comprit tout de suite que les visages pâles se contrefichaient de ses mises en garde, si bien qu'il choisit de se taire et retourna à pied dans le Cypress avant que les Blancs décident de l'expédier dans l'Oklahoma.

Deux semaines s'étaient pas écoulées que le schooner *Speedwell* de Bill Collier chavira dans un grain au milieu des Marquesas, tout là-bas à dix-huit miles au large de Key West. Deux de ses jeunes fils ont péri noyés dans la cabine avec toute une famille de passagers, et le capitaine Bill, qui s'en est tiré de justesse, a vu leurs petites mains griffer le verre du hublot tandis que le bateau s'enfonçait. Pendant ce temps-là, Disston s'est suicidé parce qu'il savait pas quoi faire de tout son argent, et un peu plus tard Frank Cushing, âgé de moins d'un demi-siècle, a passé l'arme à gauche, sans connaître ni la gloire ni la fortune après sa grande découverte. La maison de Cushing a été détruite par un incendie après sa mort, et presque tout ce qu'il avait pillé dans ces tombes andiennes sacrées retourna à la terre sous forme de cendres.

Vous allez me dire que tout ça relève de la coïncidence bizarre, mais si vous étiez andien, vous comprendriez. Les Andiens parlent jamais de coïncidence, c'est juste du baratin d'homme Blanc.

Sarah Hamilton

Richard Hamilton a demandé au Français d'être parrain quand Leon et Mary Elizabeth, surnommée Liza, se sont fait baptiser par un prêtre itinérant. Ça semblait curieux que papa Richard ait choisi le Français malgré les vitupérations de Chevelier contre l'Eglise, et encore plus curieux qu'un homme en cheville avec le diable accepte. Mais ces deux vieux bonshommes manquaient pas de malice, et de temps à autre papa Richard aimait bien titiller sa grosse femme pour l'entendre brailler. Quant au Français, il estimait Richard Hamilton sans jamais reconnaître combien il était tributaire de ses bontés. Ils formaient une espèce de couple bizarre de vieux ratés, oui c'est ça, mais papa Richard restait toujours imperturbable, il était jamais en bisbille avec personne, alors que le Français était susceptible comme un vieux chat grincheux, il houspillait tous ceux qui se trouvaient sur son chemin, sauf Liza et Leon.

Richard Hamilton était d'une honnêteté à toute épreuve, et y a pas beaucoup de gens qui supportent ça. Il racontait jamais ce qu'il savait pas être un fait avéré, il vous disait jamais moins que la vérité, mais jamais non plus un mot de trop. Il était sec et tranchant, il en rajoutait jamais, mais il retirait jamais rien non plus. Quand le crétin de frère de Leon se montait le bourrichon en criant ce qu'il allait faire subir à untel, dire à un autre, et qu'il se mettait à vociférer à tue-tête, son père restait planté là avec un air innocent, comme s'il écoutait le chant d'un oiseau.

— Vraiment, Gene ? disait-il.

Vivre et laisser vivre, c'était sa conviction, et si Eugene voulait brailler, eh bien qu'il braille. Mais quand vous lui demandiez de but en blanc si toutes les gueulantes de Gene contenaient un poil de vérité, il secouait la tête et répondait, au cas où on aurait pu se méprendre sur son attitude :

— Bien sûr que non.

Jusqu'à la fin – et il a vécu pas loin d'un siècle –, le père de Leon a été un vieillard qu'avait les pieds sur terre et à qui on la faisait pas. Il portait une moustache et une barbe blanches sur une peau lisse comme l'acajou, un chapeau de paille tout rond ainsi que des bretelles, et il marchait pieds nus. Papa Richard quitta sa dernière paire de chaussures en 98 et ses pieds l'en remerciaient tous les jours, voilà ce qu'il disait. Ses garçons s'occupaient de lui. Jusqu'à l'année où nous avons quitté les rivières, en 1947, il n'y a pas eu la moindre paire de chaussures digne de ce nom dans toute la famille.

A en croire les sempiternels récits de maman Mary, la mère de Richard Hamilton était une princesse choctaw qu'un gentleman anglais, marchand de fusils, avait courtisée pour lui faire quitter ses peaux de daim, là-bas dans l'Oklahoma.

– Un trafiquant de gnôle et sa squaw, rectifiait papa Richard. Inutile d'aller chercher l'histoire de la princesse et du gentleman !

Quoi qu'il en soit, papa avait les traits fins d'un Anglais et la peau de sa mère, qu'on pourrait qualifier de cendrée. Il a grandi dans les parages d'une mission catholique, il lisait la Bible catholique, il a vécu selon ses préceptes jusqu'au jour de sa mort, même si lui-même se qualifiait d'Andien de l'Oklahoma.

Ma belle-mère, elle, était Séminole du côté maternel, mais vu que son papa était le vieux John Weeks, le pionnier de Chokoloskee, elle se croyait aussi Blanche que le cul d'une nonne. Elle se comportait sans arrêt comme si elle avait fait une fleur à son Richard en se carapatant avec lui, mais pour moi c'était l'inverse qui était vrai. Mon mari, John Leon, était son petit trésor et son chouchou adoré parmi les enfants, et mon chéri à moi aussi. Voilà à peu près le seul terrain d'entente que j'avais avec cette femme horrible ; et même pour Leon, nos raisons étaient pas les mêmes.

J'aimais ce grand garçon costaud parce qu'il bafouillait dès que la moutarde lui montait au nez, et puis aussi parce qu'il avait le cœur sur la main derrière toute sa rudesse. Mais sa maman l'aimait surtout à cause de son apparence et particulièrement de sa peau claire. Je dirai cependant en faveur de cette femme qu'elle était loyale envers tous ses enfants, même Gene. A l'entendre causer, c'étaient les seuls chiards de tout le sud-ouest de la Floride qui valaient le coup qu'on s'occupe d'eux.

– Les gens me bassinent toujours, disait-elle, sur la vie solitaire que les femmes ont forcément dans ces saletés d'îles, avec la pluie, la boue et rien que des stiques et des maringoins pour vous tenir compagnie. Mais moi, je leur réponds : « Bon Dieu non, que je me sens pas seule ! On a besoin d'*aucune* compagnie quand on a des enfants comme les miens ! »

John Leon est né l'année où les Hamilton ont renoncé à aménager la Courbe de Chatham pour aller pêcher pendant un an dans la Fakahatchee. L'année suivante, ils sont retournés à la Courbe de Chatham, mais en tant que pêcheurs. Walter, Gene et Liza sont tous nés à la Courbe pendant les années 1880, puis Ann E. sur Possum Key vers l'époque où monsieur Watson est arrivé dans la région. Walter était l'aîné, Eugene le cadet et John Leon le petit dernier – tous les trois arrivés sur terre à deux ans d'intervalle. Gene était blond, avec une peau aussi claire que Leon, mais il avait le nez et les lèvres assez épais, voyez, et puis ses cheveux ondulaient légèrement.

Toutes les piplettes de Chokoloskee qualifiaient Leon Hamilton de Blanc, mais c'était rien que pour faire bicher papa Richard, qui avait inauguré le scandale en se trissant avec la fille de John Weeks. Si Leon était Blanc, selon eux, c'était qu'un homme Blanc avait pénétré dans la bergerie pendant que la famille passait son année au bord de la Fakahatchee.

Maman Mary elle disait toujours, « John Leon est un Weeks » bien qu'elle-même soit une belle-fille de Weeks. Elle voulait pas que son bébé s'appelle Hamilton, tout ça parce qu'elle était cruelle et stupide et qu'elle se moquait d'humilier son propre mari, de lui briser le cœur. Papa Richard aurait même accepté ça, rapport aux termes de sa philosophie pacifique, mais John Leon dit que non, il était Leon Hamilton, même si le nom de Weeks lui aurait grandement facilité les choses dans la vie. En revanche, elle rendit Eugene honteux de son propre père et pendant un moment, quand il était gosse, il essaya de se faire appeler Gene Weeks, mais personne prit ça très au sérieux sauf sa mère. Ce furent ses propres cousins Weeks qui lui extirpèrent cette sale habitude.

Elle avait beau être mère poule, Mary Weeks aimait moins sa progéniture foncée – Liza, qu'était café noir, et Walter, son premier fils, dont la peau avait absorbé tout ce qu'était pas blanc chez ses deux parents. Walter avait les traits fins de son père – comme il était beau ! – mais ce pauvre garçon se serait fait passer pour un Noir comme une lettre passe à la poste. Walter Hamilton était un solitaire, il allait et venait en silence et plus tard dans son existence il a disparu vers l'intérieur du pays en remontant la rivière de l'Homme perdu.

Walter Hamilton restait si tranquille et il se déplaçait si calmement que Gene avait beau jeu de faire comme s'il était jamais là. Gene répandait son fiel, que son frère l'entende ou pas, et je me dis parfois que cette situation les arrangeait tous les deux. Dans un bateau, Walter s'installait toujours à la proue et il se retournait jamais tant qu'il pouvait s'en passer. Il avait son propre univers sous le crâne pour lui tenir compagnie, ce pauvre Walter.

Leon a toujours aimé son frère Walter ; quand ils étaient gamins, Gene et Leon aussi s'entendaient bien, mais au fil du temps ils se sont mis à se haïr, et au fondement de leur mésentente, m'a confié Leon, il y avait les mesquineries de Gene envers Walter, qui découlaient d'une mauvaise attitude de Gene envers lui-même. De temps à autre, l'un de ses cousins Weeks ou Daniels se saoulait et taquinait Eugene — « Dis donc, Gene, ton frère Leon on dirait presque un Blanc, pas vrai, Gene ? » — et toute la rage de Gene se déchaînait alors, il se bagarrait pour prouver qu'il était Blanc, souvent il se prenait une bonne trempe, et à la fin c'était Walter qui portait le chapeau. Au cours des années suivantes, quand Walter restait sur son quant-à-soi, Leon en tenait rancune à Gene et il mâchait pas ses mots. Il lui disait :

— Gene, si ton frère est pas assez bon pour toi, eh ben alors t'es pas assez bon pour moi.

Il tolérait pas ça. Nous nous sommes installés juste en face, à Plover Key, jusqu'à ce que Leon se calme un peu.

La cruelle Mary Weeks prétendait se moquer de la couleur de la peau, en soulignant que son mari en était la meilleure preuve, mais au fond de son cœur c'était sa propre couleur qu'elle méprisait. Le sang Noir était point le poison qui se transmettait dans cette famille, le poison c'était le mépris.

Les Andiens de Cypress, ces fameux Mikasukis, étaient des Creeks comme les Séminoles, expliquait papa Richard, sauf que leur langage était le hitchiti et pas le muskogee, et puis ils étaient davantage chasseurs que fermiers, ils entretenaient point de bétail. Ils restaient à l'écart des Blancs et cette règle admettait pas d'exception. Dans l'ancien temps, ils mettaient à mort les bébés à moitié Blancs et les parents aussi. Aujourd'hui la plupart des Andiens veulent être Blancs et, constatant que les Blancs méprisent les Noirs, ils se sont fourré dans le crâne qu'ils étaient meilleurs que les Noirs. Peu importe la couleur de leur peau, ils ont ce poison en eux. Et à mon avis, Mary Weeks appartient à cette même espèce empoisonnée.

Elle soutenait donc que son mari descendait d'une princesse choctaw et que sa propre mère Séminole était aussi une princesse. Elle disait qu'elle venait en droite ligne du chef Osceola, aussi direct qu'une flèche. Et qu'elle avait aucun lien de parenté avec le moindre Andien en chair et en os qu'on pouvait lui montrer, elle refusait mordicus d'être apparentée au moindre Peau-Rouge qu'ait jamais pissé sa goutte sur le sol de Floride.

Toute cette sacrée folie du sang causera la ruine de ce pays. Comme disait le vieux Chevelier à papa Richard, les humains étaient d'une seule couleur lorsqu'ils sont apparus sur terre, ils ont seulement évolué en races multicolores quand ils se sont éparpillés sur les continents. Mais à voir la frénésie avec laquelle ils s'accouplaient en ce moment, poursuivait le Français, c'était certain qu'ils allaient finir par avoir tous la même couleur, et le plus tôt serait le mieux, qu'il ajoutait, parce que la vie était déjà bien assez terrible comme ça sans toutes ces misérables querelles de couleurs.

Toutes les couleurs étaient présentes dans le clan Hamilton, y avait pas à tortiller. Jean Chevelier avait baptisé les Hamilton « la vraie famille du Nouveau Monde », parce que Richard Hamilton ne faisait jamais très attention à la couleur de votre peau. Si vous arriviez chez lui et que vous aviez faim, il vous nourrissait et il obligeait la vieille Mary à ravaler ses cris de paon, et puis Eugene aussi. Autrement, il se cassait pas la tête, il laissait sa femme prendre les décisions. Leon et moi, on sentait les choses de la même façon que son papa, on partageait notre table avec toutes les races et toutes les religions. Moyennant quoi ceux qu'avaient un pet de travers nous traitaient de nègres et d'amoureux des nègres. Bien sûr, les gens bien élevés diraient *mulâtres*.

Ma mère était une Holland, une catholique irlandaise ; quant à mon père, Henry Gilbert Johnson, il n'avait aucun lien de parenté avec toute la bande de Charley Johnson à Chokoloskee, et pas davantage avec Christ Johnson de Mound Key, dont le vaurien de fils, Hubert, se trissa plus tard en compagnie de Liza, aucun rapport non plus avec Johnny Johnson, qui fut l'un des sept maris de Josie Jenkins. Les habitants de Chokoloskee appelaient mon père un *conch* des Bahamas, alors qu'il est arrivé des îles britanniques de la Manche pour acheter quelques fourrures et de la plume aux Andiens. Et moi, je suis arrivée en 89, la même année que Lucius Watson. Par la suite, Lucius et moi on a toujours été un peu amoureux, sauf que personne l'a jamais remarqué, même pas lui d'ailleurs.

Gilbert Johnson campait déjà sur les berges de la rivière de l'Homme perdu avant que les Hamilton quittent la Chatham pour descendre dans le sud. Je me rappelle le jour où nous avons trouvé les Hamilton à son camp de Wood Key. Je venais juste d'avoir treize ans, Leon avait quelques années de plus que moi, on s'est regardés, mon cœur s'est emballé et tout le paysage a frémi. Ma sœur Rebecca a ressenti la même chose pour Eugene, si bien que mon père nous a sorties de là ; mais un an après, ces deux garçons sont revenus nous chercher.

Maman Mary, elle a dit qu'elle était d'accord, mais que nous devions nous marier — se croyant la seule personne Blanche de la famille, elle prenait naturellement toutes les décisions — si bien que Gene et Leon nous ont épousées comme il faut dans la vieille chapelle de l'Océan, à Key West. Je l'ai jamais regretté, car j'ai épousé un brave homme. Mais le mari de Becca était un type fourbe et vaniteux, même qu'à la fin son propre papa n'a plus voulu entendre parler de lui.

J'imagine que Jean Chevelier a beaucoup manqué à papa Richard, parce qu'après qu'il s'est installé à Wood Key, il s'est lié du même genre d'amitié orageuse avec mon papa. Même quand papa est venu se poser parmi le clan Hamilton à Wood Key, pour passer sa vieillesse à s'amuser avec les poissons et les bateaux, il regardait souvent Richard en secouant la tête.

— Bon Dieu, soupirait-il, comme je regrette le jour où je me suis acoquiné avec ces maudits Hamilton !

Et moi, j'ai passé ma vie à répéter ça à Leon !

Un atout crucial dans la carrière tumultueuse d'E.J. Watson fut les liens étroits qu'il établit avec les éleveurs et les banquiers puissants de Fort Myers, sur la côte ouest de la Floride, une ville rebaptisée Fort Harvie pendant la troisième guerre Séminole, puis réactivée durant la guerre de Sécession comme base des raids de l'Union contre les trains de bétail qui approvisionnaient toujours en bœuf les Confédérés. Prenez la peine de lire l'extrait suivant de mon Histoire du sud-ouest de la Floride *: vous comprendrez mieux pourquoi le mariage de la fille de monsieur Watson avec W.G. Langford eut de telles répercutions sur la vie de Watson.*

> *Jake Summerlin, le premier éleveur de Fort Myers, s'occupait de bétail depuis l'âge de sept ans et il avait troqué les vingt esclaves de son héritage contre son premier troupeau de six mille têtes au cours des années 1840. Ce vétéran des guerres Séminoles, cet éleveur pionnier dans la prairie d'Alachua déplaçait d'immenses troupeaux avec ses cowboys et un chariot-cantine à partir de la rivière Saint-Johns vers le sud-ouest, à travers toute la Floride et jusqu'à la Calusa Hatchee. Pendant la guerre de Sécession, Jake Summerlin vendit du bétail sur pied à la Confédération, puis en fit passer en contrebande à travers le blocus de l'Union pour le vendre à Cuba. Durant la dernière année de la guerre, il vendit des troupeaux à l'Union, qui payait mieux.*
>
> *Après la guerre, Fort Myers fut abandonné, mais vers 1869, Summerlin et ses associés faisaient à nouveau descendre des troupeaux vers le sud, qui traversaient la Calusa Hatchee à la nage avant de rejoindre les enclos et les quais de Punta Rassa, où Summerlin occupa les anciennes casernes de l'armée. Louant les enclos et les*

*quais de l'*International Ocean and Telegraph Company, *il fit fortune, expédiant chaque année à Cuba dix mille têtes de bétail sauvage. Les Espagnols remontaient la Calusa Hatchee pour lui acheter ses longues-cornes à Cattle Dock Point, payant le vieux Jake en doublons d'or, qu'il conservait dans des sacs, de vieilles chaussettes en laine et des boîtes de cigares.*

Déjà, les fermiers descendaient dans le sud de la Floride, avec leurs chariots bâchés qui grinçaient à travers les bois et le sable brûlant, tirés par deux ou trois couples de mules ou de bœufs. A deux kilomètres dans la campagne environnante, on entendait la détonation sèche de leurs coups de fouet qui se répercutait dans ce paysage écrasé de soleil. Le long de la rivière Calusa, ces pauvres baptistes trouvaient de bonnes terres limoneuses et construisaient des maisons de chaume, ils obtenaient des récoltes abondantes, expérimentaient l'ananas et le cocotier, la canne à sucre et le chou, sans oublier le citronnier. Mais avec le marché de Key West si loin au sud, ces denrées périssables ne résistaient ni à la chaleur ni à la lenteur du transport à bord d'un schooner, et ces fermiers pionniers vivaient de la chasse et de la pêche, sur le pays. Un jour, le chemin de fer arriverait certainement, débarquant ses hordes de touristes et d'investisseurs yankees qui brandiraient leurs billets verts fraîchement imprimés, et ces mêmes trains remporteraient vers les marchés du nord une profusion de fruits et de légumes. On draguerait la Calusa Hatchee, on drainerait les Everglades et Fort Myers obtiendrait une place de choix dans le siècle nouveau.

Ce furent les années euphoriques où Hamilton Disston, le nabab de Philadelphie, passa un contrat avec l'Etat de Floride pour acquérir quatre millions d'acres des Glades contre un million de dollars, à condition que sa Compagnie de l'Atlantique, du canal de la côte du Golfe et des terrains de l'Okeechobee draine la région de la Kissimmee et de l'Okeechobee en passant par la Calusa Hatchee afin que cette merveille naturelle reçoive l'empreinte de la domination de l'homme. Déjà, la puissante drague de Disston était loin en amont de la rivière, au-delà des monticules calusas de sable blanc immaculé, au-delà des anciens chenaux qui reliaient les monticules aux eaux limpides et paisibles de la rivière silencieuse. Vomissant des nuages de fumée et faisant un énorme vacarme dont les effets étaient perceptibles à des kilomètres à la ronde sur les eaux scintillantes, la drague avait baratté et bouleversé les gigantesques bancs de boue des Everglades en un puissant et illusoire paroxysme de progrès. Vers 1888, le projet de la drague capota, mais pas avant d'avoir anéanti tout le fragile équilibre des eaux et ouvert aux pionniers toute l'Okeechobee drainée, chassant ainsi les derniers Indiens un peu plus loin vers le sud et Big Cypress. Dans des chenaux approximatifs, les déchets et le trop-plein de l'Okeechobee se déversèrent vers l'ouest, le long de la vieille rivière Calusa qui, quelques années plus tôt, ne contenait que des eaux claires au-dessus du sable blanc étincelant des anciens coquillages.

Bientôt, ce sable blanc fut submergé de boue et de vase morte. La seule personne qui parut s'en inquiéter fut le propriétaire de l'hôtel Punta Rassa, rebaptisé Tarpon House *après que quelques pêcheurs new-yorkais eurent attrapé le premier « roi argenté » avec une canne et un moulinet en 85. Depuis lors, les riches Yankees débarquaient au rythme d'une véritable migration hivernale, traquant le tarpon, le maquereau espagnol, le poisson-lune, le brochet de mer et le saumon qui miroitaient dans les passes couleur émeraude des îles limitrophes du Golfe. Les millionnaires payaient rubis sur l'ongle pour « vivre à la dure » au* Tarpon House, *avec son régime spartiate et ses planchers grossiers de bois brut, ses cuvettes en fer-blanc, ses cruches de faïence et ses crachoirs de la frontière. Mais les boues de l'Okeechobee obscurcirent bientôt la rivière et repoussèrent les poissons argentés de plus en plus loin au large vers le golfe du Mexique.*

Un nouveau-venu, Jim Cole, goûta beaucoup cette preuve de progrès humain. Très vite, Cole se mit en cheville avec le capitaine Francis Hendry et son fils James pour créer le magasin de Cole & Hendry qui, à cette époque, se spécialisa dans le bois de construction. Il se qualifiait d'éleveur, bien que depuis le début cet homme parût être un marchand, moins intéressé par le bétail que par les ventes rapides. Cole se disait également « promoteur », car il voulait transformer Fort Myers en ville-

champignon. Sa boutique fut la première à avoir devant elle un lampadaire à pétrole et un trottoir de coquillages blancs, creusés dans des monticules indiens en amont, puis transportés par bateau. L'année qui suivit son arrivée, il promut le développement de la ville et en moins de deux ans son nom – synonyme du progrès de la ville – était régulièrement cité dans le Fort Myers Press *pour le civisme et l'audace exemplaires dont il était désormais le symbole. Il vendit bientôt ses parts de Cole & Hendry à un autre éleveur, le docteur T.E. Langford, et l'année suivante il acheta un schooner de transport de bétail Langford & Hendry, le vieux* Lily White, *après quoi il se fit appeler « capitaine Cole », bien que de toute sa vie il n'ait jamais été ni soldat ni capitaine de bateau.*

Avec la victoire démocrate de 1886, Cole organisa une croisade d'éleveurs pour créer un nouveau comté mirobolant, baptisé en l'honneur du général confédéré Robert E. Lee. Furieux du manque de routes et de chemins de fer, dégoûtés par le recel des fonds du comté de Monroe destinés à construire un pont donnant accès à la rive nord de la rivière, écœurés par le manque d'intérêt des fonctionnaires du comté de Monroe dans la lointaine Key West, ces éleveurs voulurent scinder la partie nord de Monroe et la baptiser comté de Lee, avec Fort Myers comme siège du comté. Les « pères du comté », les capitaines F.A. Hendry et Jim Cole, furent nommés commissaires, et ce fut Cole qui pistonna le cousin de doc Langford au poste de premier shérif du comté, un boulot dont le « vieux T.W. » s'acquitta sans gloire ni panache, jusqu'à ce qu'un jeune garçon vacher du nom de Frank B. Tippins le déboulonne de sa sinécure, douze ans plus tard.

En 1887, un terminus ferroviaire sur la côte ouest fut enfin créé, non pas à Fort Myers mais à Punta Gorda, à une cinquantaine de kilomètres au nord. Comme l'éleveur-marchand Francis Hendry le dit, « l'Amérique est en marche, mais Fort Myers reste à la traîne. » Sans le moindre pont sur la Calusa Hatchee et sans routes, la ville bâtie au bord de la rivière large et tranquille demeura coupée du reste du pays sauf par la mer, et le commerce se limitait à des denrées d'exportation non périssables – peaux de loutre et de raton-laveur, de cerfs et d'alligators, plumes d'oiseaux, animaux empaillés, sucre et mélasse, bœuf. Le commerce des bestiaux vers Cuba était beaucoup plus important que toutes les autres activités réunies.

Au cours de l'année de la panique financière, en 1893 (quand E.J. Watson arriva dans la région), l'élevage du bétail dont dépendaient tous les habitants de la ville ne devint presque plus rentable, au même titre que le commerce naguère florissant des peaux d'animaux. Mais l'année suivante, les fortes gelées qui s'abattirent sur le nord de la Floride poussèrent beaucoup de planteurs de citronniers à descendre vers le sud et la rivière Calusa. Une hausse des prix des terrains, une première ruée d'investisseurs, tout cela fut consolidé quelques années plus tard par de nouveaux profits tirés des bestiaux pendant la guerre hispano-américaine.

Sans un chemin de fer ni le moindre pont routier pour relier Fort Myers au monde extérieur, la ville demeura une bourgade d'élevage, boueuse ou poussiéreuse selon la saison. Les quais à bestiaux de Punta Rassa, que T.E. « Doc » Langford et James Hendry avaient achetés à Jake Summerlin pendant les années 1880, constituaient toujours le fondement de l'économie de Fort Myers, même lorsque les éleveurs-marchands diversifièrent leurs activités vers l'exploitation des terres, le commerce ferroviaire ou la banque.

Dans ces circonstances, vous comprendrez qu'il est frappant que, moins de cinq ans après l'arrivée de monsieur Watson dans la région, sa fille Carrie épousa le fils de T.E. Langford.

Pendant ce temps-là, les frasques et autres écarts de conduite de monsieur Watson se limitèrent aux ports de Key West et de Tampa. Nous n'avons aucune trace d'un éventuel scandale ni à Everglade, ni à Chokoloskee, où ses amis et voisins avaient toutes les chances de l'observer, et pas davantage à Fort Myers, où sa famille distinguée vint s'installer. Son gendre, Walter G. Langford, était un ami du shérif Frank B. Tippins depuis leur jeunesse commune de cowboys, et ce lien encouragea sans nul doute une certaine indulgence envers le beau-père de Walt Langford. De plus, monsieur Watson était protégé par les puissants amis de Langford, y compris Jim Cole.

Carrie Watson

3 MARS 1898. Quelle année palpitante ! Et dire qu'elle est à peine commencée !

Le 1er janvier, la lumière électrique a brillé pour la première fois au nouvel hôtel de Fort Myers ainsi que dans plusieurs établissements commerciaux, chez Langford & Hendry par exemple. (Bien sûr, notre « belle ville » a la lumière électrique depuis 1887, quand M. Edison éclaira son chalet séminole. Ce glorieux embrasement fut le premier éclairage électrique de tout le pays, affirme le capitaine Cole, mais il nous conseille fermement de ne pas ennuyer M. Edison sur ce point. Il craint que nous découvrions que ce n'est pas vrai !)

Le 16 février, notre télégraphe international de Punta Rassa a reçu, avant tous les autres télégraphes d'Amérique, la nouvelle de l'explosion du *Maine*, le grand bateau de guerre qui mouillait tranquillement à l'ancre dans le port de La Havane ! Deux cent soixante jeunes Américains tués dans leur sommeil ! Ces « salopards d'Espagnols », comme l'écrit notre journal, prétendent que ce sont les magasins du navire qui ont explosé tout seuls, mais aucun de ceux qui veulent « bouter les Espagnols hors du pays » ne croira une seconde à cette version des faits.

Enfin, voici la troisième nouvelle historique ! Le 8 juillet, miss Carrie Watson épousera M. Walter G. Langford, citoyen de cette ville !

Le soir, Walter m'accompagne jusqu'au nouvel hôtel pour voir la lumière électrique toute neuve ainsi que les superbes palmiers royaux, et assister aux concerts hebdomadaires de la Fanfare de Fort Myers dans le nouveau kiosque à musique. Toute la ville est là pour écouter des airs patriotiques en l'honneur de « nos courageux soldats » partis à Cuba, qui ont apporté une telle prospérité à notre ville. Ensuite, s'il reste un peu de temps, il me

« courtise » — qu'est-ce que cela signifie ? je me le demande — sur le vieux banc de bois situé sous le banyan, juste en face de l'église baptiste, d'où notre bon berger, M. Whidden, peut nous espionner, nous autres jeunes « amoureux », derrière ses fenêtres étroites.

Qui aurait jamais cru qu'ici, à Fort Myers, on applaudirait un jour le drapeau de l'Union ? Eh bien, la bannière étoilée décore toutes les maisons ! Qu'est-ce que ça doit être au port de Key West ! Et maintenant, nous chassons ces « f--- Espagnols » dans les Philippines !

« Souvenez-vous du Maine ! » s'écrient nos cow-boys qui galopent à travers les rues en soulevant des nuages de poussière ! A nouveau, nous expédions notre bétail vers Cuba, pas du tout cette fois-ci pour ces cruels Espagnols, mais pour les Intrépides Cavaliers de Teddy Roosevelt. En ce moment, les Hendry et les Summerlin, le capitaine Jim Cole et les Langford sont d'humeur très patriotique. Le capitaine Cole le déclare tout de go :

— Bon sang, il n'y a pas de meilleure affaire que la guerre !

(Ce à quoi papa rétorque : « Tous ces notables nous pompent l'air ! »)

Maman déplore le patriotisme de pacotille des éleveurs, tous ces regards embués devant le drapeau ainsi qu'un trop-plein d'envolées verbales. Et nos courageux jeunes gens, qui n'ont pas leur mot à dire, sont envoyés à la tuerie pour que de vieux hommes d'affaires obèses puissent agiter leur drapeau et s'engraisser encore sur le dos de « notre splendide petite guerre », ainsi qu'un politicien a osé l'appeler. (Qu'a-t-elle donc de si « splendide » pour ces garçons terrifiés qui meurent loin de leur foyer ? demande maman.)

Papa, lui aussi, est férocement patriotique (même si les mots « jeunes Yankees si courageux » lui restent encore en travers de la gorge), mais voir les Langford et M. Cole gagner tellement d'argent grâce à cette « guerre yankee » l'a rendu cynique. Les Watson étaient planteurs en Caroline du Sud quand ces gens-là étaient encore des « cambrousseux », comme il les appelle, ajoutant qu'il préférerait être d---é plutôt que de se laisser intimider par cette « bande de culs-terreux ».

Walter traite Jim Cole de « lèche-bottes », tout en reconnaissant que c'est un « diamant brut ». Je ne vois pas le moindre éclair d'intelligence chez cet individu, tout au plus un éclat mat et terne. Mon cher Walter a ses faiblesses, ainsi le whisky, mais il est bon et voilà pourquoi les gens l'aiment bien. Le capitaine Cole est sec comme un coup de trique, fait observer maman, moyennant quoi, ajoute papa, Cole emmène Walter dans toutes ses négociations d'affaires pour « mettre un peu d'huile dans les rouages ».

Walter aimerait bien aller « casser de l'Espagnol », mais il ne peut pas abandonner sa mère alors que son père est si malade, si bien qu'il va rester à la maison pour apprendre le métier de son père. Le docteur Langford est un excellent médecin, il s'occupe de maman à merveille, mais toutes ces dernières années — toujours selon papa — sa passion de la finance l'a poussé à s'intéresser davantage au bétail qu'aux humains. « Doc » Langford et M. Cole font paître leurs bêtes à la prairie de Raulerson, sur le cap Sable, mais papa dit que les taons et les moustiques leur apprendront quels crétins ils sont, à supposer que la piètre herbe de la côte ne fasse pas crever leur bétail avant. Si, entre le coucher et le lever du soleil, papa n'abritait pas ses bêtes dans une cabane grillagée, il y a belle lurette qu'elles n'auraient plus de sang, dit-il, et encore moins de lait.

Papa a rencontré José Marti à Key West et il a admiré son Parti révolutionnaire cubain, mais il dit que nous ne devons pas nous illusionner sur nos intérêts. Il déteste les Espagnols tout aussi sincèrement que le premier venu, mais il affirme que les Etats-Unis sont à l'origine de cette bagarre à Cuba, *Maine* ou pas *Maine* ; il s'agit en fait d'un simple prétexte pour virer une bonne fois pour toutes l'Espagne hors de notre hémisphère et mettre la main sur les Philippines et Puerto Rico pendant que nous y sommes. Cette guerre contre l'Espagne est en tous points identique à ce qu'il s'obstine à appeler « la guerre de l'agression yankee » : le vieux Sud, dit-il, a été la première conquête de l'empire yankee.

Mon cher papa refuse de saluer la bannière étoilée.

— Un citoyen d'Edgefield préfère d'abord mourir, explique-t-il.

Pourtant, il n'aime pas que maman cite Mark Twain, qui a récemment écrit que le drapeau américain devrait être remplacé par celui des pirates, avec des bandes noires et sur chaque étoile une tête de mort et des tibias entrecroisés. Tant que ce grand pays qui est le nôtre est en guerre, les hommes se moquent de qui ils combattent — c'est maman qui parle avec son petit sourire tout crispé. Papa sourit, lui aussi, mais il reste sur ses gardes. Les aiguilles de maman s'agitent tandis qu'elle cite un éditorial lu à la bibliothèque :

— Tous les gens ont dans la bouche le goût de l'Empire, alors même que le goût du sang...

— Laisse-moi lire mon journal en paix, je te prie ! l'interrompt papa en froissant son journal.

— « Ceci est la guerre de Dieu tout-puissant, nous ne sommes que Ses agents » — tu y crois, mon chéri ?

— Pour l'amour du Ciel, Jane ! Reste un peu tranquille !

— « En Dieu nous avons foi » — Dieu est inscrit sur nos pièces de monnaie ! Ainsi, même lorsque nous torturons et brûlons ces pauvres Noirs affranchis — maman parle de plus en plus doucement, attentive à son tricot —, nous savons toujours que Dieu est avec nous.

Maman fredonne un peu pour amadouer papa et se calmer les nerfs. Je vois sa poitrine monter et descendre. Elle explique à ses enfants que la pauvreté et la famine terribles qui ont suivi la guerre de Sécession ont ébranlé la confiance de nos hommes qui doutaient de pouvoir offrir à leur famille le niveau de vie qu'on accordait aux nouveaux citoyens noirs. Peut-être est-ce pour cela que tant de nos hommes craignaient et punissaient les Noirs qui, eux aussi, n'arrivaient pas à survivre et erraient sur les routes dans tout le Sud.

Papa ne dit rien. Il ne lit plus. Je pense : « s'il te plaît, maman », mais elle reprend :

— Les hommes prétendent punir les Noirs pour protéger leur femme, n'est-ce pas, mon chéri ?

Papa fixe sur elle un regard lourd d'avertissement, mais elle hausse les sourcils d'un air innocent et reprend son tricot.

— Une femme courageuse — elle feint maintenant de s'adresser à moi, comme si seules les femmes pouvaient comprendre les manières des hommes — a récemment envoyé une pétition au président McKinley à propos du lynchage de dix mille nègres, presque tous innocents, et ce au cours des vingt dernières années seulement.

Elle pointe alors son aiguille à tricoter vers le journal de papa, que celui-ci a levé bien haut pour ne plus voir son épouse. Le courage terrible de maman m'atterre.

Papa fait claquer son journal sur un meuble.

— Je reviens, dit-il avant de sortir de la pièce.

Maman attend que la température baisse un peu.

Je suis stupéfiée par les idées « radicales » de maman, mais Lucius et Eddie, qui ont maintenant neuf et onze ans, veulent courir au Quai de l'Irlande pour convaincre leur papa de leur acheter des bonbons à l'échoppe de Dancy, avant qu'il s'en aille pour de bon à bord du *Gladiator.* Les deux garçons se tortillent comme des anguilles sur leur chaise, Lucius fait semblant d'avoir un besoin pressant, mais maman ne les lâche pas aussi facilement. Elle leur explique que ce pauvre papa avait l'âge de Lucius au début de la guerre de Sécession et « pas beaucoup plus que l'âge d'Eddie » à la fin de cette même guerre. Grand-père Elijah était parti à l'armée, si bien que papa devait s'occuper de grand-maman Ellen et de tante Minnie, alors qu'il était seulement un tout jeune garçon ! Papa ne s'était jamais plaint une seule fois, mais elle avait appris par grand-maman Ellen qu'il avait eu une enfance vraiment dure. Sa famille n'avait jamais suffisamment à manger et il était privé de toute éducation digne de ce nom « alors que vous autres, enfants gâtés, dit maman, il faut vous supplier pour apprendre vos leçons ! Et voilà ce pauvre papa, la quarantaine passée, qui essaie toujours de s'initier à la civilisation de la Grèce antique ! »

Elle a montré le vieux manuel scolaire de papa, intitulé *Histoire de la Grèce*, posé sur la table près de son fauteuil. Elle l'avait rapporté de l'Oklahoma.

Quand papa n'est pas à la maison, maman ne cache pas ses opinions radicales. Elle est toujours scandalisée par le jugement de la Cour suprême qui a décidé de maintenir la ségrégation dans les chemins de fer.

– Quelle mesure pourrait plus sûrement éveiller la haine raciale, nous lit-elle en citant les propos du juge contestataire Harlan, que ces décrets d'Etat qui procèdent en fait de la conviction que les citoyens de couleur sont si inférieurs et méprisables qu'on ne saurait leur permettre de s'asseoir dans les wagons publics occupés par les citoyens blancs ?

Maman ajoute que les Indiens souffriraient aussi de ces nouvelles lois ségrégationnistes si nous ne les avions pas déjà éliminés presque tous avec nos balles et nos maladies. Sûr qu'ils comptent pas pour grand-chose en Floride, il en reste si peu. Papa les décrit arrivant à Everglade ou à Marco avec leurs pirogues pleines de peaux et de plumes. Ils les échangent contre des haches, des couteaux et des bouilloires, des friandises, du café, du bacon, des aiguilles et même des machines à coudre. Leurs femmes tissent du calico jaune, rouge et noir – aux couleurs du serpent corail, a remarqué papa. Il pense que le serpent corail a certainement une signification secrète.

Apparemment, les Indiens craignent toujours que les dernières familles restant dans Big Cypress soient capturées et déportées vers l'Oklahoma. Ils s'appellent eux-mêmes Mikasukis et non pas Séminoles, mais personne ne les écoute, et surtout pas le capitaine Cole qui crie sur tous les toits qu'il réunirait volontiers cette racaille pour la transporter jusqu'à La Nouvelle-Orléans à bord de son schooner à bestiaux « sans présenter la moindre facture au gouvernement, simplement pour me débarrasser d'eux, parce qu'ils sont guère différents des panthères ou des loups ou de toute espèce de vermine rampante, et que tôt ou tard ils nous mettront des bâtons dans les roues ».

Papa dit que c'est la première fois qu'il entend Cole dire une chose sensée, avec laquelle lui-même soit d'accord, et que c'est la première fois que Cole a l'air sincère, sauf pour l'histoire de la facture.

6 MAI 1898. Prenant un air compassé, le capitaine Jim Cole a apporté un livre à maman. A voix basse, il lui a demandé de lire un bref passage qu'il avait marqué, ajoutant qu'il reviendrait chercher son livre un peu plus tard.

— C'est la première fois, me dit maman, que j'entends le capitaine Cole parler calmement, comme s'il croyait que l'un d'entre nous était mort. Et puis, ajouta-t-elle en retournant le livre, cet homme est toujours le premier à apprendre les nouvelles, surtout les mauvaises. *Du grabuge sur la frontière* ! s'écria-t-elle. Mon Dieu !

Elle garda longtemps le livre sur ses genoux avant de l'ouvrir à la page indiquée.

Le passage en question racontait toute l'histoire de Belle Starr, la Reine des hors-la-loi, sa « vie d'une audace insensée » et comment cette vie s'était terminée le jour de son anniversaire, le 3 février 1889. Maman refoula un sanglot et dit que son anniversaire avait en fait eu lieu la veille. Elle referma le livre. Je le lui demandai et lus à voix haute :

— « Environ quatorze mois plus tôt, un voisin, un certain Edgar Watson, avait quitté la Floride. Mme Watson était une femme d'une éducation hors pair, extrêmement cultivée et d'un raffinement naturel exquis. Dans ce pays sauvage, entourée d'individus incultes, elle se sentit attirée par Belle, contrairement aux autres, et les deux femmes devinrent très vite amies. A l'occasion de confidences partagées, elle avoua à Belle le secret de son mari : il avait fui la Floride afin de ne pas se faire arrêter pour meurtre... »

Après l'assassinat de Belle, poursuivait l'auteur du livre, « les soupçons ne pouvaient se porter que sur Watson », qui fut libéré par manque de preuves, mais ensuite emprisonné dans l'Arkansas pour vol de chevaux, et qui tua un homme tandis qu'il essayait de s'échapper d'une prison de l'Arkansas.

— Eh bien voilà ! m'écriai-je. Cette dernière phrase prouve que ce monsieur je-sais-tout s'est entièrement trompé de Watson.

Maman avait repris son tricot, mais ses aiguilles s'immobilisèrent soudain.

— Non, Carrie chérie.

Elle posa son ouvrage et me prit dans ses bras.

Mon cœur bondit si fort qu'il me fallut le contenir à deux mains. Enfin, maman me chuchota que ce meurtre en Floride qui me causait tant de soucis était lié à l'oncle de Rob. C'était un homme très désagréable qui avait reproché à papa la mort de la mère de Rob. Il vivait un peu plus loin, dans le comté de Suwannee, et elle n'avait pas la moindre idée de ce qui s'était passé, la famille n'en parlait jamais. Un jour, papa est arrivé à la ferme et lui a dit de charger toutes nos affaires sur le chariot, car ils s'en allaient. Il a dit qu'une fusillade avait éclaté, dont on lui ferait porter la responsabilité, ajoutant qu'on viendrait le chercher d'une minute à l'autre. Il n'a jamais rien dit de plus sur ce sujet.

Elle me serrait si fort que je ne pouvais pas voir son visage, mais je la sentais toute crispée. Puis elle m'a lâchée et nous sommes restées tranquillement assises. Mon cœur battait toujours à tout rompre et j'ai compris qu'il n'était pas brisé.

Même avant la guerre, m'expliqua-t-elle, l'honneur d'un homme dépendait parfois de son désir d'accepter un duel pour presque *n'importe quelle raison.* Je savais qu'elle faisait allusion à papa, à notre étrange, chère et sauvage tête brûlée des Highlands d'Ecosse, qui boit parfois un coup de trop et qui se crée des ennuis, surtout s'il s'imagine que son précieux honneur du comté d'Edgefield a été bafoué. Grand-père Elijah, dont papa parle rarement, prenait lui aussi la mouche pour des broutilles, tout comme beaucoup d'habitants du comté d'Edgefield, bien nés ou roturiers, dit maman. Quand je lui demandai si papa était bien né, elle me répondit :

— Ta grand-maman Ellen et ta grand-tante Tabitha dans le comté de Columbia sont des personnes cultivées, et ton père a appris les bonnes manières, bien que son éducation ait été lamentablement négligée.

J'ai demandé à maman si elle avait connu Belle Starr et elle m'a répondu que oui. Elle m'a dit que Belle était une femme généreuse à sa manière, pas du tout stupide, seulement un peu naïve dans son désir de recréer un Ouest sauvage et romantique qui n'avait jamais existé. Le Territoire d'Oklahoma était un lieu fruste et violent où la vie était dure et ne valait rien, où Blancs, Indiens et nègres – les pires éléments de ces trois races – se mêlaient dans un pays maudit, fait de solitude, de boue et de tornades terribles. Les nègres s'installèrent là-bas de bonne heure, en même temps que les esclaves indiens, et après la guerre beaucoup d'autres Noirs rejoignirent les Nations indiennes dans ce territoire sauvage et frontalier que la civilisation n'avait jamais touché. Les habitants étaient pour la plupart des mulâtres. Il n'y avait pas de loi ni d'éducation, pas de politesse, de culture ni de morale, pas de bonnes manières, me dit maman, et strictement rien de réjouissant dans tout cela. Mais le père de Belle Starr avait été juge dans le Missouri et Belle avait un peu d'éducation, elle jouait passablement du piano et elle voulait surtout être une dame. Elle loua à papa quelques bonnes terres au fond d'une vallée et demanda à maman de s'occuper de son éducation, car l'amélioration de Belle fut la vraie base de leur amitié.

– Maman, dis-je au bout d'un moment, papa a tué Belle Starr ou il ne l'a pas tuée ?

Maman murmura, comme si elle citait quelqu'un :

– L'affaire fut classée, car personne n'a jamais réuni suffisamment de preuves contre lui. À nouveau, elle me serrait très fort dans ses bras, chuchotant dans mon oreille : « Monsieur Watson n'a jamais été jugé. »

Je ne pouvais pas voir ses yeux.

C'est une chose d'entendre des rumeurs sur le passé mouvementé de papa et une autre de les voir écrites noir sur blanc dans un livre ! Le capitaine Cole est certain que *Du grabuge sur la frontière* provoquera un scandale public. Je l'ai entendu s'écrier à Walter sur la véranda :

– La dernière fois que je les ai vus, tous ces macaques qui remuent aujourd'hui toute cette boue, ils savaient même pas lire leur propre nom, bordel !

Aussitôt, il a éructé :

– Excuses, miss !

Il savait que je pouvais l'entendre, il regardait autour de lui pour voir qui il pourrait amuser. Maman dit qu'un homme comme lui est sans arrêt en quête d'un public et qu'il ne parle jamais uniquement pour son interlocuteur. Mais parfois, il est *vraiment* amusant et, en présence de maman, Walter doit contracter très fort les muscles de son visage pour s'empêcher de rire.

Depuis ce fameux article publié il y a quelques années sur notre vie si cultivée et raffinée ici à Fort Myers, tout notre milieu distingué essaie de s'y conformer, et les romans d'aventures à deux sous publiés à New York sur l'Ouest sauvage et la Reine des hors-la-loi constituent une diversion fort prisée de nos *litterati* – un mot italien, nous apprend notre journal pour désigner « les gens qui savent lire ». Aujourd'hui, tout le monde en Amérique sait tout ce qu'il y a à savoir sur Belle Starr, laquelle est déjà immortalisée dans un livre traitant des Américains célèbres.

– Les femmes sont en marche ! dit maman en brandissant son aiguille à tricoter comme un bâton.

Elle m'adresse un clin d'œil quand papa se racle la gorge. Las d'être enfermé en compagnie de femmes, il sort d'un pas décidé, graillonne, crache et ne revient pas. L'autre jour, il est allé jusqu'à la Courbe de Chatham pour calmer sa mauvaise humeur !

Bien que Walter ne m'ait strictement rien dit, le capitaine Cole nous assure que les Langford connaissent l'existence de *Du grabuge sur la frontière* (« Qui, à ton avis, leur a montré ce livre ? » renifle maman) et qu'ils en sont « profondément perturbés ». (« C'est un signe de prétention et d'ignorance, fulmine maman, que d'employer un mot interminable ou une expression contournée quand la brièveté et la simplicité sont de mise. ») Le capitaine Cole a dit à maman qu'il vaudrait peut-être mieux que papa reste dans les Dix Mille Iles pendant le mariage. Maman lui a assuré que notre famille ne lui demandait pas son avis sur ce qu'elle avait à faire, puis, d'une voix glaciale, elle lui a souhaité une bonne journée. Je n'ai jamais entendu maman parler sur un ton aussi hautain.

– Cet homme a les manières d'un pourceau des pinèdes ! s'écria-t-elle en claquant la porte derrière lui, mais elle avait déjà adopté le point de vue de ce rustre pour le mariage.

Moi aussi d'ailleurs, et, seule à l'étage, j'ai pleuré toutes les larmes de mon corps. Combien de fois n'avais-je pas imaginé le beau service religieux et mon cher papa me donnant le bras, son élégance et sa beauté auprès de moi devant l'autel, avec sa redingote noire, sa chemise en soie et sa cravate, il aurait eu tellement plus de classe que tous ces « blancs-becs mal dégrossis », comme maman appelle les éleveurs.

Mais mais mais — O cher et patient journal intime, presque tout mon chagrin venait de ma grande honte, de *ma honte éternelle*, car j'avais cédé au désir général ! J'étais terrifiée à l'idée que papa boive un coup de trop, qu'il insulte nos invités ou provoque une violente querelle (comme il en a l'habitude à Port Tampa et à Key West, sous-entend le capitaine Cole ; Walter aussi est au courant de ces frasques supposées). Dieu sait ce qui pourrait se passer ensuite ! Walter risquerait d'annuler notre mariage — *ou d'être forcé de le faire*, ce pauvre chéri, car personne ne sait au juste, et sa toute jeune fiancée moins que quiconque, dans quelle mesure notre Walter est responsable de son propre mariage ! Papa soupçonne que le capitaine Cole, dont les grosses pattes tripotent tout, est derrière cette alliance fatale depuis le début.

Bon, j'aime Walter, oui je l'aime, mais personne ne peut dire que c'est moi qui ai eu l'idée de ce mariage ! On m'a simplement assuré quelle chance j'avais d'obtenir un aussi beau parti « compte tenu des circonstances » (la mauvaise réputation de papa), et on m'a conseillé de ne pas protester, car les adultes s'y entendaient mieux que moi. J'ai peur, vraiment peur, et je suis sûre de ne pas être à la hauteur.

Dieu bénisse ma chère maman ! Etant éduquée selon les critères de la région, je sais coudre et faire la cuisine. Je me suis occupée de mes petits frères depuis l'âge de cinq ans et je sais tenir une maison (avec les conseils de ma chère maman) ! Mais est-ce suffisant ? Si vous voulez la vérité, la pauvre petite fiancée est morte de peur.

J'ai à peine treize ans — est-ce un âge suffisant pour se marier ? Oh, *tout* est tellement gênant, je n'arrive même plus à regarder les gens en face ! Ce corps qui est le mien me signale affreusement, horriblement, qu'il est prêt — prêt à porter un enfant, veux-je dire —, mais en même temps c'est encore un corps d'enfant. Un homme adulte va en prendre possession et humilier la pauvre enfant prisonnière à l'intérieur !

Je suis une enfant, une enfant ! C'est *forcément* un cœur d'enfant qui me réveille la nuit et qui se met à battre la chamade même pendant la journée. Le cœur fait-il partie du corps ? Ou de l'esprit ? Le cœur et l'âme sont-ils la même chose ?

M. Whidden a des boutons, une mauvaise haleine et des

réponses encore plus mauvaises à de telles questions. (La Bible dit, la Bible dit, la Bible dit… !) Il ose prétendre que je suis beaucoup trop jeune pour « encombrer ma jolie tête avec pareils dilemmes métaphysiques », il ose prétendre que « tout finira par s'arranger ». Mais ce que moi, je n'ose pas dire, et surtout pas à lui, c'est que tous mes ennuis viennent de cette vile créature de chair et de sang, et puis de tous ces affreux poils qui emprisonnent l'entité pure et spirituelle de mon MOI ! Mais puisque je ne peux pas parler de ma forme terrestre à M. Whidden, nous ignorons purement et simplement cette grossière enveloppe féminine qui frémit et transpire sous son nez, comme si les douces questions virginales de cette pauvre fille émanaient d'une source plus élevée et plus sainte.

Pourquoi ne veulent-ils pas comprendre ? Je suis encore une petite fille, une enfant grandie trop vite. Je fréquente l'école du dimanche, j'apprends mes leçons du mieux que je peux, maman m'éduque ainsi que mes petits frères si turbulents. En ce moment, le soir après l'école, nous lisons ensemble *Roméo et Juliette.* Juliette avait exactement mon âge quand Roméo « est venu à elle », ainsi que maman me le rappelle lorsque les garçons ne sont pas là. Elle essaie de m'apprendre certains faits de la vie pendant qu'il est encore temps, mais la pauvre a le rouge qui lui monte aux joues, et quant à moi, j'ai envie de me cacher, je crie « Oh, maman ! » puis, affreusement gênée, je fonds en larmes.

Juliette a vécu autrefois, ce n'est qu'une histoire, mais ici, dans mon cœur qui éclôt, tout est trop réel. Un adulte de vingt-cinq ans, qui a presque le double de mon âge, va dormir dans le même lit que miss Carrie Watson ! Maman dit que c'est un jeune homme honnête – mais quelle honnêteté y a-t-il dans le fait de s'allonger sur une jeune fille pour lui faire subir des horreurs sans le moindre vêtement ?

– Eh bien, me dit-elle, papa va lui parler…

Mais que pourra bien lui dire papa ? Ne touchez pas à un seul cheveu sur la tête de ma fille – sans parler de son vous-savez-quoi – ou je vous tue ?

Non, tout ça n'a rien de drôle ; moi-même, je ne comprends pas ce qui me fait parfois rire. Dire que toute la ville ricane sans doute déjà ! Oh, c'est tellement effrayant et si *affreux* ! Comment maman peut-elle laisser faire une horreur pareille ? Je ne suis pas prête, je ne le suis pas !

Parfois, je pleure si longtemps que je m'endors.

Et parfois, chevauchant mon cheval au bord de la rivière, je ressens un bien-être très éloigné de tout désir religieux. Suis-je une pécheresse parce que je recherche de doux frissons ? Une pécheresse parce que je suis curieuse – non, *pire que cela* – parce que je désire qu'on m'embrasse ? Une pécheresse parce que j'imagine que « le sort pire que la mort » n'est peut-être pas, après tout, si horrible ?

Dans mon présent état de péché, le mariage lui-même est-il un péché ? S'il Vous plaît, mon Dieu, pardonnez-moi, s'il Vous plaît, ne laissez *personne* lire ce journal intime, sinon je courrai me jeter dans la rivière.

Un jour que nous faisions du cheval, nous avons vu un étalon couvrir une jument dans un corral et j'ai été horrifiée (je l'espère), Walter est devenu tout rouge, il a saisi mes rênes et m'a obligée à faire demi-tour. Mais j'ai eu envie de me retourner, n'est-ce pas affreux ? C'est cette saleté de corps qui me suit partout et qui veut connaître tant de choses !

Walter est très timide et très gentil, il essaie de me dire qu'il sera bon avec moi, qu'il ne me fera aucun mal, mais il ne réussit pas à me dire tout ça sans nous gêner horriblement tous les deux. Il s'imagine que je n'ai aucune idée de ce à quoi il fait allusion et, de mon côté, c'est à peine si je peux lui faire entendre que je comprends, si je ne veux pas passer pour impudique ; ainsi, nous nous retrouvons tous deux à opiner du chef et à sourire comme des demeurés, le rouge aux joues, transpirant de confusion et de désespoir.

C'est dans ces moments-là que j'ai le plus confiance en lui et que je l'aime surtout. Il est si enfantin, malgré sa réputation de casse-cou et de trompe-la-mort ! A propos, il a vraiment honte de la mort de ce cow-boy, il pense que son ébriété est responsable de l'accident et il se sent sincèrement navré pour ce malheureux docteur Winkler. Walter ne se trouve aucune excuse, il le dit carrément : rien ne serait arrivé si ses cow-boys et lui-même n'avaient pas tourmenté ce pauvre vieux nègre. Il jure qu'il veut faire quelque chose de sa vie dans son nouveau boulot à Longford & Hendry, pas simplement « aiguillonner les vaches », comme il dit, et dépenser bêtement en diableries des dollars durement gagnés.

Le docteur Langford n'a plus longtemps à vivre (nous espérons seulement qu'il aura la force d'assister au mariage) et Walter se demande si M. Hendry lui laissera tenter sa chance dans l'affaire après la mort de son père, ou s'il le traitera comme un jeune et vulgaire bon à rien. Dans ce dernier cas, il renoncerait à l'association pour se mettre à son compte. Depuis les gelées terribles de 95, Walter guette les bonnes terres disponibles plus au sud. Il est descendu à Caxambas avec Fred Ludlow pour visiter la plantation d'ananas de Ludlow, et maintenant M. Roach, le magnat des chemins de fer de Chicago, qui s'est tellement entiché de lui, se passionne pour ce que Walter lui dit sur les possibilités de plantations de citronniers à Deep Lake Hammock, là où Billy Jambes-arquées cultivait ses jardins potagers pendant les guerres indiennes.

C'est notre propre papa qui a appris tout ça à Walter. Papa s'y connaît dans ce domaine, il a toujours des idées magnifiques qu'il ne peut pas concrétiser. Aujourd'hui, il y a encore des Indiens là-bas, mais selon papa ils ne poseront aucun problème, car il ne sont pas assez nombreux pour ennuyer sérieusement des planteurs décidés à agir. Walter a sillonné ce pays sauvage en long et en large à l'époque où il travaillait comme cow-boy, et il dit que ces plantations indiennes en friche ont le sol le plus riche qui existe au sud de la Calusa Hatchee.

Le principal problème, ce sera d'acheminer les produits de la ferme jusqu'au marché. A partir de Deep Lake, il faut traverser tout Cypress pour arriver à Fort Myers, mais vers le sud il n'y a qu'une vingtaine de kilomètres jusqu'au quai de Storter à Everglade, et M. Roach pense qu'une ligne de chemins de fer Deep Lake-Everglade constituerait sans doute la solution de notre problème. (Et à qui John Roach attribue-t-il cette idée lumineuse ? A notre cher papa !)

Papa mérite largement son excellente réputation de planteur, son sirop « Fierté des Iles », qu'il vend en gros à Tampa, est déjà célèbre dans toute la région. Un jour, M. Roach confia incidemment à Walter qu'il était vraiment dommage que E.J. Watson soit confiné sur quarante acres dans les Iles, car un fermier aussi inspiré que lui ferait des merveilles sur deux cents acres de bonne terre noire à Deep Lake. Mais quand je lui ai demandé s'il n'y avait pas moyen que papa s'associe à leurs affaires, Walter a secoué la tête :

— Il vaut sans doute mieux que votre père reste dans le comté de Monroe.

Voilà tout ce qu'il m'a dit.

Walter rencontra papa pour la première fois sur le schooner du capitaine Bill Collier qui descendait à Marco, le jour où il se rendit sur cette plantation d'ananas. Papa était allé à Fort Myers pour affaires. Cela se passait en 1895, l'année où nous avons quitté l'Arkansas pour nous installer dans le comté de Columbia, près de Fort White, chez grand-maman Ellen. Les Langford et papa s'entendaient très bien, et voilà comment T.E. Langford est devenu le médecin de maman. Mais récemment Walter a pris ses distances avec papa. Tout le monde semble savoir quelque chose que j'ignore.

Vendredi dernier, papa a fait escale à Fort Myers avec une cargaison de son sirop « Fierté des Iles » à destination de Tampa. Il a emmené maman avec lui et ils sont allés écouter un concert de Minnie Maddern Fiske au théâtre de Tampa ! Maman n'avait pas vraiment envie d'y aller, elle se sent si faible ces temps-ci et elle fait beaucoup plus âgée que ses trente-six ans. Personne ne paraît savoir si son teint effrayant et gris-jaunâtre s'explique par sa mauvaise santé ou par un moral défaillant. Mais à Tampa elle a profité de certain épisode – une bande de poivrots qui criaient de l'autre côté de la rue – pour avertir ce pauvre papa que sa présence au mariage risquerait de créer des problèmes.

– Il refuse d'être banni du mariage de sa fille, a soupiré maman en rentrant à l'hôtel. Il refuse de s'incliner devant ces provinciaux.

Elle était très tendue, et moi aussi, d'autant que papa était maintenant au courant et très en colère. Pour un homme aussi solide et confiant, dit maman, papa se sent blessé pour un rien ; mais il est trop fier pour faire la grimace, il se contente de plisser les yeux. Malgré toute sa bonne humeur, il garde ses sentiments pour lui.

Avant de repartir pour le sud, papa m'a emmenée faire une promenade, saluant courtoisement de la tête toutes les personnes que nous croisions. C'est un homme si fort, vigoureux, courageux, avec son regard bleu si vif et sa barbe fournie, qui d'un pas distingué descend Riverside Avenue avec, à son bras, sa fille qui l'adore. Il est aussi bien habillé et aussi soigné que n'importe quel citoyen de Fort Myers. Si papa a la moindre raison d'avoir honte, il la cache bien. Il regarde le monde sans broncher, avec ce pli aimable au coin de la bouche et son sourire ironique, en sachant ce que pensent nos pipelets et nos pipelettes !

J'ai fini par lui demander s'il connaissait le livre *Du grabuge sur la frontière.* Les muscles de son avant-bras se sont contractés comme s'il venait d'être piqué, mais après un bref silence il a hoché affirmativement la tête et j'ai eu honte. Nous avons marché pendant un petit moment avant qu'il dise :

— Cet auteur s'imagine que monsieur Watson a décédé et qu'il supportera toutes ces insultes en faisant le mort.

Je n'ai d'abord pas compris le jeu de mots, puis mon rire s'est envolé vers le ciel, car je trouvais irrésistible l'expression étrangement calme de mon père. Lorsqu'il plaisante ainsi, son regard a une telle nudité qu'on ne peut pas savoir à quoi il pense. Il m'a regardée rire jusqu'au moment où, incapable de m'arrêter, j'ai eu le hoquet. Mais il m'a fallu me calmer pour qu'il daigne sourire tandis que nous repartions — pourtant, il n'était pas amusé par sa plaisanterie, non, pas vraiment, c'était autre chose. Nous n'avons jamais reparlé de ce livre.

Papa m'a avoué qu'au début il s'était catégoriquement opposé à ce mariage, non parce que Walter ne lui plaisait pas (il aime bien Walter, comme tout le monde), mais parce que l'intrusion du capitaine Cole dans notre existence l'exaspérait, ce Cole qui s'était désigné porte-parole des Langford maintenant que le père de Walter était si malade. Cette crapule de Jim Cole, dit-il, semblait considérer la fille d'Ed Watson comme un capital négociable — « comme une esclave nègre ! » s'écria papa. (Maman essaie de le convaincre de dire « noire » au lieu de « nègre », mais il fait la sourde oreille.)

Le souffle coupé par un accès de colère, il s'est arrêté sur le trottoir.

— Va-t-on mener à l'autel mon adorable petite Carrie comme une vierge sacrificielle, simplement pour redorer le blason de la famille Watson ? Parce que cette famille est déjà foutrement plus respectable que certains clans de blancs-becs du comté de Suwannee !

Il s'est alors lancé dans une de ses tirades, racontant que ses ancêtres avaient fait partie de la noblesse terrienne, parlant de l'homonyme de Rob, le colonel Robert Briggs Watson, ce héros décoré et blessé à Gettysburg — tous ces honneurs anciens qui obsèdent mon pauvre papa —, pendant que je jetais des regards nerveux à gauche et à droite dans la rue et que je m'inquiétais de ce qu'un passant risque de l'entendre.

Papa s'est alors calmé, puis il s'est excusé de ses vitupérations. Il y avait trop longtemps, me dit-il, que ses genoux n'avaient pas subi le châtiment d'un dur sol d'église. Malgré tout, la seule mention de Jim Cole et de ses insinuations – il me fit éclater de rire avec une imitation parfaite de son accent épais comme la boue – le rendait furieux.

– Je vais saisir ce lâche imbécile par le fond de son pantalon, lui faire descendre la rue, gronda papa, et le fouetter devant toute cette ville de ragoteurs !

Peu de temps auparavant, un voleur de bétail du comté de Hendry avait réussi à blesser M. Cole avec de la chevrotine.

– Quel dommage que ce *hombre* ait raté son coup, dit papa avec une expression très dure.

Nous longions Whiskey Creek en silence. Papa savait ce que je pensais, il l'a toujours su et il le saura toujours. Bientôt, d'une voix froide et formelle, il m'annonça qu'il avait consenti à ce mariage parce qu'il était avantageux pour notre famille. Il s'interrompit soudain, dégagea son bras du mien et se campa en face de moi :

– J'ai cédé, Carrie, j'ai accepté leurs conditions. Je ne suis pas en position, pas aujourd'hui, d'imposer mes propres choix. Mais un jour je le serai, tu peux compter là-dessus. J'ai l'intention de protéger ma famille *de toutes mes forces* contre les erreurs que j'ai pu commettre en cette vie.

Je lui ai répondu que je ne savais pas très bien qui étaient ces gens qui lui imposaient leurs conditions ; il a réfléchi un moment, puis a grogné :

– Ce mariage vaut mieux pour toi aussi, ma fille, tu peux me croire. Son expression m'arrêta net quand j'essayai de parler. Laisse-moi finir, s'il te plaît ! Il cligna des yeux et marmonna encore un peu avant de me prendre les mains dans les siennes avec une grande solennité : Ne demande pas à ton père de rester à l'écart, tu entends ? *Je suis d'accord* pour rester à l'écart. Il prit une profonde inspiration. Il vaut *mieux* que je reste à l'écart. S'il te plaît, informes-en ta mère.

– N'en veux pas à maman, dis-je. C'est ma faiblesse à moi aussi !

– Ta maman n'est pas faible, dit-il sèchement. Elle est seulement de constitution fragile. Une femme faible ne m'aurait pas tenu tête comme elle l'a fait. Non, c'est une femme *forte* !

Je sanglotais de honte, et pourtant j'essayais toujours de faire comme si je pleurais à cause de sa décision de rester à l'écart du mariage. Il espérait une fois encore, oui, je l'ai bien vu, car il a attendu un instant, les yeux écarquillés comme un enfant. Quand je n'ai pas essayé de le faire changer d'avis, il a hoché la tête comme si tout était finalement pour le mieux, ce qui m'a fait sangloter de plus belle.

— Et Rob ? reniflai-je. Rob viendra-t-il ?

— Non, il ne viendra pas.

Ce ton cassant fut toute la punition qu'il me donna jamais. Il ne me reprochait rien, mais il scruta mon regard en me serrant très fort les doigts dans ses grosses mains bronzées.

— Je ferai toujours très attention à Fort Myers, Carrie, m'assura-t-il. Répète cela à ta mère, s'il te plaît.

Il m'écrasait les doigts tout en parlant, au point de me faire mal.

— *La famille de monsieur Watson n'a rien à craindre de lui.*

Il m'a lâché les mains et nous sommes retournés au bateau sans un mot. Je pensais à ma vie de garçon manqué à la Courbe de Chatham, aux regards indiscrets d'Henry Thompson et à l'avertissement de papa :

— Si tu veux grimper aux arbres, je vais lester tes jupons avec des poids !

Le désespoir est descendu sur mon cœur, mais je ne l'ai pas laissé entrer. Après que le *Gladiator* eut quitté son mouillage, j'ai couru le long de la berge en agitant désespérément la main en direction de Rob tandis que le vieux schooner s'éloignait vers l'embouchure, porté par la marée. Ce pauvre papa et ce pauvre Rob rentraient seuls pour s'installer dans cette nouvelle maison que papa avait construite à la Courbe de Chatham afin d'y accueillir sa famille perdue de vue depuis si longtemps — oh, comme sa douleur étreignait mon pauvre cœur !

Je sautais en tous sens sur la berge de la rivière, telle une folle surexcitée, agitant les bras afin de puiser suffisamment d'amour pour repousser toute cette stupeur et ce désespoir. Lorsqu'il m'aperçut, ce pauvre Rob à la mine renfrognée se redressa et regarda dans ma direction. Quand papa, qui tenait la barre, lui cria un ordre, il leva légèrement la main, puis se remit à enrouler les amarres.

Henry Thompson

Tante Jane Watson paraissait vraiment âgée pour une femme qui n'avait que trente-cinq ans environ. Sa peau toute pâle semblait voilée, comme une peau de lapin trop longtemps frottée, si bien qu'en transparence on croyait discerner l'ombre du soleil. Peu après la mort du Français, elle est tombée si malade que monsieur Watson l'a emmenée à Fort Myers, mais elle n'a pas abandonné son mari à cause de sa mauvaise santé. Non, elle prit la décision de partir le jour où son mari trancha d'une balle la moustache d'Ed Brewer. Elle ne voulait pas que ses enfants habitent un endroit où des inconnus risquaient à tout moment de venir tirer sur son époux – moi-même, je l'ai entendue lui dire ça et à ce moment-là il a sorti de sa poche une grosse montre pour la regarder, ce qui est presque le seul tic nerveux de monsieur Watson, même si cela rendait les autres beaucoup plus nerveux que lui. Il pouvait pas opposer grand-chose à cet argument. En plus, George Storter à Everglade envoyait aussi ses gamins à Fort Myers pour qu'ils fréquentent le lycée et monsieur Watson s'était déjà mis dans l'idée de suivre cet exemple.

Quand monsieur Watson a emmené tante Jane consulter chez le docteur T.E. Langford, Mme Langford a dit :

– Cette vie dans les îles est fichtrement trop rude pour quelqu'un d'aussi cultivé que vous. Restez donc un peu avec nous, jusqu'à ce que vous soyez rétablie !

Miss Carrie est restée, elle aussi, pour s'occuper de sa mère ; quant à Eddie et Lucius, ils se sont logés ailleurs et ils sont allés à l'école. Monsieur Watson a dit au revoir à tous, puis il est revenu s'occuper de sa plantation.

Cette belle maison blanche, qui se dresse si fièrement à la Courbe de Chatham, avait été construite pour Mme Jane Watson et ses enfants ; quand la famille est partie, la maison a semblé se languir comme un vieux chien qui refuse de manger, elle est devenue un peu crasseuse, voyez, et puis comme qui dirait pleine d'odeurs. On était semblables à des étrangers débarqués de la rivière, qui campaient là et qui salissaient toutes ces belles pièces. Monsieur Watson avait perdu tout intérêt pour sa maison. Il a vraiment broyé du noir pendant un an, il restait souvent à l'intérieur, et il s'est mis à boire de plus en plus. Les enfants me manquaient, surtout miss Carrie, mais elle manquait encore plus à son père qu'à moi. Rob et lui, ils échangeaient à peine un mot d'une semaine sur l'autre.

Quand j'ai demandé à Rob pourquoi il n'était pas parti avec sa famille, il m'a ri au nez :

– Parce que c'est pas *ma* famille davantage que c'est ta tante Jane !

Sans doute qu'il était d'humeur sarcastique, mais je me suis senti vraiment mal.

– J'imagine que ta mère naturelle te manque beaucoup ? ai-je dit.

Rob, il m'a répondu :

– Faux comme d'habitude, crétin ! Je l'ai jamais connue, ma mère.

Rob et moi, on avait à peu près le même âge et j'avais bien envie d'être son ami, mais pas lui. Malgré tout, on était toujours fourrés ensemble, car un ennemi c'est mieux que rien pour passer le temps. Après le départ de Bill House, après la mort du Français et quand les Hamilton sont partis vivre un an à Flamingo, nous n'avons plus jamais vu le moindre bateau sur notre rivière.

Walter Langford, un parent du shérif Tom W. Langford, a bientôt demandé la main de miss Carrie, moyennant quoi monsieur Watson a compris qu'il n'aurait pas de problèmes dans le comté de Lee à condition de s'y tenir à carreau. Les façons tapageuses de monsieur Watson l'avaient fait jeter en prison à Tampa et à Key West, mais il a préféré changer de manières pour éviter les ennuis à Fort Myers et, pour ce que j'en sais, il en a jamais eu le moindre.

Après le départ de sa famille, vers 97, nous avons surtout réglé nos affaires à Fort Myers pour qu'il puisse rendre visite à sa femme et à ses enfants. On remontait la Calusa Hatchee dans la soirée, on passait devant Punta Rassa à la tombée de la nuit. A Fort Myers, monsieur Watson arborait des vêtements très élégants et parlait très calmement, il portait jamais un feu comme ces cow-boys ivres, du moins pas à la ceinture où tout le monde pouvait le voir. Mais il avait invariablement une arme quelque part sur lui et il ouvrait l'œil en permanence. Nous n'allions jamais dans les saloons et nous ne restions jamais longtemps à Fort Myers, on s'occupait des affaires dès la première heure et on redescendait la rivière.

Une fois, quand Jim Cole, un ami de Walter Langford, s'est approché de lui par-derrière dans la maison des Hendry et lui a assené une claque sur l'épaule, monsieur Watson lui a dit :

— Vaut mieux pas m'aborder si soudainement, ami.

Quand il appelait un homme « ami », c'était un avertissement, y avait pas à s'y tromper. Et le Jim Cole, grande gueule comme il était, il a reculé si vite qu'il a trébuché sur les planches du trottoir, il s'est éclaboussé de boue son pantalon tout neuf et il s'est fait siffler par des cow-boys ivres morts qui passaient là. Monsieur Watson s'est alors retourné pour marmonner « Je me suis encore fait un ennemi » — mais sans le moindre regret, voyez, davantage comme si c'était Cole qui à dater de ce jour devait faire attention où il mettait les pieds. Il s'adressait à personne en particulier, même pas à moi.

Vers 98, ou peut-être 99, monsieur Watson trouva une belle maison sur Anderson Avenue pour miss Jane, cette avenue était pas pour les gens de couleur comme aujourd'hui, et Rob alla passer une saison à l'école de Fort Myers. Il était plus vieux que tous les autres gamins de sa classe et il s'en tirait mal faute d'essayer. Il a eu des ennuis, il a causé toutes sortes de tracas à sa belle-mère. Rob a déclaré qu'il serait jamais membre à part entière de la famille de miss Jane, il a dit que sa place était à la Courbe de Chatham, pour autant qu'il avait une place sur terre. Et il lui a tellement rebattu les oreilles avec ça qu'elle a fini par céder. Son père l'a ramené dans les îles pour en faire un marin et j'ai aussitôt eu l'impression qu'il allait prendre ma place. Rob était le vrai fils de monsieur Watson et je l'ai jamais oublié.

Peu de temps après son installation dans sa nouvelle maison, miss Jane se mit à dépenser. Cela la distrayait, prétendait son mari, car elle était fatiguée de la vie et elle savait la mort toute proche. J'ai scruté son visage pour voir s'il plaisantait, comme souvent, mais il m'a dit :

— Non, Henry, je suis sérieux. C'est elle qui prend ça à la blague. L'autre jour, comme je lui disais : « Je vois que tu n'as pas peur de la mort », Mandy m'a répondu : « Depuis le temps que je la vois venir... »

En me disant ça, il souriait, mais j'ai jamais pu savoir s'il souriait à cause de la plaisanterie de miss Jane, ou parce qu'elle pouvait blaguer à propos d'une chose pareille, ou s'il souriait parce qu'il sentait bien que je comprenais pas. C'est le problème quand on manque d'éducation – d'ailleurs, je crois que je pige toujours pas cette blague. C'était juste une connivence entre eux.

Monsieur Watson souffrait parfois de la solitude. On allait rendre visite à Henrietta et à sa Minnie, qui créchaient alors à Caxambas, dans la pension de George Roe, et il a fait la connaissance de Josie Jenkins, la sœur de Tant, qui avait comme qui dirait le feu au cul. Un jour, il a ramené Josie pour qu'elle s'installe à la maison, mais pas avant d'avoir demandé la permission à Henrietta, parce que Josie était la demi-sœur cadette d'Henrietta. Netta voulait épouser M. Roe, ce qu'elle fit par la suite, mais ce soir-là elle avait bu de la gnôle et elle était d'humeur impertinente.

– Monsieur Ed, qu'elle a répondu, ça me dérange pas le moins du monde, tant que vous allez pas butiner en dehors de la famille !

Ils ont tous éclaté de rire, et moi aussi, car on se sentait tous bien, tous membres de la même famille.

Tante Josie Jenkins était une jeune femme pleine d'entrain, aussi menue et industrieuse qu'un oiseau, toujours à vous lancer un clin d'œil rapport à un secret qu'elle vous confierait volontiers si vous la caressiez dans le sens du poil, et toujours à faire remuer la masse fournie de ses boucles noires. Tante Josie disait qu'elle était venue à la Courbe de Chatham pour s'assurer que Tant, moi et « ce pauvre Rob » étions bien traités par ce vieux filou, mais en fait je crois qu'elle était là pour s'occuper du vieux filou sous les couvertures. Tante Josie flirtait des yeux et de la croupe, elle s'esquivait gracieusement dès qu'il tendait la main vers elle, mais ces deux-là ont guère perdu de temps ensemble.

– Cette maison est point bâtie pour abriter des secrets ! disait tante Josie.

Elle signifia ainsi aux garçons d'aller dormir dans la cabane.

Monsieur Watson avait quarante ans révolus, mais Dieu sait qu'il était toujours vert, alors que sa femme était une invalide depuis des années. Je lui reproche pas d'avoir couché avec tante Josie, car c'était un petit bout de bonne femme tout frétillant et plein de vie. On recevait parfois la visite de sa fille Jennie.

Impossible de me rappeler qui était le papa de Jennie et je suis pas trop certain que même Josie le savait. C'était peut-être celle qu'on surnommait Jennie Toulemonde, vu qu'elle avait rien de très spécial, mais c'était une belle jeune femme, la plus belle que j'aie jamais vue excepté miss Carrie.

Tante Josie a eu un bébé pendant qu'elle habitait la Courbe de Chatham, elle l'a appelé Pearl Watson. Ainsi, avec Rob, Tant, Jennie et toute notre parentèle à Caxambas et à Fort Myers, monsieur Watson et moi avions de nouveau une famille.

Tant était seulement un jeune gars à cette époque, pas beaucoup plus vieux que moi. C'était le fils de Ludis Jenkins et de sa dernière femme, qui était aussi ma grand-mère Mary Anne Daniels. Quand le vieux Ludis en a eu assez de vivre et qu'il s'est flingué, grand-maman et ses enfants sont allés vivre à Fakahatchee avec son fils John Henry Daniels. La femme de l'oncle John Daniels avait une bonne fraction de sang andien dans les veines, car tous ces gars n'étaient pas des Daniels, mais des basanés aux cheveux noirs et aux yeux noirs, bref on aurait dit des Andiens. Y avait toute une kyrielle de Daniels et d'apparentés, et cette bande arrêtait pas de se transbahuter d'une île à l'autre, si bien que Tant avait l'embarras du choix pour se loger dans une cahute Daniels délabrée. Ainsi, quand ils eurent fini de trafiquer – mais bon Dieu, ils ont point encore fini ! – y avait pas une âme sur la côte sud-ouest qu'avait pas au moins un Daniels dans sa famille.

Tant était plus irlandais d'apparence, des cheveux noirs mais bouclés, et puis une mince moustache et le petit nez pointu de Josie. Tant était un gars plein d'entrain qui mettait tout le monde à l'aise. J'ai jamais réussi à piger comment il s'y prenait. Tant était une vraie calamité pour les chevreuils, les ratons laveurs et les alligators : toute sa vie, il a transbahuté son gibier, ses blagues et ses puces d'un âtre Daniels au suivant.

Tant ne pêchait ni n'effectuait le moindre travail de ferme s'il pouvait y échapper ; il appelait ça du boulot d'âne. Même dans sa jeunesse, il allait et venait dans son petit bateau, impossible d'un jour à l'autre de savoir où serait Tant. Toujours seul, jamais marié, il a jamais passé une seule nuit sous son propre toit. Dès que monsieur Watson s'en allait, Tant partait chasser, et quand il était à la Courbe de Chatham, il bricolait de l'alcool de contrebande avec la canne à sucre.

– Moi, c'est le pays qui me fait vivre, disait Tant, et puis aussi qui me fait boire.

Tant était presque tout le temps saoul, même pour travailler. Il se penchait parfois vers l'oreille de monsieur Watson pour lui susurrer :

– Tout ça me regarde fichtrement pas, planteur Watson, non, c'est vraiment pas mes oignons, mais j'ai comme qui dirait l'impression que cet infect parasite de Tant est en train de boire tous vos bénéfices !

Pourquoi ces impertinences faisaient sourire monsieur Watson, je comprendrai jamais ça.

A la fin de l'automne et pendant l'hiver, quand il fallait couper la canne à sucre, on voyait même plus l'ombre du bout du nez de Tant. Il persuadait monsieur Watson qu'il économiserait de l'argent en fournissant les vivres aux ouvriers de la récolte, du gibier, des canards ou de la dinde, une queue d'alligator par-ci, des serpents noirs par-là, parfois même un ours. Un grand chasseur comme lui, disait-il, ça se mettait pas au turbin dans un champ de canne à sucre !

– Tu as raison, mon garçon, rétorquait monsieur Watson, excédé. Car tu es d'une paresse sans nom et puis la gnôle t'a rendu tellement faible que tu peux même plus bosser !

Tant poussait alors un grand gémissement en s'écriant :

– Oh, doux Jésus, c'est-y pas la vérité divine !

Et monsieur Watson pestait, riait et le laissait partir.

Tant était aussi fort et énergique qu'il était paresseux, mais il détestait tout bonnement passer la journée plié en deux parmi les insectes et les serpents, les bras pleins de crampes, le cerveau recuit et la terre tourbillonnant devant les yeux – on se mettait à avoir des visions, pour dire à quel point on était épuisé, assoiffé, dégoûté de cette chaleur humide, écœuré de cheminer parmi ces tiges pointues qui risquaient de vous crever l'œil si vous faisiez pas attention. En plus de menacer de vous tuer, ce boulot était dangereux à cause que ces grandes machettes à canne, aiguisées comme des rasoirs, rebondissaient parfois sur une tige quand on était fatigué. Et puis un geste maladroit de votre voisin pouvait bien vous trancher l'oreille, à moins que votre machette soit déviée par une tige de l'an passé et vous coupe un tendon de la jambe ou vous sectionne une artère.

La plupart de nos coupeurs étaient rien que des poivrots ou des vagabonds, des types recherchés ou des nègres dans la débine, parfois des jeunes gars comme les Tucker, venus de Key West pour tenter un nouveau départ. Monsieur Watson les embauchait sur les quais de Port Tampa et de Key West, parfois de Fort Myers, il les ramenait et les logeait dans un dortoir que nous avions construit derrière le hangar à bateaux. Il leur disait que le toit et les matelas en feuilles de maïs leur appartenaient pour qu'ils en jouissent comme bon leur semblerait, mais qu'on leur déduirait la moitié de leur paie journalière pour leur nourriture. C'était triste de voir ces gens épuisés s'échiner dans les champs avec leurs vieux godillots éculés, ils avaient jamais de chapeau de paille ni de gants ni de jambières en toile comme nous, sauf quand ils en louaient à monsieur Watson. N'importe où ailleurs, ils seraient pas restés un jour de plus, mais ici ils étaient coincés à la Courbe de Chatham, impossible de se tailler. Monsieur Watson leur parlait des Andiens, des gators géants et des mocassins d'eau pour leur flanquer la trouille de se tirer, et de toute façon y avait nulle part où aller, rien que de la mangrove et des rivières profondes, à des kilomètres à la ronde. Sachant qu'il était très difficile de trouver de la main-d'œuvre qualifiée, monsieur Watson s'assurait qu'ils étaient toujours endettés, il les laissait jamais remonter sur son schooner à moins qu'ils soient trop malades ou trop cinglés pour bosser. A ce moment-là, ils vous suppliaient pour qu'on leur échange le solde de leur salaire contre un voyage en bateau à destination de n'importe où, après être convenus avec monsieur Watson qu'ils étaient davantage une nuisance qu'autre chose.

Sa femme protestait parfois en lui disant :

— Traite ton prochain, monsieur Watson, comme tu aimerais qu'il te traite.

Il lui répondait alors :

— Ils feraient subir exactement le même traitement à monsieur Watson s'ils en avaient l'occasion — c'est la nature humaine.

— Tu es un homme au cœur dur, lui disait-elle alors en secouant la tête.

— Je n'ai pas le cœur dur, Mandy, rétorquait-il, c'est la tête que j'ai bien dure, comme tous les hommes désireux de diriger une affaire prospère et de faire vivre leur famille.

Le seul homme qui lui tint la dragée haute fut un jeune gars du nom de Tucker, qui réclama sa paie à l'automne, avant la fin de la récolte. Monsieur Watson se mit dans une telle colère qu'il le chassa sans la moindre paie. Mais Tucker aussi était fou de rage :

— C't affaire est point finie, hurlait-il, loin de là !

Et monsieur Watson lui répondit :

— C'est ton affaire que je risque de te régler, et tout près d'ici, si jamais tu remets les pieds à la Courbe.

Le seul type qui en a redemandé était un poivrot vagabond, le vieux Waller, qui nourrissait le même amour pour les cochons que monsieur Watson. Quand Waller avait les yeux en face des trous, ces deux olibrius pouvaient discuter cochon jour et nuit. Moyennant quoi le vieux Waller fut nommé responsable du bétail et ainsi déchargé d'une bonne partie du travail aux champs. Un soir que monsieur Watson s'était absenté, Waller s'enivra avec Tant, puis ils allèrent tous les deux à la porcherie, histoire de faire un sermon aux cochons avant de les libérer ; les bestiaux filèrent droit vers la bouillie de canne pour le sirop et ils s'enivrèrent avec le vieux Waller. Une truie pleine qui s'en alla cuver sa gnôle se fit à moitié bouffer par une panthère, avec ses gorets et tout. J'ai dit au vieux Waller que c'était pas drôle, mais il a pas été d'accord avec moi.

Waller décida de quitter la Courbe de Chatham avec Tant de bonne heure le lendemain matin, mais un an plus tard il revint avec un beau cochon en déclarant qu'il avait compris son erreur et qu'il désirait faire amende honorable. Monsieur Watson expliqua que le vieux Waller avait certes remplacé le cochon disparu, mais qu'il était recherché pour vol de cochon à Fort Myers. Waller répondit alors :

— Point du tout, sauf vot' respect, monsieur Watson, la vie dans les îles m'a été prescrite par mon médecin.

Au fil du temps, les choses ont changé à la Courbe. J'y étais jamais très longtemps, car le plus souvent je voyageais en bateau, mais tout le monde a commencé de s'intéresser à l'aguedente de Tant et ils se sont mis dans l'idée qu'ils pouvaient laisser aller les choses. Monsieur Watson hurlait :

— Cet endroit convient pas aux nègres !

Les autres bondissaient alors sur leurs pieds, déplaçaient bruyamment deux trois trucs, puis se remettaient à picoler. Parfois, Tant avait même le culot de hurler en retour :

— J'aurais-t-y entendu le mot *nègre* ? Si on parlait de *raclure de Blanc* ? Ou de *hors-la-loi* pendant qu'on y est ?

Puis Tant faisait comme s'il venait de se flanquer une trouille bleue, il s'excusait d'avoir traité monsieur Watson de hors-la-loi alors qu'il était rien de plus qu'un banal *desperado*. Monsieur

Watson grommelait un avertissement, mais très vite il lançait un juron bien senti et remplissait son verre. Il s'est mis à grossir.

Enfin, notre patron piquait sa crise, il faisait décaniller toute la bande après la récolte, y compris quelques vauriens de nègres qu'il avait fait venir pour couper la canne. Il leur disait qu'ils avaient bu toute leur paie, ainsi que ses propres bénéfices. Il choisissait un jour où Tant était pas là parce qu'il détestait faire le moindre reproche à Tant, qui buvait plus que tous les autres réunis.

Ce jour-là je revenais de Key West et j'avais à peine amarré le bateau qu'une tripotée de femmes et de loupiots descend le chemin en caquetant comme une couvée de cannes et de canne-tons, avec monsieur Watson derrière eux qui flanque des grands coups de pied dans leur barda — il aurait mieux fait de leur botter les fesses, qu'il m'a dit ensuite. Il m'a hurlé de les faire déguerpir d'ici avant que lui les aligne et leur fasse sauter la cervelle, à condition que ces bonnes femmes en aient une. Il m'a dit de les emmener dans le golfe et, pour ce qu'il en avait à faire, de les jeter en pâture aux requins.

Je ne crois pas qu'il parlait sérieusement, mais eux l'ont cru. Bon Dieu, cet après-midi-là, la main-d'œuvre s'est tenue à carreau ! Ces femmes étaient tout sauf imbibées, elles crevaient de peur. Elles comprenaient enfin qu'elles avaient joué avec le feu. Seulement quand on est sortis de la rivière et qu'on s'est retrouvés au large, en sécurité, elles se sont mises à se plaindre qu'elles avaient pas été payées. Si j'étais point revenu à la Courbe à ce moment-là, pleurnichait cousine Jennie, ce monstre de rouquin aurait assassiné femmes et enfants sans y penser à deux fois.

Au cours des années suivantes, leurs parents de Pavilion et de Caxambas qui avaient connu monsieur Watson répétaient les paroles de Jennie dès qu'ils avaient bu — sans vindication, comprenez bien, ils faisaient seulement ça pour attirer l'attention sur eux, pour créer un peu d'excitation, car tous étaient plutôt indulgents envers monsieur Watson, et ils devaient le rester. Je leur ai jamais accordé beaucoup de crédit, et c'est pas près de changer.

Malgré tout, c'est les femmes Daniels qui ont commencé à faire courir le bruit que monsieur E.J. Watson trucidait toujours ses employés le jour de la paie, et comme de juste nos concurrents sur le marché du sirop ont été ravis d'apprendre comment monsieur Watson se débrouillait pour casser les cours de sa camelote en faisant canner ses employés au lieu de les payer.

Ça me remet en mémoire sa vieille blague qu'il racontait à Key West. Un gars lui demande :

– Salut, E.J., quoi de neuf ?

Il brandit alors sa bouteille en hurlant :

– *Rien de tel qu'un bon coup de canne avant de canner !*

Crédié, même que je l'ai comprise, celle-là ! Chaque fois que j'entendais cette vanne, je rigolais à m'en faire péter la sous-ventrière, et je la racontais dès que j'en avais l'occasion, jusqu'à ce qu'on me demande de mettre une sourdine. Eh ben, que je leur disais, ça prouve tout bonnement qu'on a tort de dire qu'Henry Thompson aurait point le sens de l'humour ! Crédié, je disais, j'apprécie une bonne blague comme tout le monde quand j'en entends une ! Mon discours aussi les faisait rigoler, mais là je me sentais comme qui dirait exclu de la connivence.

Bref, je l'ai jamais connu autrement que juste dans ses transactions avec sa main-d'œuvre, il était dur mais juste ; d'ailleurs Hiram Newell, S.S. Jenkins et tous les autres qu'ont bossé pour lui vous diront la même chose. Quant aux nègres, j'ai jamais entendu un seul nègre dire un mot contre lui.

J'ai donc ramené mes bonnes femmes à Caxambas et je me suis arrêté à l'hôtel de George Roe pour souper. Miss Gertrude Hamilton, de la rivière de l'Homme perdu, âgée de quatorze ans, était nouvelle pensionnaire. Henrietta s'était déjà mise en ménage avec le vieux Roe et, quelques années plus tard, en 1903 je crois bien, des Yankees ont créé l'usine de clams de Caxambas, si bien que toute notre bande est descendue à Pavilion Key pour ramasser les clams. Oncle Jim Daniels était chef d'équipe, M. et Mme Roe avaient le magasin général et le bureau de poste, et tante Josie était là, elle aussi, avec son dernier mari. Josie en avait pris sept quand la fumée s'est dissipée, en comptant celui qu'elle a épousé deux fois, et elle les a tous enterrés jusqu'au dernier.

A propos d'enterrement, le vieux Johnny Gomez s'est noyé en 1900, apparemment il s'est pris la cheville dans son filet et les poids l'ont déséquilibré, entraîné par-dessus bord. Il était encore tout emberlificoté dans son filet quand des gars de Marco, remontant de Key West vers le nord, l'ont trouvé accroché par son pantalon dans la mangrove à marée basse, avec son tire-jus échoué tout près de lui. Il a eu droit à un enterrement à Everglade, et R.B. Storter, le bon ami de monsieur Watson – monsieur Watson l'appelait toujours Bembery —, a emmené la veuve Gomez chez lui à Panther Key. Comme elle était pas encore décatie, elle est pas restée longtemps. Les années suivantes, quand je m'occupais du *Gladiator* pour monsieur Watson, je campais dans la cabane en chaume de Johnny Gomez chaque fois que je faisais escale à Panther Key pour me réapprovisionner en eau et rêvasser un peu à Carrie, et quand Hiram Newell a repris mon boulot, il l'a utilisée pareil, cette cabane. Maintenant que j'y pense, c'est Hiram qu'a découvert le corps du vieux Johnny, lui et son beau-frère Dick Sawyer. Dick était un autre ami de monsieur Watson, du moins c'est ce qu'il prétendait. A l'en croire, il avait fait partie de la bande qu'avait vu Santini se faire trancher la gorge et il avait été de ceux qu'avaient arraché le couteau à monsieur Watson.

Un après-midi de l'automne 1901, alors que j'étais dans le golfe, au large de Pavilion Key, j'ai aperçu une grande colonne de fumée noire qui montait au-dessus des champs de canne en flammes, et le feu faisait toujours rage pendant que je remontais la rivière, ça rugissait comme une tempête, ça crépitait sec et l'air était tout imprégné d'une douce odeur, comme du maïs en train de griller. En m'approchant, j'ai vu les bois vibrer dans les ondes de chaleur, les faucons, les busards et les aigrettes blanches qui rappliquaient d'aussi loin qu'on pouvait voir cette fumée grasse pour bouffer les petites bestioles tuées ou chassées de leur tanière par la chaleur.

Pour moi, monsieur Watson a sans doute été le premier planteur dans le sud de la Floride à essayer de brûler son champ avant la récolte, car il croyait que le travail serait beaucoup plus rapide et demanderait moins de main-d'œuvre une fois les feuilles et le haut des cannes à sucre cramés. Plus rien que des tiges bien nettes à travailler, pas beaucoup de sucre perdu et moins de frais. L'inconvénient, c'est que le sucre de canne s'extrait mal des tiges, même quelques jours après le feu, et ce jour-là c'était un champ de trente acres et il avait pas amené un seul journalier pour l'automne. Y avait que lui, moi et Rob, et peut-être Tant avec un peu de chance. Je me suis dit qu'il avait perdu la tête pour incendier un champ de canne que nous ne récolterions jamais.

Quand j'arrive à la Courbe, la première chose que je vois c'est monsieur Watson tout seul dans son champ, y mettant toujours le feu, mais courant comme s'il avait entendu un cri issu de l'enfer. Je vois pas le moindre signe de Rob, et encore moins de Tant. Monsieur Watson est tout seul sur cette plantation, à se déplacer sur ce sol noirci comme une grosse cendre malmenée par le vent à l'intérieur d'un cercle de feu. Il a sa carabine avec lui, mais ça n'a ni queue ni tête, vu que les oiseaux ont pas de belles plumes en cette saison et qu'il avait pas allumé ses foyers d'incendie sur trois côtés comme on faisait parfois quand on voulait tirer le gibier qui fuyait les flammes. Cette lumière malsaine, où des rayons de soleil réussissent à traverser les ombres de la fumée, a quelque chose de vaguement infernal qui me retient d'appeler. Pour rien au monde je m'approcherais d'un homme qu'on croirait qu'il s'est mis le feu à ses vêtements. Je m'approche même pas de la maison, je me contente de l'attendre sur la rivière. Vers la tombée de la nuit, alors que les flammes diminuent, il arrive, le visage couleur de feu, lançant des regards fous autour de lui. Entre deux quintes de toux, il cherche son souffle.

— Qui planques-tu sur ce bateau ?

Telles sont ses premières paroles. Il continue de descendre vers le quai, puis, arrivé à mi-chemin, il braque sa carabine sur moi avec la vivacité d'une vipère, comme s'il a réellement l'intention de tirer.

— Une seconde, monsieur Watson, que je braille ! Je suis seul !

Si jamais j'arrivais à la Courbe avec quelqu'un de caché à bord, j'avais ordre de traînasser un peu sur la rivière pour lui donner le temps de s'approcher derrière la poinciane et d'aligner dans sa mire le quidam qui tenterait de débarquer incognito.

Mais il abaisse pas les canons jumelés de sa pétoire. Je regarde les deux trous braqués sur moi. Vous avez déjà essayé ça ? Ça vous donne l'impression que vous risquez de vous liquéfier avant qu'on vous éclate la tête. Puis il pivote et continue de descendre. Il aime pas me tourner le dos, mais il aime encore moins avoir le dos tourné au schooner. Et que je sois pendu s'il a pas pointé cette carabine sur la moindre anfractuosité de ce rafiot, de la proue à la poupe.

En ressortant, il marmonne :

— T'as raison, mon gars, pas de récolte.

Il s'explique pas, mais j'ai ensuite compris. Avec toute cette canne non récoltée, il redoutait que la récolte de l'année suivante soit étouffée.

Je sais pas où est Rob, mais je pose point de question.

Rob était d'humeur très noire à ce moment-là. Un jour, assis sur la galerie, il prend la vieille carabine à canons jumelés de son père qu'est posée contre la maison. Il commence par se mettre le bout des canons dans la bouche et il se retourne pour que je voie bien. Puis il pointe la pétoire sur Rex qui, allongé parmi les racines de la poinciane, fait un cauchemar. Je suis tout près, mais dans la maison, car je tiens pas à m'exposer. A travers le grillage, je l'entends marmonner aux stiques :

— Rex, si je me fais encore piquer une seule fois, je vais appuyer sur ces deux détentes. Et si c'te carabine est chargée, mon gars, alors tu peux faire ta prière de chien, car ces deux canons sont braqués sur toi pour te faire sauter la cervelle.

Ben c'est justement ce qu'il a fait, le Rob. Après ce massacre il s'est mis à courir comme un dératé, à courir autour de la maison, encore et encore, poussant un cri perçant chaque fois qu'il passait près de la charogne de Rex. Monsieur Watson a pris ce malheureux clébard par la queue et il l'a jeté dans la rivière, et pourtant Rob continuait de hurler chaque fois qu'il passait devant la galerie. Il a bien dû faire le tour de la maison neuf fois avant qu'on réussisse à s'emparer de lui pour le calmer.

Tout ce que monsieur Watson et moi avons mangé pour souper, ç'a été le gibier froid de Tant, abandonné dans l'âtre. On a préparé ni pain ni légumes. La viande était pas correctement fumée parce que Tant s'était saoulé et avait laissé mourir le feu, elle était un peu violacée et elle sentait fort.

— Peut-être que c'est de la bidoche de nègre, grogne monsieur Watson en me voyant déglutir avec difficulté.

Puis il renifle comme s'il allait rire, mais son rire vient pas et, de toute la soirée, il est pas venu une seule fois.

J'avais toujours la trouille après l'avoir vu en feu dans ce champ, et j'ai prié Dieu pour qu'il se mette pas à boire. Tout ce qu'on entendait, en dehors du gémissement des stiques, c'était les hommes mastiquer la bidoche. Je pensais que j'arriverais jamais à avaler cette viande, tellement que j'avais la bouche sèche et à dater de ce jour j'ai perdu le goût du gibier.

Alors il sort sa bouteille, mais il boit pas encore. Il reste tout bonnement assis là avec son flingue, le souffle court, les yeux tournés vers la rivière.

— Parfois, ça me prend, marmonne-t-il tout à trac sans s'expliquer davantage.

Ce soir-là, j'ai envisagé de partir au loin. Le moment était venu de faire ma vie ailleurs. J'avais presque vingt ans, la jeune Gert Hamilton, dont le frère Lewis devait épouser la cousine Jennie, m'avait tapé dans l'œil. Monsieur Watson m'avait appris tous les travaux de la ferme. Je savais tirer et poser des pièges, accrocher des filets à mulet dans les arbres pour attraper les égrettes, et de toutes les manières c'était point difficile de deviner que le bon temps à la Courbe de Chatham touchait à sa fin.

Après que j'ai fait la vaisselle, il tousse, peste et me dit :

— Excuse-moi d'avoir fait ça tout à l'heure. Tu es mon associé, non ?

— Bien sûr, que je lui réponds avec fierté.

Il opine longuement du chef. Puis il se met à parler, d'abord lentement, pour me raconter toute sa vie et pourquoi qu'il est venu dans les Iles.

Monsieur Watson m'a avoué qu'il était recherché dans l'Arkansas et aussi dans le comté de Columbia, au nord de la Floride. Alors, tout jeune à Columbia, il avait une bonne ferme en location et il se faisait de belles récoltes, mais un jour, après avoir vendu sa récolte, il a fait une mauvaise chute à O'Brien en Floride et il s'est abîmé les deux genoux, il a donc été contraint de garder le lit pendant un certain temps et toute sa plantation est partie à vau-l'eau et il lui a fallu emprunter de l'argent à son beau-frère. Tout ça s'est passé après qu'il a perdu sa première femme toute jeune, morte en couches — c'était la mère de Rob.

Quelques années après, il s'est trouvé une jolie institutrice, miss Jane S. Dyal, de Deland, Floride, mais ce beau-frère continuait de le harceler pour cet argent prêté, de le tanner et de l'enquiquiner « jusqu'au jour où ce gars-là est mort », m'a dit monsieur Watson. Il a souri juste un peu en disant ça et je lui ai souri à mon tour.

— C'était devenu une question d'honneur, expliqua monsieur Watson en me regardant à nouveau.

Monsieur Watson a jamais dit qu'il avait tué ce gars, et je lui ai jamais posé la question, mais les amis du trépassé ont dû lui faire porter le chapeau.

Vers cette époque, il a décidé qu'il était temps de partir vers l'ouest.

— Inutile de me faire lyncher, dit-il, avant d'avoir l'occasion de raconter ma version des faits.

Il a donc embarqué sa famille dans ce même chariot bâché que sa mère avait acheminé de la Caroline vers le sud : lui et son fils Rob, sa nouvelle femme Jane, la petite Carrie et le bébé Ed sont partis nuitamment vers le nord et la frontière de la Géorgie.

Au printemps suivant – en 1887 – ils partageaient le travail sur une ferme du comté de Franklin, dans l'Arkansas. Il a pris sa part de récolte et il est reparti, jusqu'au Territoire andien, peut-être une centaine de kilomètres à l'ouest de Fort Smith, vers ce qu'il appelait les Nations. Le Pays andien a été le premier endroit où il s'est senti en sécurité, parce qu'il y avait quasiment pas de loi dans les Nations. La police andienne fermait les yeux sur les agissements des Blancs tant qu'ils laissaient les Andiens tranquilles ; les Andiens croyaient qu'un Blanc qu'était en bisbille avec d'autres Blancs pouvait pas être entièrement mauvais, a expliqué monsieur Watson.

Toute cette région était un repaire de hors-la-loi et de renégats, du Missouri au Texas, vu que la seule loi était la même qu'on avait ici, œil pour œil et l'honneur de chacun, si bien qu'il valait mieux tirer d'abord et demander les détails ensuite. Frank et Jesse James et les jeunes marlous de la bande à Quantrill dans les guerres des frontières et qui s'étaient battus dans sa guérilla pour les Confédérés ont naturellement basculé dans le camp des hors-la-loi, et la plupart de ces hommes se planquaient, buvaient et écumaient les Nations à leur guise.

Y avait aussi tout plein d'Andiens renégats et le pire d'entre eux, précisa monsieur Watson, était le vieux Tom Starr, dont le père était le chef d'un clan sauvage de Cherokees qui occupaient une portion de la rivière du Sud Canada où les Nations des Creeks, des Choctaws et des Cherokees se mélangeaient. Tom Starr était énorme et il passait le plus clair de son temps à éliminer un autre clan qui avait décidé de liquider le père de Tom.

– Il en avait tué trop, il pouvait plus s'en passer, tu comprends ? fit monsieur Watson.

Je crois bien qu'il m'a lancé un drôle de regard, mais sans doute que je me trompe.

– Pour sûr, répondis-je.

Tom Starr et ses gars mirent le feu à une cabane pendant cette période d'affrontements et, quand un petit garçon de cinq ans en sortit en courant, Tom Starr l'attrapa par la peau du cou et le relança parmi les flammes, pour vous dire qu'on rigolait pas.

– Je crois pas que je pourrais faire une chose pareille, et toi, Henry ? me demanda monsieur Watson – il plissait le front, voyez-vous, comme s'il avait bien réfléchi avant de prendre sa décision.

– Ah, ça non ! dis-je.

Le vieux Tom Starr demanda à un autre Cherokee s'il pensait que Dieu lui pardonnerait jamais le crime qu'il venait d'accomplir, et son ami lui répondit :

— Non, je pense pas qu'Il te le pardonnera.

— Moi, dit monsieur Watson, j'aurais jamais répondu ça à un gars aussi mauvais que Tom Starr, t'es pas d'accord avec moi, Henry ?

— Oh, si !

— Oh, si..., répéta monsieur Watson.

Il était pas là-bas depuis un an qu'on balance une décharge de chevrotine sur une femme du nom de Myra Maybelle Starr, qui vivait avec un Andien pourri, le fils de Tom Starr. Par une journée bien piquante de février 89, elle est tombée de sa selle avant de se prendre une autre décharge de grenaille à dinde dans la figure et le cou, là où qu'elle gisait dans la boue du chemin. Pendant l'enterrement à Youngers' Bend, le jeune Starr accusa monsieur Watson d'avoir assassiné son épouse bien-aimée.

— Ils m'ont ligoté les mains pour m'emmener à Fort Smith, dans l'Arkansas, et Jim Starr est allé au tribunal pour remplir une déposition m'accusant de meurtre. Certains de mes voisins ont eux aussi rempli une déposition où ils mentionnaient la querelle et disaient que j'habitais tout près de la scène du meurtre. Mais j'avais bonne réputation auprès des marchands, j'étais un homme paisible qui allait à l'église et qui payait ses factures, si bien que les journaux du coin ont pris mon parti.

— Voilà la leçon que j'ai apprise, Henry, et je te garantis que je l'ai bien apprise et qu'elle m'a rendu de fiers services : aucun Américain honnête ne croira qu'un type qui paie ses factures puisse être un vulgaire criminel, peu importent les charges pesant sur lui !

Alors le rire de monsieur Watson lui remonte de la semelle de ses bottes, comme si l'univers tout entier était rien qu'une vaste blague, et lui avec. Et alors moi, j'imite son rire, même que j'ai jamais compris pourquoi, mais j'entends mon propre rire m'exploser dans les oreilles.

Monsieur Watson a été chercher une boîte à cigares, il m'a montré une coupure de presse jaunie de l'*Elevator* de Fort Smith. Il a dû me la lire, forcément : j'ai jamais mis les pieds à l'école dans le temps à Chokoloskee. Le reporter racontait dans le détail comment monsieur Watson avait tenu tête à cette fripouille d'Andien en niant son accusation, comment Watson « était tout le contraire d'un homme qu'on pourrait soupçonner de pareil crime ».

Lisant ça à voix haute, monsieur Watson a arrêté de sourire pour me dévisager :

— Bon Dieu, Henry, toi tu ne m'as jamais lâché ! Voilà au moins quelque chose dans ma vie sur laquelle je peux compter — Henry Thompson ne mourra jamais de rire ! Va donc falloir que je rie pour nous deux !

Monsieur Watson a soupiré et bu son premier verre. De nouveau, il se sentait bien.

— Le commissaire a donné deux semaines à Jim Starr pour produire ses témoins, une preuve quelconque, mais il a jamais rien trouvé qui tienne le coup devant un tribunal. L'affaire a donc été classée — et j'ai jamais été jugé.

A ce moment-là, les journaux s'étaient déjà emparé du personnage de Belle Starr pour le rendre célèbre dans tout le pays. Monsieur Watson alla chercher un vieux livre avec, sur la couverture, une dame qui tenait deux pistolets.

— « Belle Starr, a-t-il lu d'une voix dégoûtée, la Reine des bandits, Jesse James fait femme. » Ce ramassis de mensonges a été concocté à New York en 1889, six mois après la mort de Belle Starr, et c'est pas demain la veille qu'ils cesseront de débiter leurs fadaises pour justifier toutes les balivernes qu'elle racontait déjà sur son propre compte. Tu te souviens le jour où tu m'as conseillé de ne pas boire comme du petit lait le baratin du vieux Johnny Gomez ? Dans le cas de Maybelle Shirley, valait mieux s'abstenir complètement !

Monsieur Watson quitta le Territoire indien début mars 1889, juste après l'audience du meurtre au tribunal fédéral. Il voulait partir plus loin vers l'ouest, mais comme il avait besoin d'argent, il rejoignit la grande ruée sur les terres du Territoire d'Oklahoma en avril 1889, quand presque toutes les terres des Creeks et des Séminoles furent proposées aux Blancs grâce aux nouvelles lois de fermage. Contrairement à la plupart des pionniers, il connaissait bien cette région. Il emprunta un cheval très mal en point pour cette ruée vers les terres de l'Oklahoma et s'attribua une bonne concession au fond d'une vallée qu'il convoitait depuis un moment déjà. Il dit que ça lui a presque brisé le cœur de l'abandonner, car il aurait pu y faire une bonne récolte dès cette saison-là, mais sa femme lui serinait tout le temps que cette concession n'était pas assez éloignée du pays de Tom Starr.

Beaucoup de pionniers laissés pour compte lors de cette première ruée vers les terres étaient prêts à allonger leurs billets, si bien qu'il revendit sa concession, retourna dans l'Arkansas, loua une bonne ferme. Mais à peine était-il arrivé qu'on l'emprisonna pour vol de chevaux – comme il l'avait prévu, les amis de Belle Starr, spécialisés dans le vol de chevaux, l'avaient fait tomber dans leur piège. Il s'évada de prison, traversa une rivière à la nage tandis que les balles lui sifflaient aux oreilles en soulevant de petits geysers d'eau. Il se trouva deux bons chevaux et des provisions, puis il partit pour l'Oregon. Il loua une ferme dans la vallée de la Willamette et s'en tira plutôt bien pendant un an ou deux jusqu'au soir où un type qui pouvait pas le blairer lui tira dessus par la fenêtre, ne lui laissant d'autre choix que de riposter. Il a pas attendu l'aube pour repartir de nouveau, vers le comté d'Edgefield cette fois, en Caroline du Sud, l'endroit d'où il venait.

– J'étais parti de chez moi depuis pas mal d'années, je pensais que mon père serait mort et tous mes ennuis de jeunesse envolés. Mais le vieux vivait toujours, bien décidé à ne pas oublier et encore moins à pardonner. Je suis donc reparti pour le comté de Columbia, en Floride, voir ma mère et ma sœur, des fois que j'aurais encore eu ma place là-bas, mais elles m'ont prévenu que l'avis de recherche était toujours valable, moyennant quoi j'ai continué de bouger.

« J'avais rien d'autre à faire que recommencer ma vie. Quelques gars du comté de Columbia avaient fait dire à leur famille qu'ils s'en tiraient bien dans les Everglades, et les gens croyaient que le sud de la Floride était le dernier endroit où un homme pouvait cultiver la terre en paix, sans qu'on lui pose des questions indiscrètes.

« Seulement, je me suis arrêté à Arcadia, et voilà qu'un sale type nommé Quinn Bass est venu me chercher des crosses avec un couteau dans un saloon, et j'ai dû l'empêcher de sévir. » Monsieur Watson haussa les épaules, puis inclina la tête comme pour voir de quelle manière je prenais tout ça. « Il m'a fallu payer en bon argent pour me tirer de ce mauvais pas. Mais certains membres du clan de Bass n'étaient pas contents de la transaction et, tôt ou tard, quelqu'un viendra ici me régler mon compte. »

Il hocha la tête, comme si la revanche était une philosophie qui lui paraissait défendable.

– Je saurai quand il arrivera et il me trouvera prêt, dit monsieur Watson.

Il était toujours prêt, quand j'y pense, car n'importe quel étranger pouvait très bien être l'homme qu'il attendait.

Pour moi, monsieur Watson m'avait raconté son histoire avec sincérité, et je me sentais honoré ; le seul problème, c'était que j'arrivais pas à éclaircir certains détails. Compte tenu de la manière dont il avait raconté les choses, impossible de savoir s'il avait tué ou pas son beau-frère, s'il avait tué ou pas Belle Starr. Il grondait d'une voix sourde dès qu'il me sentait prêt à lui casser les pieds avec mes questions, mais en même temps ses yeux bleus paraissaient m'y pousser. Au bout d'un moment, alors que je le harcelais imprudemment, sa main jaillit vers moi pour m'emprisonner le poignet, et ses yeux restent fixés sur moi. Il dit pas un mot, mais ses yeux réclament quelque chose.

— Je me demandais juste si ce Quinn Bass était mort sur le coup, dis-je sur le ton de la conversation banale.

— C'est ce qu'a déclaré le coroner, répond monsieur Watson.

Il m'a lâché le poignet en le repoussant comme s'il comprenait pas qu'on puisse poser une question aussi stupide. Elle était certes assez stupide, j'imagine. J'avais très souvent vu monsieur Watson tirer, et quand Ed Watson tirait sur quelque chose, eh bien ce quelque chose tombait à terre et *y restait.*

Ce soir-là, monsieur Watson dit plus rien. Il resta simplement assis là, longtemps, très longtemps, les mains posées sur les cuisses, comme s'il avait l'intention de bondir sur ses pieds et de se ruer hors de la maison, mais qu'il se rappelait pas l'endroit où il devait aller. Mais, bien sûr, il avait *nulle part* où aller, nulle part dans les Dix Mille Iles. La nuit, il y avait que les étoiles froides, si froides et si lointaines, et puis l'affreux méli-mélo des branches noires, le hululement de la chouette et le cri du héron, le bruit d'éclaboussures d'un mulet jaillissant tout là-bas sur la rivière solitaire.

Par la suite, quand il buvait dans le coin de Key West, monsieur Watson se vantait d'avoir réglé son compte à Belle Starr et à son flingueur quand ils se sont mis à lui tirer dessus sur un chemin étroit qui traversait les bois. Il faisait allusion aux quelques types qu'il avait fait passer de vie à trépas pendant son séjour tumultueux dans l'Ouest sauvage, mais il prétendait n'avoir jamais tué personne qui lui voulait pas de mal.

Bill House m'avait déjà averti que monsieur Watson n'était pas le citoyen respectueux des lois que je croyais, car il était recherché pour meurtre dans trois Etats. Tout ça me fait réfléchir à cette longue soirée quand monsieur Watson et moi étions assis tout seuls dans la lueur de la lampe, parmi les ombres jaunes tremblotantes, avec cette vieille rivière noire qui traversait les mangroves désertes en clapotant avant de se jeter dans le golfe du Mexique.

Ce soir-là, je suis sorti de la maison en me sentant minuscule et perdu. J'avais l'impression de m'être réveillé dans un pays sans lumière, de l'autre côté de la Terre, un pays où nous sommes tous obligés d'aller seuls. Et aussitôt, j'ai vu que le schooner avait disparu, qu'il partait à la dérive, comme si Henry Thompson avait oublié de faire un nœud aux amarres. Mon cœur s'est emballé, j'avais si peur que je voulais me tirer de là en courant et en hurlant à pleins poumons, mais je pouvais seulement m'enfuir vers ces champs tout noircis. La terre se teintait d'une lumière argentée, les étoiles étaient désorbitées. On aurait dit que tout le continent d'Amérique, avec nous tous, les Blancs, les Andiens et les nègres, moi compris, étions vautrés dans la poussière comme cette malheureuse miss Maybelle Shirley, avec la fin toute proche qui éteignait les étoiles. Cette pauvre dame avait fixé le firmament comme je le fixais maintenant, tout l'univers se morfondait et ces rivières nocturnes la saignaient à mort.

Voici ce qui s'était passé : Rob avait quitté sa planque pour s'enfuir avec le schooner ; il dénoua les amarres et laissa le bateau dériver au fil du courant. Il l'emmena tout seul jusqu'à Key West, pour dire le désir qu'il avait de se trisser. Quand monsieur Watson eut vent de cette nouvelle, il alla chercher son bateau, mais presque aussitôt il repartit vers d'autres destinations, laissant à Tant et à moi le soin de surveiller sa plantation. Lorsque Tant a appris la mort de Tucker à la Key de l'Homme perdu, il a juré de plus jamais travailler pour monsieur Watson. J'ai jamais connu Tant que le cœur léger et je soupçonnais pas qu'il pouvait être aussi bouleversé.

— Personne a prouvé que c'est monsieur Watson, répétais-je inlassablement à Tant, qui refusait de m'écouter.

Après le départ de Tant, je suis resté un peu pour attendre monsieur Watson. Quand j'ai vu qu'il arrivait pas, j'ai cadenassé notre maison blanche avant de retourner à Caxambas. C'était en 1901 ; Gertrude Hamilton, de la rivière de l'Homme perdu, logeait avec nous à la pension de Roe. Je parle du clan de James Hamilton, pas de celui de Richard — ils avaient rien à voir entre eux. Gert a pas fait long feu à l'école de Caxambas, car je l'ai épousée avant de la ramener sur la rivière de l'Homme perdu.

Je suis né à Key West en 79 et j'ai passé la fin de ma vie à Chokoloskee, mais je crois qu'on peut dire que ces rivières étaient mon foyer.

J'ai récemment découvert d'autres Mémoires de pionnier où le nom de monsieur Watson apparaît avec insistance. L'auteur, Marie Martin St. John, était la fille de Jim Martin, ancien shérif du comté de Manatee, qui à l'automne 1899 quitta Palmetto, Floride (sur la baie de Tampa), avec sa famille pour s'installer dans l'ancienne cabane de Jean Chevelier à Gopher Key, « pour leur faire goûter » à la sauvagerie floridienne où lui-même avait grandi. Martin finit par construire une nouvelle maison sur Possum Key. L'auteur n'avait que cinq ans lorsqu'elle arriva dans les Dix Mille Iles, et bien que ses Mémoires regorgent de réminiscences savoureuses, son récit porte peut-être la trace d'événements et de rumeurs plus tardives.

> *Nous avons fait escale à Marco, une simple jetée et pas grand-chose d'autre... puis nous sommes partis vers le sud et Everglades City* (sic) *et Chucoluskee* (sic)*, l'une une simple jetée, l'autre une berge boueuse. Nous sommes enfin arrivés chez Edgar Watson, un planteur de canne à sucre sur la rivière Chatham.*
>
> *Watson était un hors-la-loi à la sinistre réputation. Tous les hommes de loi du sud de la Floride (dont son père, l'ancien shérif du comté de Manatee) connaissaient sa traîtrise et sa ruse... De temps à autre il était mollement recherché pour être jugé, même si peu de crimes paraissaient aboutir directement à sa porte. La légende persistait néanmoins. Les Blancs de la région le redoutaient comme on craint un serpent à sonnette, mais les Indiens et les Noirs étaient livrés à ses manipulations. Souvent affamés, ils travaillaient pour lui à couper la canne. Mais il payait rarement les sommes convenues, et si l'un de ses journaliers se rebellait, Watson, disait-on, l'exécutait sur-le-champ.*

J'ai ouï dire que d'innombrables squelettes humains furent mis au jour dans son bayou quand un ouragan en chassa l'eau. Le bayou se remplit dès le lendemain et la vie reprit son cours habituel.

Cet homme impitoyable avait une épouse invalide qu'il adorait. Pour elle, il entretenait cinquante chats. J'étais bien sûr intriguée par ce personnage le jour où nous avons débarqué à sa plantation de canne à sucre. Je me rappelle que monsieur Watson me prit sur ses genoux et me dit de choisir un chat qu'il voulait m'offrir. Il semblait être le plus aimable des hommes.

Non sans une certaine hâte, Papa prit ses dispositions avec Watson pour faire venir de Fort Myers du bois de construction et tous les matériaux dont nous avions besoin pour construire notre maison nous-mêmes et avec l'aide d'amis. Comme les autres habitants de cet endroit perdu, nous dépendions du grand bateau de Watson, qui faisait des allées et venues régulières. Après que nous fûmes installés et que nous commençâmes les travaux de la ferme, nous ressentîmes de plus en plus cette dépendance. Il n'y avait pas d'autre moyen d'acheminer régulièrement nos produits jusqu'au marché. La dictature que Watson exerçait sur cette partie de la Floride n'était pas sans rappeler les activités indélicates de certains hommes de loi, d'autres escrocs protégés par la loi, voire de certains gouverneurs dont notre Etat a souffert depuis sa naissance.

Le soleil se couchait quand nous sommes arrivés à Gopher Key, où nous devions rester jusqu'à ce que notre grande maison soit construite sur une île voisine. Il y avait une petite cabane tout ce qu'il y a de plus fruste, et notre seul et unique voisin était un assassin, qui habitait à une cinquantaine (sic) *de kilomètres. (Il s'agissait peut-être de l'année que les Hamilton passèrent auprès de John Weeks à Flamingo.)*

Notre maison neuve de deux étages (sur Possum Key) fut achevée au printemps. Papa l'avait construite sur un ancien site appelé le Lieu de Chevelier. Ce Français... avait planté des goyaviers et des avocatiers, qui étaient maintenant des arbres immenses... Avec les champs de tomates de Papa, nous avons bientôt eu des fruits et légumes à acheminer au marché. Comme convenu, nous les expédiions par l'entremise d'Edgar Watson. Les ennuis commencèrent aussitôt. Un messager arriva de la plantation de canne pour donner à Papa une somme d'argent ridicule. Papa dit à cet homme de retourner d'où il venait et de dire à Watson combien il lui devait encore et que lui-même, Papa, irait chercher le solde. Terrifié, ce pauvre messager supplia papa de renoncer à toute doléance.

— Il va vous descendre, M. Martin. C'est sa façon de régler ses comptes. Tous ceux qui ont eu le moindre différend avec Edgar Watson sont plus de ce monde pour en parler.

Le lendemain, Papa alla trouver Watson. Hal et Bubba l'accompagnaient. Lorsqu'ils arrivèrent en bateau près du quai, Papa ordonna aux deux garçons de rester à bord pendant que lui-même irait dans la maison. A travers une grande fenêtre grillagée, on apercevait tout le salon de Watson. C'était une véritable armurerie : les murs étaient couverts de fusils. Mais Papa ne portait pas d'arme.

Les deux garçons suivirent toute la discussion qui s'engagea alors. Peut-être pensèrent-ils aux squelettes qui pourrissaient sous leur bateau tandis que la voix de Watson devenait de plus en plus stridente. Vint le moment où Watson se mit à reculer vers son mur couvert d'armes. Papa refusait de céder : il réclamait son argent, et le bras de Watson se leva vers un pistolet. En cet instant critique, un sourire apparut sur le visage de Watson. De l'endroit où il se tenait, il voyait les deux garçons dans le bateau à une quinzaine de mètres de lui, chacun serrant une carabine dans ses petites mains adroites et la braquant sur l'homme qui menaçait leur père.

— Regardez, dit Watson à Papa.

Mais Papa crut que c'était une astuce pour le faire se retourner. Watson comprit, s'éloigna des armes et tendit la main vers le bateau. Papa sourit alors à ses fils et sourit même à Edgar Watson.

— Croyez-vous qu'ils pensaient que j'allais vous tirer dessus, Jim ? demanda Watson.

— Croyez-vous que vous en auriez eu l'occasion ? lui rétorqua Papa.

Cet homme qui ne payait jamais ses dettes donna à mon père ce qu'il lui devait, puis descendit avec lui jusqu'au

> *quai pour aller voir ça de plus près. Mais tout ce qu'il découvrit, ce fut deux petits garçons nonchalants assis avec leur carabine posée près d'eux, occupés à chasser les moustiques.*

Malgré leur affinité évidente avec les mythes ultérieurs, y compris la tension dramatique supplémentaire due à un récit de courage familial souvent raconté, les détails nombreux et saisissants qui émaillent ce compte rendu suggèrent qu'il est malgré tout fidèle à la réalité et qu'il rend bien l'atmosphère de terreur croissante qui, au tournant du siècle, commençait à entourer monsieur Watson. Si « l'homme qui ne payait jamais ses dettes » paraît en complète contradiction avec la réputation qu'avait Watson d'honorer tous ses engagements avec Ted Samllwood et bien d'autres, on peut aussi bien supposer qu'il évitait de rembourser ses petites dettes à des créanciers qu'il pouvait effrayer.

Ce récit de Marie St. John s'achève à Possum Key au tournant du siècle, peu de temps avant le tristement célèbre épisode Tucker. Ce fut peut-être la peur qui s'empara de la région après la mort des Tucker qui convainquit Jim Martin d'abandonner sa maison toute neuve et d'installer ailleurs sa femme et leurs quatre jeunes enfants. Il resta apparemment dans la région des Everglades, car il figure dans le recensement local de 1910.

Sarah Hamilton

Après notre mariage, nous avons traversé une époque difficile et, au cours des premières années, l'homme qui nous a aidés à joindre les deux bouts fut monsieur Watson. Quand il allait à Key West ou en revenait, il s'arrêtait volontiers chez nous pour manger et toujours il nous mettait de côté des victuailles choisies ou les fournitures qui nous manquaient. Il a fait pareil pour tout le clan Hamilton, pour Gene et Becca aussi, et ils ont accepté son aide même si Gene insultait monsieur Watson avant que son bateau ait disparu derrière l'horizon.

Leon a jamais rien demandé, pas une seule fois. Monsieur Watson devinait bien ce dont nous autres, pauvres squatters, avions besoin et il nous apportait les vieux vêtements de ses propres enfants, un peu de nourriture, même qu'il nous prêtait ses bons outils et son équipement. On faisait de notre mieux pour le payer de retour, on lui apportait tantôt du poisson, tantôt des tortues et des lamantins pour le ragoût, des cœurs de palmier, du sirop de goyave. Nous faisions ci ou ça, et j'imagine qu'il savait que nous étions prêts à l'aider tant qu'on pourrait.

Evidemment, Gene disait à Leon que monsieur Watson nous refilait tout bonnement une avance afin d'avoir les Hamilton et leurs fusils de son côté en cas de pépin. Je détestais Gene quand il disait ça, mais j'étais pas si sûre qu'il avait pas raison. Leon me dit que j'étais trop méfiante, exactement comme Gene, mais la façon de voir de Gene s'est mise à turlupiner mon pauvre mari et Leon a fini par donner l'ordre de ne plus rien accepter de monsieur Watson. Nous étions plus redevables envers autrui qu'il ne pouvait le supporter.

Monsieur Watson était un homme généreux ainsi qu'un vrai gentleman, je l'ai jamais vu ne pas porter la main à son large chapeau noir. Plein de fois il a mangé à notre table et nous étions toujours heureux de le voir, il nous faisait toujours rire. Leon dit que monsieur Watson aimait ses enfants. Mais après que sa famille s'est installée à Fort Myers et que les femmes Daniels allaient et venaient à la Courbe de Chatham, monsieur Watson s'est remis à boire comme un trou, il a grossi, il est devenu fourbe et il a pas perdu de temps pour se mettre dans les ennuis.

Pourtant, monsieur Watson a point tué autant de gens qu'on le prétend. Il a jamais tué personne de toute sa vie, qu'il nous disait, sauf pour sauver sa peau, mais bien sûr c'était lui — une de ses blagues préférées — qui décidait quand sa peau avait besoin d'être sauvée. Il nous racontait qu'il avait toujours vécu sur une frontière américaine ou une autre, et que pour survivre sur la frontière il fallait se montrer prêt à défendre son honneur. Si vous reculiez une seule fois, à la moindre dégonflade, vous aviez plus qu'à déguerpir la queue entre les jambes, vous étiez bon pour tout recommencer ailleurs.

Après que cette histoire a refait surface rapport à Belle Starr, monsieur Watson a porté le chapeau de toutes les morts violentes dans le sud-ouest de la Floride. Une fois qu'il mangeait à la table de papa Richard, à Mormon Key, un type s'est fait descendre à Key West. Ça n'a pas traîné, un adjoint au shérif s'est lancé sur la piste d'E.J. Watson, convaincu de pouvoir s'adjuger la récompense à lui tout seul. C'est le gars sur qui monsieur Watson a mis la main et qu'il a fait bosser dans son champ, pour vous dire comment il était remonté contre l'injustice. Puis il a renvoyé cet adjoint à Key West avec ce message que le suivant aurait peut-être moins de chance, et je parie qu'à Key West ils se sont rappelé ce message, parce que ceux qui l'ont pourchassé après la mort des Tucker ont pas trop fait les malins.

C'était pas Tucker et son neveu, contrairement à ce qu'ont raconté les gens de Chokoloskee, c'était Walter Tucker et sa jeune épouse, la jeune Bet. Son mari et elle sont revenus de Key West avec monsieur Watson, c'étaient des jeunes honnêtes et elle l'appelait Wally. Ils voulaient faire l'expérience de la ferme et de la pêche, gagner leur vie ensemble, essayer de s'en sortir rien qu'à eux deux, si bien qu'ils ont pris du travail au Lieu de Watson, à la Courbe de Chatham. Comme il avait bon cœur, monsieur Watson a construit pour les jeunes mariés un petit cabanon sur la berge, un peu à l'écart de la maison principale, de l'autre côté du hangar à bateaux et de l'atelier. Comme tous les jeunes gens, ils l'ont trouvé très généreux.

Quand ils ont voulu partir, monsieur Watson avait toujours besoin de journaliers pour l'aider à terminer sa récolte, qui durait de l'automne jusqu'à l'hiver. Il leur a dit qu'ils lui avaient pas donné de préavis, qu'ils se montraient ingrats après tout ce qu'il leur avait appris, ajoutant qu'il ne les payerait pas avant la fin de la récolte – c'est du moins l'histoire qu'il nous a racontée quelques années plus tard, quand il est revenu dans les Iles. Il a malgré tout reconnu qu'il buvait beaucoup trop à cette époque et il s'est mis dans une rogne telle qu'il a chassé les Tucker de la Courbe sans les payer. Ils sont alors partis vers l'Homme perdu, s'arrêtant chez nous à Wood Key pour nous demander un filet à ouïes, des provisions et des graines pour prendre un nouveau départ. C'était l'année 1901, l'année où les garçons Hamilton ont démarré à Wood Key et qu'ils expédiaient chaque semaine entre seize et vingt tonneaux de poisson salé à Key West et à Cuba.

Les Atwell avaient une concession de longue durée sur la Key de l'Homme perdu, mais ils laissèrent les Tucker y défricher la jungle et y construire une cabane. Y avait plein de gibier et de poisson là-bas, sans compter une parcelle de bonne terre avec une source d'eau douce de l'autre côté de l'embouchure de la rivière, pas loin de la pointe nord de la plage de l'Homme perdu. Wally se dit qu'il en savait maintenant assez pour s'installer à son compte. Bet attendait un bébé, et Richard Hamilton était dans les parages, il mettait au monde tous les bébés dans les Iles. Les Tucker avaient l'intention d'acheter l'acte de renonciation aux Atwell dès qu'ils auraient économisé un peu d'argent.

Tant les Hamilton que les Atwell à la rivière Rodgers avaient des clans très nombreux pour leur tenir compagnie et les aider. Sinon, seulement des gens bizarres pouvaient supporter la solitude, la chaleur, les insectes de ces rivières et puis le silence de la mangrove qui écrasait tout, comme le moisi pendant la saison des pluies. A se retrouver coincées trop longtemps dans des campements boueux avec des tâches harassantes, perpétuellement bouffées aux stiques, sans rien à regarder, sans personne à qui parler sauf des gamins ou des chiens tout écorchés, c'étaient surtout les femmes qui perdaient la boule dans les Iles. Les hommes buvaient leur gnôle de contrebande et devenaient violents pour chasser de leur corps tous ces silences.

Avec les Tucker, c'était exactement le contraire. Nous, on pensait que ce serait Wally qu'aurait pas assez de cran pour tenir le coup sur la Key de l'Homme perdu, mais que Bet avait un moral formidable. Sans sa Bet, ce gentil garçon se serait mis à hurler d'angoisse dans l'année parmi tous ces marécages.

Leon Hamilton

En 99, nous avons vendu notre concession de Mormon Key à E.J. Watson avant de nous installer à une quinzaine de kilomètres au sud, vers la rivière de l'Homme perdu, à mi-chemin de Chokoloskee et du cap Sable, le plus loin qu'on puisse aller à l'intérieur de l'enfer et de la solitude. On se déplaçait entre Hog Key et Wood Key, restant au plus près de la brise du golfe pour éloigner les stiques. On séchait et on salait le poisson à destination de La Havane.

Y aura peut-être des gens pour vous raconter que les Hamilton ils ont quitté la Chatham parce que nous avions peur de monsieur Watson, comme tous les autres. Eh bien, j'étais le plus jeune, j'avais dix-sept ans, et tous les trois, Walter, Gene et moi, on tirait aussi bien que notre papa, et notre maman aussi savait se servir d'une pétoire. Nous, on était en amitié avec Ed Watson, mais même si ç'avait pas été le cas, le clan Hamilton était bien implanté, et Watson le savait. Les Hamilton étaient pas du genre à se laisser impressionner.

Richard Hamilton s'en alla parce qu'il appréciait plus la moindre compagnie, il disait même que sa famille était toute la société qu'il pouvait supporter. Une fois Jean Chevelier passé de vie à trépas, y avait plus grand-chose pour nous retenir sur la Chatham. Les squatters occupaient toutes les buttes entre Marco et Everglade ; certains étaient même descendus au sud de la baie de Chokoloskee. Gregorio Lopez et ses garçons étaient juste au nord de la rivière Huston, sur cette portion qu'on appelle aujourd'hui la rivière Lopez, et le clan des House cultivait une butte où y avait plein d'oiseaux, au large de la baie de Last Huston, et puis des nouveaux venus, les Martin, ont construit sur Possum Key. Mais sur tous ces kilomètres au sud de la Chatham, les seuls occupants en dehors de nous étaient les James Hamilton sur la plage de l'Homme perdu et les Atwell sur la Rodgers.

Au cours de toutes ces années on a appris qu'il était écrit dans un livre qu'Edgar Watson avait tué Belle Starr, la Reine des hors-la-loi. Le juge George Storter a consulté ce bouquin quand il est allé inscrire ses enfants à l'école de Fort Myers. Le juge Storter, il savait bien lire ; de ses propres yeux, il a lu cette nouvelle et il l'a rapportée dans la baie de Chokoloskee.

Peu de temps après ça, j'ai accompagné Watson jusqu'à Chokoloskee et Isaac Yeomans nous a vus entrer dans le magasin de McKinney. Isaac a toujours été assez culotté ; une fois qu'il a rassemblé quelques gars avec lui, il se met à chantonner qu'il veut savoir s'il y a une once de vérité dans cette histoire d'un certain Watson avec la Reine des hors-la-loi.

Monsieur Watson était en train de payer le vieux McKinney et j'ai vu sa main s'arrêter sur le comptoir. Cette main est restée posée là pendant une bonne minute, à tapoter un dollar d'argent. Puis il s'est retourné lentement et a regardé Isaac jusqu'à ce qu'Isaac perde les pédales et se mette à sourire comme s'il venait de faire une bonne blague, et alors Watson s'est retourné avec le même air las et il a continué de payer ses achats. Une fois cela terminé, il s'est encore retourné, il s'est adossé au comptoir en passant les hommes en revue, car il y avait maintenant pas mal de monde agglutiné près de la porte.

— Ce même livre dit que ce type nommé Watson s'est fait tuer alors qu'il s'évadait de prison. » Il sortit sa grosse montre et la regarda pendant que tout le monde méditait cette information, puis il reprit en se tournant vers Isaac : « Mais ceux qui posent des questions indiscrètes sur Watson devraient pas accorder trop de crédit à cette dernière affirmation.

Isaac, désireux d'imiter les simagrées comiques de Tant, poussa un petit cri faussement effrayé, les autres témoins de la scène se forcèrent à rire, et Watson sourit. Mais ses yeux bleus inflexibles ne souriaient pas, eux, ils n'avaient pas cligné une seule fois et très vite Watson laissa son sourire s'éteindre, il resta là à regarder tous ces couillons tandis qu'un à un ils cessaient de rigoler et tentaient de se donner une contenance. Alors il m'a regardé, il m'a lancé un clin d'œil et nous sommes sortis du magasin.

La vie n'a plus été la même dans les Iles une fois que toutes ces histoires ont commencé de circuler. Ses voisins aimaient bien Ed Watson, pour sûr, certains l'appelaient même « E.J. » et ils étaient tout fiers d'annoncer à des inconnus qu'ils étaient les amis de l'homme qui avait tué Belle Starr. Tout ça était très bien, sauf que leurs femmes voyaient pas les choses du même œil. Pour la plupart d'entre elles, Ed Watson était un tueur et un desperado qui franchissait jamais la ligne jusqu'à tuer une femme, et puis ses manières tranquilles et assurées que les femmes appréciaient — tout le temps que nous l'avons connu, ce type a attiré les femmes comme des mouches —, bref son flegme le rendait d'autant plus dangereux. Son voisin le plus proche habitait pas la porte à côté, trop loin en fait pour entendre un coup de carabine, encore moins un appel au secours. Les hommes le savaient, mais voulaient pas le reconnaître. Ils aimaient bien le vieux Ed — on pouvait pas s'empêcher de l'aimer ! —, mais au fond de leur cœur ils en avaient une pétoche mortelle.

Vers le tournant du siècle, les bêtes sauvages se firent si rares et si craintives que beaucoup de trappeurs se reconvertirent dans la pêche. Certains guidaient les Yankees pendant l'hiver, puis se remettaient à seiner le mulet en été, ils ont tiré tous nos courlis de Duck Island et ils installaient leurs filets à truites juste sous les berges au nord-ouest de Mormon Key. Ils voulaient bel et bien planter leur camp sur notre île, la nuit ils nous criaient :

— 'Spèces de satanés mulâtres, z'avez aucun droit sur c't île !

Ils se sont mis à nous envahir tellement qu'on a été à deux doigts de leur tirer dessus, histoire de faire réfléchir un peu les autres. Et c'en est arrivé au point qu'ils voulaient qu'on leur tire dessus et qu'ainsi on leur donne un prétexte pour nous éliminer définitivement.

Déjà le poisson se faisait rare, car toutes les rivières des Dix Mille Iles grouillaient de chasseurs de plumes et de dépiauteurs de gators, sans parler des gars qui descendaient de leurs grands yachts pendant l'hiver, des poseurs de filets pendant tout l'été et des bouilleurs de cru tout au long de l'année, bordel. Une fois par mois on découvrait un inconnu là où qu'on avait jamais vu personne depuis des lustres, et vous aviez intérêt à vous méfier de cet inconnu, fallait pas le saluer ni rien, suffisait de le regarder sans qu'il vous voie, après quoi on se trissait.

Papa a donc vendu Mormon Key à E.J. Watson et personne a jamais harcelé autant son prochain pour une concession. A Tino Santini nous avons acheté la concession de l'Homme perdu quand Tino est monté à Fort Myers, mais avant de nous y installer, nous sommes descendus vers le sud pour passer un an à Flamingo afin que maman soit avec grand-papa John Weeks avant qu'il meure. A notre retour, on s'est installés sur Wood Key, on a bâti des bonnes maisons en planches, on a aménagé des jardins. On a séché et salé le poisson jusqu'en 1905, quand des bateaux ont commencé à faire la navette avec de la glace, si bien qu'ils pouvaient transporter notre poisson frais.

Ce fut en 1901, l'année qu'on a bien démarré dans la pêcherie, qu'E.J. Watson nous a suivis dans le sud en achetant à Shelton Atwell la concession de la Key de l'Homme perdu. Cette île se trouve à l'embouchure de la rivière de l'Homme perdu, d'une surface de sept, huit acres, suffisamment d'altitude à certains endroits pour un jardin, du bon bois à brûler, une mangrove noire et des platanes, sans oublier l'une des rares sources le long de cette côte. L'île possède une petite anse sur la rive est, que nous appelions la Crique de la Maison, là où les cartes du vieux Français indiquaient un trésor enterré.

Les Atwell furent les premiers vrais colons dans cette région, ils arrivèrent de Key West dans les années 70 et ils furent les premiers à posséder une concession sur la Key de l'Homme perdu. Alors que, pionniers, ils prospectaient toute la côte, racontait Shelton, ils constatèrent les dégâts infligés par l'ouragan de 73 et ils prirent leurs précautions. En amont de la rivière Rodgers, ils repérèrent une bonne butte bien protégée du vent et des marées ordinaires. Ensuite, quand plusieurs années eurent passé sans ouragan, les deux garçons de Shelton se mirent à réfléchir à la Key de l'Homme perdu, dans le golfe – beaucoup moins de stiques à cause du vent du large, très avantageuse rapport à l'eau douce, mais bizarrement ils ne prirent jamais la décision d'y aller. Ils disaient que ce voyage serait trop pénible pour la vieille, moyennant quoi valait mieux attendre. Ils laissaient les squatters aller et venir, pour entretenir l'île au minimum. En 1901 il y a donc eu là-bas le jeune Wally Tucker, de Key West, et son épouse Bet, qui l'année précédente avaient travaillé pour E.J. Watson.

Les Hamilton convoitaient la Key de l'Homme perdu, mais Ed Watson la voulait à tout prix et il s'est arrangé pour nous le faire savoir. Ce qu'il voulait, c'était récupérer cette vieille drague des Everglades abandonnée par la Disston Company sur le cours supérieur de la Calusa Hatchee, la transporter sur une barge jusqu'à la rivière de l'Homme perdu, creuser le chenal, aménager un port digne de ce nom et fonder un comptoir de commerce comme l'avait fait le vieux Joe Wiggins à Sand Fly Key, et puis donner du travail à tout le monde. Au lieu d'expédier nos fruits et légumes à Key West et d'en gâter la moitié pendant le transport, nous vendrions directement à E.J. Watson. Aux chasseurs, aux pêcheurs et aux Yankees arrivant sur leur yacht, il avait l'intention de fournir des légumes frais et du sirop, de la viande et du poisson, de l'eau douce, des produits secs, des hameçons et des balles, bref il voulait faire de la Key de l'Homme perdu l'endroit le plus célèbre de toute la côte sud-ouest. Si ses amis cultivaient les quelques promontoires fertiles, alors il contrôlerait l'ensemble des Dix Mille Iles. Des idées de ce tonneau lui ont valu le sobriquet d'Empereur Watson, mais elles avaient rien de loufoque, car sur la côte est le développement des Everglades était déjà bien avancé.

Le projet de Watson dépendait de cette île à l'embouchure de la rivière de l'Homme perdu et l'Empereur dit à tous ceux qui voulaient l'entendre qu'il avait l'intention de s'octroyer la Key de l'Homme perdu dès que le vieux Atwell aurait vu la lumière. Les Atwell ont jamais très bien compris ce qu'il voulait dire par là, mais ils avaient pas trop envie d'approfondir la question. Comme ils voulaient pas se montrer désagréables envers monsieur Watson, ils firent passer le nouvelle qu'ils réfléchissaient à la transaction et, après ça, ils restèrent sur la rivière Rodgers et s'approchèrent jamais dans les parages de la Courbe de Chatham.

C'était pas que les Atwell appréciaient pas Ed Watson ; pour sûr qu'ils l'aimaient bien. Une fois qu'une crue de tempête imprégna leur canne d'eau de mer, Shelton et son aîné, çui qu'on appelait Clin-d'œil, allèrent trouver Watson pour lui demander des graines de canne à replanter, et Watson les traita comme des rois. Il les logea pendant quatre jours à la Courbe, puis il les renvoya chez eux avec des jambons et du gibier, tout ce qu'ils voulaient. Les Atwell devinrent intarissables sur les bontés de monsieur Watson quand Clin-d'œil et son papa s'étaient rendus à Pavioni. Le fait est que tout le monde dans notre clan Hamilton avait fait la même expérience. Question hospitalité à l'ancienne mode, on pouvait pas trouver meilleur voisin dans tout le sud de la Floride.

Les Atwell étaient dans les Iles depuis vingt-cinq ans, plus longtemps que quiconque avant notre époque. Ils avaient deux plantations et beaucoup d'arbres fruitiers, ils cultivaient les choux, les oignons, les citrouilles, les melons, les patates douces et aussi les pommes de terre d'Irlande. C'était Ed Watson qui leur avait filé ces patates d'Irlande. Malgré tout et avant la fin de l'année, ils retournèrent à Key West. La vieille Mme Atwell racontait que vingt-cinq années dans la mangrove lui suffisaient largement et qu'elle retournait où qu'elle était née pour y mourir en paix. Elle disait qu'elle voulait bien se faire saigner à blanc par ces satanés stiques, mais qu'elle soit maudite plutôt que de passer l'arme à gauche en se faisant trancher la gorge ou éclater la tête par une saleté de flingueur de l'Ouest sauvage. Les ceusses qui voulaient lui emboîter le pas étaient les bienvenus, mais elle quittait son doux foyer, que les autres suivent le mouvement ou pas. Il se trouve que toute la bande hésitait à la suivre, mais personne osa lui dire non de but en blanc.

Comme ils avaient besoin d'argent pour entamer leur nouvelle existence, Clin-d'œil et son frère allèrent aussi sec à la Courbe pour vendre à monsieur Watson leur concession sur la Key de l'Homme perdu. Puis ils passèrent nous dire au revoir avant de partir pour de bon.

— Pourquoi vous nous l'avez jamais proposée ? qu'on leur a dit.

— Parce qu'on voulait pas le contrarier, ont-ils répondu.

Ils ne nous avouèrent pas qu'ils quittaient les Iles, car ils craignaient que monsieur Watson en profite. Mais E.J. Watson était pas un profiteur, c'était pas son style. Et puis il était si excité de s'emparer de la Key de l'Homme perdu et si heureux que son projet avance sans anicroche, qu'il acquiesça au prix que les Atwell lui réclamèrent, sans un seul battement de paupières.

Oui, monsieur Watson était très excité — *trop* excité, disait Clin-d'œil. Seulement lorsqu'il eut empoché la liasse de billets, Clin-d'œil lui annonça que les Atwell quittaient définitivement les Iles.

— Les anges des marais ont fini par avoir notre peau, expliqua ce bon vieux Clin-d'œil.

Les anges des marais, c'était comme ça que le vieux McKinney appelait ces saletés de stiques. Puis Watson leur rétorqua gaiement qu'il était ravi d'apprendre que c'étaient les « piqueurs d'élite », et non pas lui-même, qui les chassaient des Dix Mille Iles.

Le jour où les Atwell rendirent visite à la Courbe de Chatham, monsieur Watson se comporta en parfait gentleman, il alla même jusqu'à mettre sa redingote pour leur offrir un toast de son meilleur whisky. Et comment, disait-il, il considérait la Key de l'Homme perdu comme le cœur de son nouveau projet pour cette côte sauvage. Il fallait procéder à des relevés, expliqua-t-il, car presque tout le sud-ouest de la Floride se réduisait à « des marais en partie submergés » que l'Etat s'était appropriés en 1850 avant d'offrir presque tous ces terrains aux compagnies ferroviaires pour qu'elles posent des voies dans le nord de la Floride. Les Everglades et les Dix Milles Iles étaient encore des terres sauvages et personne savait où se trouvait quoi ni qui possédait quoi. Mais il avait d'excellents contacts avec son ami Joe Shands, le géomètre du comté de Lee à Fort Myers, et Shands lui avait dit ci, lui avait dit ça et ainsi de suite... en agitant les bras comme notre vieux Français quand il s'excitait.

Bien sûr, les Storter à Everglade et les Smallwood à Chokoloskee, ils s'y connaissaient en titres de propriété, et ces familles sont aujourd'hui prospères. Mais dans les Iles, E.J. Watson fut le seul à jamais s'intéresser à la paperasse. Nous autres, on était justement venus là pour l'éviter. On voulait surtout pas entendre parler de géomètres ou de préemption, on voulait même pas savoir ce que c'était, une préemption. Ça nous a jamais effleurés que, si on remplissait pas un titre de propriété, on finirait par se faire empapaouter par des étrangers qu'auraient soudoyé des politiciens pour nous voler nos biens en toute légalité. Un gus se pointerait en brandissant une paperasse prouvant qu'il possédait la terre sur quoi on avait fait tout le boulot — ces saletés de monticules durs comme le roc, on les avait tous défrichés, nettoyés et cultivés pendant un bail avant que ce rat des villes ait jamais entendu parler du sud-ouest de la Floride — avec deux adjoints de shérif à ses basques pour garantir que ces squatters décampent en vitesse de ses terres et qu'ils essaient surtout pas leurs arnaques de mulâtres sur ce fils de pute de citadin qui se qualifiait de proprio légal.

On savait qu'une seule chose : rien de bon arriverait si des géomètres venaient se balader dans les parages de la rivière de l'Homme perdu. Réclamer un titre de propriété, ça signifiait pour nous payer un bon argent qu'on n'avait jamais pour nos propres terres qu'on avait défrichées quand c'était rien que de la sauvagerie. Et puis en moins de temps qu'il en faut pour le dire, on se retrouverait à payer des impôts pour des nèfles — pas d'écoles, pas de justice, rien de rien.

Voyez, c'était pas seulement le paiement à quoi on voulait se soustraire, mais aussi tout ce putain de gouvernement, çui du comté, de l'Etat ou le fédéral, tout ça revenait du pareil au même. Le gars qui veut vivre dans un coin paumé comme les Dix Mille Iles, il veut pas qu'on vienne l'enquiquiner. Pis, il a pas grand intérêt pour l'humanité, faut dire les choses comme elles sont, et je parle pas de certains que je nommerais pas qui se contrefichent de leur propre famille. Ou peut-être que ses voisins l'aiment pas – peu importe. Bref, le genre dont je cause veut rien avoir à faire avec ces citadins qui brandissent leur paperasse pour essayer de lui dire où qu'il a le droit de chier.

Mais Ed Watson voyait pas les choses comme nous autres dans les Iles, qui nous moquions bien de savoir si l'univers nous passait à côté. Aux Atwell, il a parlé de la libre entreprise et du progrès qui étaient à l'origine de la grandeur de ce pays, voilà ce qu'il leur a dit. Les Philippines ! Hawaii ! Puerto Rico ! L'Amérique apportait la lumière aux enténébrés, et comment ! Nos activités commerciales s'étendaient dans le monde entier, exactement comme les Européens procédaient au fin fond de l'Afrique ténébreuse ! Il a demandé si nous avions jamais pris le temps de réfléchir à tous ces Chinois. A ces millions de clients potentiels qui attendaient simplement que les Philippines soient à nous ! A propos de « marais submergés », Ed était submergé de bonheur, me raconta Clin-d'œil, il était ivre de joie, et aussi d'alcools forts.

L'aîné de monsieur Watson était là, mais il a pas ouvert le bec. Rob Watson est resté un peu à l'écart et, dès que son père s'est mis à boire, on l'a vu retourner dans le champ. La sœur de Tant Jenkins était là, elle aussi, venue de Caxambas, elle leur a servi un bon plat de jambon et de petits pois. Le vieux Ed est devenu un peu égrillard et il caressait les fesses de sa Josie dès qu'elle passait près de sa chaise, elle a dû lui taper sur les doigts avec sa louche. C'était un joli petit lot plein d'allant, elle avait son bébé tout neuf, la petite Pearl. Comme à ce moment-là Mme Watson n'était pas encore morte à Fort Myers, Josie disait :

— Moins on causera de notre Pearl, mieux ça vaudra !

Ed arrêtait pas de remplir les verres des garçons Atwell en leur racontant des blagues sur les nègres que sa famille possédait jadis dans le comté d'Edgefield, en Caroline du Sud.

— Dites, shé'if, z'allez tout d'même pas m'a'êter à cause de Miss O'Gynie ! J'vous ju'e, j'ai jamais touché aucune dame de c' nom !

Il avait aussi raconté cette blague à la table des Hamilton. Mais comme nous ne riions pas beaucoup, il ajouta :

— Bon, j'imagine que les Choctaws se contrefichent des blagues de nègres.

Nous savions qu'il nous taquinait et ça nous a pas plu, mais papa restait imperturbable. Il a répondu suavement, un truc comme :

– Vraiment, Ed ?

Lui et son invité se sont alors mis à hocher la tête en se souriant comme s'ils connaissaient une ou deux choses sur la vie, ce qui selon moi était indéniable.

En tout cas, Ed s'est mis à se vanter en laissant entendre sans la moindre ambiguïté aux Atwell qu'il avait pas besoin d'un putain de Corse ou d'un foutu Espagnol – peu importait ce qu'était Dolphus Santini – pour apprendre à Ed Watson les subtilités du géomètre, bien sûr que non qu'il en avait pas besoin, plus maintenant ! Sa fille Carrie avait épousé un roi du bétail, et tous ces rois du bétail feraient sacrément attention à ce que personne vienne emmerder E.J. Watson. Et pour trouver des actes ou des titres, les bons amis de son gendre avaient des relations jusqu'au capitole de Tallahassee, si bien qu'E.J. Watson allait pas tarder à faire parler de lui !

– On peut pas empêcher un battant de gravir les échelons ! voilà ce qu'il leur dit.

Ils burent donc à ses succès et il but à leur voyage sans problème vers Key West et aux jours heureux qu'ils allaient couler là-bas. Après ça, il sortit au soleil avec son chapeau noir, il écarta ses bottes, se cala les pouces dans sa grosse ceinture et se campa devant sa belle maison pour leur dire au revoir.

– Ouais, dit Ed, pas plus tard que demain j'irai là-bas jeter un coup d'œil à mes nouvelles terres.

Alors qu'il larguait les amarres, Clin-d'œil décida qu'il ferait mieux d'aviser le nouveau propriétaire de la présence de Wally Tucker sur la Key de l'Homme perdu. Voyant monsieur Watson excité comme un pou, il avait pas eu le courage d'aborder ce détail, mais, le whisky lui donnant de l'audace, il se lança.

Monsieur Watson reçut la nouvelle avec un calme glacial. Il descendit jusqu'à l'eau, sans se presser ni rien, et posa sa botte sur l'amarre de poupe qui glissait sur le quai. L'avant de leur petit sloop était déjà dans le courant et le bateau se mit à pivoter vers l'aval, il décrivit un demi-cercle puis vint donner brutalement contre les piles du quai. Watson tenait toujours son whisky en main, il avait gardé son air aimable, mais il retirait pas sa botte de l'amarre. Il a pas dit un mot pendant que les Atwell essayaient de deviner ce que ces yeux bleus leur conseillaient de faire ou de dire, même qu'ils avaient intérêt à se grouiller.

Connaissant Clin-d'œil, j'imagine qu'il clignait tant et plus en faisant désespérément attention, me dit-il, de ne pas regarder la botte de Watson, qui se trouvait à peu près au niveau de ses yeux. Ed Watson avait le plus petit pied qu'on ait jamais vu sur un homme de sa taille, c'était l'une des premières choses qu'on remarquait chez lui et ensuite c'était difficile de regarder ailleurs, encore pire que l'œil aveugle d'un gars à qui vous causez.

Enfin, Clil-d'œil s'est mis à parler et ses paroles se bousculaient dans sa bouche. Il dit à Ed Watson que Wally Tucker possédait pas la moindre espèce de concession sur la Key de l'Homme perdu, certainement pas, aucun droit de séjour, c'était juste qu'il était là depuis un petit moment et...

— Je sais depuis quand ce fils de pute est là-bas...

— ... et vu que les Atwell l'avaient jamais utilisée, on a pas eu le cœur de l'en chasser.

Watson opina du chef et continua longtemps d'opiner, tandis que les Atwell assis dans le bateau essayaient de lui montrer qu'ils étaient à cent pour cent d'accord avec lui, mais sans rien dire qu'aurait risqué de déclencher sa fureur. Ils hochaient la tête de concert avec lui comme un couple de colombes.

— Je vais vous dire ce que vous allez faire », reprit enfin Ed Watson. Il se racla la gorge, puis envoya un crachat de l'autre côté de leur sloop, et les Atwell regardèrent poliment son bon gros glaviot s'éloigner sur l'eau noire. « En rentrant au bercail, vous allez notifier à ce fils de pute de *conch* que la concession est vendue à E.J. Watson et vous allez lui dire de virer ses fesses de ce coin dès qu'il pourra entasser dans son rafiot sa connasse de bonne femme et toute sa merde de conch, puis de hisser la caillasse pourrie qu'il appelle son ancre et de retourner dare-dare à Key West, qu'il aurait jamais dû quitter. Alors, ça vous va ? »

La famille Atwell étant originaire des Bahamas, Clin-d'œil apprécia très modérément cette histoire de *conch*, mais voici ce qu'il répondit :

— C'est parfait, Ed, ça nous va au poil.

La fureur de Watson était si grande que Clin-d'œil en conçut une trouille bleue, d'autant qu'il savait que cette redingote dissimulait une pétoire. Sûr qu'il clignait comme un lapereau. Il avait tout bonnement oublié la querelle de Watson avec les Tucker, si même il en avait jamais eu vent. Pourtant, grâce à tout le whisky qu'il avait éclusé, il reprit courage et repartit à l'assaut. Le problème, dit-il, c'était que le jeune Tucker s'était construit une jolie maisonnette en chaume ainsi qu'un bon quai, il avait défriché un joli lopin de terre, il attendait sa récolte et puis sa femme était sur le point d'accoucher de leur premier bébé. Les Atwell étaient bien placés pour connaître la générosité d'Ed Watson – ils insistèrent bien là-dessus, me dit Clin-d'œil – et peut-être que ça le dérangerait pas trop de laisser le jeune couple finir sa saison.

Ed Watson ne voulut pas en entendre parler. Pourquoi irait-il surveiller ce couple à la manque alors que la Key de l'Homme perdu se trouvait si loin au sud ? Les Atwell avaient laissé les Tucker s'installer là-bas, il leur incombait maintenant de les en chasser, vrai ou faux ?

– Bien sûr, Ed, répondit Clin-d'œil, ça tombe sous le sens.

– Quelque chose qui te tracasse ? fit Ed au bout d'un moment en sortant sa montre.

– Non, non, *non*, Ed ! s'écria Clin-d'œil.

C'était seulement que Tucker était un jeune gars très fier, qui accepterait sans doute pas qu'on lui dise de but en blanc de ficher le camp avec sa femme, qu'était en route pour être mère, de retourner à Key West sans rien à manger, sans endroit où pieuter et sans un sou en échange de son dur labeur.

Watson gardait les yeux baissés vers sa botte, vers l'endroit où elle coinçait l'amarre, et dans ce silence, dirent les Atwell, ils avaient envie de hurler. Y avait pas le moindre bruit dans cette touffeur inerte, rien que la rivière qui suçotait la mangrove. Enfin, Watson dit :

– Je déteste sincèrement entendre un Blanc parler de la sorte. Là d'où je viens, un fichu squatter peut faire le mariole tant qu'il veut, ça lui donne pas le droit de résister à un gars qui a acheté le titre légal avec du bon argent. Là d'où je viens, la loi est la loi.

Eh bien, Clin-d'œil a pas eu la moindre velléité de contester *ça*. Il arrivait pas à croire qu'un type tellement gentil avec tous ses voisins puisse aussi vite devenir si impitoyable. Clin-d'œil était en aucun cas un mauvais bougre et il voyait bien que les Atwell étaient dans leur tort. Ils auraient mieux fait de commencer par régulariser la situation avec Tucker.

Il décida de rendre son argent à Watson. Assez soudainement – il se sentait nerveux, bouleversé – il plongea la main dans sa poche et tout à coup il se retrouva à loucher sur la mire toute noire d'un Smith & Wesson.38. Vu d'aussi près, ça lui rappela la gueule d'un canon qu'il avait vue à Key West.

Très lentement, le jeune M. Atwell tira donc la fameuse

enveloppe de sa poche et la sortit, et tout aussi lentement Ed Watson remit son arme sous sa redingote.

Watson accorda pas la moindre attention à cet argent. Il était furieux d'avoir montré ce flingue, il était saoul, il avait les yeux injectés de sang et la respiration sifflante, il détournait le regard comme pour réfléchir intensément à autre chose. Clin-d'œil murmura qu'il était vraiment désolé d'avoir causé une frayeur pareille à monsieur Watson ; mais quand l'autre se contenta de grogner en regardant la rivière au-delà d'eux comme s'il réfléchissait à ce qu'il allait faire des cadavres de ces deux garçons, Clin-d'œil perdit tout courage et sa voix se brisa. Ce qu'il voulait dire, piaula Clin-d'œil — toute sa nervosité revenait, rien qu'à évoquer encore tout ça —, ce qu'il voulait dire, c'était que les Atwell seraient très heureux de lui rendre son argent jusqu'à ce qu'ils aient réglé le problème des Tucker. Mais Watson se contenta de secouer obstinément la tête ; finalement, le bras de Clin-d'œil se fatigua et il rempocha son argent.

Maintenant, tout ce que les Atwell désiraient, c'était de filer n'importe où le plus vite possible. Mais Watson restait là, la botte sur l'amarre, et Clin-d'œil réussissait à penser qu'à une seule chose : surtout pas regarder cette petite botte. Ed a enfin cligné des yeux, presque avec surprise, comme s'il venait de se réveiller d'un long rêve — je répète les paroles de Clin-d'œil — et qu'il découvrait ces deux étrangers près de son quai.

— Vous autres, vous pouvez bien me refiler ce pognon, dit-il d'une voix pâteuse, ou le donner à ce putain de Tucker, ou encore vous pouvez vous le coller dans votre cul merdique de *conch*. Mais peu importe ce que vous en ferez, E.J. Watson a acheté cette concession sur la Key de l'Homme perdu et il veut que ces gens-là en aient déguerpi dès lundi prochain.

Des paroles aussi dures effacèrent comme qui dirait tout le plaisir de la visite. Clin-d'œil répondit donc :

— Alors d'accord, Ed, mais pourquoi n'écris-tu pas sur un papier tout ce que tu désires, et puis nous transmettrons ce papier à Wally Tucker.

Watson prit son élan et lança son verre de whisky le plus loin possible, presque jusqu'au milieu de la Chatham. Puis il rentra chez lui d'un pas lourd, il griffonna un mot bref et le rapporta aux Atwell. Il portait plus sa redingote, il leur dit pas au revoir, il les regarda même pas s'éloigner. Comme ils dérivaient au fil du courant vers la Courbe, ils le virent remonter vers son champ. Ils me dirent que le jeune Rob se retourna, puis se remit au travail.

Wally Tucker était un gars blond et de taille moyenne. Il prenait trop de soleil, il avait le visage tout craquelé. Lentement, il lut le message de Watson, puis il leva les yeux vers les garçons Atwell, qui ne savaient pas lire.

– Qu'est-ce qu'il dit, alors ? demanda Clin-d'œil.

Wally leur lut le message :

> L'acte de renonciation à la Key de l'Homme perdu a été légalement vendu ce jour au soussigné. Il est fortement conseillé à tous les squatters, intrus et autres pouilleux de s'en aller avec toutes leurs saletés, humaines ou matérielles, dès réception de cet avis s'ils ne veulent pas encourir de graves sanctions.
>
> (signé) E.J. Watson.

Après avoir lu ces mots à voix haute, Tucker fut tellement en colère qu'il jeta la feuille de papier, mais Clin-d'œil la récupéra avant de partir, car nous l'avons vue plus tard. Il se retourna pour contempler sa maison toute neuve ; debout sur le seuil, sa jeune femme regardait la scène. Il leur dit qu'un jour Watson avait saisi les fesses de Bet et qu'elle l'avait giflé, voilà comment il l'avait insultée.

– Elle m'a juste dit hier ce qu'il lui avait fait. Bet doit accoucher d'un jour à l'autre maintenant, ajouta-t-il, l'air hagard. Elle a vraiment pas besoin de toutes ces complications.

Puis les frères Atwell et lui redescendirent et regardèrent un moment l'eau tandis que leur respiration se calmait.

– C'est vous autres qui avez vendu notre maison sans nous prévenir de rien, leur dit-il en traçant des X furieux dans le sable, vous avez vendu ce qui vous appartenait même pas, une propriété qu'était même pas légalement à vous. Ce terrain appartient à l'Etat, ces marécages à demi submergés, vous croyez peut-être que je le sais pas ? Les Atwell possèdent aucun acte de renonciation, vu que vous avez jamais été squatters ici et vous avez jamais rien amélioré. » Il tourna soudain la tête vers sa maison et son quai. « S'il fallait payer quelqu'un, c'était moi. »

Clin-d'œil regarda brièvement son frère Edward, puis sortit l'enveloppe de Watson.

— C'est point comme ça qu'on procède ici, dans les Iles, avertit-il Tucker, mais on tient à être justes et on va partager ça avec toi.

Pour la seconde fois de la journée cet argent fut proposé, et pour la seconde fois il fut refusé. Puis Tucker le saisit brusquement et en prit soixante dollars avant de le rendre.

— Dites-lui que j'ai rien pris de son sale argent, dit Tucker, seulement les arriérés de salaire qu'il me devait. » Un instant, il parut effrayé, puis sa détermination revint. « Je compte pas me tirer d'ici, chuchota-t-il. Je compte pas plier bagages. »

La résistance de Tucker les surprit, les effraya même, ils l'avertirent du tempérament de monsieur Watson. Il adressa un drôle de regard à Clin-d'œil et lui dit :

— Je me suis déjà frotté à Ed Watson, et il m'a pas encore flanqué la trouille. Tant que je lui tournerai pas le dos, je serai en sécurité.

Tucker écrivit alors son propre message et les Atwell le rapportèrent à Watson dès le lendemain. Clin-d'œil n'apprit jamais ce qu'il contenait, parce que Watson lui en parla pas, il se contenta de le lire très vite, puis de jeter le papier sur la table. Après quoi il repartit dans son champ. Refusant de leur parler, refusant de les écouter. Ils l'appelèrent, ils lui crièrent qu'ils seraient très heureux de lui rendre son argent, mais il ne se retourna même pas.

Rentrant dans le sud, les Atwell se sentaient mal à l'aise, et c'est alors qu'ils sont venus nous dire au revoir à Wood Key. Ils nous ont suppliés d'aller raisonner Wally et on leur a promis de passer le voir d'ici un jour ou deux. Voilà comment les Atwell mirent le cap sur Key West en abandonnant tout derrière eux.

Un pêcheur, Mac Sweeney, arriva ce même soir à Wood Key. Mac était un vagabond qui vivait sur un vieux bateau équipé d'un abri en chaume et d'une couche de terre à fond de cale pour y faire du feu. Mac était de partout et de nulle part, il gagnait sa vie là où qu'il trouvait du boulot. Il cherchait un repas à l'œil, comme d'habitude. Il nous dit qu'il était passé à la Key de l'Homme perdu à l'aube, qu'il avait vu le petit sloop de Tucker là-bas, mais que juste après avoir quitté la rivière il avait entendu des coups de feu.

— Sûr qu'on tirait sur de la vermine, dit mon frère Gene.

Mais Gene refusait de me regarder.

Mac Sweeney est passé nous voir peu après que nous autres, les frères Hamilton, on s'était installés sur Wood Key pour commencer notre pêcherie. Gilbert Johnson était déjà là-bas et Gene et moi avions l'œil sur ses deux filles.

Ma Sarah était une fille mince, jolie et sans secrets, qui courait comme un chevreuil, riait, cabriolait et avait pas la langue dans la poche. Un jour qu'elle était assise sur le sable, les bras autour des genoux, une idée si drôle et si soudaine lui traversa l'esprit qu'elle s'est laissée tomber en arrière en fouettant l'air de ses jambes brunes et fermes purement sous le coup de la joie. Elle gardait sa jupe bien serrée autour d'elle, évidemment, mais j'ai eu le temps d'apercevoir ses fesses comme un cœur, un joli cœur renversé de la Saint-Valentin. Et voilà, je l'aimais pour la joie qu'elle avait et pour son rire étincelant, mais aussi j'étais violemment attiré par elle. C'était pas seulement que je la désirais, c'était comme si elle était une partie perdue de moi-même que je devais récupérer coûte que coûte si je voulais retrouver mon souffle. Par la suite, on a vécu à la Key de l'Homme perdu.

La seule fois que j'ai jamais été piqué par un serpent, j'étais avec Sarah à relever des pièges de ratons laveurs, je suis allé sur le rivage dans un endroit marécageux, j'ai longé une bûche, j'ai sauté pour enjamber une mare et j'ai atterri pieds nus pile sur un gros mocassin d'eau. Il m'a mordu, c'était plus fort que lui pardi, y avait un bon demi-mètre de son corps qu'était libre de se retourner contre moi. J'ai bondi pour m'écarter de lui, mais j'ai senti ma douleur. Je me suis adossé contre un arbre, trop faible pour le tuer, les yeux rivés à cette gueule blanche et mortelle qui oscillait dans la pénombre, et je me sentais de mal en pis à chaque minute qui passait.

— Qu'est-ce qui t'arrive ? crie Sarah.

— J'pense que j'me suis fait piquer par un serpent.

— Tu *penses* ? Tu t'es fait piquer ou pas ?

Elle traverse donc le marécage, me remonte le pantalon pour regarder : pas la moindre trace, aucune marque de morsure.

— Eh ben, je fais, j'pense que j'me sens rudement mieux.

— Tu penses trop, me dit Sarah complètement dégoûtée.

Elle agace le serpent pour lui faire redresser la tête et, d'un seul coup de son bâton, elle le tue.

Sarah et Rebecca connaissaient bien Bet Tucker. Elles disaient que c'était Bet qui avait le vrai esprit pionnier pour venir à bout de la solitude et de la dureté de la vie, elles disaient que son mari était un jeune gars assez gentil, mais qu'il avait pas assez d'ambition ni de cran pour se faire sa place au soleil des Iles.

Mais le jeune Tucker avait beaucoup plus de cran que Sarah et Rebecca le croyaient. Il avait la ferme intention de tenir tête à Ed Watson, chose peu commune dans la région. Ed savait tirer et Ed tirerait, telle était la rumeur. Beaucoup d'entre nous savaient tirer vraiment bien, mais on préférait pas échanger des coups de feu avec Ed Watson, sauf cas de force majeure ; et le jour où on comprendrait que c'était un cas de force majeure, eh ben on serait déjà mort.

Sarah Johnson avait seulement douze ans cette année-là, nous nous sommes mariés deux ans plus tard, mais elle était déjà du genre têtu, à toujours se mêler des affaires des hommes. Elle disait que Bet était comme une sœur aînée pour elle, si bien qu'elle voulait aller voir ce qui se passait, mais j'ai refusé en avançant que la nuit tomberait avant qu'on arrive. Les hommes iraient là-bas de bon matin et miss Sarah Johnson resterait à la maison.

Pour une fois Sarah n'a pas discuté, peut-être parce qu'elle m'aimait beaucoup.

— Si Bet perd cet enfant, ce sera entièrement de la faute de Wally, dit-elle seulement.

Alors Gene éclata :

— Si elle perd rien que ce gosse, elle aura de la chance !

Nous le savions tous, bien sûr. C'était vraiment pas la peine que Gene bouleverse ma brave petite.

Cette jeune dame si vive savait s'y prendre avec E.J. Watson, elle savait l'amadouer. Lui-même pensait beaucoup de bien de Sarah, il la respectait, et par la suite je devais constater avec surprise l'espèce de timidité qui s'emparait de ce rude gaillard en présence de Sarah, presque comme s'il avait besoin de son approbation. Oh, elle était directe, elle se campait devant E.J. en lui disant qu'elle voulait savoir toute la vérité sur son existence. Il semblait reconnaissant qu'on ait envie d'apprendre sa version des faits, si bien qu'il se confia à elle, il lui confia des choses qu'il aurait jamais dites à personne. Peut-être que certaines étaient vraies, et d'autres pas. Mais Sarah ne parvenait pas à croire que monsieur Watson « ferait jamais, jamais le moindre mal à une jeune dame aussi aimable ».

On se demandait justement ce qu'on devait faire quand Henry Short est arrivé. Il cherchait Liza. Non qu'il nous ait jamais dit grand-chose. Il pouvait pas. Il a pas prononcé une seule fois le nom de cette fille, même s'il l'entendait chanter près de la cabane de la cuisine. Ce pauvre gars savait qu'on l'aimait bien et qu'il était toujours le bienvenu parmi nous, mais il savait aussi comment notre maman risquait de réagir aux roucoulades d'un garçon à peau brune, et peu importait que Liza ait eu la peau plus foncée que lui.

A cette époque, dans tout le pays, on lynchait les Noirs à gauche et à droite dès qu'ils tournaient autour de nos vierges blanches. La plupart des colons de cette région étaient descendus dans le sud pour échapper à la Reconstruction, si bien qu'ils apportaient leur haine du nègre dans notre secteur, ils toléraient pas leur présence. Plus tôt la même année dont je cause, les journaux ont parlé d'un nègre de La Nouvelle-Orléans assez fou pour résister à ceux qui venaient l'arrêter pour le lyncher. Ce gars s'est révélé être un as de la carabine, ce que les négros sont pas censés être, et il a descendu toute une tripotée de policiers avant qu'ils l'achèvent. A cette époque-là, les gens de Chokoloskee murmuraient qu'Henry Short aussi était un tireur hors pair, mais qui diable avait bien pu apprendre à tirer comme ça à un nègre, y avait vraiment des inconscients, non ? — des trucs de ce genre. Henry Short passait donc beaucoup de temps sur les rivières. Il restait tout près du clan House et gardait un profil bas.

Bon, Henry chassait dans le coin pour avoir l'occasion de ramer quinze kilomètres, entre la Butte des House et ici, il disait qu'il avait oublié son couteau de poche la dernière fois ou bien il inventait un prétexte aussi idiot et on l'aidait de notre mieux à rendre son histoire vraisemblable, on l'aidait tous sauf Gene qui était plein d'orgueil et d'imbécillité et qui créait des problèmes à la première occasion.

— Ta saleté de chlasse est point dans le secteur, mon gars, lui disait Gene. Et Liza non plus.

Pour calmer le jeu, nous avons demandé à Henry s'il avait remarqué quelque chose d'inhabituel en passant devant chez Watson alors qu'il descendait la Chatham à partir de la Butte des House. Il a acquiescé.

— Bizarre, il a dit, comme je remarque toujours tout chez monsieur Watson.

Il a dit qu'il n'y avait pas de bateau au quai de Watson, pas le moindre signe de vie. Personne pour le héler et personne non plus dans le champ. La Courbe était silencieuse comme une tombe quand il y est passé. Alors Mac Sweeney s'est écrié :

— Oh, doux Jésus ! C'est comme je vous ai dit, les gars !

Le lendemain matin de bonne heure, pendant notre traversée vers l'Homme perdu, nous gardions nos carabines à portée de la main, mais nous sommes arrivés trop tard. De la fumée montait au-dessus de la berge de coquillages où se dressait le cabanon. Alors qu'on passait entre les bancs d'huîtres, j'ai senti qu'une surprise nous attendait sur le rivage. On était encore assez loin quand Henry a tendu le bras.

Il y avait quelque chose d'à moitié échoué sur la barre de sable, qui oscillait doucement dans le courant.

— De Dieu, les gars, a crié Mac Sweeney, qu'est-ce que c'est que ça ?

— C'est lui, dis-je.

Les cheveux de Wally flottaient, ses yeux révulsés le faisaient ressembler à un aveugle et il était pas dans l'eau depuis très longtemps car ses orbites étaient point remplies d'escargots de boue. Il avait toujours ses bottes aux pieds, rendues toutes visqueuses par l'eau salée. Une botte, voilà tout ce que Walter a réussi à agripper, la première fois qu'on a essayé de le hisser, mais elle lui a glissé des mains. Quand j'ai sauté dans l'eau pour le saisir sous les bras, l'ombre d'un requin a quitté la berge pour rejoindre le chenal.

En hissant le corps sur le sable, j'ai remarqué une tache sombre qui s'élargissait sur mon pantalon. C'était pas une morsure de requin qui saignait, mais un trou dans la poitrine, qui lui avait fait éclater le cœur.

— Ah, merde ! a fait Gene en se mettant à tousser.

Walter avait l'air bizarre pour un gars à la peau foncée : il avait pas tant pâli que viré à une nuance de gris malsain. Le visage clair d'Henry Short paraissait légèrement verdâtre.

Moi, je sais pas quelle tête je faisais, mais ça devait pas être fameux. Je respirais par la bouche rien que pour garder mon gruau dans l'estomac.

— Tiré dans le dos, dit Henry.

Alors, mes deux frères et moi on s'est mis à hurler et à jurer — « Ce salaud qui tire dans le dos des gens ! » — pour nous empêcher de vomir ou de fondre en larmes. Henry secouait la tête, juste un peu, mais il a arrêté quand il a remarqué que Gene l'observait.

Près de la cabane incendiée, nous avons trouvé la caisse où Tucker avait été assis, son filet à ouïes et son aiguille, et puis du sang séché sur les mailles et dans le sable. Y avait pas la moindre trace du bateau de Tucker, aucun signe de Bet. On est tombés sur un cercle dans le sable et sur un sac de billes, et puis au bord de l'eau un grand château de sable, comme si qu'un garçon était passé par là, mais y avait pas le moindre signe de garçon non plus. C'était sans doute le garçon manqué qui sommeillait chez Bet, qui jouait à tout ça pour tuer le temps. Nous espérions qu'elle s'était enfuie et cachée, mais aucune voix a répondu à nos appels, seulement le cri des gros oiseaux qui picoraient les huîtres sur les bancs.

On a roulé Wally Tucker dans une bâche en toile avant de le hisser dans le bateau. Personne avait envie de découvrir Bet, mais on est tous partis à sa recherche, ramant vers l'est et la première baie de l'Homme perdu et tout autour de l'île. On a sillonné l'île de long en large, inspecté les berges et la longue bande de sable de la plage de l'Homme perdu, tout du long jusqu'à la Rodgers.

— Fils de pute ! explosa Gene, tout prêt à fondre en larmes.

Nous avons appelé, encore et encore. Un chat-huant nous a répondu, très loin dans les arbres. Le crépuscule tombait des mangroves et la nuit nous a surpris à Wood Key.

Sarah est descendue jusqu'au bateau et à regardé à l'intérieur. Elle a seulement vu des bottes et de la toile.

— Pourquoi l'avoir ramené ici ? dit-elle.

— On voulait pas le laisser tout seul là-bas, j'ai répondu.

— Bet aussi est toute seule, a-t-elle chuchoté.

L'une des rares fois de ma vie où j'ai vu ma Sarah pleurer.

Le lendemain matin, Mac Sweeney partit pour Key West. Il avait toujours eu l'intention d'aller y prendre une bonne biture et il voulait être le premier à annoncer la mauvaise nouvelle. Sarah dit que nous devrions ramener Wally sur l'île et l'enterrer près de sa maison toute neuve. Ainsi, Wally était toujours avec nous dans le bateau quand Henry Short, mes deux frères et moi sommes retournés là-bas le lendemain matin.

Alors qu'on passait sur les hauts-fonds, j'ai vu une trace de quille dans la vase. Mon cœur a fait un bond et j'ai poussé un cri, car je prenais conscience pour la première fois que je connaissais la trace de quille du bateau de Watson. J'avais sans doute regardé son vieux rafiot passer sur un haut-fond quelque part dans les baies et j'avais enregistré à quoi ressemblait la trace de son bateau.

— M'sieur Watson, a fait Henry.

Henry Short a reconnu cette trace en même temps que moi. Maintenant que j'y repense, la plupart des hommes dans les Dix Mille Iles connaissaient sans doute l'empreinte de cette quille quand ils la voyaient. Remarquer des signes infimes est une bonne habitude quand on passe sa vie dans des terres sauvages. Peut-être que nous avions tous le même instinct : savoir où se trouvait tel homme, connaître ses traces.

Je devinais Bet tout près et tout à coup je l'ai vue, même si j'aurais pas su dire précisément ce que je voyais. Quand on connaît bien un bout de terrain, ce qui vous met la puce à l'oreille c'est un élément du paysage qui cloche, mais parfois on met un ou deux battements de paupières avant de le repérer pour de bon.

Pendant la nuit, la malheureuse avait refait surface dans une espèce de petit bras mort derrière la pointe, là où une chose dérivant vers le golfe pouvait rester coincée. Le visage tourné vers le fond, toute couverte de vase, y avait vraiment pas moyen de reconnaître la jeune femme mutine, grosse d'un enfant, qui riait et agitait le bras la dernière fois que vous l'aviez vue. Avec une rame, j'ai tiré Bet vers le bateau et elle s'est retournée très lentement en s'écartant de la coque. Ce que j'avais pris pour de la vase de rivière, c'était des petits escargots de boue tout noirs qui émettaient une faible lueur terne et scintillante. Ces escargots se déplaçaient en bouffant et ils avaient presque fini leur sale besogne sur le visage de Bet. Y avait plus d'yeux bleus pour nous faire le moindre reproche, grâce au Ciel, et plus de lèvres rouges non plus. Sans lèvres, ces dents blanches toutes saillantes transformaient cette jolie frimousse en tête de poney.

Gene s'est emparé de sa jupe longue, il a tiré dessus et a saisi une cheville au lieu de prendre le temps de l'agripper correctement sous les bras. Gene est toujours pressé, c'est la vie qui le démange sans arrêt. Comme j'avais pas envie de m'accrocher avec lui ce jour-là, j'ai pris l'autre cheville, mais quand on a tiré le corps vers nous, la tête de Bet a coulé, sa jupe a remonté le long de la dame de nage et on a vu ses cuisses blanches, ses poils, son sexe et son ventre tout gonflé. L'indécence de notre tentative m'a rendu fou de rage et, quand j'ai tiré cette jupe légère sur les jambes de Bet, le tissu s'est déchiré à demi à partir de la taille parce qu'il était tout pourri.

Alors Gene, il se sent obligé de gueuler :

— Un peu de respect, bordel !

Beaucoup trop violemment, il a arraché la toile qui entourait le cadavre de Wally, il a fait rouler le malheureux au fond du bateau et il m'a lancé la bâche pour que je puisse recouvrir Bet.

– Rends-la décente ! qu'il me crie, donnant les ordres comme à son habitude.

Bet Tucker avait pris une balle dans la tête. Y avait pas moyen de rendre cette pauvre âme décente, plus jamais. Mais le plus indécent était dû à la précipitation de Gene, si bien qu'il se met à houspiller Henry :

– Je veux pas qu'un nègre lui regarde sous les jupes, t'as pigé, Henry ?

Comme Henry Short ne réagit pas davantage que le pauvre Tucker tout gris vautré dans l'eau de fond de cale, Gene se met à gueuler plus fort :

– T'as pigé, morveux ?

– On t'a entendu, Gene, intervient Walter. Pas de nègres ici.

De temps à autre, Walter prend parti et, bien que Gene ferme maintenant sa grande gueule, Walter ne le lâche pas :

– On t'a compris, Gene, répète-t-il. Pas de putain de nègres dans le voisinage.

Les deux cadavres l'ont tout chamboulé, exactement comme nous.

Bien que plus âgé, Walter est une victime toute désignée, de sorte que je crie à Eugene d'aider Walter. Comme de juste, Gene fusille Henry du regard, et non ses frères. Henry Short ne brave pas le regard de Gene, mais il baisse pas non plus les yeux. Il regarde droit au-dessus de l'épaule de Gene comme s'il essayait de deviner le temps dans le lointain de l'été, et ses yeux plissés ressemblent à une grimace.

Gene devient tout rouge et ricane à Walter :

– Si tu veux te faire traiter de négro, vas-y !

Lorsqu'il sera plus grand, Gene veut devenir un vrai Blanc, si bien qu'il pense exactement comme ses amis de Chokoloskee. C'est pour ça qu'ils l'aiment bien. Quand Walter et moi, on le houspille, il nous dit :

– Y a des morts ici, et vous avez le culot de blaguer ! Montrez un peu plus de respect, bon sang !

On est allés à terre et on a cherché un peu avant de mettre la main sur la pelle de Wally Tucker. Y avait un terrain élevé derrière la berge, et on a creusé deux tombes dans le raisin de mer au-dessus du niveau de la marée haute, on a bricolé deux croix et on les a plantées dans le sable. On a enterré Bet Tucker, avec la boue, le sang, le bébé pas né et tout. Gene s'apprêtait à lui lancer une pelletée de sable sur le visage, même s'il avait un peu la tremblote, mais Walter l'a arrêté, il a enlevé sa vieille chemise et il l'a étendue sur elle.

— C'te frusque puante servira à rien, a marmonné Gene.

— Boucle-la, a dit Walter. Contente-toi de pelleter.

Je suis redescendu au bateau, j'ai respiré un grand coup et j'ai saisi son mari sous les bras, je l'ai tiré un peu, tout dégoulinant. Walter et Henry lui ont pris les chevilles. Au soleil, il était chaud à l'extérieur, mais derrière cette chaleur ce garçon aux cheveux blonds se réduisait à un paquet de bidoche froide, raide et puante, comme un vieux marsouin encroûté de soleil sur la grève.

Un mort pèse rudement plus lourd qu'un vivant, me demandez surtout pas pourquoi. Quand je lui ai soulevé les épaules pour qu'il puisse franchir le plat-bord, ses cheveux glacés lui sont retombés sur le visage et j'ai cru l'entendre soupirer. Sa ceinture s'est alors coincée, il m'a fallu respirer fort pour la libérer et j'ai bien failli m'étouffer à cause d'une puanteur si lourde et douceâtre que je l'ai toujours pas chassée des poils de mes narines.

On l'a déposé par terre sur le dos, un bras coincé sous le buste — impossible de le remettre en place, il était devenu tout raide. Ses yeux désormais gris paraissaient blessés, mais ils fixaient toujours le ciel. Quand je lui ai fermé les paupières, elles se sont aussitôt rouvertes, comme s'il avait pas confiance en nous. J'ai eu honte de l'humanité, moi compris.

— Je suis désolé qu'on soit arrivé trop tard.

Ces mots ont jailli de ma bouche et les larmes juste derrière, mais Gene m'a point entendu et il a rien vu non plus. Appuyé sur sa pelle, il crache dans le sable le goût du mort.

Avant de vomir, je me suis saisi de cette pelle et j'ai recouvert Tucker aussi vite que je pouvais pelleter, j'ai recouvert ce visage tout boursouflé qui luttait pour fixer le haut du ciel, qui implorait notre pitié. Je me suis même pas arrêté pour retirer ma chemise — par fierté, je voulais pas imiter Walter. D'une pelletée j'ai refermé ces deux orbites grises et d'une autre j'ai rempli cette bouche assoiffée. Mais le fait de lui jeter du sable brûlant dans la bouche m'a tellement secoué que j'ai poussé un grognement et mon coup de pelle suivant a été pour le ventre de Gene, pour qu'il arrête de ricaner. Gene a compris qu'il avait pas intérêt à moufter.

Après ça, je jurais à chaque pelletée. Je sais plus quelles horreurs j'ai sorties, mais fallait que je hurle. J'ai enterré des hommes depuis, j'ai enterré des enfants depuis, mais ces pauvres Tucker, ç'a été le pire boulot de ma vie.

Une fois les tombes remplies, j'ai regardé autour de moi en reprenant mon souffle. Tout était si tranquille sur cette petite île, sous ce ciel blanc, que j'entendais les battements de mon propre cœur. Quand je repense à cette plage au matin, quand je me dis qu'un demi-siècle a passé depuis, je me rappelle ce silence et je sens toujours l'odeur du mort. Aujourd'hui encore, cette odeur imprègne mes poils de narine, est-ce que c'est pas quelque chose ? Sentir l'odeur d'un mort cinquante ans après ?

Etant l'aîné, Walter s'est redressé très droit, il a planté la pelle dans le sable et il a marmonné une prière :

— Dieu tout-puissant, voici deux autres pauvres créatures qu'héritent de la terre.

Quelque chose comme ça. Henry et moi, on a dit « Amen », mais Gene il s'est contenté de rigoler en flanquant une grande claque dans le dos de Walter.

Je me suis mis à respirer très fort en essayant de décider ce qu'il fallait faire. J'avais envie d'aller directement à la Courbe de Chatham pour flanquer une balle dans le cerveau dérangé de ce salaud. N'importe qui d'autre que lui aurait enterré ces deux cadavres, au moins il aurait pu s'en débarrasser quelque part, les emmener dans le golfe et les faire couler – n'importe qui aurait au moins eu l'humanité de faire le ménage derrière soi, tout en sachant qu'y avait pas moyen de se cacher du Seigneur.

Une fois, pas longtemps avant sa mort, le Français m'a averti pour Watson.

— L'est *really charming*, je suis *astonné* ! J'aime *very much*, je peux pas empêcher moi. » Il hocha la tête en pointant un index vers mes yeux. « Mais aussi, je *hate* Watson, tu comprends ? John Leon ! Moi, j'avertis toi ! Cet homme n'est pas ordinaire vermine, il est chose autre, il est... ! » Chevelier chercha le mot adéquat, mais ne le trouva pas.

— Fou ? hasardai-je.

Il agita violemment le doigt, s'en frappa la tempe, secoua ses deux mains au-dessus de lui comme une grenouille empalée.

— *No, no* ! Pas fou ! Il est – *mau-dit* ?

On s'est jamais remis de l'idée de Chevelier, comme quoi monsieur Watson en pouvait mais, et qu'il était maudit. C'était le prétexte qu'on se donnait pour l'aimer bien. Ma Sarah, qu'avait vraiment les pieds sur terre, pensait que le Français avait raison, et certains habitants de Chokoloskee partageaient son point de vue. Mais aujourd'hui je suis pas sûr de ce qu'on voulait dire par « maudit », à moins qu'on parlait de malédiction divine. Si Dieu était responsable, alors qui était le coupable, Dieu ou Ed Watson ?

Les gens de Chokoloskee ont jamais connu les Tucker – ils mangeaient pas, ils blaguaient pas avec eux, comme nous, ils les ont pas enterrés – et en quelques années toute l'histoire a été chamboulée. Henry Short, lui, il connaissait la vérité, mais il a eu assez de jugeote pour fermer son clapet, même quand une rumeur est arrivée de Key West à propos d'un jeune garçon qui était venu en visite avec Wally Tucker et on s'est alors rappelé que les Atwell avaient cru le voir. Smallwood et les autres ont raconté un peu partout que Watson avait tué « Tucker et son neveu », car ils ne voulaient pas croire qu'un aussi bon voisin collerait une balle dans le crâne d'une jeune femme. C'était bien les Hamilton, dirent les gens, d'aller imaginer une histoire aussi horrible. Et à la fin, mon frère Gene, qu'avait pourtant regardé sous les jupes de Bet Tucker, il est tombé d'accord avec eux.

Nous savons rien de rien sur un éventuel garçon. Mais Watson – ou quelqu'un – a tué Bet Tucker, et tous les quatre nous l'avons enterrée en ce jour funeste.

Deux adjoints se sont pointés quelques jours plus tard en disant qu'un certain Mac Sweeney avait averti le shérif de Key West que des meurtres atroces avaient eu lieu à la rivière de l'Homme perdu. Ce Sweeney avait refusé de nommer le moindre suspect, mais le shérif Knight avait toute raison de soupçonner monsieur E.J. Watson.

– Il nous a dit de vous déléguer nos pouvoirs, à vous les mulâtres de Wood Key, ajouta l'un des adjoints.

Papa leur a pas opposé un non définitif, simplement il s'est mis à les taquiner. Et quand Papa taquinait, ça voulait dire qu'il était en colère. Il leur a parlé en grognant sourdement, un peu comme une vache, il gémissait, marmonnait, plaidait que ses seuls fils étaient trop jeunes pour mourir sous prétexte que ces deux adjoints cherchaient à se faire trouer les oreilles, et de toute façon monsieur Watson était leur voisin généreux ainsi que leur ami, et comment que les Hamilton pourraient ainsi retourner leur veste et se dresser contre lui ?

Walter avait pris la porte dès l'entrée des représentants de la loi : c'était sa manière à lui de leur répondre.

— Et toi, mon gars ? me dirent-ils. Deux dollars rien que pour nous guider ?

— Sans façon, que je leur ai répondu.

J'étais fou de rage contre Ed Watson et je me demandais ce que Papa aurait raconté s'il avait vu et respiré et manipulé toute cette bidoche froide, mais j'ai dit aux adjoints que je voulais pas être mêlé à ça.

Notre maman reniflait bruyamment pour manifester son dégoût — d'ailleurs, de manière générale, elle était dégoûtée presque tout le temps. Papa a repris :

— P't-êt que vous pourriez déléguer vos pouvoirs à c'te grosse femme blanche là-bas qu'est en train d'éplucher ses mange-tout. Elle est solide comme le roc ; les yeux fermés, elle vous dégomme une égrette à cent mètres et elle vous posera point d'questions indiscrètes.

Maman a bruyamment posé sa casserole et elle est rentrée.

Les adjoints au shérif redoutaient monsieur Watson et avaient les nerfs à fleur de peau, si bien qu'ils ont averti Richard Hamilton que c'était un cas patent de meurtre commis de sang-froid et sûrement pas le moment de faire des putains de blagues de mulâtre.

— Ça fait deux fois, que je leur ai dit. Vous devriez faire attention à qui vous traitez de mulâtre.

Papa m'a fait taire pour s'expliquer :

— Faudrait pas nous comprendre de travers. Cette famille ici présente défend point les meurtres commis de sang-froid, et pas non plus de sang chaud, car contrairement à certains chrétiens plus communs, nous autres Romains ne défendons le meurtre d'aucune taille ni forme, d'aucune race ni couleur ni foi.

D'accord, y avait des gens qui s'étaient fait trucider, jusque-là ils étaient dans le vrai, mais il avait jamais vu la moindre preuve contre Ed Watson.

Gene venait d'entrer dans la pièce, juste à temps pour entendre notre papa jouer les ignorants.

— Hé, p'pa, qu'il s'écrie, nous avons vu la trace de sa quille ! C'est-y pas une preuve, ça ?

— P't-êt que c'en est une, a fait papa, mais comme je dis, moi je l'ai jamais vue.

Comme il en avait fini, son visage se ferma, mais Gene passa outre cet avertissement, tellement qu'il était occupé à faire le malin devant ces deux gars de Key West. Il s'avança, se fit déléguer des pouvoirs d'adjoint, fier comme un coq, même qu'il leur adressa un salut. Dès qu'il fut adjoint, il se mit à se gausser :

— On dirait que papa et son précieux John Leon ont une sacrée pétoche d'Ed Watson.

Papa me saisit le poignet pour m'empêcher de me coltiner avec mon frère.

— Tu as la langue sacrément bien pendue, Gene, dit papa en retrouvant sa voix normale, mais sur un ton très froid. Peut-être vas-tu décrocher le gros lot, Gene, qui sait ?

Quand Gene quitta la maison pour guider les deux adjoints sur la Chatham, il suait déjà de trouille. Il jeta même un coup d'œil derrière lui en espérant qu'à la dernière minute son père interdirait à son fils d'y aller. Mais papa fit comme si de rien n'était, il se dorait tout bonnement la pilule au soleil en se coupant une aiguille à filet toute neuve dans une badine de palétuvier rouge. C'était fini avec Gene, qui venait de s'élever contre la volonté de son père. Tout le restant de ses jours il a été poli avec lui, mais il lui a plus jamais causé comme à un fils. Voilà comment il était, notre papa. Jamais en colère, mais quand il laissait tomber quelque chose, ça voulait dire qu'il en avait terminé avec, comme s'il venait de chier.

— La vie est trop courte pour qu'on perde son temps à regarder en arrière, disait-il.

Quand le bateau a disparu, Papa a dit :

— Peut-être qu'Eugene a l'étoffe d'un adjoint de shérif, qu'en penses-tu, toi ?

Et sur le tard, c'est exactement ce que Gene Hamilton est devenu : adjoint de shérif.

Lorsque les deux gars de Key West ont déposé Gene au retour, ils ont refusé de nous dire ce qu'ils avaient vu. Gene mourait d'envie de cracher le morceau, mais il s'est vu interdire tout commentaire. Cependant, quand Liza s'est mise à flirter un peu, tout ça est sorti aussi vite qu'un œuf du cul d'une poule.

Ils avaient trouvé le Lieu de Watson absolument vide, nettoyé de fond en comble. Sur la table il y avait le message froissé de ce pauvre Wally, de grosses capitales écrites au crayon. Ed Watson n'avait pas détruit cette preuve, et les adjoints prirent même pas la peine de s'en saisir, vu qu'ils savaient pas lire. C'est Gene qu'a eu assez de bon sens pour rapporter ce message à la maison. Quand il l'a sorti de sa poche, les adjoints, plutôt fumasses, lui ont dit que devant un tribunal de justice les messages rédigés à la main valaient même pas le prix du papier sur lequel ils étaient écrits.

Miss Sarah Johnson a jeté un coup d'œil sur ledit papier, puis s'est mise à chantonner assez fort pour qu'on l'entende :

— Ce billet a peut-être aucune valeur pour des adjoints, mais n'importe qui sachant lire y verra la preuve que Wally Tucker est l'idiot responsable de la mort de Bet !

Et à travers ses larmes, elle a lu à voix haute :

MONSIEUR WATSON
PAR LE FEU DE L'ENFER ET LE SEL DE LA MER
JE DÉCANILLERAI PAS DE LA KEY DE L'HOMME PERDU
AVANT MA RÉCOLTE

Le feu de l'enfer arriva plus tôt que prévu pour le pauvre Wally, et le sel de la mer aussi

Des références à la carrière d'E.J. Watson dans les Dix Mille Iles apparaissent dès les Enchantements de la Floride, *publié à New York en 1908. Ce récit (déjà cité) évoque les aventures, dans les terres sauvages du sud de la Floride au tournant du siècle, d'un riche Yankee, M. Anthony Dimock et de son fils Julian, qui lui servait de photographe.*

Trois protagonistes au moins de l'histoire de Watson sont associés aux Dimock. Bill House et George W. Storter Jr. (qui fut ensuite juge de paix) leur servirent de guides, et Walter Langford reçut apparemment l'auteur dans sa plantation de citronniers de Deep Lake, dans le Big Cypress. Comme M. Watson était encore en vie, Anthony Dimock changea le nom d'E.J. Watson en J.E. Wilson, mais on ne peut guère se méprendre sur l'identité réelle de cet homme « cordial », ici décrit comme « le personnage le plus pittoresque de toute la côte ouest de la Floride ». Notre auteur, ailleurs volontiers ironique, semble conquis par ce « J.E. Wilson » et fasciné par les légendes qui commencent déjà à l'entourer — c'est donc le premier écrivain, et certes pas le dernier, à succomber au charme puissant de notre homme.

Sans mentionner spécifiquement l'épisode Santini, les Dimock confirment la réputation qu'avait M. Watson d'être une terreur des saloons de Key West. (A cet égard, voir aussi le Mauvais Homme des Iles, *dans* la Floride pionnière, *par le célèbre éleveur de bétail et ancien maire de Tampa, M. D.B. McKay — et surtout un compte rendu très vivant d'un épisode ayant pour cadre la quincaillerie Knight & Wall de Tampa, où M. Watson entra ivre mort, surprit une conversation à propos d'une école de danse, puis « dégaina un gros pistolet et tira un coup de feu dans le plancher près de ses pieds et commanda : " Bon, eh ben maintenant voyons si vous savez danser ! " » Personne ne fut blessé, et le gredin fut jeté en prison.)*

Le livre de Dimock évoque la tentative d'arrestation ratée de

Brewer et une autre tentative similaire d'un adjoint de Key West qui fut désarmé puis mis au travail dans le champ de canne à sucre de Watson. (Je n'ai pas réussi à déterminer la date exacte de cet événement souvent attesté, à cause de la disparition des archives du shérif de Key West.) Selon Dimock, cet adjoint devint l'admirateur et l'ami de son ravisseur et par la suite il le présenta dans un saloon de Key West comme « monsieur J.E. Wilson, des Dix Mille Iles » qui se préparait à dégommer l'éclairage à coups de revolver, ce qui fit aussitôt fuir la clientèle. Que cette histoire soit vraie ou pas, il semble raisonnable de penser que M. Watson faisait régulièrement scandale à Key West.

Le livre de Dimock défend la thèse locale (et la mienne aussi bien) selon laquelle E.J. Watson n'était qu'un hors-la-loi parmi les nombreux malfaiteurs réfugiés dans cette région sauvage :

> *Les conditions de vie dans le sud de la Floride sont très précaires. Cette région a peu changé depuis que sa géographie tourmentée permit aux Séminoles de prolonger leur résistance au gouvernement des Etats-Unis, et ils n'ont d'ailleurs jamais été mis au pas. Trois comtés, Lee du marais de Big Cypress, Dade des Everglades et du lac Okeechobee, Monroe des Dix Mille Iles, contiennent presque toutes les dernières terres non cadastrées et sauvages, en attente d'exploration, de ce pays.*
>
> *Dans ces îles, la société est à peine organisée et les habitants sont extrêmement rares. L'un des hommes les plus importants de cette côte me dit que l'exercice de la justice était trop coûteux et trop incertain pour cette région et que les gens avaient l'habitude de régler eux-mêmes leurs querelles, une coutume homicide qui m'a coûté quatre guides au cours de mes quelques années d'exploration...*
>
> *Les dédales des Dix Mille Iles sont devenus un sanctuaire pour tous les fugitifs depuis une date antérieure à la guerre de sécession. A cette époque, elles accueillirent les déserteurs de l'armée confédérée, dont certains continuent d'y vivre en ignorant apparemment que leur clandestinité est désormais superflue... Souvent, parmi les marais de cyprès ou de palétuviers qui longent les Everglades, vous rencontrez des hommes qui détournent le visage, ou alors, s'ils vous regardent, qui vous rient au nez lorsque vous*

leur demandez leur nom... Ces parias installent des pièges à loutres, tirent les alligators et les oiseaux aux plumes chatoyantes, vendent les peaux, les dépouilles et les plumes aux marchands qui les contactent en secret ou par le biais d'Indiens qui les aident souvent sans jamais les trahir... Parfois, ces hors-la-loi s'entretuent, d'habitude à cause d'une roukerie que deux hommes ou plus revendiquent à leur seul usage. Je suis passé devant le camp de deux de ces hors-la-loi près duquel une douzaine de peaux de loutres étaient suspendues ; quelques jours plus tard j'ai appris que ces deux hommes avaient été tués, sans doute au cours d'une rixe, mais peut-être aussi par un troisième bandit tenté par toutes ces peaux...

Les Dimock décrivent ce qui était sans doute la plantation de la famille Atwell sur la Rodgers, « tout abandonnée, à vendre, mais sans le moindre acquéreur. Il y avait là de splendides palmiers royaux et dattiers, des palmettes et des tamariniers, mais les occupants ont découvert des dessins de crânes et de tibias entre-croisés sur ces arbres, une injonction à laquelle ils ont récemment obéi, influencés aussi par sept morts mystérieuses survenues dans le voisinage. L'histoire de ces meurtres et le nom de ceux qui les ont sans nul doute commis sont sur toutes les lèvres, et même sur celles des enfants de la côte, mais toute preuve tangible manque ».

Malgré l'emploi judicieux du pluriel dans cette dernière phrase, on ne saurait douter dans ce contexte que l'assassin présumé est Wilson / Watson. (Les Mémoires de Ted Smallwood mentionnent également que Watson fut accusé de la mort de sept hommes, y compris Quinn Bass ainsi que « Tucker et son neveu », mais au moins deux parmi les sept malchanceux cités par Smallwood semblent avoir péri après la publication du récit de Dimock.)

Bill House

Je tenais du Français le nom de ses acheteurs de plumes et j'ai fait de mon mieux pour continuer à bien bosser. Pendant un temps, avant que les oiseaux se fassent plus rares, mes voisins récoltaient les plumes pour moi, car y avait rien que des miséreux à Chokoloskee, excepté Smallwood. On prenait au piège des tangaras rouges, on les vendait aux rois du cigare cubains de Key West – ces Cubains les enfermaient dans des petites cages, ils aimaient bien les entendre chanter. C'était avant que ces deux mauvais ouragans, à la fin de l'époque de Watson, bousillent tout le commerce du cigare jusqu'à Tampa, tout au nord. (J'en ai fumé plein, des Tampa Nugget, depuis cette date.)

Les Andiens prenaient quelques égrettes, ils les échangeaient avec leurs peaux de loutres contre de la poudre à fusil et du whisky. Les rookeries au bord du lac Okeechobee, elles ont été bousillées en quatre ans, et vers le tournant du siècle y avait presque plus d'oiseaux sur la côte ouest, entre Tampa tout au nord jusqu'au cap Sable au sud. Si vous vous rappelez que les plumes valaient exactement deux fois leur poids d'or, vous comprendrez pourquoi les gars se bagarraient pour une rookerie et tiraient pour tuer. Les jeunes Robert s'associèrent avec les Bradley, et ces gars-là s'en tiraient encore vraiment bien autour de Flamingo, mais presque partout ailleurs les oiseaux se faisaient si rares que nous autres chasseurs professionnels avons posté des gardes autour des rares et pitoyables rookeries qui restaient. Et puis les gens d'Audubon faisaient de plus en plus de vagues et en 1901, l'année de la disparition de Watson, la chasse à la plume fut interdite par une loi en Floride. Eh oui, notre propre État de Floride décréta des lois contre notre mode de vie autochtone !

Le seul résultat, c'est que les prix ont grimpé. Ces lois furent adoptées pour calmer les amateurs d'oiseaux dans le nord du pays, mais personne a jamais été fichu de les appliquer, ces saletés de lois. Le seul qui les a prises au sérieux fut le jeune Guy Bradley, premier garde-chasse de l'Etat de Floride ; mais le Bradley, il a pris son boulot beaucoup trop au sérieux pour son propre bien.

Guy Bradley se fit descendre en 1905, pas longtemps après qu'Ed Watson a refait surface, et quand cette mauvaise nouvelle est arrivée de Flamingo, tout le monde a accusé Ed Watson, comme d'habitude. Lorsqu'un autre garde-chasse s'est fait trucider à coups de hache en 1908 près de Punta Gorda, ce crime aussi fut porté au compte de Watson, alors que tous les habitants de Punta Gorda connaissaient le vrai coupable. Personne a jamais été arrêté, pour autant que je sache. Je dis pas que c'est bien, j'ai mes doutes là-dessus, mais dans ce genre de coin le premier juge venu sait qu'il vaut mieux pas chercher noise à un vieux clan qui se contente de prendre ce qui lui appartient de droit divin. Un troisième garde-chasse s'est fait flinguer vers la même époque, en Caroline.

Avant que papa se soit lui-même esquinté avec sa hache et que je rentre à la maison pour lui filer un coup de main, j'ai travaillé pour un chasseur et pêcheur yankee, M. Dimock. Il trimballait son fiston avec lui pour prendre des photos, ce gamin passait le plus clair de son temps la tête fourrée dans un sac noir. A.W. Dimock était un type assez vieux à cette époque, mais comme la plupart de ses collègues il tirait sur tout ce qui bougeait, non seulement les chevreuils et les oiseaux, mais les gators, les crocos et les lamantins. On pêchait même des scies de mer dans la baie de House, où ma famille avait installé notre ferme de canne à sucre au nord de la plantation de Watson. On coupait les scies de ces poiscailles, on les vendait comme souvenirs, voilà ce que voulait faire ce vieux gentleman. M. Dimock disait souvent qu'il y avait un marché formidable dans le Nord, si bien qu'il coupait la scie de ces gros poissons et il les abandonnait à pourrir. Il a perdu jusqu'à sa chemise dans cette combine, mais il avait d'autres ressources. Essayer de vendre ces scies, c'était son prétexte pour toute cette tuerie, ça l'aidait sans doute à supporter son existence, mais le seul aspect positif de la chose c'était que ça épargnait les filets à tortues, que les scies de mer bousillaient quelque chose de terrible.

Nous avons harponné les scies de mer tout du long entre la Chatham et le cap Sable au sud, et pendant ce temps-là j'en racontais long comme le bras à M. Dimock à propos d'Ed Watson. On aurait dit qu'à cette époque les gens de la région causaient que de Watson. M. Dimock a mis toutes mes histoires dans un livre. Je l'ai jamais lu, son bouquin, je sais pas lire, mais on m'en a rebattu les oreilles. Il l'appelait J.E. Wilson parce qu'E.J. Watson était encore bien vaillant et qu'il aurait pu le traîner devant les tribunaux pour aigreur d'estomac, mais y avait pas le moindre doute sur l'identité du zigue dont il causait. Je lui ai aussi raconté l'histoire du barbier rapport à Ed Brewer.

Eh bien, le bouquin de Dimock disait carrément que ce J.E. Watson avait tué sept personnes dans le secteur. Que je sois pendu si je sais qui sont ces sept loustics, à moins qu'il cause de nègres en cavale dont que nous on a jamais entendu parler. Et si nous, les gens du coin, on en a jamais entendu parler, comment ce vieux Yankee a-t-il fait pour dénicher tout ça ? Pendant un bon moment après que les Atwell quittèrent la Rodgers et qu'on découvrit les Tucker morts sur la Key de l'Homme perdu, y a même pas eu sept pékins là-bas, si on compte pas les deux gros clans de Hamilton. D'ailleurs, ces gars-là étaient des durs à cuire. Si Watson tua le moindre Hamilton, sa famille en a jamais beaucoup causé.

Ed Watson était certainement pas le seul gars dans les parages à avoir pris une vie. Y avait des meurtres en pagaille dans ce temps-là, mais la loi s'en mêlait rarement, sauf pour dire bon débarras. Les shérifs ont jamais réussi à savoir qui au juste vivait dans les Glades, c'était rudement trop dur de garder la trace d'hommes qui voyageaient léger et qui bougeaient sans arrêt. Certains de ces hommes étaient des types vraiment vieux, très prudents, jamais ils vous laissaient approcher, ils se glissaient comme des loutres à travers ces rivières où ils pouvaient toujours se réfugier dans les Glades. L'un de ces vieux de la vieille venait d'Angleterre, Ted Smallwood l'appelait le Rentier. Tous les six mois, Ted recevait un chèque pour lui à la poste et le Rentier s'approvisionnait en gnôle pour six mois. Il aurait voulu s'isoler définitivement du monde que ça m'aurait point surpris.

M. Dimock relata ses aventures dans un livre célèbre qu'il appela *les Enchantements de la Floride.* Ce Yankee avait sans doute attrapé le délire, trop de piqûres de stiques ou quelque chose, pour trouver enchanteurs ces marécages oubliés de Dieu. D'accord, on était partial avec cette région, même que j'ai jamais compris pourquoi. Il m'a envoyé son bouquin et j'ai demandé à ma promise, miss Nettie Howell, de me le lire. Y avait la photo d'un guide de scies de mer, plutôt floue, mais peut-être que c'était moi.

BILL HOUSE

Après que j'ai quitté M. Dimock, le gars qui m'a remplacé s'est fait balancer à la baille par une scie de mer qui lui a ouvert le ventre, et ce gus est mort avant d'avoir pigé son erreur. Un étranger. Un gars de la côte est. Il était pas familier avec la façon qu'on procède dans les Iles.

Neuf ans après la mort de M. Watson, un article publié dans le Home and Farm *de Louisville et vantant les pêches merveilleuses au large de Chokoloskee avertissait toujours ses lecteurs d'éviter un insulaire très dangereux nommé Watson. Les accusations de meurtres multiples dans les marécages (et à Key West) seraient maintes fois répétées, avec divers degrés d'exagération et de pure invention. Mais dans chaque cas, ainsi que les Dimock le reconnaissent, les preuves tangibles manquent, vis-à-vis non seulement de la culpabilité de M. Watson, mais aussi du nombre des meurtres qui ont effectivement eu lieu.*

A une époque où les nègres comptaient pour rien, il est à peine surprenant que nous ne possédions plus aucun des noms de ses victimes noires supposées. D'un autre côté, certaines de ses prétendues victimes blanches sont tout aussi anonymes, ce qui nous porte à soupçonner que leur nombre est exagéré. De fait, les seules victimes identifiées par ses voisins pendant son séjour dans les Dix Mille Iles furent Jean Chevelier et les deux Tucker, le premier paraissant pour le moins problématique. Les gens des environs affirment que M. Watson a assassiné « le vieux Français », mais lorsqu'on les interroge plus précisément, aucun d'entre eux ne semble y croire, et surtout pas les membres du clan Hamilton, qui étaient proches à la fois de Chevelier et de Watson.

Poussés par la courtoisie et l'hospitalité autochtones, ces informateurs imaginent que l'interprétation la plus sensationnelle de la légende de Watson est celle que le visiteur désire entendre, et l'on peut supposer que cela était tout aussi vrai à l'époque de Dimock. Non que les Dimock aient été naïfs ; pendant des années ils avaient beaucoup voyagé dans le sud de la Floride, ils connaissaient le pays et ses habitants aussi bien que des Yankees et des étrangers peuvent le connaître, et ils considéraient avec ironie tout ce qu'ils voyaient.

Néanmoins, la légende de Watson figure en bonne place parmi leurs enchantements floridiens.

Le portrait le plus saisissant de M. Watson est celui que perpétuent les insulaires eux-mêmes car, ainsi que Dickens le souligna après sa visite dans ce pays, « ces Américains adorent les canailles ». Au fil de longues décennies passées dans ces îles perdues où les citoyens remarquables furent toujours rares, les vénérables contemporains de M. Watson ainsi que leurs descendants ont fini par concevoir une espèce de respect « têtu » pour E.J. Watson, qui a transcendé son rôle original de tueur notoire, d'assassin de sang-froid, pour devenir un héros folklorique haut en couleurs, l'homologue pour la côte ouest du tueur et pilleur de banque John Ashley, dont le gang terrorisa l'est de la Floride après la Première Guerre mondiale.

M. Watson est infiniment plus intrigant que John Ashley, qui n'était en définitive qu'une espèce très ordinaire de hors-la-loi. Selon tous les témoignages, Edgar Watson fut un bon mari et un père aimant, un fermier très doué et travailleur, un excellent homme d'affaires et un voisin généreux. Pareilles qualités — que l'on trouve rarement chez les tueurs célèbres d'un type plus commun, dont les relations sociales, l'aspect et la mentalité sont souvent inintéressants et presque frustes — exigent notre attention et expliquent pourquoi M. Watson est si fascinant, non seulement pour les Dimock et les écrivains suivants, mais aussi et de plus en plus — oserai-je l'avouer ? — pour celui qui écrit ces lignes. En qualité d'historien professionnel, je m'étais cru à l'abri d'une telle subjectivité ; pourtant, l'énigme de la personnalité de notre sujet augmente au lieu de diminuer à chaque fait nouveau, et ce même si la légende vulgaire perd à chaque fois en crédibilité. Comment expliquer autrement que, soixante-dix ans après sa mort, Ed Watson demeure le citoyen le plus célèbre que la côte sud-ouest de la Floride ait jamais accueilli ?

Sur les « sept meurtres mystérieux » cités par les Dimock, il nous reste seulement les morts douteuses de « Tucker et son neveu », ainsi que les victimes qui sont d'habitude décrites par les gens du cru. L'identité précise des Tucker demeure vague, tout comme les circonstances de leur mort. Selon les membres de la famille Hamilton, qui étaient les voisins et les amis des Tucker, il s'agissait de Walter Tucker et de son épouse Elizabeth, surnommés respectivement Wally et Bet. Malgré leur amitié avec Watson, les Hamilton pensent qu'il a tué ces deux jeunes nouveaux venus arrivés de Key West, ce qu'il paraît lui-même confirmer par son départ précipité loin de cette région.

Ainsi peut-on raisonnablement attribuer à M. Watson deux seulement de ces sept meurtres mystérieux, et sans doute ce rapport de deux à sept est-il aussi celui de la vérité à la légende lorsqu'on se penche sur la vie de cet individu. Le nombre d'assassinats le plus élevé que j'aie trouvé est cinquante-sept — la propre estimation de M. Watson, dit-on, notée sur un carnet et aperçue un jour par son fils Lucius, qui le décrivit plus tard à mon informateur, M. Buddy Roberts, de Homestead. (L'oncle de M. Roberts, Gene, était un ami de M. Watson, et toute la famille fut impliquée dans l'affaire Guy Bradley.) Il y a beaucoup de bonnes raisons pour ne pas croire à cette histoire, en particulier les réticences bien connues de Lucius Watson à parler de son père. Pourtant, Sarah Hamilton se rappelle, indépendamment de Lucius, non seulement que M. Watson tenait un journal, mais que ce dernier s'intitulait Notes en bas de page à ma vie. *Et Buddy Roberts mentionne un détail que pouvait seulement connaître un proche de la famille : le père de Lucius avait des pieds minuscules et chaussait du trente-cinq.*

Selon une rumeur locale tenace, M. Watson aurait forcé l'un de ses fils à l'aider dans l'assassinat des Tucker, lui ordonnant de poursuivre et de tuer le « neveu » de Tucker, qui s'enfuit sur la plage. Si pareil épisode eut jamais lieu, la victime fut sans nul doute Bet Tucker, et le complice Rob Watson, car en 1901 les jeunes Eddie et Lucius habitaient Fort Myers avec leur famille.

Peu de temps après la mort des Tucker, dit-on, Rob Watson s'enfuit à Key West avec le schooner de son père, puis il y vendit le bateau afin de financer les autres étapes de sa fuite et sa disparition définitive. M. Watson le poursuivit à Key West et, ne parvenant pas à le retrouver, s'en prit à un certain Collins, qui semble avoir aidé le jeune Rob à s'enfuir. Peu après, M. Watson quitta lui-même le sud-ouest de la Floride, où il ne revint pas pendant plusieurs années. Une lettre de provenance inconnue, écrite aux Smallwood en 1904, mentionne que « l'ami Watson » a été en contact avec Joseph Shands, le géomètre du comté de Lee ; c'est, à ma connaissance, la première indication de son retour dans la région.

Frank B. Tippins

J'ai entendu parler d'E.J. Watson longtemps avant que sa famille vienne s'installer ici. Je suis né à Arcadia et j'accompagnais le bétail à travers la campagne au début des années 90, à l'époque des guerres de voisinage dans le comté de De Soto. Un jour, un flingueur s'est fait buter par un étranger à l'occasion d'une rixe de saloon. Quinn Bass était un gars du coin, il faisait partie d'un nombreux clan d'éleveurs sur la rivière Kissimmee, et les mercenaires qui chevauchaient avec Quinn ont dirigé une foule de voyous et de parents de Bass pour saccager la nouvelle prison et lyncher « l'étranger » — davantage dans l'esprit d'une opération punitive que pour se faire réellement justice, car même ses amis n'ont jamais nié que le vieux Quinn n'avait pas volé ce qui lui était arrivé. La foule fut ralentie par les briques toutes neuves et le courage d'Ollie H. Dishong, le shérif du comté de De Soto, qui leur sourit et agita les bras au balcon du premier étage comme s'il organisait un meeting pour se faire réélire. Mais en son for intérieur il se sentait tout sauf tranquille, me dit-il, car à mesure qu'avançait cette nuit sans lune, la foule devenait si déchaînée que le shérif Ollie douta de pouvoir sauver son prisonnier pour l'emmener au tribunal. Il pensait malgré tout que, quoi qu'il arrive à ce Watson, ce ne serait pas une trop grande injustice, et plutôt que de voir sa prison flambant neuve entièrement saccagée, il ouvrit la cellule et dit à son prisonnier qu'il pouvait s'en aller « pendant que la voie était libre ».

Le prisonnier regarda la foule par la fenêtre, puis réintégra sa cellule et s'allongea sur sa couchette.

— Qu'y a-t-il ? lui demanda le shérif.

L'étranger, sarcastique, lui répondit qu'à son avis la voie n'était pas tout à fait libre.

— J'ai pas assez de preuves contre toi pour te garder, expliqua le shérif Ollie. Et puis comme ça, t'auras une chance de te bagarrer.

— Ferme donc cette porte à clef, dit le prisonnier. Je dormirai mieux derrière les barreaux.

Plus tard dans la nuit, l'étranger donna de l'argent pour inviter la foule à un saloon, un peu plus loin dans la rue ; et vers l'aube, alors que les lyncheurs avaient la tête ailleurs, le shérif l'accompagna à cheval jusqu'à la limite de la ville, lui dit d'aller en Enfer et d'y rester. L'étranger adressa un large sourire au shérif et lui répondit :

— Qu'est-ce qui te fait croire qu'on y est pas déjà, en Enfer ?

Au seul souvenir de cette repartie, le shérif Ollie secoua la tête :

— Ce sacré Jack Watson était l'enfant de salaud le plus chouette que j'aie jamais rencontré, me dit-il.

— Tu parles d'*Ed* Watson, n'est-ce pas ? fis-je.

— Ed Watson ? » Le shérif Dishong secoua de nouveau la tête. « M'est avis que je me fais vieux. J'ai dit Jack ? »

Cette histoire m'a donné envie de travailler au service de la loi, mais j'ai fait un ou deux métiers avant de me décider pour de bon et je me suis offert un peu d'éducation. A quinze ans, j'ai pris un boulot d'apprenti imprimeur pour le nouveau *Press* de Fort Myers qui, dans une ville de trois cents habitants, avait bien de la chance de trouver la moindre nouvelle à publier. C'était en 1884, quand un article typique de première page traitait de la réunion inaugurale de la Société de littérature et de débats, une réunion organisée pour répondre à la question : « Les femmes sont-elles assez intelligentes pour voter ? » (Frappant le sol avec leurs pieds, les membres votèrent affirmativement, du moins pour le beau sexe de Fort Myers.) Cette même année, j'ai composé la première publicité pour le magasin général Roan en proposant de bons prix pour les peaux de daim ou de gator et les plumes d'oiseaux. Ce fut aussi l'année de la première visite dans « notre belle ville » du « magicien de l'électricité » en Amérique, Thomas Alva Edison, qui acheta la maison de Sam Summerlin sur Riverside Avenue — aujourd'hui MacGregor — et qui ferait plus tard de Fort Myers sa résidence d'hiver. Ce fut aussi cette année-là que Jim Cole arriva en ville. A cette époque, même Jim Cole figurait parmi « les premiers ».

L'année suivante, le *Press* couvrit la grande fête au bord de la rivière — ballons, feux d'artifice, gratins d'huîtres — quand Grover Cleveland devint le premier président démocrate depuis un quart de siècle. Il mit fin à la Reconstruction, à ces terribles années noires où les nègres furent mieux traités que les Blancs.

Après quatre années d'apprenti imprimeur, j'en ai eu assez de la vie de bureau. J'ai pris un boulot de « chasseur de vaches » pour les Hendry : je réunissais le bétail à longues cornes éparpillé à travers le Cypress. Je voyageais parfois à cheval jusqu'aux Everglades à l'est, de longues journées silencieuses sous le ciel immense dans la lumière aveuglante du pays des Glades, bercé par le craquement de ma vieille selle tout usée, par les ahanements de mon cheval et par le vent brûlant qui desséchait les pins. Ensuite, pendant de longues années, j'ai regretté le calme de cette région de Big Cypress, la lenteur de ces journées passées à cheval, la chasse et la pêche avant de planter le camp parmi les vaches, les flambées paisibles, les outils simples en fer, en bois et en cuir, chauffés par le soleil, l'odeur résineuse des crêtes couvertes de pins, le fracas des sabots et le meuglement du bétail, les bêtes sauvages entrevues, le silence plein d'échos, brisé, tantôt loin tantôt près, par le cri perçant d'un pic-vert ou par le sifflement sec d'un serpent à sonnette, et toujours le souffle doux de mon cheval, un petit rouan trapu nommé Race. Il m'a toujours tiré des pires embûches pour me ramener au bercail par le plus court chemin, il était « vif comme l'argent et franc comme l'or », selon le vieux dicton. J'avais aussi avec moi un bon chien de bétail, Trace, et je maniais plutôt bien le fouet en daim tressé qui, à nous autres chasseurs de vaches, servait de lasso.

Chaque fois que nos enclos à bétail déménageaient, une famille indienne s'installait à notre place et plantait de nouveaux jardins dans cette terre fertile, aux mottes bien brisées, des patates douces la première année, puis du maïs et des cacahuètes. Parce qu'ils nous surveillaient en permanence, les Indiens arrivaient dès le lendemain de notre départ. Je me demandais souvent ce que les Indiens pensaient de la drague de la compagnie Disston qui rouillait tout là-bas vers l'est et Okeechobee, cette grosse silhouette sur l'horizon étincelant de ce que les Séminoles appelaient la rivière de l'herbe, Pa-hay-okee, et puis ce qu'ils pensaient du bruit, de la fumée et de l'odeur infernaux de cet engin, tout cela est bien fini et pas la moindre chose n'aura été accomplie, rien d'autre que la dégradation abominable de leur belle Calusa Hatchee. Le silence d'antan est revenu, mais la machine de l'homme blanc se dresse toujours au-dessus de cette rivière au sable blanc et sacré qui a été polluée de boue et qui ne redeviendra plus jamais limpide. C'était la drague qu'Ed Watson comptait utiliser à la rivière de l'Homme perdu.

Dans les années 90, je suis devenu l'ami de Walt Langford, un chasseur de vaches qui travaillait pour les associés de son père. Le jeune Walt était un sacré cavalier qui avait l'œil le plus aiguisé au sud de la rivière pour repérer une vache égarée, cachée dans les broussailles. Mais Walt voulait toujours qu'on s'intéresse à lui, il tenait à montrer qu'il n'était pas simplement le fils d'un riche éleveur, mais aussi un brave type, si bien qu'il était toujours le premier à picoler et à faire la noce, le premier à pousser des hourras au triple galop en tirant ces coups de revolver au petit bonheur qui poussent les bonnes gens à se barricader chez eux le samedi après-midi. Fort Myers n'a jamais été aussi agité qu'Arcadia, nous n'avons jamais eu de vraie guerre entre éleveurs avec embauche de flingueurs professionnels. Malgré tout, ces excentricités du samedi rappelaient aux citoyens scandalisés que la nouvelle capitale du comté de Lee était encore une ville de bouseux, située sur la mauvaise rive de cette rivière large et lente, une bourgade qui prenait de plus en plus de retard sur le progrès du pays.

J'ai passé d'innombrables et interminables journées de solitude dans le Cypress, mais le jour où je me sentais le plus seul était le samedi, quand les autres cavaliers, déjà à moitié saouls, poussaient leurs ioulements et filaient au triple galop à travers les arbres pour dépenser leur semaine de paie dans les saloons de Fort Myers.

Le dimanche, je participais au service religieux de la mission indienne d'Immokalee, je faisais une bonne trentaine de kilomètres à cheval pour assister à ce service. Les Indiens étaient incapables de suivre le sermon, mais ils venaient néanmoins pour regarder les Blancs. Ils s'asseyaient par terre en cercle. Assez vite, j'ai plaqué mon boulot pour travailler à plein temps à la mission indienne. J'y étais toujours en 1897, quand j'ai entendu dire pour la première fois que cet E.J. Watson, l'un des meilleurs planteurs des Iles, aurait été l'assassin de Quinn Bass, et que la ravissante jeune fille qui habitait chez Doc Langford était la fille de ce hors-la-loi. Carrie, qui allait sur ses treize ans, était une jeune dame solide et gracieuse, aux grands yeux noirs, aux cheveux noirs qui lui descendaient jusqu'à la taille, et à la poitrine haute. Quand je vis pour la première fois cette jeune créature vivace sauter à la corde devant le magasin de nouveautés de miss Flossie, je compris que nos deux destins étaient liés. En temps voulu, je demanderais sa main à son père et, par la même occasion, je serrerais celle du desperado.

Les éleveurs dirigeaient cette ville avant même qu'il s'agisse vraiment d'une ville ; tout avait commencé jadis avec le vieux Jake Summerlin à Punta Rassa. Le vieux Jake était, paraît-il, impitoyable, mais au moins il avait de la bouse de vache sur ses bottes. Les nouveaux éleveurs, et surtout Jim Cole, se contentaient essentiellement de brasser de la paperasse, vendant des bêtes qu'ils n'avaient jamais vues, et encore moins reniflées. Au cours de ces dernières années, avec Doc Langford et les Hendry, qui rachetèrent les biens des Summerlin à Punta Rassa, Cole fit fortune en tant que fournisseur des Rough Riders de Teddy Roosevelt à Cuba. Un jour de juillet 1899, selon le *Press*, ces patriotes profiteurs envoyèrent trois mille têtes de bétail de Punta Rassa à destination des abattoirs de Key West, avant que les quartiers de viande soient livrés à Cuba.

Pendant ce temps-là, Jim Cole se remplissait aussi les poches avec le rhum cubain qu'au retour ses schooners de bétail rapportaient en contrebande, et bien évidemment ces éleveurs menaient la lutte contre la prohibition de l'alcool défendue par la Ligue chrétienne et féminine de tempérance. Les « secs » gagnèrent en 1898 grâce à la mort accidentelle et par balle d'un cow-boy ivre. Le saloon de Taff O. Langford fut fermé et deux années passèrent avant que les « humides » réussissent à redonner du boulot à Taff. Mais les éleveurs n'obéissaient toujours qu'à leurs propres lois et le shérif Tom Langford buvait du rhum de contrebande pendant la fête de mariage en juillet, quand Walt Langford épousa miss Carrie Watson.

Bien que j'aie ouvert mon écurie cette année-là, je m'étais mis en tête de poser ma candidature au poste de shérif pour les élections de 1900. J'étais en train de ferrer un cheval quand ce Jim Cole, qui avait eu vent de mes ambitions, vint me trouver et me proposa son aide, ayant déjà compris ce qui ne m'avait pas encore effleuré, à savoir que j'étais presque sûr de l'emporter sans lui. Les gens étaient de plus en plus mécontents sous le règne de ces rois du bétail qui méprisaient toutes les protestations contre le passage des bêtes à travers les rues ; et le gredin en poste, le shérif Langford, avait perdu presque tout son crédit en protégeant les cow-boys après cette fameuse fusillade.

Walt Langford et d'autres cavaliers avaient surpris un vieux Noir devant la maison de Doc Winkler et lui avaient dit de danser pour eux s'il ne voulait pas se faire arracher les orteils à coups de balles de revolver. Les voisins fermèrent leurs volets, mais entendirent tout. Et ce pauvre nègre âgé de près de quatre-vingts ans, les cheveux tout blancs, perclus de rhumatismes, se plia en deux et s'écria :

— Non, patron ! Ah, j'peux pas danser ! Ah, j'suis trop vieux !

Ils lui dirent alors qu'il ferait mieux de danser et ils se mirent à tirer des coups de feu autour de ses pieds.

Doc Winkler sortit en courant avec sa carabine.

— Maintenant, les gars, écartez-vous de là, leur dit-il. Et laissez ce vieux tranquille !

Il ordonna au nègre de se réfugier derrière la maison. Mais les cow-boys continuaient de tirer par terre juste derrière lui, si bien que Doc Winkler tira un coup de feu au-dessus de leurs têtes, mais à cet instant précis un cheval se cabra et la balle de Doc Winkler se logea dans la tête du cow-boy, le tuant net.

A la demande de Jim Cole, le shérif Langford déclara qu'il s'agissait d'un simple accident. Walt Langford et ses amis ne furent pas arrêtés et il n'y eut pas d'enquête ; Doc Winkler resta tout seul à remâcher sa culpabilité. Mais tous ces coups de feu et cette mort absurde minèrent encore un peu plus la réputation des éleveurs, une nouvelle campagne de tempérance fut lancée pour mettre le comté de Lee au régime sec, et la famille Langford suivit le conseil de Cole, qui soutenait que le mariage calmerait sans doute l'ardeur du jeune Walter.

Parmi toutes les jeunes femmes disponibles en ville, la seule à qui Walter faisait les yeux doux était une jolie Hendry, à qui ses parents interdirent de recevoir sous leur toit « ce jeune malandrin ». Un certain froid s'ensuivit entre les deux familles et, d'après ce qu'on m'a dit, cela expliquerait même la fermeture du magasin Langford & Hendry.

Mon ami Walt ne pouvait pas ne pas remarquer — car elle vivait sous son toit — la belle jeune fille arrivée des Dix Mille Iles. Sa mère était une lady selon les critères de Fort Myers, une ancienne institutrice et une fervente pratiquante, une femme cultivée et très appréciée, dont le mari comptait lui acheter une maison sur Anderson Avenue pour que leurs trois enfants puissent fréquenter l'école de Fort Myers. Mais dans un livre récent qui fit le tour de la ville, on prétendait qu'un certain Watson avait tué Belle Starr, la fameuse Reine des hors-la-loi, et il semblait que ce malfaiteur n'était autre que le mari de la délicate, de la raffinée Mme Jane Watson. Les rares personnes qui avaient eu la chance de rencontrer monsieur Watson avaient découvert avec beaucoup d'excitation que cet homme « dangereux » était beau et présentable, qu'il fréquentait assidûment l'église lors de ses séjours à Fort Myers, un planteur prospère et un habile homme d'affaires jouissant d'une excellente réputation auprès des marchands et en définitive plus distingué que ces notables de la frontière qui cancanaient sur sa réputation.

Tout à coup, les Watson annoncèrent les fiançailles de leur fille bien-aimée et de Walt Langford. Cela fut si soudain que certains pensèrent que cette petite effrontée avait séduit Walter et qu'ils allaient très bientôt fonder une famille. Mon Dieu, Carrie n'était évidemment pas une « petite effrontée » ! Je prenais vigoureusement son parti chaque fois que j'entendais parler d'un mariage forcé. J'étais si intransigeant sur la pureté de miss Carrie Watson que les gens commencèrent à me regarder de travers. Ils se demandaient sans doute si Frank B. Tippins n'était pas par hasard le père, ce que j'aurais bien aimé être !

Connaissant Walt Langford, je crois que ce mariage était inévitable. Nul doute que le passé trouble de monsieur Watson rendait Carrie encore plus romantique aux yeux de ce brave garçon un peu trop remuant. Mais Carrie n'avait pas encore treize ans, et personne ne savait sur quelles bases cet accord avait été conclu, aux termes duquel une fille aussi jeune se marierait l'année suivante. Selon certains bruits, c'était Jim Cole qui avait convaincu les deux familles des avantages d'une telle union. Il avait même rencontré E.J. Watson en privé dans un salon de la maison Hendry, bien que les sujets qu'ils abordèrent alors relèvent de la pure conjecture.

Walt et Carrie se marièrent en juillet 1898, à l'aube d'une ère de prospérité nouvelle pour les éleveurs de Fort Myers, car la guerre hispano-américaine commençait. J'ai assisté à ce mariage et j'ai pleuré ma fiancée perdue, avec ses grands yeux étonnés, ses lèvres pleines et douces — une créature entièrement différente des femmes grossières, aux cheveux épais et aux lèvres minces, dont j'avais l'habitude. Quand le pasteur demanda si quelqu'un dans l'assistance connaissait une bonne raison qui interdirait à Carrie et à Walter d'être unis par le saint sacrement du mariage, une blessure s'est ouverte dans mon cœur — *parce que je l'aimais !*

L'amour, l'amour, l'amour – oui, qui connaît quelque chose à l'amour ? Pas moi en tout cas, pas moi. Je ne me suis jamais remis de cette déception, voilà tout mon savoir. Je n'aurais certes pas assisté à ce mariage sans le désir de voir à quoi ressemblait le père de Carrie, mais je ne l'ai même pas vu. Le célèbre planteur E.J. Watson n'y assista pas.

Carrie Watson

10 MAI 1898. Frank Tippins se croit amoureux de la jeune fille qui est fiancée à son ami Walter !

M. Tippins est assez beau, je l'avoue, grand et mince, âgé d'une trentaine d'années, pourvu d'une épaisse moustache noire dont les pointes s'incurvent vers le bas et qui lui donne un air pensif, peut-être chagrin. Au milieu de ses chevaux, il semble parfaitement à l'aise avec ses bottes et son chapeau tout cabossé, souvenirs de l'époque où il chassait les vaches dans Big Cypress — c'est là que Walter et lui sont devenus amis. Mon nouvel admirateur m'a raconté plus d'une fois, je le crains, comment ce pauvre vieux chapeau l'avait protégé du soleil et de la pluie, et lui avait servi de récipient pour ses ablutions. Peut-être se baigne-t-il toujours dedans, pour ce que j'en sais !

Frank envisage de poser sa candidature au poste de shérif. Son costume du dimanche, tout noir et déformé, une chemise jadis blanche, un nœud papillon et un gilet, son chapeau à larges bords et ses bottes, tout ça le fait ressembler à *Wyatt Earp de l'Ouest sauvage*, un livre très admiré par le modeste cercle de lecture de notre ville. Comme ses émules de l'Ouest, il paraît calme, courtois et doté d'une voix douce, à l'aise avec les armes à feu et les chevaux, sinon avec les femmes, et c'est aussi un fervent pratiquant qui ne craint que son Créateur.

Selon M. Jim Cole, me dit Walter, Frank Tippins nous ferait surtout un bon shérif parce qu'en sa qualité d'ancien garçon vacher au service des Hendry, il comprenait parfaitement les problèmes des éleveurs liés au rassemblement du bétail, aux frasques des journaliers, à l'application indue des lois entravant les pérégrinations des bêtes et ainsi de suite. Voilà ce que M. Cole, qui fait comme s'il avait découvert Frank, a promis aux éleveurs. Et les éleveurs aiment bien Frank parce qu'il se montre très aimable avec nos rares visiteurs yankees, présentant comme pittoresques les mouches, les bouses de vache et les rues en terre battue que nous autres, citoyens attristés, considérons comme le plus grave défaut de notre ville. (Pour Walter, cet honneur insigne s'explique avant tout par l'absence scandaleuse ne serait-ce que d'une route vers le nord, sans parler d'un chemin de fer, qui permettrait à notre ville isolée de suivre le reste de la nation dans le XXe siècle.)

Walter imite Frank Tippins à la perfection :

– Et comment ! C't agglomération est la principale ville vachère du deuxième Etat bétailler de tous les Etats-Unis d'Amérique ! Le seul Etat qu'est plus fort que nous, c'est l'Texas. Nous, on arrive juste derrière ! Moi qui vous parle, j'ai-z-été garçon vacher, dans le temps !

M. Tippins dit que, lorsqu'il quitta le comté de De Soto pour venir ici, au début des années 80, il n'y avait pas de journal à Fort Myers, son école était pauvre, ses églises jouissaient d'une fréquentation irrégulière. Les bateaux de passage étaient presque tous de petits schooners délabrés qui faisaient du cabotage et qui remontaient la rivière à partir de Punta Rassa. Les derniers loups de la Floride hurlaient toujours à l'est parmi les pinèdes, et les panthères tuaient les bêtes à la lisière de la ville.

– Vous avez de la chance, M. Tippins, lui disait maman. Votre ville est une vraie splendeur, je vous l'affirme, quand on a vécu dans les Dix Mille Iles, sans parler du Territoire indien ! » Elle secoua la tête. « Ou même à Fort White, où monsieur Watson m'a trouvée ! » Elle s'interrompit alors, sentant aussitôt que monsieur Tippins mourait d'envie d'apprendre tout ce que nous pourrions lui révéler sur mon cher papa. « Fort Myers est une ville merveilleuse ! » conclut-elle, déjà épuisée.

Jeune homme, Frank travailla au *Press*, où il apprit quelques rudiments de bonne grammaire et d'histoire locale, bien qu'il affecte volontiers un style oral rude et bourru. Quand maman et moi arrivâmes en ville pour la première fois, ce fut l'ancien garçon vacher de l'écurie qui nous apprit que les franciscains espagnols établis dans le nord de l'Etat avaient fondé les premiers ranches à bétail du pays. La première vraie bataille entre cow-boys et Indiens eut lieu en Floride en 1647, nous assura-t-il, quand les *vaqueros* espagnols emmenèrent un troupeau dans les plantations indiennes.

M. Tippins croit sans doute que la culture est la bonne manière de prouver à une ancienne institutrice combien il est sérieux et digne de sa ravissante fille, même si cette écervelée est déjà fiancée ! Et puis il parle avec grand soin, désireux d'expliquer ses compétences avec une modestie susceptible de se gagner le cœur des dames Watson.

Bien sûr, maman n'est que moyennement intéressée par ce qu'il a à lui dire sur l'histoire de Fort Myers ; il lui montre donc une évocation de notre petit « Eden », publiée dans le *Times-Democrat* de La Nouvelle-Orléans après l'expédition des Everglades en 1882, dont le guide n'était autre que le capitaine Francis Hendry. Maman fit poliment remarquer que la Calusa Hatchee, avec ses berges couvertes de grands arbres sauvages soulignés par l'abondance des cocotiers et des goyaviers et par les espèces à fleurs — plantés, nous dit Frank, avant la fin des guerres indiennes et le début de la guerre de Sécession —, était sans aucun doute la plus belle rivière de toute la Floride. (En fait, l'eau de cette rivière est malsaine, elle provoque des épidémies de dysenterie et de malaria — « les frissons et la tremblote », pour lesquels le remède certifié est la pilule *Blue Mass* et la boule de térébenthine.)

— Oui, m'dame, ç'a été une ville de bétail dès le début — une information que nous avons trouvée, maman et moi, moins étonnante que notre soudain intérêt pour tout ce qui touchait au bétail. — Jusqu'au début de ce siècle, reprit-il, y avait pas de fermes, rien que du bétail et quelques citronniers, et puis un peu de pêche sur la côte. Immolakee était un campement indien, mais très vite elle est devenue elle aussi une ville de bétail. D'ailleurs, Immolakee, ça veut dire *mon foyer*.

Il marqua un temps d'arrêt pour voir si son folklore indien avait éveillé notre intérêt, puis il se hâta de reprendre :

— Les Indiens sont presque tous partis, dit-il. Les Hendry et les Langford faisaient paître leurs bêtes dans cette région quand y avait pas de ponts sur les rivières ; les poneys transportaient notre barda, on entassait son arme, ses provisions et son couchage sur la tête et on traversait à gué.

« L'ancien Fort Thompson était aussi une ville vachère. Le capitaine Hendry y possédait un ranch et même un comté séparé de celui de Lee, qu'il baptisa le comté de Hendry, puis il renomma la ville pour ses filles, Laura et Belle. Aujourd'hui, Fort Thompson s'appelle La Belle, en Floride.

— Laura et Belle ! Vous plaisantez ?

— Non, m'dame. Evidemment, les cow-boys sont partout pareils, où que vous alliez. Dans le coin, on nous appelait « chasseurs de vaches », parce qu'il nous fallait retrouver plein de bêtes égarées — certains vieux cavaliers les appelaient des bites mal garées, parce qu'elles refusaient de rester avec les autres...

— Des bêtes mal garées, rectifia aussitôt maman, la honte mettant deux pétales de rose à ses joues pâles, et M. Tippins baissa les yeux vers ses bottes comme s'il envisageait de s'amputer les deux pieds.

— Pardon, m'dame ! Donc, ces bottes mal gardées ou peu importe la façon dont vous les appelez, elles se cachaient parmi les buttes et les bois, c'est pour ça qu'on nous appelait chasseurs de vaches. Parfois, on nous traitait même de cow-boys claqueurs, parce qu'on faisait claquer nos longs fouets à poignée de noyer pour faire avancer le troupeau. En plus de son fouet, chaque homme avait un pistolet et une carabine pour régler son compte à toutes les vermines à deux pattes ou à quatre qu'on risquait de croiser sur notre chemin. Un bon chasseur de vaches sait décapiter proprement un serpent à sonnette et enlever le gras d'un steak — on entend ce fouet claquer à trois, quatre kilomètres de distance. On montait ce qu'on appelle le poney des bois, un petit cheval espagnol costaud, aux oreilles courtes. On avait aussi des chiens de troupeau, et à l'époque du marquage on immobilisait les bœufs à la main. Sinon, on n'était pas très différents des autres cow-boys que vous pourriez rencontrer au Texas ou dans le Montana. »

Je le regardais en ouvrant de grands yeux et en me mordant la lèvre pour m'empêcher de sourire. Il savait bien que je le taquinais, mais il ne pouvait pas s'arrêter de parler, comme un jeune frimeur qui dégringole une colline à fond de train et se laisse griser par la vitesse. Malgré tout, mon cœur fondait en sa présence. Sa façon d'exprimer certaines choses que Walter n'a jamais appréciées était presque belle, surtout quand il ne trouvait pas ses mots.

— Entre le hurlement du loup et le feulement de la panthère, avec ces gros gators qui soufflaient au printemps, les nuits étaient plutôt bruyantes dans l'arrière-pays, et les week-ends toujours agités à Fort Myers. Les gars y allaient à cheval le samedi pour jouer et se saouler, faire un barouf de tous les diables en ville, dans la grande tradition des cow-boys, sauf que nous n'avions pas la moindre maison de mauvaise réputation comme sur la côte est, ou du moins aucune que j'aie réussi à repérer.

Le petit *humph !* de maman m'a fait pouffer de rire, et M. Tippins a de nouveau contemplé ses bottes, convaincu d'avoir irrémédiablement effarouché les gentes dames Watson ! Mais ma bonne maman s'est aussitôt écriée :

— Je vous en prie, M. Tippins, continuez !

— Eh bien, les églises étaient vraiment solides ici, ce qui veut dire qu'elles avaient des femmes comme piliers, dit M. Tippins pour rattraper le terrain moral qu'il croyait avoir perdu. Peut-être que c'est pour ça que certains gars faisaient vraiment les quatre cents coups ! Oh, c'était une ville vachère en pleine ébullition, pour sûr ! Une fois, les cow-boys sont entrés à cheval dans un restaurant, et ils ont descendu toutes les lampes. Evidemment, le fait que le nouveau propriétaire était yankee a sans doute pas été complètement étranger à cette affaire. Ce restaurant a fermé sur-le-champ et définitivement ; l'ancien proprio s'est trouvé un boulot de valet de ferme, alors qu'il était Blanc — j'avais jamais vu ça !

— Faisiez-vous partie de ces cow-boys, M. Tippins ? dis-je en sachant que ce n'était pas le cas.

Lorsqu'il a secoué la tête négativement, j'ai ajouté :

— Mais votre ami Walter en faisait partie, n'est-ce pas ?

— Je sais pas très bien, miss Carrie, répondit Frank Tippins.

— En tout cas, vous êtes sans aucun doute un beau parleur, déclara maman avec tact.

Une crise de fou rire m'obligea alors à quitter précipitamment la pièce. Mais, bien sûr, je m'arrêtai derrière la porte pour écouter la suite.

De plus en plus désespéré, notre shérif en herbe expliquait que notre ville avait peu évolué depuis sa jeunesse, quand il avait quitté Arcadia pour venir ici.

M. Tippins informa maman qu'Arcadia était son lieu de naissance.

— A l'époque on l'appelait Tater Hill Bluff.

— Tater Hill Bluff ? Vous plaisantez ?

— Mais non, m'dame !

Fort Myers était toujours une ville vachère, voilà où le bât blessait.

— Bien sûr, les Hendry et les Langford — je veux dire qu'aujourd'hui, m'dame, les éleveurs s'en mettent plein les fouilles avec la guerre espagnole, exactement comme Summerlin avec la guerre de Sécession.

— Le docteur Langford était un homme merveilleux, l'avertit maman quand il reprit son souffle, afin qu'il ne critique surtout pas le bienfaiteur de ma mère. Quand je suis arrivée de la Chatham, si malade, le docteur Langford m'a fait promettre de ne jamais retourner dans ces îles, sous aucun prétexte. Il a si aimablement offert ses soins et son hospitalité à une parfaite inconnue...

— Et à la fille de cette parfaite inconnue ! ajoutai-je en entrant avec du thé de Delamene et des petits gâteaux rapportés de la cuisine. Car tu es *vraiment* parfaite, ma chère maman !

— ... jusqu'à ce que monsieur Watson ait eu le temps d'aménager cette maison. Quand ce pauvre docteur Langford est tombé malade, il avait à peine un an de plus que mon mari ! Je peux vous dire que j'ai été très surprise de le voir dans la tombe avant moi !

Sachant combien cette boutade réjouirait papa, elle fit de son mieux pour rester impassible, mais son drôle de petit sourire de dérision lui tordit le coin de la bouche.

— Une simple pichenette aurait suffi à me faire tomber, ajouta-t-elle pour s'amuser, en fermant les yeux afin de ne pas me voir pouffer de rire.

— Maman ! murmurai-je. Comme tu es bête !

Nous avons alors éclaté d'un rire joyeux, mais Frank Tippins était trop mal à l'aise pour se joindre à nous.

— Quel était votre nom de jeune fille, m'dame ? demanda-t-il à maman, rougissant de nouveau à cause des mots *jeune fille.*

Il devinait peut-être que, dans une autre vie, il serait tombé désespérément amoureux de ma douce maman, et pas simplement de moi.

— Jane Susan Dyal. Originaire de Deland, répondit maman.

Jane Susan Dyal allongea les doigts sur son châle, en mimant le joli sourire de sa jeunesse perdue.

— Quand j'étais une jeune femme, on m'appelait Mandy, mais il ne reste plus personne pour m'appeler ainsi.

Elle sourit encore, légèrement ennuyée par ce flirt doux-amer avec le passé.

— Sauf papa, lui rappelai-je.

— Oui, sauf monsieur Watson.

Lorsque Frank Tippins dit : « M'est avis qu'une visite à Deland vous ferait du bien », elle secoua la tête.

— Non, je ne crois pas. J'avais déjà fui Deland quand monsieur Watson me trouva en train d'enseigner à la nouvelle école de Fort White.

— Cela se passait avant que monsieur Watson ait des ennuis ?

Son expression faussement innocente ne nous trompa guère, et il s'en aperçut.

— Cela se passait avant notre départ pour l'Arkansas.

Après un silence assez froid que ma mère imposa en guise de réprimande, ses yeux quittèrent son ouvrage.

— Le père de Carrie est très généreux, M. Tippins. C'est un homme de bien. Il s'occupe parfaitement de sa famille, il aide ses voisins, il paie ses factures. Parmi les nôtres, combien y en a-t-il dont on pourrait dire la même chose ? » Elle reprit son travail de couture. « Je ne crois pas que cette couleur m'aille, qu'en pensez-vous, monsieur Tippins ? » Elle leva un échantillon du châle en laine bleue. « Je vais le donner à Carrie. »

Frank B. Tippins

Un soir de 1901, Little Jim Martin, l'ancien shérif du comté de Manatee, entra dans mon bureau pour m'avertir que monsieur Watson avait piqué une crise et tué des gens là-bas, à la rivière de l'Homme perdu. Je connaissais Jim Martin comme un dur à cuire, mais tout de même il avait retiré sa famille de leur nouvelle maison de Possum Key pour l'installer loin au nord, à Fakahatchee. J'ai dit à Jim que la rivière de l'Homme perdu étant située dans le comté de Monroe, je n'avais aucune juridiction à moins que le shérif de Monroe ne m'en délègue une. Le lendemain matin, voilà qu'arrive le jeune gars du télégraphe avec une requête du shérif de Key West, Frank Knight, pour que j'interpelle un certain E.J. Watson.

Presque tous les matins, j'allais sans arme à Fort Myers, mais ce jour-là, à la fin de 1901, j'avais un revolver dans un étui sous ma veste. D'habitude, je portais poliment la main à mon chapeau en disant bonjour à tous les gens que je croisais, mais ce jour-là je plissais les yeux pour avertir les citoyens que leur shérif avait des affaires sérieuses à régler et qu'il ne gaspillerait pas son temps en balivernes.

Pour localiser monsieur Watson, le mieux était de se rendre directement chez lui, mais comme la mère bien-aimée de miss Carrie était sur son lit de mort, j'ai décidé, à mi-chemin d'Anderson Avenue, de ne pas déranger cette famille plongée dans l'affliction. J'ai préféré me diriger vers le bureau de Walter pour voir quel genre d'information il pourrait me donner. Si Walt Langford profitait de mes questions pour prévenir monsieur Watson, ce n'était pas du ressort du shérif, et puis de toute façon je n'avais pas de mandat d'arrêt.

Si jamais mon chemin croisait celui de monsieur Watson, que ferais-je ? Avais-je peur, ou bien me sentais-je alerte et prêt à tout ? Les deux, il me semble. J'espérais ne pas me rendre au bureau de

Walt par simple mesure de précaution, mais si par hasard E.J. Watson, sentant le vent venir, se cachait dans la maison de sa femme, le gars qui se rendrait au bureau du télégraphe pour envoyer un message à Key West ne serait peut-être pas moi.

Je me rappelais les grands yeux de Carrie à son mariage et puis l'envie que j'avais d'être à la place de mon vieux copain — je ruminais qu'un boit-sans-soif comme Walt ne traiterait peut-être pas une jeune fille avec tout le respect que pourrait lui témoigner Frank Tippins, et puis que de toute façon Walt ne la méritait pas — bref, cette vieille souffrance m'a poussé à me racler la gorge et à glavioter d'un air de regret dans la poussière à côté du trottoir de la Première Rue, si bien que la vieille Mme Summerlin a fait un petit saut de côté en feignant de croire que je visais sa chaussure. « Bonjour, m'dame ! » Carrie était mariée depuis trois ans, il lui arrivait de sauter encore à la corde devant chez miss Flossie, et le fait qu'il n'y avait toujours pas d'enfant m'intéressait beaucoup plus que ça n'aurait dû.

Pour me consoler — pour « me gratter ma croûte », comme disait cette saleté de Cole qui voyait clair en moi — j'ai continué de rendre visite à sa mère après le mariage de Carrie, quand Mme Watson et ses garçons se sont installés sur Anderson Avenue. Walter et Carrie étaient encore fourrés chez la veuve Langford, mais comme elle n'avait pas d'enfant à charge, Carrie s'éclipsait presque toute la journée. Mes visites me fournissaient l'occasion de l'observer, j'épiais avec excitation le moindre signe de mécontentement, et peut-être que j'avais aussi le désir d'apprendre des détails inédits sur monsieur Watson. A ce moment-là, je ne l'avais vu qu'une fois, un homme à la carrure impressionnante, portant un costume de bonne coupe et un large chapeau noir, descendant la Première Rue vers les quais, un matin de bonne heure.

Mme Watson, qui voyait clair dans mon jeu, mettait un peu de baume sur mes plaies en me racontant comment, après que les jeunes mariés tout rougissants furent rentrés de leur lune de miel à La Nouvelle-Orléans, la mère de Walter les avait installés dans deux chambres séparées, en disant :

— Franchement, je n'arrive pas à me faire à l'idée de ces deux enfants *dans le même lit* !

Mme Watson me regarda rougir, puis me calma d'un bref sourire chaleureux.

— Bon sang de bonsoir, m'dame, qu'on vienne pas me parler de l'*Ouest* ! dis-je pour essayer de changer de sujet. On avait des bisons ici, en Floride, qui descendaient vers le sud-est jusqu'au comté de Columbia, et au début du XVIIIe siècle encore !

Mais alors même que je disais cela, je me rappelai la personne qui m'avait raconté des histoires sur le comté de Columbia — c'était Walt Langford, qui les tenait lui-même de monsieur Watson. Je devins rouge comme une tomate, tandis que les dames Watson feignaient l'étonnement :

— Des bisons ? s'écrièrent-elles en chœur. En Floride ?

Dans ma hâte de me lever, je fis tomber ma petite chaise en arrière, le regard fixé dans le vide pour ne pas voir ces deux femmes sourire. Piqué au vif par ces sourires jusqu'à la porte d'entrée, je m'écriai, désespéré :

— Bon sang, m'dame, c'est juste ici, à Fort Myers, que le chef Billy Jambes-arquées se rendit avec ses guerriers, puis s'embarqua à destination de Wewoka, dans l'Oklahoma !

Comme tous les petits comptoirs de la ville, le magasin de Langford & Hendry dans la Première Rue était une vieille baraque en bois toute délabrée, faite de bric et de broc, même pas peinte, le long d'une chaussée de terre battue couverte de mauvaises herbes, avec des trottoirs en bois, des façades branlantes, les cahutes de forgeron d'une ville vachère, des écuries et des saloons.

Juste devant la porte latérale qui donnait accès aux bureaux de l'étage, j'ai avisé Billie Conapatchie, un Creek mikasuki élevé et éduqué par la famille Hendry. Il portait une longue chemise en calico décorée de rubans rouge et jaune vif, ainsi qu'un foulard rouge et un chapeau melon au lieu du turban coloré traditionnel. Il avait réussi à fourrer sa chemise dans un infect pantalon d'homme blanc dont l'ourlet s'arrêtait bien au-dessus de ses chevilles couvertes de cicatrices et de ses pieds bruns tout éraflés.

Accroupi à ses postes d'observation favoris disséminés dans toute la ville, cet homme espionnait la vie citadine, assistant aux services religieux, aux réunions publiques et aux représentations théâtrales sans exception, même s'il n'y comprenait que couic. Parce qu'il avait appris un peu d'anglais à l'école de Fort Myers en 78, il faillit se faire chasser définitivement de sa propre tribu et, pendant toutes les années suivantes, il fut le seul Indien qu'on ait jamais vu en ville. Malgré tout, il envoya son fils, le jeune Josie Billie, à l'école séminole fondée par les missionnaires à Immolakee, où ma nièce Jane Jernigan, anciennement d'Arcadia, avait épousé le commerçant indien William Brown. Au cours de mes années de cow-boy, à l'occasion de mes visites aux Brown, j'ai fait aussi la connaissance de la famille de Billie.

— Dis à Josie que nous irons chasser dès que j'en aurai fini, lui glissai-je.

Billie Conapatchie parlait peut-être anglais, mais il n'avait pas perdu son indifférence indienne envers nos manières creuses d'hommes blancs.

Au-delà de l'oreille de Billie, qui saillait de ses cheveux noirs comme un champignon de souche, j'ai aperçu un type frisé et corpulent qui avançait droit sur moi dans la rue boueuse, me clouant au sol de son index tendu. En authentique homme des villes, Jim Cole détestait le silence. Il traversait la rue en passant d'un groupe à l'autre, il criait des blagues pour attirer l'attention sur lui et il entamait la conversation avant d'arriver devant vous.

— Tu t'assures les voix indiennes, c'est ça que tu fais ? Continue comme ça et faudra le leur *donner*, le droit de vote !

Une bonne claque dans le dos et un gros rire allaient immanquablement suivre cette boutade ; il brandissait sa grosse paluche aussi facilement qu'un chien lève la patte. Mais je me suis pas fendu d'un sourire, j'ai pas cessé de plisser les yeux ; et quand sa main s'est figée en l'air, j'ai levé la mienne vers mon chapeau, que j'ai même pas touché. Etant blessé pour l'Indien, j'ai seulement dit :

— Vous croyez, capitaine ?

Sa main est retombée pour ajuster son pantalon à l'entrejambe.

— Qui c'est qui votera en premier, Frank, les Peaux-Rouges ou les greluches ?

Sous le regard de Billie Canapatchie, nous autres Blancs avons échangé un sourire de dégoût partagé, et on pouvait que se demander ce qui traversait l'esprit de cet Indien taciturne. Billie nous coulait une espèce de regard en biais, non pas comme un espion mais comme une sentinelle, comme le corbeau solitaire. Il traînait en ville, apprenant tout ce qu'il pouvait, pour avertir son peuple du nouveau cours dangereux que risquait de prendre la fièvre de l'homme blanc.

Le silence de Billie fit ricaner Jim Cole.

— Qu'est-ce t'en dis, grand chef ? Surtout cause pas trop fort, grand chef, tu risquerais l'extinction de voix !

Il lâcha un rire aussi bref qu'un rot et me suivit dans le bâtiment en se hissant le long de l'étroit escalier.

Je frappais à la porte de Walt Langford, sans tenir compte des grands bruits de bottes que j'entendais de l'autre côté, quand une ombre apparut derrière le verre du bureau voisin. Avant que la porte se referme, le vieux James Hendry porta l'index à ses lèvres pour m'empêcher de le saluer et s'épargner une rencontre avec Jim Cole.

— Il a été forcé de déguerpir de pas mal d'endroits, m'avait dit Hendry deux ans plus tôt pour m'avertir que je serais « livré pieds et poings liés à ce Cole » si jamais j'acceptais son aide dans ma campagne.

— Je sais pas au juste pourquoi ils l'ont viré du comté de Taylor, mais ce gars-là est arrivé ici avec de la chevrotine toute chaude dans le postérieur, je peux te le dire.

Comme d'autres éleveurs, Jim Cole investit ses profits dus à la guerre dans une grande maison flambant neuve de la Première Rue, mais contrairement aux Summerlin, aux Hendry et aux Langford, cet homme n'avait pas le moindre sens de la terre et il se contrefichait du bétail. Comme disait Jake Summerlin, Cole montait à cheval avec autant d'élégance qu'un sac de crottin. Malgré sa grande gueule de cow-boy, Cole avait rarement chevauché dans le pays sauvage et désert qui s'étendait entre la Calusa et Big Cypress ; s'il avait des cals, c'était sur le cul et nulle part ailleurs.

En arrivant à la porte de Langford, il tonna :

— Vise un peu qui c'est qui trône dans le fauteuil de son papa alors que le vieux est pas encore refroidi !

Et il a fait profiter tout le bâtiment de son rire tonitruant. Il a pas pensé une seconde aux sentiments de Walt, il s'est jamais dit qu'il n'était peut-être pas le bienvenu.

Mais Langford sourit à ce vieil ami de la famille en le faisant entrer.

— C'était *mon* bureau autrefois, déclara Jim Cole en se laissant tomber dans le grand fauteuil avant d'abattre ses mains sur les accoudoirs en cuir, ses grosses bottes mettant de la boue partout sur le plancher. Il se carra confortablement, le bide avantageux, retrouvant son souffle dans un relent de sueur âcre et de cigare.

— Comment se porte la femme-enfant, espèce de sacré pilleur de berceau ? Comment se fait-y qu'on a point encore vu d'chiard ?

Je fis semblant de ne pas remarquer son clin d'œil, car j'avais honte de me poser la même question et je regrettai que Walt se sente obligé de rire.

Walt avait encore le teint rouge après toutes ses années passées dans les pinèdes, mais ce matin-là son visage était encore plus rouge que d'habitude, car apparemment l'alcool lui troublait déjà les idées. James Hendry lui donnait de toute évidence trop peu de choses à faire.

— J'ai un problème à régler avec toi, Walt, dis-je.

Mais quand Jim Cole éructa : « Alors accouche ! » je restai silencieux.

Langford dit doucement :

— Inutile de faire des cachotteries au capitaine Jim. A Fort Myers, personne peut péter dans son coin sans que t'aies ton mot à dire, c'est-y pas vrai, Jim ?

— *N'est-ce pas*, rectifia Cole en s'épongeant le cou. C'est-y pas que Carrie t'a jamais prévenu rapport à l'esspression *c'est-y pas* ? Tu chasses plus les vaches, jeune homme, *c'est-y pas vrai*, t'es un fichu roi du bétail maintenant, comme ton papa. Si tu veux que je te fasse nommer commissaire du comté, faudrait voir à c'que tu causes réglo, exactement comme nous autres les sales fils de putes blancs.

Que ça me plaise ou pas, je devais reconnaître que Jim Cole avait un certain humour et de l'intelligence à revendre, quelque chose de froidement honnête dans son manque de scrupules. Pourtant, j'ai eu du mal à sourire.

Ils m'attendaient. A travers la fenêtre j'entendais de faibles aboiements, le trot d'un cheval, le fracas d'un chariot brinquebalant.

— Hier, je me suis laissé dire que ton beau-père était peut-être en ville.

Langford recula derrière son bureau.

— Ah bon ? fit-il en regardant Cole, qui avait levé les yeux au plafond.

Puis il s'assit et me montra un fauteuil.

Je retirai mon chapeau mais restai debout, le regard perdu à travers l'étroite et haute fenêtre, fixé sur la galerie des devantures de l'autre côté de la rue. Là, le jour des élections, une foule de partisans de Tippins avait été dispersée par des coups de feu et le sifflement des balles qui venaient, semblait-il, du saloon appartenant au cousin du shérif titulaire, Taff O. Langford. Je restai où j'étais jusqu'à ce que quelques personnes me rejoignent, puis je prononçai la phrase qui m'avait fait remporter cette élection :

— *Ils ont les Winchester, messieurs. Mais vous avez les votes.*

Le vieux T.W. perdit son mandat dès le lendemain.

— Merde alors ! s'écria Cole en faisant retomber violemment les pieds de sa chaise par terre. « Nom de Dieu, Frank, reste pas debout comme ça, tu me donnes le vertige ! » On aurait dit que son sourire était épinglé sur ses bajoues. « T'as une dent contre cette famille Langford, shérif ? » Le regard semblait dur dans un visage tout mou, exactement le contraire de Langford. Cole avait une longue bouche torve — une vraie bouche de pute, décidai-je — et ses narines, légèrement retroussées, évoquaient deux trous roses et poilus qui reniflaient à la recherche d'odeurs nouvelles. « C'est à peine que t'es dans le fauteuil de c' vieux T.W. que tu veux traquer le beau-père de c't homme, qu'est même pas dans ta juridiction ! Alors que le papa de Walt est même point mort depuis un an et que la mère de la 'tite Carrie elle est en train de passer juste sous nos yeux ! Voilà c'que Walter il peut pas s'enlever de l'idée tous les matins, tous les midis et tous les soirs. C'est-y que t'aurais pas plus de décence que ça ? Doux Jésus, mon gars…

— Tout doux, fait Walter en brandissant les paumes au-dessus de sa tête. Frank et moi, on est copains depuis un bail. Tout va bien…

— Non, *tout va point bien* ! s'écrie le capitaine Jim en l'interrompant d'une explosion de colère comme s'il craignait que Walter concède quelque chose ou révèle un secret. »

La raison de la fureur de Cole, ou plutôt sa principale explication, c'était le refus du shérif du comté de Lee, trois mois plus tôt, de confirmer son alibi quand un garde-côtes fédéral avait arraisonné la *Lily White* à Punta Rassa. Suivant son itinéraire habituel, la *Lily White* avait transporté du bétail aux abattoirs de Key West, puis, plutôt que de revenir à vide, elle avait pris rendez-vous avec un bateau cubain dans les Marquesas pour charger une cargaison de rhum de contrebande qui avait échappé à toutes les taxes d'importation. Le schooner fut retenu cinq semaines à Key West, jusqu'à ce que Jim Cole, qui clamait toujours son innocence et réunissait tous les témoignages possibles vantant ses vertus civiques, ait payé une lourde amende au gouvernement fédéral, non parce qu'il avait perdu son procès en appel — l'affaire n'avait pas encore été plaidée lorsqu'il renonça à faire appel — mais parce que son manque à gagner dû à l'immobilisation du bateau confisqué était beaucoup plus douloureux pour ce gaillard que toute atteinte à sa réputation d'honnête commerçant. Il avait même crié au procureur fédéral :

— Mais enfin, vous ne vous rendez pas compte que nous sommes en guerre ?

Son avocat avait été contraint de lui rappeler que cette guerre était terminée.

Afin de garder son emploi, le capitaine de la *Lily White* avait dû confirmer la version des faits de Cole, mais personne parmi les connaissances de ce filou ne pouvait croire que son bateau avait chargé des marchandises illégales à l'insu de son propriétaire. On ne pouvait que s'interroger sur la cupidité qui poussait ces riches hommes d'affaires à tourner la loi du pays dont ils se disaient si fiers, à voler le gouvernement en exagérant le coût de leurs services « patriotiques », et à faire l'impossible pour échapper à ses taxes — non pas pour gagner leur vie, mais pour cumuler.

— Non, *tout va point bien* ! criait si fort Jim Cole que des passants s'arrêtèrent dans la Première Rue.

Je me tourne alors vers Langford :

— Il y a eu du grabuge, Walt...

— Je sais, rétorque Langford.

— Tu es donc au courant. Il est en ville, alors ?

— Non, il y est point.

Langford jette un coup d'œil à Jim Cole, qui me fusille toujours du regard.

— Non, il n'y est *pas*, rectifie Langford de lui-même en détournant aussitôt les yeux parce qu'il comprend que nous ne partagerons pas son sourire. « Il est déjà reparti vers le nord. Il tenait à voir une dernière fois la mère de Carrie, et il a annoncé à Mme Watson qu'il y avait eu un pataquès. Laquelle l'a répété à Carrie. » Walt Langford lève alors les mains très haut comme si je venais de lui dire « Ceci est un hold-up ! » « Je l'ai pas vu. Je sais pas ce qu'il lui a dit et je sais pas où qu'il est parti. Alors me pose pas de questions.

— M'enfin, Walt, explose Cole, il a pas *le droit* de t'en poser ! Il a point la juridiction, bordel ! C'est le comté de Monroe là-bas, Tippins ! Dans le comté de Lee, cet homme est clair comme de l'eau de roche, et il a bien l'intention de le rester ! »

Il serait clair, sous prétexte qu'il tue de l'autre côté de la frontière du comté ? Mais je préfère ignorer Jim Cole et soutenir le regard de Langford.

— Le shérif de Monroe a envoyé un télégraphe, il veut l'interroger. S'il est toujours en ville, faut que j'en informe Key West.

Cole renifle et fait un geste méprisant avec sa grosse patte, mais d'un signe de tête Langford me remercie de l'avertissement.

— Qui était-ce ? demande Langford.

— Un jeune homme du nom de Tucker et sa femme, certains parlent d'un garçon. Le shérif de Monroe n'arrive pas à débrouiller toute cette histoire. Les Tucker squattaient une concession de Watson, ils refusaient de s'en aller.

— Des nègres, t'as dit ? fait Jim Cole en se redressant dans son fauteuil. Voulaient pas s'barrer ?

Cette fois, c'est Langford qui l'ignore :

— Et comme d'habitude c'est le père de Carrie qu'on accuse, c'est-y pas vrai ?

— N'est-ce pas ? le corrige Jim Cole.

— Pas de témoin connu, pas de preuve. Et pas grand doute non plus.

Je remets mon chapeau.

Langford m'accompagne sur le palier.

— Pas d'intervention de la loi, alors ?

— Il s'est peut-être dit que les hommes des Iles risquaient de faire leur propre loi. A mon avis, c'est pour ça qu'il est parti.

Je commence à descendre l'escalier.

— N'ennuie pas Carrie avec tout ça, d'accord, Frank ? Il est point en ville. T'as ma parole.

Je porte la main à mon chapeau. Savoir que je n'aurais pas à affronter Ed Watson éveille en moi des sentiments mitigés. Une chance vient de passer, qui ne se représentera peut-être jamais.

Walt Langford sourit :

— Attention, ça veut pas dire que je te préviendrai si jamais il revient !

Jim Cole beugle alors :

— Si jamais i' revient, j'nommerai ce fils de pute shérif !

Je réussis à sourire, par politesse, quand Langford se met à rire bien trop longtemps et trop fort.

— C' bon vieux Jim, soupire Walt.

Et son rire repart de plus belle, comme s'il n'avait jamais rencontré personne d'aussi drôle.

— C' bon vieux Jim, je répète tranquillement pour aider Walt à s'en sortir.

Bill House

Au début du siècle, le commerce des fruits et légumes à destination de Key West se mit à péricliter. Ted Smallwood avait deux cent cinquante avocatiers qui recouvraient toute l'île de Chokoloskee, il expédiait des barils remplis de ces trucs à Punta Gorda, puis ils partaient dans le nord par le chemin de fer, il en tirait cinq cents la pièce. Storter cultivait toujours la canne à sucre à la crique du Mi-Chemin, Will Wiggins aussi, mais personne n'habitait plus là-bas. Les Lopez étaient sur la rivière Lopez, D.D. House avait sa maison sur Chokoloskee, mais sa ferme de canne à sucre était sur une ancienne roukerie d'oiseaux au nord de la Chatham, un endroit que nous appelons la Butte des House. Ed Watson cultivait les deux berges de la rivière à la Courbe de Chatham et il se débrouillait mieux que nous tous. C.G. McKinney cultivait encore sur la rivière Turner, et Charlie T. Boggess sur Sandfly Key – c'étaient des modestes potagers de fruits et légumes –, mais les fermiers de Chokoloskee ont laissé tomber l'un après l'autre. Trop de pluie ou pas assez, trop d'eau de mer à évacuer après une tempête. Ce sol noir sur les monticules de coquillages n'avait pas de minéraux à proprement parler, il se retrouvait épuisé en quelques années, exactement comme les femmes. Y avait davantage à gagner avec les plumes d'oiseau, les peaux de gators, les fourrures de ratons laveurs ou de loutres. Alors les bêtes sauvages ont commencé à se faire rares. Encore une chance que l'usine de clams ait ouvert, parce qu'il nous restait plus grand-chose à faire en dehors d'entasser des bûches de platane et de pêcher un peu.

Watson était parti depuis des années et personne cultivait plus la Courbe de Chatham, même si dans toutes ces îles du nord, y avait plus tellement de bons terrains assez élevés pour s'y installer. Notre clan House allait et venait à partir de la Grosse Butte des

House, mais presque tout le coin de Watson s'est vidé, jusqu'au fin fond du sud vers l'Homme perdu et même au-delà.

Autrefois, y avait trois plantations sur la Rodgers, avec des beaux palmiers royaux, des dattiers et des tamariniers — les actes de renonciation des trois domaines étaient à vendre, mais impossible de trouver le moindre acheteur. Après tout le labeur et la sueur et la souffrance que les Atwell y avaient mis, près de trente années de tout ça, ces maisons pourrissaient sur les monticules, toutes tristes et grises, les cuves rouillaient et les citernes s'encroûtaient de vase verte et de la pourriture des pauvres bestioles qui tombaient dedans en essayant de boire leur eau. Et puis les champs étaient envahis d'une jungle d'épineux, les eaux noires de la rivière emportaient tout pour le rendre à la sauvagerie, comme si personne avait jamais vécu là sauf les vieux Calusas. Plus tard, quand les gamins Storter et Henry Short allèrent là-bas pour pêcher le mulet, ils découvrirent des pancartes installées sur la berge devant ces vieilles baraques, et ce qu'il y avait sur ces pancartes c'étaient des crânes et des tibias entrecroisés, grossièrement peints en blanc sur fond noir. Y a point de loi qu'interdise de mettre des pancartes, il me semble, peut-être que quelqu'un voulait faire une blague, mais je citerais surtout pas de nom.

Les gens arrivaient et puis ils s'en allaient. Ils restaient jamais longtemps une fois que le silence leur tombait dessus.

Pendant quelques années après 1901, y a seulement eu deux grandes familles dans le coin de l'Homme perdu. Richard Hamilton et ses gars habitaient Hog Key, Wood Key, au nord de la rivière de l'Homme perdu, ça fait un clan ; et le vieux James Hamilton et ses fils Frank, Lewis et Jesse étaient sur la plage de l'Homme perdu, au sud de l'embouchure de la rivière, et ça fait deux. Henry Thompson s'était acoquiné avec les James Hamilton là au sud de l'Homme perdu. Il était ami avec Watson, et le clan Richard Hamilton devint aussi ami avec Watson, même qu'ils se donnèrent un certain mal pour ça.

Henry Thompson faisait un peu de culture et un peu de pêche aussi, il aida le vieux James et son benjamin Jesse à construire une assez belle route en coquillages jusqu'à ce vieux monticule calusa qu'on appelait la Butte du palmier royal. Un gros bosquet de palmiers royaux qui poussaient là-haut, ça valait vraiment le coup de les déraciner, ces palmiers. Les Hamilton prétendaient qu'ils voulaient cultiver la terre, car dès que des palmiers royaux s'élèvent au-dessus de la mangrove, on est à peu près sûr de trouver un monticule de bonne terre, un bon sol bien noir, mais à mon avis c'est pas la seule raison. Ça paraissait tout de même bizarre, cette grosse butte située tellement loin de l'eau, comme si que les Andiens de l'ancien temps avaient essayé de la planquer. Le vieux Chevelier avait mis dans la tête de tout le monde son obsession de trésor enfoui, surtout après ce que Bill Collier avait découvert à Marco, et les histoires du vieux Juan Gomez sur Panther Key. Ce que je sais en tout cas, c'est qu'Henry Short y croyait dur comme fer. Le rêve d'Henry, c'était de trouver son trésor et de se trisser quelque part, mais que je sois damné si j'ai jamais entendu causer d'un endroit où un négro ait pu s'enfuir dans ce temps-là.

En descendant vers la Rivière du requin, on en voyait plein, des palmiers royaux, tout du long de la côte à partir de la plage de l'Homme perdu. Cette berge de coquillages faisait bien sept kilomètres de long, sans doute qu'elle existe toujours. Mais tous ces beaux arbres le long de la côte ont aujourd'hui disparu, on en voit plus un seul. Pourtant, m'est avis qu'ils peuvent pas manquer à ceux qui les ont jamais vus.

L'un de ces rois du bétail, Jim Cole, décida que ces palmiers servaient à rien là où qu'ils étaient, et il nous a embauchés, les gars des Iles qu'étaient fauchés, pour les déraciner jusqu'au dernier et enjoliver les rues de la ville. En faire des cartes postales, rameuter les touristes du nord. Le paradis tropical, quoi. Comme de juste, ils ont presque tous crevé — personne les arrosait —, on aurait aussi bien fait de les laisser vivre où qu'ils étaient.

C'est à ce moment-là que Cole et Langford ont amené le chemin de fer, et les touristes ont commencé d'affluer par milliers, Dieu tout-puissant ! Dommage que le Jim Cole il ait pas commandé quelques gombos pour sa ville, rapport que cet arbre est tout maigrichon, avec une écorce mince, toujours rouge et en train de peler. Nous autres, les gars du coin, on l'appelait l'arbre-touriste.

C'est vers cette époque que C.G. McKinney commit l'erreur de pas garder à portée de la main son argent du bureau de poste. Ça s'est passé vers 1906. Y avait rarement des inspections, mais le jour qu'y en a eu une, l'argent était ailleurs. Il était pas perdu, juste employé ailleurs, quoi, mais il a pas pu en montrer la couleur, alors que de par la loi il était obligé de le tenir à disposition. Smallwood a alors prêté cet argent à McKinney pour le tirer d'affaire et en un rien de temps Ted est devenu receveur des postes, non seulement ça, mais aussi le plus gros commerçant de la région : il possédait presque toute l'île de Chokoloskee et il nous laissait rien que la poussière. Pendant les trente-cinq années suivantes au moins, la famille Smallwood a été la plus importante de toute l'île.

C'était l'année que monsieur Watson ramena sa nouvelle épouse dans la baie de Chokoloskee. La première chose qu'il a fait, c'est de rendre visite aux Storter, d'ouvrir un nouveau compte, puis il a recommencé la même opération de l'autre côté de la baie, chez Smallwood. Il croyait sans doute que, tant qu'il resterait l'ami des commerçants, tout irait bien pour lui.

Mamie Smallwood

Je me rappelle le jour de 1906 quand monsieur Watson revint à Chokoloskee – tout le monde s'en souvient, j'imagine, car il est arrivé à bord de la première chaloupe à moteur qu'on ait jamais vue. Les gens l'ont entendue arriver, un *put-put-put* qui venait de Sandfly Key à travers la passe – pendant des années nous autres les jeunes avons surnommé ce bateau *L'Orchidée de mai*, pour vous dire à quel point il nous paraissait extraordinaire. Tant les hommes que les femmes quittèrent leur plant de tomates et se hâtèrent derrière les enfants qui dévalaient vers l'embarcadère en criant. A Chokoloskee nous étions très en retard sur notre époque, même si nous ne le savions pas tous, et nous mourions d'envie de voir quelque chose de neuf.

Même à quatre cents mètres de distance, là-bas dans le chenal, la silhouette à la barre paraissait trop familière, cette forme corpulente et le chapeau à large bord. Lorsqu'il aperçut la foule, il porta la main à ce fameux chapeau et il s'inclina légèrement, alors le soleil embrasa cette tignasse roux foncé – couleur de sang mort, comme disait toujours grand-maman Ida, sauf qu'elle a seulement trouvé cette expression quelques années plus tard, quand ceux qui l'avaient jamais connu se mirent à l'appeler Watson le sanguinaire. Ida Borders House, originaire de Caroline du Sud – eh bien, elle va nous manquer. Mais ce fut ce petit salut qui nous dit aussitôt de qui il s'agissait, alors mon cœur a bondi comme un mulet, et j'ai pas été la seule dans ce cas. Un silence est tombé comme une chape sur Chokoloskee, à croire que notre pauvre petite communauté retenait son souffle, à croire qu'on attendait qu'un gros orage éclate dans ces énormes nuages tout noirs au-dessus des Glades en été, juste avant la première bourrasque glacée et la pluie.

– Quand on parle du diable, dit grand-maman Ida en remettant de l'ordre dans sa coiffure, bien qu'à ma connaissance personne n'avait parlé de lui dernièrement.

Grand-maman savait sans l'ombre d'un doute qu'elle regardait Satan en face. *Cet homme a osé revenir ici parmi nous* ! Sur toute la grève, les femmes portaient le bout de leurs doigts à leurs lèvres en roulant des yeux, O ! Seigneur ayez pitié – mais pourquoi donc que ces idiotes font des simagrées pareilles, je vous le demande ! – et elles échangeaient des écarquillements dignes d'une bande de spectres. Ensuite, toutes ensemble elles ont osé regarder derechef et toutes ensemble elles ont poussé un affreux gémissement de douleur. Ça m'étonnerait pas que moi aussi j'aie gémi. On aurait dit l'Apocalypse, le Jugement dernier arrivé pour de bon. J'en ai point vu déchirer leurs vêtements ou s'arracher les cheveux, mais deux bonnes femmes craignant Dieu se hâtèrent de faire remonter leur marmaille vers le haut de la colline en caquetant et en s'agitant comme des poules, non qu'elles croyaient réellement que monsieur Watson risquait de les attaquer, mais pour bien montrer aux autres commères que Mme Trucmuche refusait que ses angelots aient le moindre contact avec un assassin méthodiste.

Naturellement, ces deux poules ont fait demi-tour aussi sec en entendant le babil excité des autres femmes, elles ont pris leurs jupes à pleines mains pour redescendre la colline sans perdre une seconde. Peut-être qu'elles avaient peur de monsieur Watson, mais elles avaient encore plus peur de manquer quelque chose.

Quand monsieur Watson toucha son chapeau et s'inclina, devinez qui se tenait juste à côté de lui ? Une jeune femme qui serrait un bébé entre ses bras ! Et en moins de temps qu'il en faut pour le dire, le voilà-t-y pas qui aide sa donzelle à descendre sur l'embarcadère ! Après ça, quelle cohue ! Ça poussait et ça couinait, ça retournait chez soi en vitesse afin de se trouver un pauvre bonnet ou une paire de chaussures pour une occasion aussi huppée.

On dira ce qu'on voudra de monsieur Watson, mais il évoquait et il se comportait comme les héros tels que nous les imaginions. Il restait campé là, tout brillant au soleil, en costume de lin blanc et panama léger, il portait pas un de ces chapeaux de paille à la noix qu'on tresse dans la région. Et puis elle, à son bras, en robe de lin marron et bottes boutonnées, avec cette jolie fillette en sarrau brun, bonnet de soleil et gros nœud rose – jamais on avait vu un couple aussi chic !

Pendant quelques instants cette jolie petite famille est restée immobile face à la foule, comme s'ils gardaient la pose durant leurs vacances. Je revois cette image chaque fois que je me rappelle comment il est resté campé là, tout seul, exactement au même endroit, par une sombre soirée d'octobre, quatre ans plus tard, tandis que cette jeune femme se tournait lentement pour me regarder dans ma propre maison et que sa petite fille piaulait son malheur dans un coin comme un pauvre lapin pris au piège, parmi tout ce fracas sauvage des hommes et de leurs armes d'acier.

Depuis ce mauvais grabuge à la rivière de l'Homme perdu, on nous rebattait les oreilles que, si jamais Ed Watson repointait le bout de son nez dans les parages, les gars s'organiseraient aussitôt en escouade pour le livrer au shérif de Monroe et qu'ils le brancheraient peut-être au cas où il hausserait le ton. Mais monsieur Watson resta à l'écart de Chokoloskee quand il revint dans la région en 1904, il s'arrêta peu de temps à la Courbe de Chatham et repartit encore plus vite. Il revint un peu plus tard cette année-là, il resta un peu plus longtemps, il brûla sa plantation, qui avait été presque entièrement envahie par tout un fouillis de palmettes. J'ai seulement appris son passage là-bas quand il en était déjà reparti ; mais, en attendant, les hommes se sont faits à l'idée qu'il pourrait bien revenir.

Que tel ait été son projet ou non, on ne pouvait qu'admirer l'audace de monsieur Watson. Il fit tomber toute la détermination des hommes de Chokoloskee, qui se disaient entre eux qu'il resterait jamais, qui se disaient entre eux qu'il mettait ses affaires en ordre afin de pouvoir vendre sa concession de la Courbe de Chatham, qui se disaient tout ce qui leur passait par la tête. Et pendant ce temps-là il faisait avancer ses affaires, il voyait le géomètre du comté de Lee pour obtenir un titre de propriété de ses terres, il faisait venir son propre charpentier du comté de Columbia pour qu'il lui construise une galerie sur le devant de sa maison, il s'offrait une couche de peinture fraîche sur tous les murs extérieurs. Et pas du lait de chaux, s'il vous plaît, de la vraie peinture à l'huile. La seule maison peinte à l'huile qu'on ait jamais vue dans les rivières. Hélas, ce charpentier est mort chez Watson et les rumeurs ont repris de plus belle, mais aussitôt il a de nouveau disparu. Ça s'est passé l'année où ce pauvre Ed Bradley s'est fait tuer ; certains l'ont même accusé de ce décès-là aussi, malgré qu'il soit parti avant.

Quand on l'a pas revu pendant un an et qu'on a vraiment eu l'impression qu'on le reverrait plus jamais, les hommes ont conclu qu'il avait tué ce charpentier en plus du Français et des Tucker ; ils se sont remis à parler de lynchage. Certains parmi ces gars-là sont devenus tout ce qu'il y a de féroce.

Eh bien, le revoilà en chair et en os, il s'avançait à portée de leurs griffes, mais alors j'ai point entendu parler de chasse à l'homme. Presque tous ces crétins se bousculaient quand E.J. Watson a posé le pied sur la berge, pour vous dire à quel point ils avaient envie de l'approcher et de lui serrer la main. Personne a voulu rester à la traîne quand il s'est agi de montrer tout le bien qu'ils pensaient de monsieur Watson, ils voulaient surtout pas entendre la moindre critique à son égard. A leurs femmes, ils ont dit ensuite :

— Bah, ces Tucker étaient rien que des *conchs,* tu sais, des raclures de Key West. Sans doute qu'ils ont mérité ce qui leur est arrivé, qui pourrait le dire ?

Voui, ils ont blagué et rigolé avec monsieur Watson ce jour-là, il était rien de plus que notre voisin des Iles parti depuis longtemps. Charlie T. Boggess lui a demandé quel genre de moteur monsieur Watson avait installé sur sa chaloupe, et il a répondu :

— Eh bien, c'est un monocylindre de marque Palmer, Charlie T., une pure merveille !

Et tous les autres gars jouaient des coudes, échangeaient des clins d'œil, opinaient du chef comme une bande de bâfreurs de dinde, à croire que tous sauf Charlie T. avaient reconnu le bruit du Palmer dès qu'ils l'avaient entendu arriver dans la passe. Charlie et Ethel Boggess sont des amis très chers, ils se sont mariés en 97, la même année que nous, et mon Ted a toujours eu bonne opinion de lui, mais Charlie T. s'est comporté en vrai crétin avec Ed Watson, même si y en a certains qu'ont fait bien pire que lui.

Eugene Hamilton était présent ce jour-là, le gars qui avait aidé à enterrer ces pauvres Tucker à l'Homme perdu ; y a quelques années de ça, il voulait à tout prix lyncher monsieur Watson. Un jeune Daniels lui a dit à l'époque :

— Ça fait pas la moindre putain de différence que cet homme soit coupable, mon gars, c'est point à toi d'ouvrir ta grande gueule pour lyncher un homme blanc.

Eugene lui a répondu :

— Tu veux dire par là que moi, je serais point blanc ?

Alors avait commencé une bagarre du feu de Dieu, juste ici, derrière le magasin, Gene Hamilton aurait volontiers occis son fichu cousin. Mais le jour dont je parle, il restait là à bayer aux corneilles comme les autres.

Le seul qu'a point pris part à tout ce bataclan, c'était mon frère Bill, et j'ai été fier de lui. Bill House était curieux, ça va sans dire, toute sa vie il a gambergé sur monsieur Watson, mais Bill avait discuté avec Henry Short, qu'avait aidé les Hamilton pour cette sacrée mise en terre. D'accord, Henry Short accusait personne, mais Bill en avait conclu qu'E.J. Watson était un tueur de sang-froid, et il a jamais rien vu de neuf pour le faire changer d'avis. Bill avait pas un sou d'éducation, il a pris le rôle de papa quand papa en a trop fait pour son âge et qu'il s'est estropié avec sa hache, là-bas sur la Butte des House. Occupé comme il l'était à turbiner pour le clan House, Bill a jamais eu le temps de s'enrichir l'esprit, mais rapport aux gens il avait plus de bon sens que toute la bande.

Monsieur Watson a sans doute senti le regard de Bill, car il s'est retourné au milieu d'une phrase, il a dévisagé Bill un peu trop longtemps et il lui a dit très tranquillement :

— Tiens, salut, Bill.

Et Bill de lui répondre tout aussi calmement :

— Monsieur Watson.

Il a enlevé son chapeau pour saluer la jeune femme et il a serré des mains alentour. Bill était devenu un gaillard blond aux épaules larges, au visage tanné et rouge de soleil, un gars fort comme un arbre.

— Content de te revoir, dit monsieur Watson comme pour tâter le terrain.

Mais Bill n'a pas voulu aller plus loin que ça, il a rien répondu, même s'il avait la politesse des House et que toute sa vie il a détesté paraître inamical. Oh, il paraissait bien aimable, mais il s'est contenté de hocher la tête sans rien dire et il a remis son chapeau sur sa tête en guise de réponse.

Monsieur Watson l'a jaugé pendant une bonne minute avant de lui rendre son signe de tête. Mais Bill House était un homme qu'il voulait avoir de son côté ; d'ailleurs, Bill fut le premier habitant de l'île à qui E.J. Watson présenta « madame Watson ».

Je la revois aujourd'hui telle qu'elle était alors, une belle jeune femme à peu près de mon âge, avec des cheveux couleur caramel, tenant dans ses bras une jolie fillette aux mêmes cheveux auburn et au même sourire endormi que son méchant papa. Monsieur Watson a alors dit :

— Maintenant, les gars, surveillez votre langage, d'accord ? Car cette jeune dame est fille de prêcheur.

C'était rien qu'une blague, évidemment. Y avait pas un homme de Chokoloskee qu'aurait osé jurer devant toutes ces femmes.

Ida Borders House tenait mordicus à pas se laisser mener en bateau par cet homme-là – elle s'est mise à renifler comme une damnée, même qu'elle a bien failli nous faire une apoplexie. Maman aimait bien signaler son point de vue avec son grand reniflement, et elle se moquait de savoir si son point de vue intéressait quelqu'un. Elle a donc dit à voix haute :

– Eh bien, grâce au Ciel, y a point besoin d'instruire les Premiers Baptistes de Floride rapport aux blasphèmes !

Néanmoins, son regard fulminant se posait ailleurs quand elle acheva son invective. C'était très difficile de soutenir le regard de monsieur Watson.

J'ai observé le visage de la jeune épouse, pour deviner ce qu'elle savait. Surprenant mon regard, elle a baissé les yeux et j'ai compris qu'elle savait pas mal de choses, mais pas tout. Puis elle a relevé les yeux et m'a souri, comme si elle avait fait de moi sa nouvelle amie, ou son ennemie. Je me suis avancée pour la saluer et les femmes m'ont suivie.

Malgré toutes les risettes et l'atmosphère bon enfant, ceux qu'étaient présents se sentaient rudement mal à l'aise rapport à ce qui était arrivé aux Tucker à l'Homme perdu – ou ce qui semblait leur être arrivé, comme dit Ted, vu qu'y a jamais eu de preuve ni aucun survivant pour raconter l'histoire. Monsieur Watson, qui le savait, se tenait là, tout suave et tranquille, d'une patience angélique, les mains derrière le dos, opinant du chef et souriant de toutes ses dents, plus ravi que le Fils prodigue d'être de retour au bercail. Pas une fois il a élevé la voix ni caqueté bruyamment comme faisaient les autres, il faisait juste son embarrassé après être parti depuis si longtemps. La pointe de sa jolie botte se baladait sur le sol pendant qu'il attendait que tous les gars aient fini de le détailler des pieds à la tête.

Et de sourire, et de hocher la tête ; mais pendant tout ce temps-là il scrutait les hommes l'un après l'autre, et très peu en dehors de Bill House réussissaient à soutenir son regard. Puis il a lancé un clin d'œil à sa femme, et ce clin d'œil nous a fait sursauter, comme s'il avait deviné, au bref tressaillement de leur visage, quels hommes avaient parlé de le lyncher et quels autres pas, et à qui il réglerait son compte en temps voulu. Les hommes aussi sentaient tout ça et l'un après l'autre ils se sont tus.

Ce silence pénible fut brisé par monsieur Watson qui déclara qu'il serait fier de jeter un coup d'œil à notre nouveau magasin. J'ai envoyé Ted devant nous pour qu'il en chasse l'un des Daniels, je dirai pas lequel, qu'était allongé sur mon comptoir, plus froid qu'un pied de porc à la saumure. Monsieur Watson montra le chemin et, comme le magasin se trouvait dans notre maison, il enleva son chapeau en montant les marches avant de traverser la galerie, sans doute le premier, sans compter le vieux Richard Hamilton, qui soit jamais entré dans notre magasin sans son galurin sur le caillou. Mais ce jour-là, la moitié des hommes qui se bousculaient sur les talons de monsieur Watson ont eux aussi retiré leur chapeau.

Regardant partout autour de lui, il se répandait en félicitations à Ted Smallwood et à « miss Mamie », il disait qu'aucun lieu de commerce ne nous surpassait de ce côté-ci de Tampa, même si tout le monde savait que le magasin de Storter, juste de l'autre côté de la baie, était deux fois plus grand. Il secouait la tête comme s'il en croyait pas ses yeux, rappelant à Ted le bon vieux temps lorsqu'ils se rencontrèrent pour la première fois, à la crique du Mi-Chemin dans les années 90, et tous les progrès qu'ils avaient faits depuis dans la vie. Parce qu'il se sentait toujours timide et modeste quand on lui affirmait qu'il s'en tirait mieux que ses voisins, Ted changea de sujet :

— Y a presque plus personne à la crique du Mi-Chemin, Ed. Les Storter ont tout acheté.

Ted n'avait pas vingt ans à l'époque du Mi-Chemin, alors que monsieur Watson avait déjà trente ans passés. C'est vrai que, dans les Dix Mille Iles, il a aménagé une plantation au-delà de tout ce qu'on a jamais vu ici, avant ou depuis — toutes les plantes cultivées par ce gars-là se transformaient en or —, mais je crois pas qu'il avait fait mieux que Ted. En 1906, Ted Smallwood était receveur des postes, commerçant et le plus important propriétaire terrien de Chokoloskee, et pour arriver à ça il n'avait jamais ni volé ni tué. Sûr, C.G. McKinney et William Wiggins avaient leurs petits magasins de l'autre côté de l'île, mais depuis le jour de notre ouverture on a été le principal comptoir de commerce de Chokoloskee, et aujourd'hui comme hier nous sommes les premiers.

Ted Smallwood a travaillé dur pour avoir tout ce qu'il a — en fait, le problème c'était de le faire s'arrêter de bosser ! Quand un homme avait de l'argent dans la main, Ted serait descendu en chemise de nuit pour le servir, même le dimanche. Mais ce

Watson-là n'a jamais manqué d'argent, depuis le premier jour qu'il est arrivé ici. Seul le bon Dieu sait d'où lui venait cet argent et combien d'innocents ont été occis pour lui.

Cette année-là, nous avions un jeune prêcheur que les moustiques n'avaient pas encore chassé de l'île ; l'homme de Dieu s'est hâté de descendre pour faire la connaissance de ce nouveau venu et lui signifier qu'on l'accueillerait à bras ouverts pour adorer avec nous le dimanche, quand le Seigneur accrochait Son chapeau à Chokoloskee. Monsieur Watson répondit au prêcheur que la Courbe de Chatham n'était pas la porte à côté de la maison de Dieu, mais qu'il n'avait certes pas l'intention de renoncer à sa vieille habitude de lire la Bible à voix haute le jour du Seigneur, que ses gens en aient besoin ou pas.

Quand tout le monde se mit à rire, C.G. McKinney se renfrogna. Il tira sur sa longue barbe et toussa, une quinte sèche et soudaine, comme un chien, pour montrer à l'assemblée qu'il appréciait la plaisanterie, mais qu'il ne tolérait pas les blagues dont la Bible faisait les frais. Par ailleurs, C.G. McKinney était notre humoriste local et il a jamais encouragé personne à lui bousiller son monopole. C'était l'année où nous lui avions pris ses fonctions postales, et comme il avait plus notre courrier à lire, il rédigeait les nouvelles locales pour le journal du comté ; s'il y avait une blague à sortir, c'était à notre gratte-papier patenté de la sortir, sauf exception dûment notifiée. Voici donc ce qu'il a fait : il nous a raconté l'histoire de ce pauvre révérend Gatewood, le premier homme de Dieu à Everglade en 88. Le révérend Gatewood arriva dans la baie à bord du vieux *Ploughboy,* et sa première tâche sacrée après son débarquement fut de prêcher les dernières paroles sur le cadavre d'un homme tué pendant une querelle avec le capitaine au cours du voyage. Le capitaine Joe Williams était un homme à femmes qu'était toujours en bisbille avec un mari ou un autre et, comme le gars qu'il venait d'envoyer *ad patres* était assez populaire dans le secteur, le capitaine Joe a dû conserver un profil bas pendant quelques années après ça.

Ce capitaine Williams était le même type qui racheta la ferme à miel au frère de William Wiggins à la passe de Wiggins. On disait communément que le capitaine Joe avait offert un peu de son miel à Mary Hamilton, à Fakahatchee, en profitant de l'inattention du vieux mulâtre qu'elle avait épousé, et qu'il lui avait donné un garçon aux cheveux couleur de miel.

Je suis sûre que monsieur Watson connaissait l'histoire de

Gatewood, mais il a eu la politesse de faire comme s'il ne l'avait jamais entendue. Il a dit qu'il espérait sacrément que ce bon vieux capitaine Joe avait payé pour tous ses péchés, car ce qu'on avait besoin dans les Iles, c'était de loi et d'ordre. Entendant ça, Isaac Yeomans a piqué un fou rire qui lui a mis les larmes aux yeux, et même monsieur Watson s'est fendu d'un petit rire, mais un rire bien tranquille. Nos gars se racontaient volontiers que, plus Ed Watson était en colère, plus il restait calme, mais la plupart d'entre eux avaient pas la moindre idée de ce qu'ils racontaient.

Après la rixe avec Santini, quand on a appris l'histoire de Belle Starr, le bruit a couru que notre monsieur Watson s'était mis de mèche avec ces James et ces Younger qui faisaient partie de la bande à Quantrill dans les guerres de frontière et qu'ils étaient tous devenus des hors-la-loi. Pendant des semaines, nos hommes ont parlé que de ça. Même qu'on aurait pu croire que ces desperados qui tuaient de sang-froid étaient les plus grands Américains depuis Lighthorse Harry Lee. Et d'une certaine manière, juste parce qu'il frayait avec des bandits et qu'on lui mettait sur le dos l'assassinat de cette reine des Hors-la-loi, Ed Watson devint comme qui dirait un héros. S'il s'était pointé avec un pichet de gnôle et un bugle en criant « Allez les gars, z'êtes des Américains ou pas ? Grimpez dans ces bateaux et cap sur les Philo-piinz, voyons si on peut pas achever ces crapules d'Espagnols ! » eh bien, la moitié de ces demeurés qu'habitent l'île se seraient ralliés à lui, tels ces Fougueux Cavaliers qui, à Cuba et sous le commandement de Theodore Roosevelt, donnèrent l'assaut à la fameuse colline de San Juan, les étendards flottant au vent, des larmes plein les yeux, sans se demander une seconde où diable ils allaient, ni ce qui était bien ou mal au regard de Dieu.

— Les voies du Seigneur sont impénétrables, nous déclara monsieur Watson. Nous devons prier pour les violents autant que pour leurs victimes.

Cette homélie ébaubit rudement notre pauvre prêcheur, qu'avait pas grand-chose dans le citron, l'oreille épuisée, et qui ressemblait moins à notre berger qu'à une brebis égarée. Il a éructé une espèce de bêlement :

— Amen.

Et tout d'un coup, sans prévenir, monsieur Watson abattit sa paume sur le comptoir avec un air courroucé. Tout le monde fit silence comme à l'église quand le prêcheur s'apprête à transmettre la bonne parole.

— Si les Dix Mille Iles ont un avenir, déclara Ed Watson, et moi du moins j'ai bien l'intention qu'elles en aient un, alors ceux qui se placent au-dessus de la loi n'ont pas leur place dans une communauté d'honnêtes gens, respectueux de la loi !

Tout le monde le dévisageait en ouvrant de grands yeux et il scrutait ses ouailles l'une après l'autre avec une expression furibarde digne de Jéhovah.

— *A-men !* s'écria-t-il.

Là-dessus, Isaac entama un ioulement que l'orateur trancha net, comme si monsieur Watson venait de lui fracasser la pomme d'Adam. Excepté Isaac, mon Ted fut à peu près le seul qui osa rire, et encore, Ted se retint pendant une minute et son gloussement demeura discret. Puis Charlie T. se mit à rire aussi, en imitant Ted ; Isaac ioula derechef en se frappant la cuisse, quelques femmes se mirent à siffler le mot sacrilège — elles étaient ravies ! — et d'autres se contentaient de ricaner, vous savez : hi-hi-hi.

— Contente de voir que tu ne souris pas, ma fille, dit grand-maman Ida en reniflant bruyamment pour s'assurer que monsieur E.J. Watson l'entende.

Non, je ne souriais pas. J'étais vexée, car cet homme plein de culot nous traitait comme une bande de poules mouillées. Monsieur Watson a compris que j'avais compris et il m'a piégée dans son regard, avec ses sourcils couleur noisette et ses yeux bleus comme deux pierres tendres. Mamie Smallwood et ses frères n'étaient pourtant pas près d'oublier les deux Tucker, et il le savait, il savait où le bât blessait avec notre famille House. Il m'a donc fait son clin d'œil si rapide, le genre de clin d'œil qui rendait ridicules tous nos espoirs et tous nos combats en ce bas monde, à cause de notre bêtise et de notre cupidité pécheresses. Je me suis mordu la lèvre pour pas pouffer de rire, j'ai fait comme si que j'avais rien vu, parce que ce clin d'œil affirmait que rien n'avait d'importance. Ça n'importait pas que notre séjour mortel baigne dans le sang, qu'il soit cruel et vide, avec rien d'autre au bout que la maladie et la mort.

Monsieur Watson soupira et dit que les cœurs de palmier frais et le porc à la sauce d'huître de la Courbe de Chatham lui avaient tellement manqué, ajoutant que c'était vraiment formidable de rentrer chez soi dans les Dix Mille Iles.

Pendant ce temps-là, Mme Watson souriait poliment, tout en n'arrêtant jamais de murmurer des câlineries à son bébé. Elle avait de bonnes manières selon nos critères régionaux, mais elle était vannée et elle semblait un peu malade. Comme cette pauvre chérie avait un bébé dans les bras et un autre en route, Ted chuchota que le moins qu'on pouvait faire c'était de les loger chez nous pour la nuit. J'en avais guère envie, mais j'ai dû accepter. Hormis Laura Wiggins, personne avait de chambre libre pour les héberger, rapport à ce que nous on avait conçu notre maison pour des enfants. Et puis – je peux bien le reconnaître – pour rien au monde j'aurais voulu que monsieur Watson aille chez quelqu'un d'autre, car il avait été l'ami de Ted avant même de connaître la plupart des autres gars.

Tante Lovie Lopez – anciennement Penelope Daniels, épouse de Gregorio Lopez – Tante Lovie était jalouse et elle a pas réussi à le cacher.

– Quoi ? elle a fait. Vous voulez accueillir un *desperado* sous votre toit, avec deux petits enfants sans défense ? » Elle parlait de Thelma et de Marguerite, car Robert et les plus jeunes étaient pas encore nés. « C'est-y que vous avez pas peur ? » dit tante Lovie.

Et comment que j'avais peur, mais pas mon homme, et ça me suffisait, que je lui ai répondu.

– Ça serait loin de me suffire, à moi, dit tante Lovie, même si on fait pas plus teigneux que mon mari.

Gregorio Lopez, il a jamais perdu son écorce et c'était un sacré dur à cuire. Pour sûr qu'il fallait être coriace si vous étiez espagnol, pendant cette grande époque patriotique. Depuis le temps des Andiens, les Espagnols avaient pas la cote en Floride, les Cubains non plus, et c'est à peu près la seule chose qui changera jamais.

Ce soir-là, monsieur Watson nous a appris toutes les nouvelles du comté de Columbia, d'où vient la famille Smallwood. Columbia a toujours été un lien entre eux. Mme Watson m'a tout raconté sur la belle ferme qu'il avait construite près de Fort White ; après dix ans de vau-l'eau, il avait remis ces terres en état et il voulait faire la même chose à la Courbe de Chatham. Elle me confia qu'elle était née là-bas, à Columbia, qu'elle connaissait les reproches qu'on avait faits à monsieur Watson dans sa jeunesse à cause de son tempérament de feu, comme elle m'a dit. Si elle connaissait sa réputation ici, elle n'en pipa mot. Elle était fermement décidée à le sauver, c'était clair comme de l'eau de roche, elle avait fait de cette tâche la sainte mission de sa vie, elle ouvrait de grands yeux et elle était sérieuse comme un pape chaque fois qu'elle en parlait.

Kate Edna Bethea. Il l'appelait Kate, mais ce prénom lui était réservé. Tous ceux d'entre nous qui en vinrent à l'aimer l'appelèrent Edna.

— Y a une bande qu'en a après lui à Columbia, chuchota Ted quand il me rejoignit au lit ce soir-là.

— C'est pour ça que les Dix Mille Iles lui ont tant manqué ?

Ted a tendu le bras pour me plaquer sa main sur la bouche, parce que les Watson étaient juste de l'autre côté de la cloison en planchettes. J'étais agacée de voir Ted si impressionné par monsieur Watson, tellement fier d'avoir un assassin pour ami, même s'il ne l'aurait jamais reconnu la semaine des trois jeudis.

Ainsi réduite au silence, je restais allongée là dans le noir, écoutant le vent du sud agiter les palmes, les petites vagues dures lécher l'embarcadère. J'avais cette intrusion au fond de mon cœur, comme si le mal suintait de l'autre pièce à travers la cloison. Ted était énervé comme un vieux chien sourd, le souffle haché, le corps secoué de tressaillements. Plutôt être pendue que de trahir ma curiosité, je sentais bien dans le noir qu'il attendait que ça. Enfin, il marmonne :

— Des problèmes de famille. Deux mauvais gars du nom de Tolen. Watson est revenu ici pour que l'atmosphère se refroidisse.

— Tu veux dire qu'il les a refroidis, eux aussi ? Ou est-ce qu'ils sont toujours vivants ?

— Toujours vivants, je crois.

Y avait une espèce d'excitation dans la voix de mon homme que j'avais pas envie d'entendre. Je remarquais ça chaque fois qu'il me racontait des histoires de quatre cents coups qu'il avait vus à Arcadia ou là-bas sur la côte est, à Lemon City. Etant lui-même un brave homme pacifique qui détestait se battre, il était comme qui dirait fasciné par les violents, dont on avait une kyrielle dans le sud de la Floride à l'époque de la frontière. La plupart de nos gars de Chokoloskee étaient des doux, mais personne l'aurait jamais cru, à voir leurs vieilles frusques toutes déchirées, leurs pieds nus poussiéreux et leurs barbes hirsutes. Malgré leurs bravades, c'étaient des petits garçons béats devant les bandits, tout comme Ted.

— Pourquoi qu'il t'a parlé de ça ? murmurai-je au bout d'un moment.

— Je crois qu'il veut que ses amis sachent qu'il essaie d'éviter les ennuis et que, si les ennuis le rattrapent, il aura agi pour se défendre.

— Sommes-nous ses amis ?

Quand Ted a poussé un soupir et qu'il a fait mine de se retourner, je l'ai pas lâché :

— Ce Bass que papa connaissait à Arcadia — est-ce que notre « ami » a pas parlé de légitime défense, là aussi ? Si notre ami est un gars aussi pacifique qu'il le dit, alors pourquoi tous ces gens l'attaquent-ils ?

— Sa femme croit en lui, tu l'as constaté de tes propres yeux, et elle était là-bas avec lui à Columbia. Elle connaît son passé. Une fille de prêcheur ! Si elle croit en lui, on a aucune raison de pas faire comme elle.

J'ai alors compris que monsieur Watson s'était mis Ted Smallwood dans sa poche. Ted était pas d'humeur à répondre à d'autres questions, mais nous avions la petite Thelma et notre bébé Marguerite sous le même toit qu'un assassin, et j'étais bien décidée à aller jusqu'au bout :

— Peut-être que ces Tolen étaient en travers de sa route, comme ces pauvres Tucker. Et peut-être qu'un jour la famille Smallwood sera aussi en travers de sa route.

— C'est point juste de parler ainsi, a dit mon mari. On sait bien qu'il a suriné Santini, mais c'est tout ce qu'on sait. Il a jamais été condamné pour le moindre crime, à ma connaissance. Y a point de preuve qu'il ait jamais pris une seule âme !

— Alors comment se fait-il qu'il ait pris la poudre d'escampette aussi vite après l'épisode des Tucker ? Et repris la poudre d'escampette, deux ans après, quand ce charpentier a mouru à son tour ?

— Ce gars-là a eu le cœur qu'a lâché ! Et Ed savait bien sûr que tout le blâme irait à E.J. Watson, et nom d'un chien, c'est ce qu'est arrivé ! Il avait la trouille qu'une bande d'excités vienne le chercher, on peut pas lui reprocher ça ! Quand Guy Bradley s'est fait descendre, à qui on a fait porter le chapeau aussi sec ? Alors que Guy s'est fait tuer au diable vauvert, près de Flamingo !

— Je crois pas qu'il avait peur d'une bande d'excités ! dis-je. Il est trop endurci dans le péché pour avoir peur de n'importe quoi ! Il en fait qu'à sa tête et après il se paie la nôtre, il nous met au défi de l'empêcher de sévir !

La main de Ted m'a encore recouvert la bouche. Il m'a montré la cloison.

Je me suis soudain sentie plus tourneboulée que ça m'est jamais arrivé de toute ma vie, comme si tout du long j'avais su une sombre vérité, mais que je la reconnaissais seulement après l'avoir proférée. Ted m'a serrée très fort dans ses bras avec sa chaleur habituelle de gros ours, vous voyez, sa tignasse abondante, son épaisse moustache noire, sa voix sonore et profonde qu'il lui suffit de faire entendre une seule fois pour que poivrots et vagabonds déguerpissent du magasin.

— Ed Watson est un excellent fermier, m'a-t-il rappelé en se lançant dans le petit laïus que toutes les femmes devaient se farcir cette nuit-là dans chaque maisonnette de notre île apeurée.

— C'est un gars travailleur qu'a le sens des affaires, et puis aussi un voisin généreux, toujours prêt à aider — y a point une seule famille de toutes les Dix Mille Iles qui te dira le contraire.

Cette fois, lui-même l'entendit, l'écho.

— D'accord, concéda-t-il. Mais peut-être qu'une nouvelle jeune femme et une famille le stabiliseront. Ed a ouvert un compte ce soir, il a déjà payé deux cents dollars, rien que pour son crédit. J'ai donc pas eu d'autre choix que de donner sa chance à cet homme, rapport que c'est notre seul client qu'ait pas des dettes chez nous.

— Tu parles qu'il a le sens des affaires, c'est ton amitié qu'il vient de t'acheter, payée d'avance ! Il croit que, s'il a le receveur des postes de son côté, et aussi le clan House, alors Chokoloskee lui causera point d'ennuis. Sauf qu'il s'est pas encore mis le clan House dans la poche ! Ni papa, ni mon frère Bill ni le jeune Dan ne sont de son côté. Ils se méfient tous. Le seul qu'il se soit mis dans la poche, c'est toi.

— Et ma femme alors ? chuchota Ted.

Quand j'ai pas répondu, il m'a tourné le dos pour me signifier qu'il avait pas envie d'entendre d'insolences. Vu qu'il est costaud et gros comme un bœuf, on peut pas se tromper sur ses intentions quand il se retourne dans le lit.

Je suis restée tranquille un bon moment. J'avais envie de lui dire :

— Mais enfin, d'où vient son argent ? Tu m'as toi-même dit que, si cet homme n'avait pas d'argent, il serait enchaîné avec les criminels depuis longtemps, pour tentative de meurtre sur la personne de Dolphus Santini !

Mais je savais bien que Ted me répondrait simplement que l'argent de monsieur Watson venait de sa ferme de Columbia, puis qu'il me dirait de me taire et de dormir.

L'estime de Ted pour monsieur Watson était sincère, bien sûr, et papa House ressentait à peu près la même chose. Il admirait sa réussite, appréciait ses blagues, aimait ses bonnes manières. Et parce que cet homme leur plaisait – on pouvait pas s'empêcher d'aimer cet homme – ils étaient tentés de lui accorder le bénéfice du doute.

– Après tout, disait Ted, il est point le seul à faire sa propre loi comme ça lui chante, et la plupart de ceux qui le critiquent arrivent pas à la cheville d'E.J. Watson, pas quand on parle de bons fournisseurs et de solides citoyens. Tiens, ces chasseurs de plume et ces bouilleurs de cru dans les Glades sont quand même plus dangereux, ils tirent sur tous ceux qui font mine de s'approcher de leur territoire ! Regarde un peu ce qu'ils ont fait à ce pauvre Bradley !

C'est Gene Roberts, lors de sa visite à Will Wiggins, qui nous a dit que des chasseurs de plume de Key West avaient assassiné le jeune garde-chasse à Flamingo. Ensuite, Ted m'a rappelé pour la dixième fois qu'il y avait eu d'autres décès dans les rivières dont personne avait jamais entendu parler. Les gros chasseurs de plume comme les gars Roberts, ils aimaient pas qu'on se mêle de leurs oignons et ils aimeront jamais ça, mais Gene Roberts était fou de rage à cause de ce Guy Bradley.

– La Floride du Sud entrera jamais dans le siècle nouveau, disait Gene, si chacun est aussi prompt à régler ses comptes avec un fusil !

Ted, qui me chuchotait tout ça au creux de l'oreille, semblait triompher, même dans le noir, comme s'il avait enfin réussi à mettre la main sur la queue de son vieil âne. Mais quand je lui ai demandé si le point de vue de Gene Roberts sur les règlements de comptes ne mettait pas de l'eau à mon moulin, rapport à Ed Watson, Ted fit mine de s'ébrouer en poussant ce soupir qui disait :

– C'est vraiment pas la peine d'essayer de parler avec une femme.

Le receveur des postes était notre institution qui évoquait le plus le gouvernement des Etats-Unis, si bien que les gens attendaient de voir la réaction de mon homme. Ted Smallwood et Daniel David House étaient les chefs de notre communauté et on allait déjà consulter mon frère Bill à cause de son bon sens. Ils gardaient leurs distances, mais les House cultivaient tout près de la Chatham et ils voulaient pas entamer une querelle avec leur voisin le plus proche. Si mon mari et les House décidaient d'accorder un nouveau départ à Ed Watson, les autres hommes de l'île suivraient le train. Les Boggess, McKinney, Wiggins et quelques Brown étaient déjà de son côté, et tout ça était pas loin de faire la moitié de tous les habitants de l'île.

Au bout d'un moment j'ai pris le même parti que Ted. Monsieur Watson était un tel gentleman, voyez-vous, sans un poil de cette coquetterie qui aurait mis la puce à l'oreille des hommes, et puis les femmes pouvaient pas s'empêcher d'être séduites par ses beaux vêtements et par ses compliments et puis par les atours à la mode de sa jeune Edna, de la jeune Ruth Ellen et du nouveau-né, la petite Addison, qui sont venues dans le sud avec les Watson au printemps 1907. L'ancienne Mme Watson, Jane – Ted prétend que Jane était sa deuxième femme, il a jamais su le nom de la première, seulement qu'elle était morte là-haut à Columbia – Jane Watson donc est tombée malade, elle est retournée à Fort Myers et elle est morte quelques années à peine après être arrivée ici, moyennant quoi on l'a jamais connue, mais Bill disait que Jane était aussi aimable qu'Edna, mais point aussi jolie.

Maintenant que sa jeune épouse l'avait assagi, la plupart des gens étaient plutôt contents de le voir de retour parmi nous. Il s'est intéressé à nos existences banales, qu'on avait cru ternes et ennuyeuses, et il a mis de l'ambiance. Tous ses grands projets pour les Dix Mille Iles nous ont fait imaginer que le progrès était en route. Nous étions donc pas aussi arriérés qu'on le croyait, pour qu'un homme aussi entreprenant que çui-ci vienne habiter ici.

C'est pas les bonnes manières de monsieur Watson qui m'ont fait fondre, et pourtant Dieu sait si les bonnes manières étaient une denrée de choix dans cette région si fruste. C'était la façon dont il se tenait, dont il restait toujours un peu sur son quant-à-soi. Ce que cet homme comprenait si bien – il me l'a un jour expliqué –, c'était qu'il fallait sans arrêt surveiller sa propre vie.

– Une seule faute d'inattention, une vie fichue, disait monsieur Watson, et même en enfer – excusez-moi, m'dame ! – y a pas moyen de réparer ça.

– Mais alors, lui dis-je, comment se fait-il qu'un homme qui a d'aussi bonnes manières ait des ennuis pareils ?

Il m'a dévisagée si longtemps que j'en ai eu les nerfs en pelote. Et puis, très doucement, il m'a dit :

– J'ai jamais cherché les ennuis, m'dame. Mais quand les ennuis me tombent dessus, eh bien je m'en occupe.

J'ai ensuite pensé qu'il m'avait peut-être roulée dans la farine, mais la façon dont il a dit « je m'en occupe », ça m'a vidé les poumons d'un coup et mon cœur a fait un bond comme si qu'il voulait s'échapper.

A partir de 1906, les Watson voyagèrent entre le comté de Columbia et les Iles, s'arrêtant parfois chez nous en chemin. D'autres fois, ils faisaient halte chez les Wiggins, de l'autre côté de l'île. Laura tenait son petit magasin et William faisait pousser de la bonne canne à la crique du Mi-Chemin. De temps à autre, les Watson rendaient visite aux McKinney ; Edna et la jeune Alice, qui devait épouser J.J. Brown, se lièrent d'amitié. Monsieur Watson entretenait sa réputation auprès de tout le monde, ou peut-être croyait-il que les commerçants étaient pour lui une compagnie plus convenable que les pêcheurs et les vagabonds qui vivaient dans les petites cabanes le long du rivage. Son affaire de sirop marchait à nouveau très fort et il envisageait déjà de se lancer, avec son gendre et un homme de Chicago, dans une nouvelle et grosse plantation de citronniers à Deep Lake.

— On peut pas empêcher un battant de gravir les échelons, voilà ce qu'il nous disait.

Début 1908, il est retourné dans le nord et nous l'avons pas vu avant début 1909, parce qu'il est allé en prison. Le jeune Walter Alderman, qui a épousé Marie Lopez, eh bien Walter a travaillé pour monsieur Watson cette année-là et il est revenu avant lui. Il disait qu'y avait eu du grabuge, il disait qu'il s'était enfui pour éviter de témoigner. Walter Alderman a refusé d'en dire plus, de peur que monsieur Watson échappe à la prison et revienne dans le sud. Et comme de juste, cet homme est arrivé quelques jours après le Nouvel An, début 1909, et cette fois pour de bon.

Selon le récit du docteur Herlong, monsieur Watson revint du comté de Columbia après le meurtre des Tucker (il n'y eut aucune enquête, à en juger par le fait qu'aucune arrestation ne fut tentée durant son dernier séjour parmi les Dix Mille Iles. Smallwood souligne que ces meurtres « lui coûtèrent beaucoup », mais cette remarque demeure inexpliquée, à moins qu'elle ne suggère une détérioration fatale de la réputation de Watson). Hormis de brèves visites, il était resté absent de Fort White depuis au moins douze ans ; sa mère, sa sœur et le clan Collins, installé de longue date dans la région, étaient là pour l'accueillir, et il avait de l'argent. Pour toutes ces raisons, et peut-être d'autres, on lui permit de rentrer chez lui.

Selon Smallwood, monsieur Watson acquit une ferme en ruines et la remit sur pied. Par ailleurs, il épousa une fille de prêcheur, qu'il devait ensuite ramener dans les Dix Mille Iles. Mais monsieur Watson n'était pas dans le comté de Columbia depuis très longtemps lorsqu'il eut à nouveau des ennuis.

Herlong affirme que les meilleurs amis de Watson étaient Mike et Samuel Tolen ; que l'épouse malade de ce dernier était proche de la nouvelle femme de Watson et que, de notoriété publique, elle lui avait légué beaucoup d'argent ainsi qu'un piano ; et qu'à la mort de Mme Tolen, son mari refusa de se soumettre aux clauses du testament. Peu de temps après, Sam Tolen et son cheval furent abattus sur une route déserte. (Selon certains comptes rendus, son frère fut également tué, mais Herlong ne mentionne pas la mort de Mike Tolen.)

Watson, arrêté, se trouva si menacé par une « bande de cravateurs » que le shérif fut contraint de l'emmener dans le comté de Duval. Selon Herlong, les avocats de Watson réussirent à faire renvoyer l'affaire devant le tribunal du comté de Madison, où Jim Cole, un associé du gendre de Watson qui avait de puissants amis à

Tallahassee, participa à la constitution du jury. Quant à l'accusation, elle ne réussit à présenter qu'un seul témoin – un Noir – contre monsieur Watson, qui fut aussitôt acquitté. On entendit (selon Herlong) le capitaine Cole lui dire :

– Maintenant, retourne dans les Dix Mille Iles à tout berzingue ! Et restes-y !

Le docteur Herlong passa apparemment toute sa vie dans le nord de la Floride après avoir suivi les Watson à partir du comté d'Edgefield ; son récit des faits et gestes d'Edgar Watson à Columbia paraît aussi objectif et fiable que les réminiscences de Ted Smallwood concernant les dernières années. Mais il finit par succomber à la légende de Watson, affirmant que ce dernier « hérita de son père sa nature sauvage... » et concluant son récit dans le meilleur style des romans à deux sous : « Personne ne saurait dire au juste ce qui métamorphosa un honnête jeune homme, fils d'une bonne mère, en un tueur sans cœur. J'imagine qu'on ne saura jamais exactement combien d'êtres humains il a assassinés. »

Même si l'on connaissait toutes ses victimes – j'en suis de plus en plus convaincu –, leur nombre ne serait pas révisé à la hausse, ainsi que le sous-entend le docteur Herlong, mais à la baisse et radicalement. Par ailleurs, je me demande s'il s'agissait vraiment d'un « tueur sans cœur », expression qui suggère un psychopathe. Je tiens à souligner ici que monsieur Watson avait d'admirables vertus domestiques que l'on n'associe presque jamais au « tueur sans cœur », et encore moins avec ce qu'on appelle aujourd'hui le « tueur compulsif », incapable de tout rapport humain. Un dangereux noceur, à la rigueur, surtout quand il a bu, prompt à dégainer son arme, porté à la paranoïa quand il est menacé, et puis toute une vie de renvois successifs d'une frontière à l'autre en une période où chacun faisait couramment sa propre loi dans l'arrière-pays américain – ce qui, pourrait-on même dire, constituait le fondement philosophique de la politique nationale autorisant la mainmise des Etats-Unis sur les colonies et autres territoires espagnols dans les Caraïbes et le Pacifique. Si tout le monde ne se comportait pas comme monsieur Watson, cette atmosphère mouvementée de la frontière contribua certainement à des actes qui lui semblaient justifiés par la dureté et la brutalité de son existence.

Carrie Langford

NOËL 1908. Lorsque Walter, Eddie et le capitaine Cole sont revenus du procès de papa dans le comté de Madison, Jim Cole était le seul qui paraissait se réjouir.

— Innocent ? s'écria-t-il avec un clin d'œil. Et comment ! On l'a fait acquitter, pas vrai ?

Et il rit encore plus fort en voyant ma mine renfrognée et en essayant de m'enfoncer son index dans les côtes. Il me croit sous son charme, étonnant, n'est-ce pas ? D'être tellement rustre et égocentrique, je veux dire. Ce vieux pourceau des pinèdes, comme l'appelait Maman — oh, Maman, tu me manques tant !

Papa reviendra s'installer pour de bon dans le sud-ouest de la Floride, c'est du moins ce qu'affirme Eddie. Je ne sais pas comment prendre ça non plus. Ce soir, devant Walter, j'ai demandé à John Roach s'il n'y avait pas moyen de trouver une plantation pour papa à Deep Lake.

— C'est hors de question ! a explosé Walter.

(Au moment précis où John Roach me répondait avec tact : « Eh bien, votre père a sacrément le sens des affaires, pas de doute là-dessus ! »)

Comme Walter ne me parle jamais avec cette brusquerie, son éclat m'a bouleversée.

— Ce n'est pas comme si mon père était un criminel ! m'écriai-je à mon tour. Il a été acquitté ! Même le journal de Madison a dit du bien de lui !

— Peu importe, a dit Walter de cette voix basse et obstinée qui m'avertit toujours qu'il se montrera aussi têtu qu'un âne rouge — peu importe, a-t-il répété ; si Jim Cole n'avait pas pris certaines dispositions, les choses se seraient sans doute pas passées comme ça.

— Etait-il coupable, alors ? lui ai-je demandé plus tard. Est-ce cela que tu essaies d'insinuer devant des étrangers yankees ?

— John Roach est pas un étranger, a répondu Walter en faisant mine de me prendre dans ses bras. (Jamais je ne tolérerais cela quand il a bu.) Est-ce qu'on a pas donné son prénom à notre petit garçon ?

La seule mention de notre pauvre petit John mort-né m'a retiré tout courage. Fondant en larmes, je me suis approché de Walter, qui s'est mis à me tapoter l'épaule, les petites tapes sèches et machinales du mari agacé.

— Je prétends pas savoir si ton papa est coupable ou innocent, me dit-il dans les cheveux. Tout ce que je sais, c'est que t'es bien froide avec le capitaine Cole, compte tenu de tout ce qu'il a démené pour ton papa.

— Il s'est démené, rectifiai-je au mauvais moment.

Walter me gratifia d'un de ses regards glaçants et me lâcha.

— S'est démené, répéta-t-il.

30 DÉCEMBRE 1908. Pour la première fois depuis notre mariage, je n'ai pas la moindre influence sur Walter. (Pour toute autre chose, je ne m'en ferais pas !) Il me dit :

— Il m'a fallu mentir pour lui, me parjurer. On l'a tous fait. Mais ça veut pas dire qu'il est le bienvenu sous mon toit.

Même s'il ne se donne pas la peine de l'énoncer clairement, Walter croit que Papa est un assassin et qu'il l'a toujours été, il ne veut plus rien avoir à faire avec lui. J'ai eu beau m'enflammer contre lui et lui dire des choses terribles, il ne veut pas en démordre. Puis il est parti à la banque en se sentant tout malheureux.

Papa est arrivé mardi avec Edna et ses deux petits. Fay et Beuna ont crié « Grand-papa ! » et se sont précipitées vers la porte d'entrée, mais elles ne l'ont jamais atteinte. Je les ai fait pleurer en les renvoyant à l'étage avec leur oncle Eddie.

Eddie habite ici tant que son logement à la pension de Taff Langford ne sera pas prêt, et en attendant Frank Tippins lui a trouvé un boulot d'employé au tribunal. Eddie a témoigné pour la défense à Madison, il leur a dit qu'un certain Tolen avait tendu une embuscade à Papa à Fort White. Mais maintenant il imite la bouche sinueuse de Jim Cole et les paroles de Walter, il dit qu'il n'a pas l'intention d'aller au-delà du parjure. Il n'est même pas descendu accueillir papa, et Lucius n'était pas à la maison. Ignorant que son papa arriverait ce jour-là, il était parti à la chasse aux oiseaux.

A travers les rideaux, j'ai observé mon père à la porte. Il a frappé d'une main ferme, il bombait le torse, mais les autres étaient tout voûtés là dans la rue. De toute évidence ils n'avaient plus d'argent, car aucun domestique ne les accompagnait, sauf un nègre bien noir en salopette crasseuse. Derrière eux, un chariot venant de la gare contenait le monceau affligeant de leurs biens terrestres, jusqu'aux boîtes et aux châlits, et cela me rappela ces pauvres Okies que, enfants, nous plaignions tant dans le Territoire.

Cette fois, on avait bel et bien l'impression qu'il était définitivement de retour dans le sud.

Papa n'était pas rasé, il avait le teint blême des prisonniers ; son Edna était aussi pâle que lui, les orbites creusées de fatigue, et les enfants au visage strié de larmes étaient trop épuisés pour gémir. J'ai vraiment eu du mal à considérer ces petites créatures désespérées comme mon frère et ma sœur ! Mon Dieu ! Ils sont plus jeunes que leurs nièces ! Et ils avaient l'odeur des pauvres !

J'ai envoyé la servante à la porte pendant que je me composais une contenance. Elle m'a demandé si elle devait les faire entrer. J'ai secoué la tête négativement.

— Apporte-leur juste un peu de lait, lui ai-je murmuré, et une assiette de gâteaux.

J'ai fini par m'avancer sur le seuil et nous nous sommes fait face. J'avais l'impression qu'une espèce de brouillard nous séparait. J'essayais de ne pas voir quelque chose de sauvage et d'effrayant dans le regard de mon papa, une violence qui me fait horreur. Ou était-ce seulement mon imagination, après toutes ces rumeurs ?

— Oh, Papa ! dis-je en lui saisissant les mains, je suis tellement soulagée après cet affreux procès !

Ma voix sonnait faux et semblait lointaine. Il lisait en moi à livre ouvert. Il avait beau sourire, il n'y avait aucune étincelle dans son regard, il paraissait brûlé de l'intérieur, réduit en cendres. Il s'est contenté d'un petit signe de tête, en attendant de voir si je l'inviterais à entrer.

— Je voulais juste vous souhaiter la bonne année, dit Papa.

Et parce qu'il essayait de feindre la gaieté, j'ai dû refouler mes larmes. Quelle honte de faire sentir à mon propre père qu'il n'était pas le bienvenu chez moi, alors même qu'il avait désespérément besoin de sa famille et qu'il cherchait de l'aide !

Il n'a pas essayé de m'embrasser, ce qui était très inhabituel. Mon pauvre papa craignait que je le repousse, était-ce cela ? Alors il a dit rapidement qu'ils n'entreraient pas, non merci, car ils devaient rejoindre le capitaine Collier, qui les emmènerait vers le sud à bord de l'*Eureka,* jusqu'à Pavilion Key, après quoi un pêcheur de clams les acheminerait jusqu'à la Chatham.

Avant de partir, il a demandé des nouvelles des enfants.

— Ces petites puces auraient-elles peur de leur méchant grand-père ?

J'ai compris que le silence de Fay et de Beuna le blessait, car elles l'aiment vraiment, il les amuse beaucoup et, d'habitude, elles arrivent en courant dès qu'elles entendent sa voix bourrue. Non content de les retenir, Eddie les avait sans doute fait taire.

La servante arriva avec le lait et les petits gâteaux pour Ruth Ellen et Addison. La pauvre fille avait une peur bleue de Papa, il effraie tous les gens de couleur, bien que j'ignore comment ils apprennent toutes ces rumeurs. Elle a posé le plateau beaucoup trop vite sur les marches qui nous séparaient, et tout s'est retrouvé de travers. Incapable d'en supporter davantage, je me suis avancée pour étreindre ces pauvres petites toutes barbouillées de larmes et embrasser ma belle-mère, qui est plus jeune que moi, sans oublier de dire bonjour au nègre.

Papa s'est renfrogné quand son journalier ne m'a pas regardé ni n'a enlevé son chapeau et encore moins répondu. Maman nous disait toujours que ce qu'on appelait bêtise ou entêtement chez les gens de couleur n'était d'ordinaire pas autre chose que de la peur toute banale, mais j'ai néanmoins été stupéfiée par cette grossièreté, et puis aussi terrifiée à l'idée que papa risquait de le rudoyer dans la rue. Mais papa s'est contenté de lui toucher doucement l'épaule, et l'homme a sursauté violemment, comme un chien en proie à un cauchemar, et il a enlevé son chapeau. Avisant les gâteaux mais ne remarquant toujours pas que je lui avais dis bonjour, il murmura :

— Merci.

Ce pauvre homme n'était pas grossier, bien sûr, mais seulement plongé dans une terrible mélancolie. (J'ai ensuite demandé à Walter s'il croyait que les nègres souffraient comme nous de la mélancolie, et Walter m'a répondu qu'il le supposait, mais qu'il n'y avait jamais réfléchi. Eddie, qui entendait notre conversation, a éclaté :

— Mais c'est ridicule !

Eddie adore les opinions tranchées lorsqu'il ne se sent pas sûr de lui.)

— Cet homme a été jugé avec moi dans le nord, dit papa. Il n'est pas encore complètement remis.

En souriant, il a fait glisser son index sous son menton et il a écarquillé les yeux comme un pendu. Papa était en colère, et son regard signifiait le contraire de son sourire. Le blanc des yeux semblait s'agrandir autour de ses pupilles bleues ; Edna a poussé un cri apeuré et s'est détournée.

J'ai essayé si fort pour Papa, j'ai tout fait pour encourager les enfants à prendre un gâteau. Mais il avait senti mon dilemme et il a refusé de m'aider. Il a montré l'assiette des enfants posée entre nous sur les marches.

— Ce ne sont pas des animaux domestiques, dit-il.

— Bien sûr que non !

J'ai ramassé l'assiette en toute hâte et je leur ai offert des gâtaux en fondant en larmes.

— Au revoir, donc, ma fille, dit Papa.

Ce furent les dernières paroles qu'il m'adressa.

Bill House

Watson était de nouveau rentré chez lui dans le comté de Columbia, où il prit pour femme une fille de prêcheur baptiste. Ce que j'ai vu de la donzelle était plutôt affriolant. Ma sœur Mamie, qui la connaissait bien, disait qu'Edna Watson était une jeune femme très bien. Les gens espéraient qu'elle calmerait un peu Ed, sauf que c'était l'homme le plus calme que vous ayez jamais vu. Bref, Watson est retourné à sa ferme dans le nord, tout ça se passait vers 1907 et il a eu vite fait de se mettre dans la mouise avec sa belle-famille. Il s'est fait juger pour meurtre mais il s'en est tiré et il est redescendu dans le sud après neuf mois de prison. Il a dit qu'il revenait au pays pour de bon et qu'il était rudement content. Sans doute qu'il leur avait servi la même salade dans le comté de Columbia en 1901, quand il s'est repointé là-bas après quatorze ans d'absence.

Maintenant, les hommes avaient peur de Watson, y compris ceux qui lui ont souhaité bienvenue au pays ! Et Watson savait que les gens se méfiaient de lui, même s'il prétendait rien remarquer. Personne l'a asticoté. Ils ont tous fait comme si tout irait bien tant qu'ils resteraient du bon côté de ce vieux Ed, qu'a jamais été autre chose que l'ami de ses voisins.

Dans le temps, Watson cachait son passé et il aimait pas trop que les gens racontent des histoires sur son compte, mais il avait appris à utiliser toute l'attention qu'on lui accordait sous prétexte qu'il avait frayé avec des bandits célèbres dans les Territoires, et il profitait de la plupart de ces histoires de hors-la-loi. Il les encourageait pas, mais il les a jamais niées non plus. Sachant qu'y avait très peu de gars assez culottés pour lui réclamer la vérité, il se contentait de sourire. L'un dans l'autre, il trouvait que c'était une bonne blague, c'est du moins ce qu'il disait à Henry Thompson. Grâce à sa réputation de flingueur toujours prêt à défourailler, il maintenait les adjoints au large de la Courbe et il pouvait revendiquer des concessions sur des buttes abandonnées, ce qui était quasiment tout ce qui restait dans les rivières.

Un jour à Everglade, Watson est entré chez Storter pour prendre son courrier et il a échangé une caisse de sirop contre du café et du tabac. Watson fut le premier à mettre son sirop dans des bidons munis de couvercle à vis, six bidons par caisse. J'avais un peu de rhum dans l'estomac ce jour-là et je me sentais d'humeur à faire le malin – je ricanais, voyez, je le taquinais un peu, comme faisait Tant Jenkins. Je m'entendais assez bien avec Watson. Y avait d'autres gars dans les parages, je me disais sans doute qu'il aimerait pas nous descendre tous, alors je lui ai demandé comment qu'il se faisait qu'un aussi bon fermier ait toujours autant d'ennuis.

Un autre jour, Ed se serait peut-être fendu d'un sourire, on pouvait jamais savoir comment il allait réagir. Mais ce jour-là, ses yeux sous son chapeau se sont dissous en une espèce de brouillard bleu pâle, comme l'écaille bleutée et morte sur l'œil du serpent durant la mue. Il a rien dit pendant longtemps, il m'a juste dévisagé en essayant d'y voir clair derrière ma question. Ces yeux ont scruté chacun des hommes présents dans le magasin, l'un après l'autre, pour voir si l'un d'eux avait pas une autre finasserie à sortir. On aurait entendu un filet d'air s'échapper de la gueule d'une rainette. Pas un gus dans la taule qu'aurait revendiqué son accointance avec Bill House, même pas si je m'étais pointé devant lui avec un billet de dix dollars dans la pogne.

La chienne noire de Storter était couchée à la porte dans un rai de soleil. C'était le clébard le plus gentil du monde, toujours à se mettre dans vos jambes pour quémander une caresse. Eh bien, nom de dieu, cette chienne a filé par la porte, la queue entre les jambes, comme si qu'on l'avait surprise à chaparder le dîner du prêcheur. Quand les yeux de Watson se sont à nouveau posés sur moi, ma pauvre queue s'est recroquevillée itou, pour vous dire combien j'ai regretté que ce vieux cabot tout noir m'ait pas emmené au-dehors avec lui.

Ce jour-là j'ai compris ce que ressent la panthère acculée dans un arbre, grondant et crachant vers la meute, tandis que le chasseur s'amène en prenant son temps, traversant la clairière d'un pas décontracté. C'est là qu'on se met à brailler et à sauter sur place, à faire une idiotie quelconque, juste histoire de mettre un terme à cette tension.

Watson a soutenu mon regard pendant un bon moment, il refusait de me laisser partir. Il a pas cligné une seule fois. Moi je clignais comme un demeuré, d'accord, mais je suis resté là devant lui, avec mon sourire crispé qui me dénudait les dents. Je souriais tant que je pouvais, comme une putain de mule, pour affronter ces yeux bleus.

— Quand les ennuis me tombent dessus, mon gars, je m'en occupe.

Et il a repris son tour d'horizon, rien que pour s'assurer que son message avait échappé à aucun des hommes présents ce jour-là.

Ma sœur Mamie se souvient qu'il lui aurait dit ça à elle, mais c'est à moi qu'il l'a dit.

*Une source intéressante d'informations sur la baie de Chokoloskee est la rubrique régulièrement publiée par C.G. McKinney dans l'*American Eagle. *M. McKinney, commerçant et notable, s'occupa des informations locales relatives à Chokoloskee (sous le pseudonyme de* Progress*) à partir de 1906, peu après que Ted Smallwood lui eut repris la fonction de receveur des postes.*

Le 3 juin 1909, la semaine où le vaisseau aérien du comte Zeppelin fut anéanti par un arbre — la semaine où, dans un Fort Myers en plein essor, « on installa des lumières électriques tout le long de Riverside Avenue, jusqu'à la résidence de M. Edison ; le flot des automobiles et le couinement mélodieux de leurs klaxons animèrent les heures les plus creuses de la nuit » —, McKinney relata que « cette semaine il y a eu beaucoup d'Indiens saouls avec nous à Chokoloskee ... M. D.D. House est sur sa ferme, à sarcler la canne... »

La semaine suivante, alors qu'au niveau national un Comité des 40 annonça son intention de réunir cinq millions de dollars pour « la promotion du nègre », deux Noirs furent « branchés » à Arcadia. Ces deux lynchages provoquèrent une mise en garde de la rédaction contre les effets débilitants de la cocaïne donnée aux nègres pour en tirer davantage de travail. A Fort Myers (où le prix des œufs avait atteint vingt-cinq cents la douzaine), la « toquade du moment » était le base-ball. A Chokoloskee, M. D.D. House, dont les faits et gestes étaient régulièrement signalés dans la rubrique de son ami, s'apprêtait à planter des tomates, des poires alligators (avocats) et du maïs. Louie Bradley et ses parents étaient descendus de Flamingo, Andrew Wiggins s'installait dans la région de l'Homme perdu et M. Waller est arrivé de la ferme de McKinney à Ausecours en parlant de quarante charognes de cerfs en train de pourrir, écorchées par les Indiens pour le commerce des peaux.

Début juillet, « M. House, le planteur de canne, était monté à la crique du Mi-Chemin pour observer la belle canne à sucre de M. W. Wiggins et du Dr. Green. » William Wiggins recevait la visite de Gene Roberts et de sa famille venus de Flamingo, qui devaient bientôt acquérir la maison de son fils Andrew à Chokoloskee. Waller avait encore quitté Ausecours, où il cultivait des melons, des haricots et du maïs : Bill et le jeune Dan House étaient partis « prospecter » au Honduras britannique. A Caxambas, on annonça le retour de M. J.E. Cannon, revenu de « Sheviler Bay », qui avait alors une ferme à Possum Key sur l'ancien Lieu de Chevelier.

A la mi-août, M. Waller préparait une « chasse au gator », et l'ancien prêcheur de l'île, frère Slaymaker « avait investi dans le commerce des bicyclettes ». McKinney relata aussi que « M. E.J. Watson était avec nous cette semaine ».

Début septembre, Waller annonça que miss Hannah Smith, qui résidait maintenant à Ausecours, était « souffrante ». McKinney remarque aussi : « Nous avons eu quelques gens ivres sur l'île la semaine dernière. Nous pensons que leurs troubles proviennent de l'eau croupie qu'ils auraient bue. » Depuis vingt-trois ans qu'il vit à Chokoloskee, il n'a jamais vu autant de maringouins ni une telle abondance de goyaves.

Le 23 septembre, nous apprenons que les frères House, qui chassaient le gator au Honduras, s'en tiraient fort bien, et que George Storter « défrichait d'arrache-pied » le long de la rivière Turner. « M. E.J. Watson et sa famille ont été avec nous cette semaine. »

Début octobre, les tomates étaient mûres. D.D. House était en route pour Key West avec une cargaison de canne à sucre, pendant que Gene Roberts faisait la navette entre Chokoloskee et ses champs de canne à Flamingo. A Fort Myers, la querelle sur la présence du bétail dans les rues faisait rage et le capitaine Cole était parti pour New York afin d'acheter un vapeur qui transporterait bétail et passagers entre Punta Rassa et Key West. Le ciel de la côte était affreusement barbouillé, malgré peu de pluie.

Le 12 octobre, la côte fut touchée par « l'ouragan des Antilles », avec des vents montant jusqu'à cent quatre-vingts kilomètres heure, qui provoqua tant de dégâts à Key West que la ville fut placée sous la loi martiale afin de décourager les pilleurs. Quatre-vingt-quinze bateaux furent entraînés vers la haute mer, précipités contre la côte ou coulés ; neuf usines de cigares furent entièrement détruites ; le toit de la First National Bank s'envola. Parmi ceux qui perdirent leur bateau, on compte M. D.D. House, qui avait déchargé sa cargaison, rechargé des provisions et qui avait repris la mer avant que la tempête ne l'oblige à retourner à Key West, où il perdit tout.

Fin octobre, M. Charley Johnson égorgea ses cochons et vendit leur viande quinze cents la livre. M. Waller avait quitté Ausecours et « travaillait pour M. E.J. Watson au bord de la Chatham ».

En novembre, le bateau de commerce Ruth *chargea à Chokoloskee pour son dernier voyage de la saison. « Chokoloskee, écrit McKinney, sera alors une ville morte, ou du moins une ville plus morte que d'habitude. Nous n'avons pas de prêcheur, pas d'école du dimanche, pas de salle de danse, mais nous avons remarqué qu'un homme passait nous voir de temps à autre avec un peu d'« éclair des fourrés » (alcool illégal). » A Ausecours, miss H.M. Smith avait « fièvre et frissons. Elle est très courageuse d'affronter toute seule ces bois sauvages, la fièvre et les frissons. »*

Début décembre, Hannah Smith vint à Chokoloskee pour se faire soigner par M. McKinney. M. Waller était attendu à Ausecours pour aider miss Smith à finir son travail. Gene Roberts, Charlie McKinney (le fils du journaliste), Andrew Wiggins et Jim Howell ont chassé le chevreuil et la dinde autour d'Ausecours et, une fois encore, l'auteur de la rubrique déplorait le massacre des chevreuils par les Indiens pour le commerce des peaux.

L'anémie « faisait des ravages » à la Courbe de Chatham. M. D.D. House expédiait toujours des tomates à partir de Chokoloskee, mais il était retourné à la Butte des House pour se mettre à fabriquer du sirop.

Fin décembre, pendant que les bestiaux qui avaient envahi les rues de Fort Myers boulotaient les palmiers royaux de Riverside Avenue, récemment offerts par M. Edison, Charlie McKinney et Jim Howell tuèrent dix gators sur la Turner en une seule nuit sans lune. L'Indien Charlie Tommie, venu vendre quinze peaux de loutres à George Storter pour neuf dollars pièce, déclara que miss Hannah Smith avait fait une mauvaise chute à Ausecours et s'était cassé une côte, et que M. Waller la soignait là-bas. Bill et Dan House, découragés par le Honduras, rentrèrent chez eux juste à temps pour Noël avec un singe et quatre perroquets.

Le bateau de commerce de Key West qui transportait les

marchandises pour Noël n'était pas arrivé. « M. E.J. Watson nous apprend qu'il (le capitaine) n'était pas à Key West lundi dernier à neuf heures du matin. »

*Le temps froid de la fin décembre 1909 détruisit les dernières tomates de D.D. House. On vit de la glace dans un vieux bateau. Début janvier, dans sa rubrique de l'*American Eagle, *C.G. McKinney signalait que les chasseurs trouvaient encore des ratons laveurs et des loutres. (Fort Myers annonça que lors de sa visite à Immolakee le shérif Frank B. Tippins tira une dinde.) L'école de Chokoloskee ouvrit à nouveau ses portes et un nouveau prêcheur arriva peu de temps après. Les poules se remettaient à pondre malgré de nombreuses averses « inhabituelles en cette période de l'année ». D.D. House, William Wiggins et George Storter fabriquaient du bon sirop — l'usine de canne de Storter fonctionnait « à plein régime » — mais tout le monde manquait de bidons ; M. Wiggins mettait son sirop dans des bouteilles blanches.*

En février, à Ausecours, miss Smith ramassa sa dernière récolte de pommes de terre, qui rejoignirent Chokoloskee dans la pirogue de Charlie Tommie. Andrew Wiggins cultivait des pommes de terre et de la canne au bord de la rivière Rodgers. Bill House partit pour Key West afin d'y acheter un bateau.

On aperçut la comète de Halley ; elle reviendrait en mai.

(Increase Mather, de la Nouvelle-Angleterre, vit « l'Etoile de Bethléem » pendant sa traversée de 1682, lorsqu'Edmond Halley lui donna son nom, et il exhorta ses ouailles à ne pas persister dans leurs péchés jusqu'à ce que « Dieu décoche Ses flèches du Ciel pour les abattre et les dépêcher vers leur tombe ». En 1910, dans l'immense consternation provoquée par la Grande Comète, il fut prédit que le passage de la Terre à travers le panache de sa queue risquait d'entraîner l'extinction de la race humaine à cause du « gaz cyanogène ». Bien que passablement ignorants des périls liés au gaz cyanogène, les résidents de Chokoloskee ne doutaient guère que cette comète annonçât l'arrivée du Jugement dernier sur la Terre, sous forme de tempêtes, d'inondations, de sécheresses, de pestes et de toute espèce de maux naturels, dont M. Watson serait évidemment tenu pour responsable.)

M. E.J. Watson finira de fabriquer son sirop cette semaine (début mars). Il annonce que, cette année, sa production s'élève à près de quatre-vingt mille litres.

Miss Hannah Smith a récolté deux mille livres de « malangoes », tué son dernier cochon, elle envisage de quitter Ausecours avec son chien et ses deux chats dès qu'elle aura récolté ses choux, qu'elle a l'intention d'expédier au marché de Key West sur le nouveau bateau de W.W. (Bill) House, le Rosina. *Bill House et le jeune Dan sont maintenant associés dans le commerce maritime, ils transportent des chargements de canne, de sirop, de fruits et d'huîtres.*

Charley Johnson et Walter Alderman ont contracté « la fièvre du Honduras » : ils parlent sérieusement d'aller chercher fortune là-bas.

« Tout le monde est ravi du nouveau prêcheur, frère Jones, mais l'instituteur, M. Daughtry, a fermé l'école par manque d'élèves. »

*L'*Eagle *relate l'excitation provoquée par le combat imminent entre le champion noir Jack Johnson et M. Jim Jeffries, l'espoir blanc.*

« En avril, il fait toujours très sec sur la côte, si bien qu'il faut apporter d'Ausecours presque toute l'eau douce de l'île. Il n'y a pas encore de pêche à proprement parler, mais on construit de nouvelles glacières en prévision de l'été. »

McKinney relate que peu de gens dansèrent lors d'une fête donnée par Gregorio Lopez — les invités étaient soit trop âgés, soit trop jeunes, commente-t-il, et il n'y avait pas de « gnôle ». Charlie McKinney, Charley et Mack Johnson ainsi que Jim Demere partent pour une longue chasse au gator. M. Shorty Weeks sera responsable du bateau du courrier, de Chokoloskee à Marco.

« M. John A. Johnson et M. Leroy Parks sont venus aujourd'hui sur l'Ile à partir de Pavilion Key. » (Johnson fut l'un des sept maris qu'enterra la mère de Pearl Watson, Josephine Jenkins ; Leroy Parks était le fils qu'elle eut d'un autre mari.)

« Le capitaine W.W. House, son frère Dan et leur père prennent la mer demain à destination de Fort Myers avec une cargaison de plantes ornementales destinées aux maisons des dix premières familles de la ville. »

« Miss Hannah Smith a quitté la plantation d'Ausecours et se trouve maintenant chez M. E.J. Watson, à la Courbe de Chatham. »

Bill House

Je me rappelle le jour d'avril 1910 où Watson embaucha la pauvre miss Hannah Smith. Le vieux Waller, il travaillait chez Watson, il est entré dans le magasin avec une femme trois fois plus grosse que la normale, il l'a présentée à son patron comme une bosseuse hors pair qui abattait le boulot de trois hommes pour débiter les platanes et qui aurait pu apprendre un truc ou deux à un cheval pendant les labours de printemps. Par là, il voulait dire *derrière* un cheval, il était pas question de mettre le harnais à miss Hannah.

Eh bien Watson a rétorqué qu'il avait déjà un cheval, mais Dolphus était tout décati et inutile, et puis la main-d'œuvre lamentable qu'il avait à la Courbe – il a fait un clin d'œil à Waller – aurait pas su retirer la pisse d'une botte, même avec le mode d'emploi inscrit sur le talon d'icelle. C'était la première fois qu'on entendait cette vanne-là et on a tous éclaté de rire. Comme y avait de la gnôle en circulation parmi nous, on a tous décidé de s'en envoyer une nouvelle tournée. Si Hannah Smith acceptait de rentrer avec nous, dit Watson, pour initier ce vieux voleur de cochon de Waller au maniement de la hache, alors peut-être qu'il pourrait atteler l'amazone à côté de Dolphus quand viendrait le temps des labours. Ou peut-être que lui et elle – il a dit ça sérieusement, en soulevant un peu son chapeau – je pourrais les accoupler quand ce pauvre vieux Green aura roulé sous la table à force de se biturer.

Cette blague-là aussi a fait rugir tout le monde de rire, tout le monde sauf le vieux Waller. J'ai tout de suite deviné que Waller avait un faible pour Hannah, rapport qu'elle était belle comme un homme peut être beau – on aurait dit un gus emperruqué – alors que lui était laid, et boiteux, tout en os et en ravaudages. A voir sa mine décatie, on comprenait qu'il avait connu plus de dureté que de douceur dans l'existence et qu'il s'était fait une raison. Watson a touché le bord de son chapeau en regardant Waller – c'était le butor qui ressortait quand il picolait – et la grosse Hannah elle a dévisagé son vieux lascar, pour voir comment qu'il allait réagir. Mais Waller a seulement roté avant de prendre une expression toute vague, comme si ce rot-là avait eu un sens bien précis méritant moult réflexions.

Avant de se retrouver à la Courbe de Chatham, cette Hannah Smith, originaire du Marais d'Okefenokee en Géorgie, était restée dans la baie pendant un an ou deux. Elle avait une sœur, Sadie, qui séjournait de l'autre côté des Glades, au nord-ouest de Homestead, un coin qu'on appelle Paradis aujourd'hui. Des parents à elle firent savoir à Sadie qu'Hannah était à Everglade, et ils lui demandèrent si elle aurait la gentillesse de rendre visite à sa petite sœur, histoire de voir si tout allait bien pour elle.

Cette Sadie Smith était connue sous le sobriquet de la Femme-Bœuf ; quand elle découvrit qu'Everglade était tout là-bas de l'autre côté de la Floride, peut-être à deux ou trois mois de chez elle par voie de terre et de mer, elle prit son temps jusqu'à la saison sèche, elle attela deux bouvillons, puis elle coupa, brûla, défricha à tour de bras pour se frayer un chemin en chariot à travers les Everglades. Première fois qu'une chose pareille a jamais été faite, et ce sera peut-être la dernière. Elle a suivi la Fondrière de la Rivière du requin vers le nord, puis les pistes de pirogues andiennes vers l'ouest à travers le Big Cypress, désembourbant ses roues et abattant des forêts entières pour faire avancer son sacré chariot. Elle a débouché près de l'estuaire de la Turner et elle a trouvé la baie de Chokoloskee. Un beau jour, elle s'est pointée comme une fleur avec sa capeline toute noire et sa puanteur d'ourse.

Jusque-là, Hannah Smith était la plus grosse femme jamais vue dans la région, même que les Andiens l'avaient surnommée Big Squaw. Eh ben la Sadie, c'était la pointure au-dessus, un mètre quatre-vingt-dix, bâtie comme une citerne, avec un sourire qui lui fendait le visage comme un melon d'eau. Elle a dit qu'elle était après 'Tite Hannah, elle voulait mettre la main sur sa petite frangine chérie, en avoir le cœur net de ce qu'elle fichait là. Bah, y avait point le moindre détail qu'était petit chez ces deux gonzesses, même qu'y en avait deux autres, encore plus grosses, tout là-haut à Okefenokee, d'après ce que nous a dit la Femme-Bœuf. Sa sœur Lydia était, paraît-il, si grosse qu'elle se garait dans le fauteuil à bascule sur la galerie, elle prenait son mari dans ses bras et elle lui chantait des berceuses. Mariée à seize ans, l'âge tendre, dit Sadie, mais son mari s'est fait pendre à Folkston en Géorgie, si bien qu'elle s'est mise à bosser, hissant des blocs de calcaire et taillant des traverses pour les chemins de fer. Ensuite, pendant un moment, elle a tenu une boutique de barbier à Waycross avant de partir jeter un coup d'œil à la Floride, elle prétendait manier si bien le rasoir que la barbe repoussait pas pendant trois jours tellement qu'elle allait la chercher loin sous la peau. Là, je la crois volontiers, car cette grosse bonne femme et Hannah aussi savaient manier la hache aussi bien que n'importe quel homme de ma connaissance, même qu'elle en faisait chanter le fer. Ça, c'était le vieux style de pionnière, qui descendait tout droit des Appalaches. On en fait plus, des bonnes femmes comme ça, sinon on en aurait une qui dirigerait tout le pays.

Hannah avait une voix suave pour aller avec ses exploits physiques et ses manières si gracieuses. Le soir, elle enfilait sa robe de rechange et elle déambulait sur le quai de McKinney en chantant *Barbry Allen* aux Andiens qu'étaient là pour leur commerce. Rien qu'à me rappeler comment qu'elle se campait là, ce bon gros tas de femme qui chantait si doucement sous la lune au milieu des mangroves, et ces Andiens réunis autour de leurs feux qui la regardaient passer — c'est leur manière polie de tenir à l'œil une chose sauvage qui risquait de devenir dangereuse — eh ben ce tableau me fait frissonner rien que d'y penser. Evidemment, j'étais trop jeune pour elle, et puis sans doute trop petit aussi, sous toutes les coutures, et de toute façon je voulais me marier avec Nettie Howell.

Tant Jenkins, oui, Tant était un expert pour tout ce qui touchait à la chasse, il disait toujours qu'il était brouillé avec le labeur quotidien, et moi j'ai dit à Tant que, s'il était vraiment plus malin que le racontaient les gens, il irait faire un tour à Okefenokee pour aller se chercher une de ces grosses frangines tout esseulées, pour qu'elle turbine à sa place, lui serve son whisky et le berce avant de dormir quand il rentrera à la maison dans la nuit noire, tout imbibé et dégoûtant. Alors Tant m'a répondu :

— Continue de causer comme ça, mon gars, j'ai point encore rien entendu de défaut sur le compte de ces p'tites fillettes !

Les deux géantes d'Okefenokee ont donc fêté leurs retrouvailles, elles ont fait picoler Tant et deux Daniels jusqu'à ce qu'ils puissent plus tenir debout, et puis aussi un jeune Lopez. Sadie a déclaré que ces quatre bons gars lui donnaient vraiment l'impression d'être chez elle, du moins tant qu'ils tenaient le coup. Le seul problème, c'était qu'il y avait pas assez de terre à cultiver ici, elle disait qu'elle avait besoin de place ! Le lendemain, elle a dirigé ses bœufs vers le nord, elle s'est trouvé une bonne grosse butte dans les cyprès à l'est d'Immolakee, elle a vécu là un certain temps et elle y est morte aussi, pendant qu'elle y était. Peut-être qu'elle a eu le cœur brisé, à cause de 'Tite Hannah.

Peu après le départ de Sadie, Hannah a décidé de tenter sa chance sur la Chatham. Elle en avait trop marre de jouer les fermières toute seule à Ausecours, et puis elle en pinçait pour son vieux roucouleur tout décati, qui était parti s'occuper des cochons de Watson et l'aider à couper sa canne à sucre. Maintenant il était venu la chercher, et il avait emmené Watson avec lui.

— Ce Waller, disait Watson, peut-être bien qu'il se comportait comme un fermier craignant Dieu, mais c'était jamais rien de plus que ce à quoi il ressemblait et que ce qu'il sentait, et la première fois qu'un cochon serait porté manquant à la Courbe de Chatham, un célèbre voleur de cochons risquerait lui aussi de manquer à l'appel.

Waller pouvait bien rigoler à l'idée qu'il manquerait un jour à l'appel, mais il rigolait pas rapport à Hannah, vu qu'il était amoureux et que dans sa vie les femmes étaient très très rares et espacées. Pour dire les choses comme elles sont, la grosse Hannah était la première et il se fichait de qui le savait. Voici ce qu'il disait :

— J'ai promis à ma vieille maman sur son lit de mort que son puceau de fils rejoindrait sa tombe aussi pur devant le Seigneur que le premier jour qu'elle lui avait torché le cul.

Cette promesse, qu'il disait, avait permis à sa vieille maman de mourir heureuse. Mais Satan avait envoyé cette grosse fille Smith à Ausecours, et elle est rudement plus forte que moi, beuglait ce vieux Waller, et avant que j'aie eu le temps de dire ouf !, la v'là qui me cloue au sol, les gars, et qui se met à me faire des cochoncetés !

En attendant, Big Hannah est allée chercher son barda, tout ce qu'elle possédait, sauf sa hache et sa carabine, fourré dans un sac en grosse toile que, d'une seule main, elle se balançait sur l'épaule. Le jour où qu'elle est partie à la Courbe de Chatham fut le dernier jour sur cette terre où je l'ai vue.

Cette grosse vierge toute timide et son vieux grigou — l'était pas beaucoup plus âgé que Watson, mais on aurait juré qu'il avait passé l'arme à gauche et puis à droite itou — ils ont vécu dans leur péché sous le toit de la petite hutte des Tucker sur une butte de terre, pas très loin vers l'aval des cabanes et de l'atelier. Hannah coupait du combustible pour la chaudière à sirop, elle aidait la jeune dame aux fourneaux et dans ses tâches, et puis elle se récurait bien les aisselles avant de rapatrier son voleur de cochons au bercail et de le mettre au lit. Ed Watson racontait qu'ils couinaient toute la nuit comme un couple de renards.

Mamie Smallwood

Monsieur Watson fréquentait de la mauvaise compagnie, mais il adorait sa famille et tous ceux qui l'ont connu disent la même chose. En 1907, il ramena Edna chez lui, dans le comté de Columbia, pour la naissance de la petite Addison, et son Amy May est née à Key West en mai 1910. Monsieur Watson n'aurait jamais toléré que sa jeune épouse se fasse tripoter sa grossesse dans les Dix Mille Iles par ce vieux type aux pieds nus qui employait sûrement son couteau à huîtres pour mettre les bébés au monde, ça faisait pas l'ombre d'un doute. Ted n'aimait pas m'entendre parler de la sorte, il prétendait que monsieur Watson n'avait rien contre ce vieux mulâtre, qu'il voulait simplement offrir le fin du fin à sa jeune Edna. Mais Ted disait seulement ça rapport que ces gens étaient ses clients et qu'il voulait pas les voir filer chez McKinney.

Excepté peut-être Gene Hamilton, qu'avait honte de sa famille, Ted n'aimait pas plus que moi toute cette bande. Il savait pas où ils habitaient, à moins qu'il y ait jamais fait très attention. Bien sûr, on pouvait pas nier que le vieux Hamilton connaissait son affaire d'enfantement, parce qu'y en a pas beaucoup qu'il a mis au monde dans les parages de l'Homme perdu qui s'en sont portés plus mal ensuite.

Longtemps avant la naissance d'Amy May, monsieur Watson avait redonné à la Courbe le statut qu'elle occupait autrefois — la meilleure ferme de toutes les Iles — et peu importent ses dettes légales impayées. Le bruit courait que la main-d'œuvre était la bienvenue au Lieu de Watson, indépendamment du sexe et de la couleur, et sans questions indiscrètes. Et puis tout était paisible là-bas, y avait rien à redire, sinon on en aurait entendu parler par miss Hannah, qui restait en contact avec ses nombreux amis de Chokoloskee. M. Jim Howell, dont la fille Nettie était fiancée à mon frère Bill, Jim Howell a travaillé là-bas pendant une récolte, et monsieur Watson savait transformer un lambin en bosseur. Jim Howell a dit qu'il avait eu « une trouille bleue pendant tout son sacré séjour là-bas », mais qu'on l'avait jamais mieux traité de sa vie. Même les gens qui vivaient dans la terreur de monsieur Watson se sont un peu détendus au point même de lâcher quelques blagues, car on avait réellement l'impression que le gaillard avait changé ses manières.

Le premier à me faire comprendre qu'il risquait d'y avoir du grabuge fut Henry Thompson, qui continuait de s'occuper du schooner de Watson à l'occasion. Mais Henry habitait surtout l'Homme perdu, il vivait plus au Lieu de Watson. Il travaillait pour cet homme depuis qu'il était gamin et il connaissait ses habitudes mieux que personne.

Un jour qu'Henry commerçait à Fort Myers, une vieille négresse l'aborde pour lui demander si son fils sarclait toujours la canne au diable vauvert pour monsieur Watson. Elle lui dit que les gens de couleur de Safety Hill ont point de nouvelles de l'homme manquant depuis bientôt un an, et qu'un autre journalier de sa connaissance était point revenu non plus. Bon, Henry croyait se rappeler que Watson en personne avait ramené ce nègre à Fort Myers quand il avait eu fini son temps et qu'il avait besoin de sa paie. Monsieur Watson rendit alors visite à Carrie et à ses enfants, il embaucha un autre nègre et retourna chez lui.

— C'est pas commun qu'on l'ait point vu, dit la vieille.

— Sans doute qu'il a filé à Key West avec sa paie au fond de la poche, lui répliqua Henry Thompson. On vous a peut-être déjà dit que les nègres ont la cote là-bas.

Henry a pas dit ça pour blaguer, car il a jamais été un grand blagueur et il s'est jamais cassé la tête pour dissiper les tracas de cette vieille négresse.

Après ça, deux hommes se sont pointés dans un petit sloop en déclarant qu'ils étaient en maraude depuis Key West. Monsieur Watson a décidé qu'ils essayaient de lui bourrer le mou, il s'est demandé si ces deux lascars étaient pas des adjoints de shérif désireux de se faire mousser à ses frais et qui attendaient une bonne occasion de le réduire à merci. Mais comme la canne était prête, il les a mis au turbin en les surveillant de près. Eh bien, un jour qu'Henry ramenait son bateau de Port Tampa, leur petit sloop était toujours amarré au quai, mais les deux lascars avaient disparu. Monsieur Watson déclara qu'il leur avait acheté ce sloop, qu'il les avait ramenés sur la côte jusqu'à Marco, payés et rencardés sur quelques gars à la coule à Shawnee, dans l'Oklahoma. Ça n'a pas frappé particulièrement Henry sur le moment, mais un autre jour, alors qu'il nettoyait ce sloop, il est tombé sur la photo d'une femme et de petits gamins, sur des lettres d'amour aussi, le tout coincé dans une niche bien sèche sous le toit de la cabine. Il s'est demandé pourquoi ces hommes auraient laissé ça derrière eux, il a tout mis de côté au cas où ils le réclameraient. Mais ils n'ont jamais donné le moindre signe de vie.

Un jour, j'ai pris Henry à part pour lui demander ce qu'il y avait derrière toutes ces histoires. Est-ce que monsieur Watson tuait sa main-d'œuvre au lieu de la payer ? Parce que, si Henry soupçonnait pas anguille sous roche, pourquoi donc répandait-il ces fichues histoires — enfin, on peut même dire qu'il les laissait tomber à nos pieds pour qu'on les renifle.

Les yeux d'Henry se sont agrandis comme des soucoupes, c'était la première fois depuis des années que je le voyais attentif. Il a pas perdu de temps pour réagir, il s'est mis à me houspiller, disant que c'était comme ça que les rumeurs commençaient, disant qu'il avait jamais rien cru de tel sur monsieur Watson ! Enfin, cet homme était comme un père pour lui, il l'avait toujours été !

— Demande donc à Tant Jenkins, Tant te dira la même chose !

Mais Tant ne dira jamais la même chose, car Tant a quitté la Courbe de Chatham après l'histoire des Tucker et il n'y est pas retourné, et de toute façon je connaissais James Henry Thompson depuis qu'il était tout gamin. Henry et moi, on a toujours eu le même âge, il pouvait pas me raconter de bobards.

Henry Thompson était loyal envers monsieur Watson et il le serait toujours, ou du moins jusqu'à ce qu'il vieillisse et ait besoin d'argent pour picoler. De l'argent pour picoler, c'est à peu près tout ce qu'il a tiré de cet entretien avec un journaliste sur sa jeunesse aventureuse avec Watson le sanguinaire. Peut-être qu'il s'est mis à lâcher quelques indices pour apaiser ses propres soucis, parce qu'y avait point de doute qu'Henry se faisait du mauvais sang. Et si ce gars-là se faisait du mauvais sang, alors je pouvais m'en faire aussi.

Un autre homme qui connaissait bien Watson, c'était Henry Short, et moi je connaissais Henry Short rudement bien, c'était notre nègre. On l'appelait tantôt Nègre Short, tantôt Henry le Noir, pour pas le confondre avec Henry Thompson ou Henry

Smith. Il avait le même âge que mon frère Bill, dès le début il a été élevé par la famille House et il est resté proche de nous pendant la première moitié de sa vie.

Là-bas, avant le tournant du siècle, quand Bill travaillait pour le Français, Henry le Noir rendait souvent visite à Bill dans les Iles. Il créchait chez les mulâtres et pendant un moment il s'est occupé du schooner d'Ed Watson. Même qu'une fois il a coulé le *Gladiator* dans un grain au large du cap Sable, il s'est fait repêcher par Dick Sawyer, qui faisait route vers le nord. Henry alla aussitôt se confesser à monsieur Watson, chose que la plupart de nos hommes auraient jamais osé faire. Gregorio Lopez disait toujours :

— Ce nègre était trop terrifié pour réfléchir à ce qui se passerait s'il annonçait une nouvelle pareille à E.J. Watson.

Monsieur Watson dut chasser des pilleurs d'épaves afin de sauver son bateau, mais pas une fois il n'éleva la voix contre Henry. Il fut très tolérant cette fois-là, Henry ne l'oublia jamais. Bien sûr, Henry Short disait toujours qu'il était très bien traité par cet homme blanc, mais il savait parfaitement qu'il avait pas intérêt à dire le contraire. Pourtant, à entendre les louanges qu'il chantait sur monsieur Watson, on sentait qu'il était pas seulement reconnaissant, mais qu'il était tout bonnement ravi que le Seigneur lui ait laissé la vie sauve pour qu'il puisse raconter cette histoire. Car il a jamais oublié le jour à l'Homme perdu, quand il a remonté la rivière avec les gamins Hamilton pour découvrir les Tucker.

Après la disparition de monsieur Watson, en 1901, j'ai demandé de but en blanc à Henry Short si c'était Watson le coupable. Henry le Noir a pas moufté, il a continué de trier ses avocats au soleil. Les temps de la ségrégation avaient commencé et dans tout le pays on infligeait des punitions cruelles aux nègres arrogants, et après l'âge de douze ans on laissait jamais ces gars-là tout seuls pour parler avec une femme blanche. Je lui ai donc demandé de me filer un coup de main pour emballer les tomates, je l'ai emmené vers la cabane à légumes, là où les hommes pouvaient nous voir causer mais pas nous entendre, et j'ai murmuré :

— Réponds-moi ! Il l'a fait ou il l'a pas fait ?

Henry Short regardait droit devant lui, il détournait la tête comme s'il parlait aux squites, mais je l'ai quand même entendu chuchoter :

— Monsieur Watson a été rudement bon avec moi.

C'était la manière d'Henry de me dire son opinion : E.J. Watson a bel et bien tué les Tucker.

Quand monsieur Watson est revenu ici en 1909, il a essayé de convaincre Henry de travailler à nouveau pour lui, il lui a proposé une bonne paie, car Henry excellait dans tout ce qu'il faisait, il savait cultiver, pêcher, diriger un bateau, réparer un filet, poser un piège, partir à la chasse au chevreuil et revenir à chaque fois avec un chevreuil. Henry travaillait de temps à autre à la Butte des House, et il a demandé à mon papa de répondre à monsieur Watson qu'il pouvait pas lui céder Henry. Cet homme de couleur était complètement terrorisé par monsieur Watson.

Parfois au cours de ce long été, Henry Short allait pêcher le mulet avec les jeunes Storter et leur nègre, un certain Pat Roll, ils posaient des filets à ouïes autour de l'embouchure de la Chatham. La plupart de ces Storter habitent maintenant Naples, avec mes frères Dan et Lloyd. Eh bien, y a pas si longtemps, Claude Storter m'a raconté qu'Henry ne passait jamais devant le Lieu de Watson sans avoir sa carabine chargée à la proue du bateau. Peut-être bien que c'est vrai, mais quand même, Henry le Noir pensait tout le bien du monde de monsieur Watson.

Monsieur Watson hébergeait un fugitif échappé de la chiourme, un desperado qui avait tué un représentant de la loi à Key West ; il avait aussi un homme plus âgé, Green Waller, qui était sans doute aussi une espèce de gibier de potence. La seule main-d'œuvre respectueuse de la loi était Hannah Smith, un énorme morceau de bonne femme, elle avait un peu cultivé les monticules de la Turner à la ferme du vieux McKinney, qu'il appelait Ausecours, pas très loin de l'endroit où notre famille s'est établie quand le clan House est arrivé pour la première fois dans ce pays. Hannah travaillait aussi bien que n'importe quel gars.

— Le format supérieur est sûrement équipé de roues, blaguait Charlie Boggess.

Eh bien, vous allez pas me croire, mais sa sœur a débarqué à Everglade peu après que Charlie a dit ça, et elle est arrivée sur des roues ! Sadie Smith avait une taille de plus qu'Hannah et elle conduisait un char à bœufs !

Green Waller a passé un moment à Ausecours, ces deux vieux solitaires s'entendaient comme cul et chemise. Waller est parti à la Chatham pour s'occuper des gros cochons bien dodus de monsieur Watson ; Hannah est tombée malade à claquer des dents toute seule là-bas, à force de se battre contre les squites et les panthères pendant un an sans un homme pour l'aider à trimbaler ses récoltes, rien que ce vieux métis de Charlie Tommie qu'essayait de profiter de la situation. Vers avril 1910, le vieux Waller est allé la trouver et l'a ramenée avec lui à la Courbe de Chatham. On a aussi entendu parler d'une squaw andienne qui s'est fait virer par sa tribu rapport à ce qu'elle fricotait avec les hommes blancs, et d'un Noir de Columbia descendu dans le sud avec Watson. Si cet ouvrier agricole a jamais eu un nom, pour sûr que je le connais pas.

En cette sombre année sèche de 1910, l'impression de maléfices qui s'infiltrait dans les Iles s'est manifestée au grand jour et personne y a échappé. Même mon Ted sentait que la calamité mijotait. Mais celui qui a mis tout le ragoût en ébullition, c'est un certain « John Smith », arrivé à Chokoloskee ce printemps-là. C'était un jeune type bien bâti, assez beau, avec des cheveux châtain foncé qu'il portait long, au ras des épaules, et puis des yeux verts rapprochés, au regard dur. Ses paupières inférieures étaient horizontales, sans la moindre courbe, et ses sourcils se rapprochaient trop. Il portait une espèce de redingote noire et vieillotte au-dessus de vêtements de paysan déchirés, on aurait dit un croisement entre un joueur et un prêcheur. Comme Tant le fit remarquer, personne aurait mis sa tête à couper que ce client-là irait droit au paradis.

Dès le début Ted s'est méfié de cet étranger.

— C'est réglé comme du papier à musique, disait-il, ce *hombre* s'est carapaté de quelque part, comme un chat qui file dans les bois, qui devient sauvage et sournois.

Ted l'a eu dans le nez dès qu'il est entré dans notre magasin. Il arrêtait pas de tirer sur les cordons de mon tablier tout en me chuchotant à l'oreille :

— Les jeunes gens qui vivent selon la loi divine ont pas le visage aussi dur ! Et puis cette saleté de redingote cache certainement tout un arsenal !

J'ai jamais fait très attention à Ted, sachant que mon homme s'excitait comme un pou dès qu'il repérait un hors-la-loi.

Nous avons demandé à John Smith si par hasard il n'était pas de la famille de miss Hannah Smith, qui vivait sur la Chatham, ou des Henry Smith, qui constituaient l'une des dix meilleures familles de Chokoloskee.

— Sont point des parents à moi, qu'il nous a répondu, très sec.

Il cherchait un certain E.J. Watson, et ça l'a pas gêné une

seconde d'apprendre que monsieur Watson était à Key West avec sa femme qui allait accoucher.

— Je vais l'attendre.

Voilà tout ce qu'il a dit.

Cet homme a payé John Demere pour l'emmener à la Courbe de Chatham. Quand il est parti, mon mari a dit :

— Ed sera peut-être ravi de voir cet *hombre,* mais j'en doute. Pour moi, il s'agit certainement de ce gars du nord dont il parle tout le temps.

Lorsque Ed Watson revint de Key West avec sa femme et leur bébé, ils prirent le vapeur jusqu'à Fort Myers, puis redescendirent jusqu'à Chokoloskee par le bateau du courrier avant de poursuivre jusqu'à chez eux et la Chatham. Ted l'avertit alors qu'un étranger était arrivé récemment et qu'il l'attendait. Monsieur Watson pivota aussitôt sur ses talons pour regarder derrière lui, puis il fusilla Ted du regard.

— Je veux dire qu'il t'attend à la Courbe de Chatham, précisa Ted.

Quand monsieur Watson était pris par surprise, il gardait la bouche fermée, contrairement à la plupart des gens. Alors il me fait son petit salut et me demande :

— S'il vous plaît, miss Mamie, puis-je abuser une fois encore de votre hospitalité ? Pourriez-vous garder ici Edna et les enfants le temps que j'aille voir de quoi il retourne à la Courbe de Chatham ?

Comme la compagnie d'Edna me faisait plaisir, j'ai accepté volontiers.

— Ce gars a-t-il l'air d'un Indien ? demanda-t-il avant de partir.

— Des cheveux noirs et raides, dit Ted. Peut-être un métis.

— Est-ce qu'il ressemblerait pas à un prêtre défroqué ?

Cette fois c'est moi qui ai opiné du chef, mais Ted a dit sur un ton vexé :

— Non, il ressemble point à un prêcheur.

Ted Smallwood n'aurait pas toléré la moindre ressemblance entre cet étranger et un homme de Dieu.

J'ai pas contredit mon mari, mais monsieur Watson manquait jamais grand-chose et quand il m'a vue hocher la tête, ça lui a arraché un sourire. Il a dit que, si jamais ce John Smith était l'homme auquel il pensait, peut-être qu'il *ressemblait* à un prêcheur, mais c'en était pas un.

— John Smith, c'est son vrai nom ? ai-je fait.

— Ça l'est aujourd'hui, qu'il m'a répondu avant de partir.

Le lendemain, il est revenu chercher sa famille ; Edna et lui ont eu une brève querelle à froid dans notre chambre d'ami avant qu'elle redescende, les yeux tout pleins de larmes, pour préparer les enfants. Je sais pas qui était cet étranger, mais de toute évidence sa venue constituait un coup terrible pour cette jeune femme, et tout le long du chemin jusqu'au quai, elle a fait de son mieux pour convaincre son mari de la laisser ici. Au moment de monter dans la chaloupe avec son nouveau-né sur le bras, elle m'a fait au revoir de la main, le visage tout triste, vous voyez, en secouant la tête. Je l'ai pas enquiquinée rapport à cet étranger et Edna m'a jamais rien dit, ni à ce moment-là ni plus tard.

— Monsieur Watson aimerait pas ça, disait-elle toujours, même après la mort de son mari.

Quelques mois avant l'arrivée de cet étranger, le jeune chef d'équipe de monsieur Watson qu'était toujours armé a fait du ramdam dans les parages avant de s'enfuir ailleurs. Monsieur Watson a pris ce John Smith comme nouveau chef d'équipe parce que le vieux Waller picolait trop, mais presque aussi sec voilà-t-y pas le premier gars de retour, demandant après « monsieur Ed ». En chemin, il a dit à Charley Johnson qu'il allait récupérer son emploi, ou alors il ne s'appelait pas Dutchy Melvin.

— Va y avoir du grabuge, a dit aussitôt Ted.

— Tant mieux, je lui ai répondu. Ces deux jeunes diables peuvent bien se mitrailler tant qu'ils veulent. Ce sera bon débarras.

Mais celui à qui j'en voulais le plus, c'était monsieur Watson, qui avait amené ces vandales dans notre communauté.

Monsieur Watson a toujours été correct dans ses transactions avec nous, et il faisait une belle quantité de commerce avec le magasin Smallwood. Une année que les ventes de sirop étaient faibles, Snow et Bryan à Tampa lui échangèrent plusieurs centaines de litres de sirop contre des marchandises et nous avons pris ces marchandises en dépôt pour les vendre avec commission. Du temps de Watson, le magasin était dans notre maison, avec le bureau de poste ; en 1917 seulement, nous l'avons reconstruit au bord de l'eau, et en 1925 seulement on a eu assez de bon sens pour l'installer sur des pilotis comme il est actuellement. Ç'a été ric-rac, car sinon l'ouragan de 1926 l'aurait entièrement démoli. Il a été terrible, cet ouragan, il a tué plein de gens quand les digues du lac

Okeechobee ont cédé, mais il a été beaucoup moins violent que l'ouragan de 1910, du moins dans les Dix Mille Iles.

Malgré tout, la tempête d'octobre 1909 a été désastreuse, elle a rasé la moitié de Key West et bousillé toutes les usines de cigares jusqu'à Tampa. On était tout bonnement pas prêts à en essuyer une autre, encore pire, en 1910. Mais il y avait cette comète dans le ciel, en avril et en mai, ça c'était un mauvais signe, avec la pire sécheresse depuis des années pendant tout ce long été, nos récoltes flétrissaient sur pied, et une pêche lamentable dans toute la région. Même Tant Jenkins a été obligé de ramasser des clams pour gagner sa croûte.

Pendant tout cet été sec et brûlant de 1910, Edna Watson et ses enfants venaient régulièrement en visite à Chokoloskee. Ils séjournaient chez nous, chez les Wiggins, chez Alice McKinney et avec Marie Lopez, qui épousa Walter Alderman sous le grand arbre de la rivière Lopez – le premier vrai mariage avec prêcheur qu'on ait jamais eu dans le coin depuis des années et des années. Walter Alderman avait travaillé pour monsieur Watson dans la campagne de Columbia, mais il en partit très vite quand monsieur Watson fut arrêté, disait Marie, pour pas être forcé de témoigner au tribunal. Il interdit même à Marie de raconter ce qui s'était passé, pour vous dire combien il avait peur que qui-vous-savez vienne une nuit et lui cloue le bec pour de bon.

Sammie Hamilton

Ed Watson était l'homme le plus agréable qu'on puisse rencontrer, et le meilleur fermier qu'ait jamais défriché un lopin de terre ; il aurait fait pousser n'importe quoi. Mon oncle Henry Thompson a travaillé pour Watson un bon nombre d'années, Tant Jenkins aussi, et ils ont jamais eu lieu de se plaindre de lui.

Mon autre oncle, Lewis Hamilton, il a été marié un moment avec Jennie Roe, qui prétendait s'être fait violer par monsieur Watson. Mais personne y croyait trop, à cette histoire de viol. D'accord, Jennie Roe était un beau brin de fille, mais elle avait rien de si extraordinaire. Sa mère a peut-être été Josephine Parks, ou Henrietta Daniels – c'était forcément l'une de ces deux sœurs, d'après ce qu'on m'a dit. A Caxambas, c'était la famille tuyau-de-poêle, et les deux demi-sœurs ont eu des petites filles de monsieur Watson. La Minnie de Netta pour commencer, elle est née l'année que Mme Jane Watson est arrivée de l'Ouest sauvage. Minnie avait les cheveux noisette de son père. La fille de tante Josie, qu'avait les cheveux comme de la paille, elle est née à la Courbe de Chatham au tournant du siècle, on l'appelait Pearl. Minnie a bien poussé, elle s'est mariée l'année du Grand Ouragan, en 1910, avec un gars de Key West nommé Jim Knowles, peut-être que son père était le vieux Bob Knowles, le cuistot de Bill Collier sur l'*Eureka*. Aux dernières nouvelles, Minnie habitait toujours Key West, et Pearl vivait dans le coin de Caxambas.

Tant était plus chasseur que pêcheur, vous voyez, et absolument pas fermier – y a jamais rien eu de fermier en lui, il avait tout bonnement pas la fibre. Il cuisinait un peu s'il avait pas le choix, mais le résultat valait pas tripette. Même à l'époque où il travaillait pour monsieur Watson, le poisson était tout ce qui l'occupait en dehors de la chasse et peut-être parfois du bateau. Mais au bout d'un moment, les bêtes sauvages sont devenues trop rares même pour Tant et il s'est mis à déterrer les clams pour son demi-frère

Jim Daniels, le contremaître de Pavilion Key. Tant s'est associé avec Henry Smith, de Chokoloskee, qu'était apparenté à la bande des Daniels, il avait la même tignasse noire d'Andien qu'eux.

La dernière fois que monsieur Watson est passé à Pavilion, c'était la fin de l'été, il avait à peine posé le pied sur le rivage que ce vieux Tant se met à brailler :

— Visez un peu qui arrive ! Que j'sois damné si c'est pas c't affreux desperado ! Matez un peu le regard sauvage et féroce de ces fichues mirettes !

Tout le monde cherchait un endroit où se cacher, mais monsieur Watson, il s'est contenté de sourire. Voyant ça, Tant a pris de l'assurance et s'est mis à faire le mariole pour de bon :

— Ben moi, j'vous l'dis tout de go : môssieur S.S. Jenkins supportera pas la moindre merdouille de ce bon Dieu d'animal sous prétexte qu'y s'appelle Ed Watson !

Oh, monsieur Watson adorait ce sac à os ; venant de Tant, il supportait tout ce qui lui aurait fait sortir son couteau avec un autre. Il connaissait Tant depuis l'époque où Tant et Henry Thompson habitaient la Courbe de Chatham, ils faisaient comme qui dirait partie de la famille et il a jamais eu la moindre bagarre avec lui, pas une fois, même si Tant l'a plaqué pour de bon après les Tucker. Et depuis les Tucker, les piques de Tant étaient plus affutées que jamais. Tant se pavanait en le regardant de haut et sous toutes les coutures, en ricanant, en lui crachant au ras des bottes.

— De Dieu, j'ai point la trouille de vous sous prétexte que vous trimbalez tellement de quincaillerie sous c'te redingote qu'vous pouvez à peine MARCHER !

Et il se mettait à danser la gigue autour de monsieur Watson, les poings en avant, en reniflant tant qu'il pouvait, sa petite moustache toute hérissée.

— Avancez un peu, qu'il lui disait, et venez prendre votre punition si vous êtes un homme !

Avec Tant, monsieur Watson riait tellement qu'il s'en frottait les yeux. Tant le mettait tout bonnement en joie, ça se voyait. Mais si Tant lui-même osait rire, rien qu'un peu, monsieur Watson serrait les lèvres aussi fort qu'un clam sa coquille, et Tant faisait les yeux blancs comme si sa dernière heure avait sonné. Alors monsieur Watson se raclait la gorge, ou alors il sortait sa fichue montre, ou encore rien ne se passait. Puis il disait quelque chose du genre :

— T'as jamais entendu celle du gars qui est mort de rire ?

Tant secouait alors la tête avant de se trisser. Ce jour-là, il se remettait jamais à taquiner Watson, même pas si on lui promettait quatorze dollars. Tant *savait*.

En tout cas, monsieur Watson était très apprécié dans notre famille, on a jamais rien eu à lui reprocher.

A cette époque dans les Iles, y avait abondance de rien et les familles aidaient les gens à s'en tirer. On allait parfois emprunter quelque chose à la Courbe de Chatham et monsieur Watson donnait à mon père, Frank Hamilton, quelques litres de son bon sirop, l'un de ces bidons en fer-blanc à quatre côtés. A nous, les gamins, il nous faisait visiter l'endroit, il nous montrait son cheval qu'il avait baptisé Dolphus Santini, il nous présentait ses vaches et ses cochons. J'oublierai jamais ça. Le meilleur homme que j'aie rencontré de toute ma vie. Il avait des cochons vraiment *énormes*, voyez, qu'il avait dressés pour qu'on les caresse, et puis un vieux grigou du nom de Waller s'occupait d'eux. Y avait surtout une truie, Betsey, qu'ils avaient dressée comme un chien, même qu'elle faisait des tours.

Le surveillant là-bas à cette époque était Dutchy Melvin, un desperado de Key West. Il avait incendié une ou deux usines à cigares, rapport que ces fichus Cubains avaient refusé de le payer pour pas le faire. Dutchy disait avoir tué un représentant de la loi qu'avait tenté de lui mettre des bâtons dans les roues de son boulot, mais il avait échappé à la corde grâce à sa jeunesse et à son charme ; d'autres affirmaient qu'il s'était fait prendre en train de piller après la tempête d'octobre 1909. Mais quoi qu'il ait fait ou pas fait, il s'est retrouvé enchaîné avec les autres forçats et il s'est échappé. Aussitôt il a pensé à se planquer au Lieu de Watson, parce qu'on savait à Key West que monsieur Watson posait pas de questions gênantes à ses employés tant que le boulot leur faisait pas peur.

Dutchy Melvin allait jamais nulle part sans ses armes, il les portait bien en évidence pour que tout le monde les voie et pour éviter tout malentendu.

— Plutôt aller en enfer que de retourner à la chiourme, disait Dutchy, et je me rendrai à aucun de ces deux endroits sans emmener avec moi quelques-uns de mes semblables.

Il parlait pas en l'air, m'est avis, vu qu'en Floride les chaînes de forçat c'était l'enfer sur terre et certes pas un endroit fréquentable pour un jeune gars bien élevé.

Dutchy Melvin était un homme de taille moyenne, à la peau foncée, qui pesait dans les quatre-vingts kilos. Mon papa connaissait sa famille à Key West, des gens bien ; mais sans savoir combien il détestait les Espagnols, vous lui auriez facilement attribué un peu de sang espagnol. En un sens, le jeune Dutchy ressemblait à monsieur Watson, il parlait très doucement, il était avenant et tout le monde l'aimait bien, mais c'était un bandit malgré tout. Même Watson, paraît-il, se méfiait un peu de lui.

Dutchy Melvin était un vrai acrobate. Un jour, là-bas sur le quai devant le Lieu de Watson, il a retiré sa ceinture à revolvers, il l'a confiée à mon frère Dexter Hamilton et il a fait un saut avant pour nous amuser, pas un saut périlleux mais un vrai saut en avant, il a atterri sur ses pieds tout comme un chat. La seule fois que j'aie jamais vu ce gars-là sans sa quincaillerie.

La première année que Dutchy est arrivé, monsieur Watson l'a nommé chef d'équipe parce que les flingues de Dutchy flanquaient une telle trouille aux ouvriers qu'ils étaient heureux de travailler tant qu'ils pouvaient. Ils savaient bien que ce type n'avait strictement plus rien à perdre et que, si jamais il se mettait dans l'idée de leur faire sauter le caisson, il le ferait sans doute. Mais monsieur Watson et lui se sont querellés parce que Watson refusait de le payer, il lui donnerait rien avant que la dernière canne soit coupée et que le sirop ait bouilli.

Ce gars a donc attendu que Watson s'en aille et il a bousillé peut-être quatre mille litres de bon sirop en mettant du sel dedans. Après ça, il a filé pour New York, un endroit de ce genre, d'où il a envoyé une carte postale insolente : *Ben voilà, monsieur Watson, pendant que vous bambochiez là-bas à Key West, j'ai passé le temps en retirant un peu de sucre à votre sirop.* Monsieur Watson jurait tant et plus, il se fichait de qui le remarquait, mais Henry Thompson, le mari de ma tante Gert, il s'occupait du schooner à cette époque et il rapportait le courrier ; Henry Thompson, il a raconté à la famille que monsieur Watson a lu cette carte postale et a éclaté de rire ! C'était quinze jours après que Dutchy il avait gâté le sirop, le Watson avait eu le temps de se calmer un peu, il est resté là sur son quai, à lire cette carte postale envoyée par Dutchy Melvin et il a rigolé comme un bossu ! Il a dit :

— Ce freluquet a été assez finaud pour décamper jusqu'à New York avant de m'écrire ça !

Eh bien, ce fou a refait surface pendant l'été 1910, avec des blagues pour tout un chacun. Il avait juré de ne jamais reprendre la chaîne des forçats et il avait aucun autre endroit où aller, et puis il était si effronté qu'il se croyait sans doute toujours dans les bons papiers de monsieur Watson. C'était peut-être vrai, mais « être dans les bons papiers » voulait pas dire que monsieur Watson avait pardonné, et il ne lui pardonna jamais.

Vers cette époque, un étranger est arrivé dans la région, qui a pris la place de chef d'équipe de Dutchy. Pour le recensement du printemps 1910, cet étranger s'est inscrit sous le nom de John Smith, mais on a appris par la suite que son vrai nom était Leslie Cox.

J'ai croisé ce Cox une fois ou deux, mais on a jamais fait connaissance. Du temps qu'il était là, il quittait jamais la Courbe. Et puis il a pas été là assez longtemps pour que les gens puissent se mettre son visage en tête. Il avait les cheveux courts sur le crâne et la nuque, de même longueur partout, si bien qu'on aurait dit de la fourrure. C'est comme disait souvent oncle Henry Thompson :

— Je me souviens pas au juste de quoi avait l'air ce Cox, mais en revanche je me rappelle bien que j'aimais pas sa binette.

Cox était recherché, et salement encore, mais personne le savait à l'époque. Cox connaissait Ed Watson, il venait le chercher et il l'a trouvé à la Courbe. Certains prétendent que Cox était le cousin de Watson, pour d'autres il avait autrefois sauvé la peau de Watson, là-bas dans l'Ouest, mais on a ensuite appris que c'était un tueur, il s'était sauvé de la chiourme, comme Dutchy. Leslie Cox parlait tout doux, lui aussi, à cause qu'il était en cavale, il parlait avec une espèce de voix basse et rauque, une intonation pleine de sournoiserie et de fiel. Oncle Henry nous épargnait aucun détail.

Dutchy Melvin était point sournois, il avait toujours un mot amical pour chacun, mais il pouvait pas encadrer Cox, il refusait d'obéir à ses ordres. Il avait l'intention de chasser ce fils de pute hors de la propriété, voilà ce qu'il annonça à monsieur Watson. Dutchy a dit ça en souriant, mais il était tout ce qu'il y a de plus sérieux. Y avait pas de place pour eux deux là-bas, jura le jeune Dutchy. Il dit qu'il avait solennellement promis à sa grand-mère de jamais frayer avec de vulgaires criminels, moyennant quoi il s'était senti tenu par l'honneur de s'évader de la chiourme. Monsieur Watson a trouvé très drôle cette histoire de « vulgaires criminels » et d'honneur menacé ; Dutchy et lui en ont bien ri, puis monsieur Watson s'est légèrement adossé à sa chaise, comme il faisait souvent, et il a regardé le gamin rigoler. Oncle Henry a remarqué le changement d'attitude de monsieur Watson. Mais Dutchy était trop hilare pour y prendre garde. Ç'a été son erreur.

Dans ce temps-là, les Andiens voulaient travailler pour personne, mais Tant Jenkins, qui chassait dans les Glades, est revenu au printemps avec une jeune squaw, qu'il a laissée à la Courbe de Chatham. Sa famille lui avait tourné le dos car elle avait fricoté avec Ed Brewer pour régler en nature sa note de gnôle ; si Tant ne l'avait pas rencontrée par hasard, tout au bout de la fondrière de l'Homme perdu, elle serait peut-être morte là-bas. Monsieur Watson l'accueillit pour qu'elle aide la jeune Mme Watson à s'occuper des enfants, car Hannah Smith avait d'autres chats à fouetter.

A la Courbe de Chatham, personne parlait assez d'andien rien que pour dire à cette fille où elle devait dormir, ils pensaient sans doute que les Andiens dormaient dans les bois. Mais la parlote, ça intéressait pas Leslie Cox, il s'est contenté de l'entraîner de force dans la cabane et de la violer dans les règles de l'art. Il l'a mise en cloque aussi, d'après ce qu'on a appris. Alors, sachant que son peuple voudrait plus jamais d'elle, sachant qu'elle avait aucun endroit dans ce monde où aller, cette pauvre jeune fille est devenue si solitaire et déprimée qu'elle s'est pendue avec son bébé dans le ventre et tout, en bas au hangar à bateau.

C'est une histoire qu'est jamais sortie du Lieu de Watson avant longtemps. Le nègre l'a racontée, mais personne l'a cru, car à l'époque où les hommes sont allés à la Courbe de Chatham, le corps de la squaw avait disparu. Mais quelques années plus tard, alors que j'habitais Possum Key, j'étais ami avec les Andiens et ils connaissaient tout le drame. Comment ils s'en sont occupés, ils refusaient de me le dire.

Mon grand-papa James Hamilton, mon père et mes oncles faisaient œuvre de pionniers au sud de l'Homme perdu quand monsieur Watson a obtenu la concession des Atwell, c'est-à-dire la Key de l'Homme perdu et les terres de Little Creek, de l'autre côté de la rivière. Mon autre grand-papa, le capitaine Jim Daniels, y était à ce moment-là. Lui et son fils Frank ont vu la fumée monter du sloop de Tucker, qui brûlait en dérivant dans le golfe vers l'ouest, avec le soleil couchant semblable à un halo tout autour du bateau. On aurait dit que cette boule de feu venait d'incendier le bateau et qu'il se liquéfiait pour rejoindre l'océan.

Monsieur Watson s'est fait si rare pendant quelques années que nous avons pensé qu'il était parti pour de bon ; ainsi, notre bande s'est mise à exploiter Little Creek, que la végétation avait envahi depuis l'époque des Tucker, mais qui était très accessible à partir de chez nous, sur la plage de l'Homme perdu. Et tout d'un coup, voilà Ed Watson qui revient, aussi amical que d'habitude, comme s'il avait jamais entendu parler de Wally Tucker, et il nous fait pas le moindre ennui à cause de Little Creek. Pour commencer, il avait déjà bien assez de boulot pour remettre la Courbe en exploitation et s'occuper de sa ferme dans le nord de la Floride. Sa jeune épouse l'avait un peu calmé et puis il avait vraiment pas besoin de se bagarrer avec ses voisins.

Mais il avait plus un sou vaillant et davantage de travail qu'il pouvait en abattre : il prenait donc toute la main-d'œuvre qu'il trouvait. La Courbe de Chatham a eu la sale réputation d'accueillir tous les criminels évadés et les nègres en cavale ; bientôt, la rumeur s'est répandue que là-bas les gens disparaissaient purement et simplement. Evidemment, y avait pas moyen de suivre la trace de ces fuyards qui travaillaient un moment sur la plantation de cet homme, car d'abord personne savait au juste qui vivait là-bas, mais on racontait de plus en plus que monsieur Watson terrorisait les gens pour les écarter des Iles, qu'il tuait ses employés quand il aurait dû les payer, et qui pouvait dire qu'il s'en tiendrait là ? C'était un homme qui avait déjà tué, il en avait l'habitude, et s'il récidivait on pourrait pas le pendre deux fois. L'été dernier, il avait amené là-bas un charpentier du nom de Jim Dyches, avec sa femme et ses enfants, mais ces gens sont devenus si inquiets au Lieu de Watson qu'un beau jour ils sont partis à l'improviste sans toucher la paie de Jim, ils ont embarqué sur le bateau du courrier de Gene Gandees et ils ont filé.

Même l'oncle Henry Thompson n'aimait pas beaucoup se retrouver à cet endroit, surtout vers la fin. Oncle Henry vous le dira lui-même, et pourtant voilà un gars qui n'a jamais manqué de défendre monsieur Watson.

En mai 1910, M. McKinney rapporta que le temps restait sec et le poisson rare. La récolte d'avocats fut mauvaise et les taons furent innombrables, mais il n'y avait pas encore beaucoup de moustiques. A la fin du mois, il faisait « sec, sec, sec ; les citrons, les pamplemousses, les goyaves vont tous être fichus ; le poisson est toujours aussi rare ».

« Jim Demere annonce qu'il n'a pas eu beaucoup de chance dans sa chasse à l'alligator. »

« Bill House a chargé sur la Rosina *une cargaison de bois, de cochons, d'œufs, de poulets et de lapins en saumure. »*

« Walter Alderman s'est installé dans la maison d'Andrew Wiggins, libérée par Gene Roberts, et il va se mettre à pêcher. »

« Nous avons presque tous vu la comète, mais nous nous attendons maintenant à la revoir bientôt dans l'occident du ciel. »

« En juin, la loi sur les rivières et les ports a autorisé le dragage de la Calusa Hatchee, dont les fonds de sable blancs étaient de plus en plus recouverts par des limons dus à l'élargissement du chenal d'Okeechobee. Grâce au gouverneur Napoleon Broward (qui devait mourir cette année-là, le 1er octobre), le dragage du chenal a repris et on a lancé des campagnes de vente à grande échelle pour les terres des Everglades. »

Le recensement du comté de Monroe entrepris en mai inclut Green Waller, cinquante-trois ans, et Mme Smith (cuisinière), quarante ans, à la Courbe de Chatham, ainsi que M. et Mme Watson et leurs deux jeunes enfants — le troisième devait naître un peu plus tard ce même mois. Il y avait aussi Lucius Watson, vingt ans, pêcheur, et un autre Blanc, « John Smith, trente-trois ans ».

Le début du mois de juin apporte de la chaleur et des nuages, avec des moustiques.

« Voilà vingt-quatre ans que je suis ici et je n'ai jamais vu les arbres fruitiers aussi près de mourir qu'en ce moment, alors que

nous approchons du 1er juin ... je ne sais pas ce qui se passera quand la pluie viendra, si jamais elle vient ... Nous apercevons maintenant la comète à l'ouest, mais elle est moins brillante qu'à l'est... »

Horace Alderman, de Marco, vient rendre visite à son frère Walter. Il compte s'installer sur l'île en juillet. (Horace Alderman défraya plus tard la chronique pour ses exploits dans la contrebande de rhum et l'immigration clandestine de Chinois. Il fut pendu à Fort Lauderdale au milieu des années 20, pour le meurtre de deux gardes-côtes qui l'avaient arrêté.)

La chance a « souri » à M. George Storter, à ses deux fils et à Henry Short, partis à la chasse au gator ; ils y retournent sans plus attendre.

Des lois protégeant les alligators sont adoptées dans le comté de Lee, car à la saison sèche les gators creusent les trous d'eau utilisés par le bétail.

« M. C.T. Boggess et sa famille se sont installés sur l'île afin de séjourner un moment parmi les vertueux. »

Fin juin, la saison des pluies arrive enfin, avec presque deux mois de retard et beaucoup d'Indiens, de moustiques et de « tigre aveugle » (alcool de contrebande).

Walter Alderman, Henry Smith, C.G. McKinney, Jim Howell, Willie Brown, D.D. House, Charlie Boggess, tous cultivent des légumes pour le marché de Key West.

Début juillet (alors que l'amiral Peary affirme avoir atteint le pôle Nord), McKinney taquine le prêcheur local, frère Jones, qui repousse régulièrement ses visites à cause des tourments que lui infligent les « anges des marais » (les moustiques).

Henry Smith et Tant Jenkins vont déterrer des clams à Pavilion Key en attendant le retour des poissons.

Charlie McKinney et Kathleen Demere sont mariés dans le bâtiment de l'école le 28 juillet par le juge George Storter.

Début août, la Rosina, *qui effectue désormais des trajets bimensuels, part pour Key West avec M. et Mme John Henry Daniels.*

« Récolte des petits pois et des haricots ; les poissons sont gros. »

« M. Walter Alderman souffre d'une infection (chronique) du pied. »

McKinney signale beaucoup de pluie, d'orages et de tonnerre pour la fin août, ainsi que des « éclairs de fourré ». Les « charre-

tiers » (fermiers possédant des charrettes) entament leur récolte. McKinney ramasse son poivre tout en luttant contre les lapins.

La femme d'Andrew Wiggins, anciennement Addie Howell, met au monde une petite fille le 20 août, sur l'île. Le père d'Andrew, William Wiggins, s'est installé à Fort Myers, mais son frère cadet, Raleigh, est à Chokoloskee.

Le dernier dimanche d'août, Bill House et miss Nettie Howell se sont mariés à l'école, « exactement comme nous l'espérions depuis deux ans ». Ils passeront leur lune de miel à Key West à bord de la Rosina, *et vivront sur le bateau. Dan House envisage maintenant d'acquérir son propre bateau.*

Début septembre, miss Lillie Daniels, la fille de Jim Daniels, épouse le capitaine Jack Collier à Caxambas. « Lucius Watson était ici (à Caxambas) dimanche dernier pour la première fois depuis avril. » (On peut supposer qu'il rendait visite au clan Daniels-Jenkins, ainsi qu'à ses deux jeunes demi-sœurs Pearl et Minnie.)

Henry Short a repris la pêche. Les poissons sont là, mais les poules ne pondent pas.

L'école rouvre ses portes. Gregorio Lopez et ses fils sont partis chasser l'alligator au Honduras, tandis que Lovie Lopez et les plus jeunes enfants s'installent à Chokoloskee pour « la saison scolaire ».

Bill House

Vers le 10 octobre, monsieur Watson emmena sa famille à Chokoloskee. Sa femme et ses enfants venaient régulièrement à Chokoloskee après la naissance du bébé en mai. Elle dit à ma sœur et à Alice McKinney qu'elle ne supportait pas la Courbe de Chatham lorsque Leslie Cox y était. Elle n'a jamais voulu confier à personne ce qu'elle savait sur Cox, déclarant seulement que, partout où allait cet homme, les ennuis suivaient.

Monsieur Watson avait un de ses hors-la-loi avec lui. Les hommes aimaient bien Dutchy Melvin, tout au moins ce qu'ils voyaient de lui ; ils se méfiaient, mais reconnaissaient qu'il était très drôle. En ce jour d'octobre à Chokoloskee, il y avait une certaine tension entre Watson et lui, rapport à Cox. Dutchy s'est saoulé et a voulu jouer les gros bras, il s'est moqué de monsieur Watson sous son nez, devant tout le monde. Il prétendait faire le mariole, mais c'était pas le cas. Il a même laissé tomber le « monsieur », pour l'appeler « E.J. » et même « Ed ».

— J'sais pas ce qui t' tracasse, Ed, mais qu'est-ce tu dirais si toi et moi on réglait ce putain de bordel de problème sur-le-champ ?

Monsieur Watson expliqua calmement à ce jeune hurluberlu qu'aucun homme, pas même E.J. Watson, ne pouvait dégainer aussi vite à partir d'un veston ou d'une redingote qu'un gars qui gardait son flingue dans un étui.

— Si tu tiens vraiment à me voir mort, autant que tu me tires une balle dans le dos, dit monsieur Watson.

— J'ai entendu dire que la balle dans le dos, c'était plutôt ta spécialité, lui répond Dutchy.

Monsieur Watson a levé les yeux et penché la tête. Au bout d'un petit moment, il a dit :

— T'es pas bien prudent pour un gars qu'a la langue aussi bien pendue.

— Plus ça va, plus je suis prudent, a fait Dutchy.

Mais sous le regard têtu de monsieur Watson, ses yeux se sont mis à papillonner juste un peu, même que les hommes l'ont remarqué.

Quand monsieur Watson lui a tourné le dos, tout le monde a retenu son souffle, mais Watson connaissait son bonhomme. Dutchy était pas du genre à tirer dans le dos et il le serait jamais.

– Ce qu'il nous faut, c'est une autre tournée, dit Ed Watson.

Les garçons Lopez leur ont resservi de la gnôle, et ils ont bu tous les deux, ils ont emporté le cruchon pour leur voyage de retour à la Courbe de Chatham. C'est la dernière fois que nous avons vu Dutchy Melvin.

Henry Daniels aime bien parler du jour où monsieur Watson est venu voir Pearl et Minnie à Pavilion, et peut-être rendre une petite visite discrète à Josie Parks pendant qu'il y était. Tant Jenkins lui a hurlé quelques taquineries en guise de bienvenue ; en entendant ça, Dutchy Melvin a commis l'erreur fatale de se dire : « Ma foi, si ce crétin de Tant peut le faire, c'est que moi aussi je peux le faire. » Et voici ce qu'il a fait : il a poussé monsieur Watson pour le faire tomber de la planche posée sur la gadoue jusqu'à la terre ferme, il a fait ça pour montrer aux pêcheurs de clams et aux autres que Dutchy Melvin avait pas peur de E.J. Watson. Les belles bottes de monsieur Watson se sont retrouvées toutes mouillées dans l'eau de mer, le bas de son pantalon de ville pareil, et le Dutchy s'est mis à rigoler en le voyant patauger jusqu'à la berge. Mais personne d'autre, voyant ça, ne rigolait.

Dutchy Melvin trouvait monsieur Watson formidable, on aurait dit un chiot qui aboyait et qui cabriolait dans tous les sens pour essayer de jouer avec un chien paisible mais dangereux. Il était tout excité de voir la réaction de cet homme et, d'après Henry, il a été rudement déçu quand il s'est rien passé.

Monsieur Watson a pas regardé une seule fois en arrière, il a continué d'avancer. Mais Henry Daniels a vu le visage de monsieur Watson quand il a marché devant lui, et il a compris à ce moment-là que les jours de Dutchy étaient comptés.

– J'aurais parié de l'argent là-dessus, dit Henry Daniels.

Sammie Hamilton

Si monsieur Watson a vraiment tué le couple Tucker pour cette concession de l'Homme perdu, alors y avait rien au monde pour l'empêcher de descendre encore un peu vers le sud et de trucider quelques Hamilton. Grand-papa James Hamilton s'est dit que monsieur Watson soupçonnait peut-être qu'on avait un peu d'argent de côté et qu'il nous réclamerait sans doute ces économies en tant que loyer dû, rapport qu'il avait payé les Atwell pour la concession de Little Creek, mais que c'était nous qui l'exploitions. Tout ça montre bien comment la peur se répandait parmi les rivières. La peur était toujours dans l'air, comme l'odeur de la fumée des incendies dans les lointaines Glades. Plus le jeune fretin qu'on était y réfléchissait, plus on devenait certains que, tôt ou tard, monsieur Watson viendrait nous chercher noise. J'en faisais des cauchemars. Monsieur Watson apparaissait derrière la vitre, rien que sa silhouette, son torse massif et son chapeau à large bord, la lune se reflétait sur son revolver et sur ses rouflaquettes.

Notre maman n'y a jamais cru, je le sais aujourd'hui – « C'est notre voisin généreux, et certes pas un voleur ! » – mais même maman en faisait un croque-mitaine :

– Si tu te mets pas au lit en vitesse, monsieur Watson viendra te prendre !

Vers la fin, elle a renoncé à ces menaces, comprenant qu'on était terrorisés, et peut-être qu'elle-même était pas si tranquille que ça.

Comme de juste, monsieur Watson est venu nous voir, peut-être deux ou trois jours avant l'ouragan. On a entendu son moteur qui pétaradait tout au loin, ce bruit nous arrivait porté par le vent du golfe, semblable à une fusillade étouffée, mais régulière. Il appelait cette chaloupe la *Brave,* mais nous autres les gamins on l'avait baptisée *Orchidée de mai,* car sa mécanique paraissait bien fragile. Par la suite, Gene Hamilton s'est offert une chaloupe exactement pareille, mais la *Brave* a été le seul bateau à moteur dans les rivières jusqu'en 1910, moyennant quoi tout le monde a deviné l'identité de notre visiteur.

Quand le moteur s'est arrêté, presque trop brusquement, on a pensé qu'il avait accosté et qu'il allait arriver discrètement par le rivage. Mais le voilà bientôt qui contourne la pointe à la dérive en profitant de la marée, maniant une perche, voyez, à l'indienne. Il a dirigé sa chaloupe jusqu'à notre petit quai, où il a retiré sa redingote et s'est mis à bricoler son moteur. Mon oncle Henry Daniels à Pavilion Key avait déjà réparé ce moteur plut tôt dans la saison, et la chaloupe avait véhiculé cet homme jusqu'ici. On s'est sentis mal à l'aise, on se demandait pourquoi ce moteur était tombé en panne juste devant chez nous.

Mon papa, Frank Hamilton, était dans les terres avec oncle Jesse Hamilton et Henry Thompson, ils abattaient nos palmiers royaux sur la Butte de Johnson, parce que les temps se faisaient de plus en plus durs.

— J'espère que nos hommes ont entendu ce moteur, dit maman.

Ils l'entendirent, ça oui, et ils rappliquèrent le plus vite possible, mais ça n'a pas été assez vite.

Dans ce temps-là, en automne 1910, nous venions à peine d'apprendre que l'Etat de Floride venait d'adopter d'autres lois contre le commerce de la plume, alors que le gator et la loutre étaient déjà si rares dans nos rivières que la chasse payait presque plus. Et pour le commerce du poisson, on faisait pas le poids devant tous ces Hamilton, qu'avaient un ranch là-bas sur Wood Key et un quai où les bateaux rapides pouvaient apporter la glace et remporter leur poisson. Nos quelques légumes ne signifiaient plus rien sur le marché de Key West, même quand on arrivait à les acheminer jusque là-bas sans qu'ils se gâtent. Il nous restait plus grand-chose sinon déterrer nos palmiers royaux pour les rues de Fort Myers ou débiter du platane pour en faire du charbon de bois. Fallait en couper dix cordes par jour, les rassembler et les empiler, puis couvrir le tas avec de l'herbe et du sable jusqu'à ce qu'il soit bien étanche, excepté quelques trous en bas pour l'allumer et une aération tout en haut. Résultat de toute cette chaleur, de toute cette crasse et de ce labeur infernal : un bon mal de dos et peut-être vingt sacs de charbon de bois qui vous permettront jamais de vivre décemment.

Grand-papa disait toujours :

— Se lever à l'aube, turbiner comme des mules jusqu'au crépuscule, s'allonger tout puant et à moitié mort à cause des piqûres de squites, trop vanné pour se laver. Se lever le lendemain matin à l'aube et recommencer le même cirque d'une année sur l'autre. Y a-t-y le moindre bon sens là-dedans ?

Grand-papa s'occupait plus de la coupe ni de la mise en tas, plus maintenant, non, il coupait plus ses dix cordes par jour. Aucun vieillard fait long feu en débitant du platane, mais çui-ci voulait mourir à la tâche. Jusqu'à la rivière du Requin, ils abattaient les palétuviers pour le tannage, un gars Atwell était dans la combine, mais ce boulot aussi était trop pénible pour grand-papa. Ça sentait vraiment le roussi pour nous : faudrait sans doute qu'on abandonne derrière nous tout notre labeur, dire au revoir à l'Homme perdu, aller à Pavilion Key, où grand-papa Jim Daniels était contremaître des équipes de clams et oncle Lewis Hamilton faisait la tambouille sur la drague – soit ça, soit bosser à la conserverie de Caxambas avec les nègres. Monsieur Watson attendait donc de reprendre notre concession sur la plage de l'Homme perdu, et grand-papa avait une dent contre lui, non que monsieur Watson lui ait jamais causé le moindre tort, mais rapport à ce qu'il avait usé son vieux cœur à l'Homme perdu et qu'il était maintenant trop tard dans l'existence pour repartir de zéro.

Notre famille venait toujours à la rencontre des visiteurs qui arrivaient au quai, c'était la coutume parmi les voisins des Iles. Mais ce jour-là, grand-papa est resté dans la maison, souffrant comme une âme en peine, car son arthrite avait remis ça et il ne pouvait même pas travailler. Malgré toutes les douleurs qui le taraudaient, grand-papy tenait sa carabine toute prête, pointée sur le cœur de monsieur Watson. Il a dit à sa bru avant qu'elle descende vers le quai :

– Tu m'entends, Blanche ? Au moindre faux mouvement de ce hors-la-loi, je tire !

Il lui a même recommandé de tenir ses enfants hors de sa ligne de feu. Ma mère était écœurée, vous comprenez, elle lui a répondu qu'il faisait peur aux enfants pour rien. Alors il a hurlé qu'il savait ce qu'il savait sur ce Watson, et selon moi il se vantait pas.

Monsieur Watson a tout de suite vu qu'il était pas le bienvenu. Il est jamais sorti de ce bateau, il s'est même pas amarré. Le vent le poussait contre le quai, mais avec le clapot la chaloupe cognait régulièrement contre les piles. J'ai jamais oublié ce heurt creux, comme des claquements fantomatiques à vous flanquer la chiasse dans les marais.

– Bonjour, monsieur Watson ! lance ma mère.

Elle a les mains livides tellement qu'elle les serre, elle pleurniche presque. Mais elle est infiniment plus embêtée de pas lui proposer de casser la croûte que par l'idée qu'il va tous nous tuer pour nous piquer notre argent.

L'homme retire son chapeau mais répond pas. C'était inhabituel, vu que ses manières étaient tellement civiles. Ses vêtements étaient pas crasseux ni rien, mais on avait l'impression qu'il avait dormi avec, il avait l'œil cave, le menton hérissé de poils et on a senti l'odeur du whisky. Pas une seconde il a paru gêné par le silence qui régnait dans cette clairière, un silence qui à tout moment risquait d'exploser. Il a regardé autour de lui pendant un moment, l'oreille aux aguets, tâchant de deviner ce qu'y avait dans l'air. Il s'est sans doute demandé où était mon père, et Henry Thompson, dont le bateau était amarré à notre quai, et pourquoi grand-papa James Hamilton restait en retrait dans la maison, sans lancer le moindre bonjour.

Monsieur Watson faisait bien attention de pas prendre un air méfiant, il couvrait simplement cette fenêtre du coin de l'œil. C'est comme lorsqu'un ours sort des broussailles beaucoup trop près de vous. Vous chargez votre arme en vitesse, mais discrètement, sans geste superflu. Vous l'effrayez surtout pas et vous le regardez jamais dans les yeux, car l'ours supporte pas le moindre défi, auquel cas il risque bien de charger.

Monsieur Watson observait toute la clairière, mais sans cesse il revenait à la fenêtre de la maison. Au milieu des vieilles planches grises, cette fenêtre paraissait aussi noire qu'un trou carré ; accroupi derrière, grand-papa Hamilton marmonnait et tripotait sa détente.

Ma pauvre maman avait la tremblote, elle oscillait d'avant en arrière comme une vieille femme atteinte de la danse de Saint-Guy. C'est-y pas bizarre ? Maman nous fichait la honte à Dexter et à moi, même si on se débattait comme des beaux diables pour pas pisser dans notre froc. Monsieur Watson restait calme, un étrange sourire aux lèvres, comme s'il espérait qu'un petit oiseau allait lui révéler pourquoi que ces gosses Hamilton paraissaient abêtis de terreur et leur mère folle à lier. Plus tard, nous avons su que le calme de monsieur Watson était sa manière de se préparer, comme le mocassin d'eau qui se love avant de frapper.

Maman a fait un pas trop rapide pour se poster entre monsieur Watson et la fenêtre. Il a pas bronché, comme s'il avait rien remarqué de particulier, mais il savait à quoi s'en tenir, car il gardait les mains bien écartées de son corps à l'intention des ceusses qui l'alignaient éventuellement dans leur mire.

— Bonne journée à vous aussi, miss Blanche, dit-il enfin avec un sourire chaleureux destiné à nous autres les enfants. Henry est là ?

Il avait mis tellement de temps à ouvrir la bouche que sa voix paisible fit crier Dexter.

— Mais oui, bien sûr qu'il est là ! dit maman. Frank aussi ! Et Jesse !

Voulant montrer à quel point nous étions bien protégés, elle obtenait le résultat inverse. En tout cas, elle l'a tout de suite regretté, car en apprenant que nos hommes étaient là, monsieur Watson aurait peut-être envie de rester.

Pour lui faire penser à autre chose, j'ai dit :

— Comment va Betsey ?

Ma voix muait et mon frère a éclaté de rire, mais monsieur Watson a secoué la tête d'un air très sérieux.

Betsey, dit-il, avait mangé ses propres porcelets et il avait bien envie de la manger, elle. Peut-être que ça lui apprendrait à pas récidiver.

Il lance alors un clin d'œil à ma mère, qui se met à pouffer de rire, surtout à cause des nerfs. Comme elle le dit ensuite :

— L'homme qui blague sur sa truie peut pas avoir dans l'idée d'assassiner des gens.

Et grand-papa répondit d'un ton cassant :

— La femme qui dit une ânerie pareille ignore vraiment tout des assassins !

Quelques années plus tard, sur son lit de mort, grand-papa a laissé entendre qu'il connaissait une ou deux choses sur ce chapitre, moyennant quoi il avait préféré vivre sur la rivière de l'Homme perdu, sans voisins — à moins de compter les autres Hamilton, qu'étaient pas notre genre, dit tante Gert. Peut-être qu'eux aussi avaient un ou deux cadavres dans leur placard, mais peut-être que non. En tout cas, je les ai toujours appréciés. Pour autant que nous le sachions, ils ont jamais eu d'assassin dans leur famille, et puis ils avaient plus le droit que nous de porter le nom d'Hamilton.

Ce jour-là, monsieur Watson nous dit qu'il était passé nous voir alors qu'il revenait de Key West, il voulait simplement savoir si Henry Thompson pourrait faire un aller-retour pour lui à Tampa, où il devait faire transporter quinze mille litres de sirop de l'hiver dernier. Si nous avions besoin de quelque chose à Fort Myers, il nous suffisait de le demander, car il comptait se rendre dans le nord au cours des prochains jours.

Ma mère l'a remercié aimablement en disant que nous ne manquions de rien, histoire de lui faire comprendre qu'on aurait même pas pu se payer un sac de haricots. Tout le temps qu'elle restait là à se tordre les mains, sans jamais lui proposer le moindre casse-croûte, monsieur Watson fit comme si de rien n'était. Il dit qu'il aurait grand plaisir à rester un moment avec nous, mais qu'il devait aller retrouver sa femme et ses enfants et que, dès qu'il aurait fait redémarrer son moteur, il partirait.

Le petit gémissement de notre pauvre maman témoignait de sa honte, c'était tout ce qu'elle pouvait faire pour éviter de se lancer dans des imprécations contre la crétinerie de la gent masculine. Mais au fait, est-ce que monsieur Watson était pas comme qui dirait apparenté, lui qu'avait des filles de tante Netta Daniels et de tante Josie ? Au lieu de sortir cette ânerie, elle se mordit violemment la lèvre et proféra une politesse quelconque, roulant et tanguant toujours sur ses jambes, essayant coûte que coûte de se tenir dans la ligne de feu de grand-papa, au cas où monsieur Watson aurait glissé la main dans sa poche pour y prendre son mouchoir et que le vieux cinglé appuie sur la détente.

Monsieur Watson remarquait bien les curieux déplacements de notre mère et il surveillait nos yeux. Il savait pas qui se planquait dans la maison, mais il était certain qu'y avait quelqu'un. A cette distance, Frank Hamilton aurait pu le tuer du premier coup sans problème, et grand-papa itou, s'il était pas trop énervé pour se concentrer sur son affaire.

Le vent soufflait du nord-est, il était dans ce quartier du ciel depuis deux jours, avec des grains et de la pluie, et on s'interrogeait déjà sur une éventuelle tempête. Monsieur Watson a levé les yeux vers le ciel bouché en disant que, d'après lui, un ouragan s'abattrait bientôt sur nous.

Le vent forçait un peu, bien sûr, il faisait son raffut dans les raisins de mer et les palmettes ; pourtant, tout autour de nous, un silence de mort régnait sur le monde. On a ensuite appris qu'il y avait eu une mise en garde fédérale — aux alentours du 13 octobre — mais où diable monsieur Watson avait-il entendu cette nouvelle ? En tout cas, il savait. Il a dit qu'il avait déjà emmené sa propre famille à Chokoloskee et qu'il serait fier de nous y emmener aussi.

Notre maman a répondu qu'elle lui en était bien reconnaissante, mais que, si ses hommes s'inquiétaient, Henry Thompson pourrait emmener tout le monde à Chokoloskee à bord du *Gladiator.* Pour sûr que ce vieux schooner appartenait toujours à monsieur Watson, oncle Henry se contentait de le garder entre deux voyages. Monsieur Watson a guère pu s'empêcher de sourire un peu et notre pauvre maman est devenue rouge comme une tomate.

— Très bien. Alors j'y vais, dit monsieur Watson.

Il se pencha et disparut à moitié pour tirer sur son démarreur, tandis que ma mère, les jupes déployées comme une poule ombrageuse, se précipita en avant pour le couvrir. Grand-papa Hamilton avait tout bonnement aucun moyen de tirer. Nous autres les enfants étions aussi regroupés autour de lui en espérant avoir droit à une balade à moteur sur la rivière. L'*Orchidée de mai* démarra au quart de tour, tout le monde sourit, y avait plus rien à dire. Monsieur Watson écarta bien les mains de son corps avant d'en lever lentement une vers son chapeau pour l'effleurer à l'intention de ma mère, puis à l'intention de cette fenêtre vide.

— Mes respects à M. James, dit-il. A Frank et à Jesse, sans oublier les Thompson.

Alors ma mère a éclaté :

— Je suis vraiment désolée, monsieur Watson ! Désolée que vous puissiez pas rester un peu !

Il comprit ce qu'elle voulait dire et il lui fit sa petite courbette habituelle, en remuant seulement la tête, un geste que tous les gamins ont imité pendant des années. Maman lui offrit un salut étrange et bref, comme un oiseau, rien à voir avec une révérence. Elle se sentit si mortifiée par sa propre gaucherie qu'elle en pleurait encore pendant l'ouragan, ses larmes tombaient avec le vent et l'eau. Dans ce terrible endroit abandonné, elle se morfondit, car elle avait perdu les dernières bribes de ces belles manières apprises autrefois à l'école de Caxambas, et maintenant elle risquait de périr dans cette tempête avant de pouvoir retourner à une vie civilisée à Fakahatchee.

Monsieur Watson s'éloigna sur la rivière sans un seul signe de la main. Sa silhouette noire et voûtée se détachait contre cette étroite bande de lumière à l'ouest où le mauvais temps du golfe menaçait de nous tomber dessus.

J'ai jamais rien eu contre E.J. Watson, mais je crois que nous devons la vie seulement à cet ouragan. Nous avons découvert ensuite que les horreurs avaient été commises au Lieu de Watson le 10 octobre, un lundi, trois ou quatre jours avant qu'il passe nous voir. Autre chose : il nous a dit qu'il arrivait de Key West, mais c'était faux. Les hommes ont entendu son moteur venant de très loin en amont de la rivière. Il avait suivi la route intérieure à travers les bras de rivière, empruntant ensuite la rivière de l'Homme perdu jusqu'à la baie du Premier Homme perdu. Il s'est laissé porter dans le delta parce qu'il tenait à ce que personne sur cette côte ne sache d'où il venait ni où il allait.

Assez vite, mon papa est arrivé avec mes deux oncles.

— On voit toujours une lumière comme ça avant un ouragan, a-t-il bougonné quand nous lui avons parlé de l'avertissement de monsieur Watson.

Malgré tout, monsieur Watson l'a dit le premier, personne parlait d'ouragan avant sa visite. Très énervé, papa courait en tous sens, attachant dans les arbres nos rares biens terrestres. Papa faisait toujours les choses au mauvais moment, ainsi que s'en est plainte maman durant le restant de ses jours. Elle a pas réussi à mettre la main sur une seule casserole pendant que cette tempête couvait, grossissait au-dessus du golfe, mais n'arrivait toujours pas.

Hoad Storter

En octobre 1910, mon frère Claudius et moi, accompagnés d'Henry Short et de notre propre nègre, on pêchait dans les bayous au nord-ouest de l'embouchure de la Chatham – sur les cartes d'aujourd'hui c'est la baie de Storter – et on vendait nos prises aux déterreurs de clams à Pavilion Key. Au cours de nos allées et venues sur la Chatham, nous passions parfois devant le Lieu de Watson et, le sachant, Henry Short mettait sa carabine dans le bateau. Il partait jamais sans cette arme et il disait jamais à quoi elle servait. Personne lui posait de questions, nous étions contents qu'il l'aie. C'était rien de mieux qu'une de ces vieilles Winchester .38, le modèle de 1873 avec levier d'armement, mais ce gars de couleur savait la manier. Il était bon chasseur et excellent tireur, je l'ai jamais vu tergiverser ni s'affoler. Néanmoins, pour une raison inexpliquée, monsieur Watson le terrifiait, il en avait une peur bleue.

Un soir qu'on vendait des mulets à Pavilion Key, voilà Jim E. Cannon qui arrive tout chamboulé. Avec son fils Dana, ils cultivaient des légumes à l'ancien endroit de Chevelier sur Possum Key. On soupçonnait Jim Cannon de rechercher le trésor de Gopher Key que Chevelier aurait enterré quelque part. Certains prétendaient que c'était l'argent amassé par le Français cupide, d'autres que c'était de l'or espagnol tombé entre les mains des Calusas au temps jadis. Dans les deux cas, ce trésor fut la raison pour laquelle monsieur Watson alla tuer Chevelier. Et maintenant les gars mettaient tout au compte de monsieur Watson, ils lui attribuaient tous les meurtres dans le sud-ouest de la Floride. Même que ç'aurait pas fait la moindre différence si on l'avait retenu en prison dans le nord de la Floride. Y a un crime dont je pourrais vous entretenir, mais je préfère pas, un qu'a été organisé et perpétré sans accroc, en sachant que monsieur Watson en porterait le chapeau.

Les Cannon fournissaient les équipes de clams, exactement comme nous. Les bananes et les goyaves poussaient encore dru sur Possum Key, du moins les années où ces satanés ours les dévoraient pas, et puis y avait deux arbres de poires alligators, des citronniers, tout ça planté par le Français. Durant toutes ces années, le jardin a été entretenu et l'eau de la citerne est restée claire — c'est pour ça que les Andiens campaient toujours là quand ils allaient à l'intérieur des Iles, vers le nord à partir de la rivière du Requin et dans les bras d'eau salée. La maison du vieux Chevelier avait disparu après sa mort — sans savoir très bien ce qui était arrivé à cette maison, les gens incriminèrent Richard Hamilton — et quelqu'un incendia la maison de Lige Carey, sans doute parce qu'il y avait mis un cadenas. Une autre maison construite au tournant du siècle par un certain Martin, qui débroussailla là-bas après la mort des Tucker, cette bicoque disparut elle aussi. Les chasseurs de plume et les bouilleurs de cru utilisèrent Possum Key après le départ de Jim Martin pour Fakahatchee. Sans doute qu'ivres morts, ils y ont mis le feu.

Les Cannon se sont sarclé un joli potager, mais après que Watson est revenu pour de bon, début 1909, ils voulaient plus passer la nuit sur Possum Key.

— J'aime bien me réveiller le matin, blaguait Jim pour expliquer sa décision.

Il campait à Pavilion Key avec les équipes de clams et il circulait sur la Chatham en profitant des marées. La baie de Jim Cannon figure sur vos cartes d'aujourd'hui.

Donc ce matin-là, alors qu'ils remontaient la rivière avec la marée, il faisait sombre et y avait des averses, mais le garçon a vu une chose pâle qui se balançait dans la rivière sous la pluie et il a hurlé :

— Papa ! J'ai vu un pied qui dépassait, juste là-bas !

— Un pied ? se moqua le vieux Jim Cannon. Non mais t'as la berlue, ou quoi ! Sans doute une vieille souche ou que'que chose !

Mais Dana insiste :

— J'te jure que non ! J'ai vu un pied !

Bon, Jim Cannon y a pas fait plus attention que ça et ils ont continué à remonter la rivière.

Comme son gamin savait ce qu'il avait vu, au retour il a scruté l'eau et le voilà bientôt qui se remet à brailler. Vous connaissez ce tourbillon, à deux cents mètres environ en dessous du Lieu de Watson, du côté nord de la rivière ? Vous le connaissez pas ? C'est là que ça se passait.

Le vieux Jim dirige donc son bateau par là, il voit un truc peu naturel qui dépasse de l'eau, un machin blanc et tout boursouflé et comme de juste y a un pied humain qui se promène en tremblotant dans le courant. Le tourbillon était si violent tout autour de ce pied qu'il leur a fallu s'amarrer en amont rien que pour pas se laisser emporter. Ils avaient vu que c'était un pied de femme, mais rien à faire, impossible de s'en approcher. Cette femme était aussi lourde qu'un lamantin et attachée à quelque chose tout au fond de la rivière, et ils ont bien failli chavirer en essayant de la hisser à bord.

— On dirait qu'elle est salement coincée ! s'écrie Jim Cannon.

Jim avait une pétoche terrible et son gamin était de plus en plus tourneboulé. Il croyait qu'un de ces gators géants qu'on aperçoit parfois dans la Chatham était sans doute accroché à l'autre bout de cette bonne femme, pile sous leur bateau dans l'eau noire. Tandis qu'il regardait ce visage fantomatique qui musardait dans l'eau noire et ces cheveux qui ondulaient comme des herbes grises, toutes vieilles et lugubres, le petit bonhomme fondit en larmes. Jim décida donc d'abandonner ce macchabée à son triste sort et de lui réciter une espèce de prière à la place, du genre « Repose en paix ». Lorsqu'il eut dit « Amen », il lui fallut secouer son garçon pour lui redonner un peu de bon sens, car le Dana avait comme une crise et en plus il était malade.

— Nous allons retourner à la Courbe et rapporter toute cette calamité à monsieur Watson, dit Jim.

Mais le gamin avait plus de jugeote que le père ; d'ailleurs il en a toujours été ainsi.

— Non, papa ! J'veux point y aller ! dit-il d'une voix tremblotante.

Le jeune Dana avait entendu des histoires guère rassurantes sur monsieur Watson, il était mort de peur et, dès qu'il s'est mis à vomir, il a pleuré de plus belle.

Jim a donc ordonné à Dana de se taire pour le laisser réfléchir et il s'est assis là afin de considérer sérieusement la situation.

— J'ai gambergé longtemps, je me suis vraiment creusé le citron, nous dit Jim.

Et alors même qu'il prononçait ces paroles, il plissait le front tant qu'il pouvait. Il dit qu'à la manière affreuse dont cette femme était éventrée, il avait compris qu'elle s'était pas noyée, mais qu'on l'avait assassinée, et que celui qui avait commis cette horreur aurait rien à perdre en assassinant d'éventuels témoins, peut-être en les éventrant avant de les jeter dans la rivière comme elle ! Plus Jim réfléchissait, plus il était effrayé, et tout à coup il décida d'aller demander conseil aux pêcheurs de clams. Les Cannon partirent donc vers le banc de sable où on pêchait le clam et ils apportèrent la nouvelle.

Le lendemain matin de bonne heure, quelques hommes remontèrent la rivière avec Tant Jenkins, car Tant était à peu près le seul qu'avait pas une peur bleue de monsieur Watson. Tant et les autres gars réussirent à détacher Hannah et à la hisser hors de l'eau. Pas de doute, cette pauvre grosse qui faisait dans les cent cinquante kilos était éventrée comme on éventre un ours. On l'avait lestée avec un vieux volant, un bloc de rocher, une gueuse de fonte et Dieu sait quoi encore. Mais Hannah Smith a toujours été têtue comme un âne rouge. Toute sa vie, elle avait jamais supporté qu'on lui dise non et elle avait pas l'intention de commencer maintenant qu'elle était morte. Elle a donc enflé, gonflé, arraché cette gueuse de fonte aux herbes et à la vase et levé le pied pour signaler sa présence au premier bateau qui passerait dans les parages.

La grosse Hannah avait toujours son petit ami le voleur de cochons attaché au cordon de son tablier, comme qui dirait. Quelqu'un a scruté le fond de la rivière et il était là, lesté lui aussi. Si on avait laissé faire ce pauvre vieux Green, sans doute qu'ils seraient restés tous les deux au fond, mais il a jamais eu son mot à dire et elle l'a hissé vers la surface avec elle.

Personne avait envie de les regarder, encore moins de respirer leur odeur — ça vous mettait de l'eau plein les yeux. Ils leur ont creusé une fosse et ils les ont enterrés tous les deux ensemble de l'autre côté de la rivière, un peu en aval, à une dizaine de mètres en retrait de la berge sur cette pointe où monsieur Watson avait son autre champ de canne à sucre. Peut-être qu'on marmonna quelques mots, peut-être pas. Y avait pas trop de gars dans le coin qu'entretenaient beaucoup cette pratique.

Nos garçons de couleur étaient là pour creuser le trou, mais pour rien au monde ces deux lascars auraient touché la grosse femme blanche. Tous les gars étaient fous de rage rien qu'à voir une brave femme éventrée comme le dernier des animaux. Même Tant a pas fait de blagues ce jour-là. Une fois qu'elle a été recouverte, les hommes ont parlé d'aller chez Watson pour poser quelques questions. Mais ils y sont jamais allés et lui n'est jamais descendu de sa maison pour voir ce qu'ils fichaient dans son lopin de canne.

En redescendant la rivière, ils sont tombés sur Dutchy Melvin dans les mangroves. Il était tout gonflé et pourri, lui aussi, mais pas au point qu'on puisse pas repérer les morsures d'alligator. Il l'ont amarré à un bout et ils l'ont pris en remorque avant de l'installer à côté des deux autres, le déversant pour ainsi dire dans la tombe d'Hannah. Tant a bien failli gerber et il a pas été le seul.

Pendant tout le chemin du retour jusqu'à Pavilion Key, Tant n'a pas dit un mot, la seule fois de toute sa vie que Tant retenait sa langue. Quand Henry Daniels lui a demandé à quoi il pensait, Tant a seulement répondu qu'il pensait à monsieur Watson.

Aujourd'hui encore, vous pouvez aller là-bas et voir cette tombe solitaire. Elle paraît carrée, peut-être enfoncée d'une trentaine de centimètres et rien ne pousse dessus, bizarre, non ? Comme si on avait pris un vieux dessus de table pour l'enfoncer dans la marne. Y a trois âmes perdues allongées là-dessous si les marées les ont point prises. Vous pouvez ouvrir cette tombe, jeter un coup d'œil à l'enfer.

Quand on est revenus d'enterrer miss Hannah, voilà qu'arrive ce négro du Lieu de Watson, un type solide à peau foncée, avec une salopette déchirée, mais plutôt une bonne prestance pour un nègre. Il avait pris une barque pour s'échapper de la Courbe de Chatham — un acte désespéré, vu qu'il aidait dans les champs et qu'il était pas marin pour un sou. Il avait souqué tellement fort et longtemps sur les avirons pleins d'échardes qu'il avait la peau des mains tout arrachée. Il gémissait et marmonnait tant d'incohérences dans sa barbe qu'on n'y comprenait goutte, et tout à coup il devenait très silencieux et ses yeux se calmaient. Henry Smith lui a donné une gifle pour lui remettre les esprits en place et enfin le voilà qui braille que trois personnes blanches ont été horriblement assassinées à la Courbe.

— On le sait déjà ! crie quelqu'un. Qui c'est, l'assassin ?

— Oui m'sié ! Le cont'emaît' de missié Watson !

Tant lui demande alors si monsieur Watson a commandité ces trois meurtres. Le nègre répond que oui. Nous l'avons entendu dire oui. Il a dit que Watson était à la Courbe de Chatham quand Cox a tué Dutchy.

Un silence lugubre tombe alors sur la foule, causé par la terreur de Watson, mais aussi par la désapprobation unanime qu'un nègre essaie d'enfoncer un Blanc. Comme s'il s'était dit dans sa fichue caboche qu'on goberait toutes les accusations qu'il pourrait porter contre Watson. D'ailleurs, peut-être qu'il avait pas tort. Mais le capitaine Thad Williams se met alors à le houspiller :

— Tu accuses donc monsieur Watson ?

Le négro regarde la foule en écarquillant les yeux, vous voyez, trop terrifié pour parler. Aujourd'hui encore, je crois qu'il faisait l'imbécile. Le capitaine Thad lui a conseillé de faire bien attention à qui il accusait, car Thad sentait les gars très excités, prêts à le brancher avant souper si le caprice les en prenait.

Tant Jenkins et sa sœur Josie, et tante Netta Roe qui s'occupait de la boîte postale au petit magasin — toute cette bande de Jenkins et de Daniels qu'avait vécu à la Courbe de Chatham et qu'était comme qui dirait apparentée à monsieur Watson — ils voulaient se débarrasser sur-le-champ de ce sacré nègre. Voyant alors de quel côté soufflait le vent, le nègre change toute son histoire et dit :

— Non missié, je me suis t'ompé du tout au tout ! Missié Watson il était pa'ti à Chokoloskee, il a jamais 'ien su, 'ien du tout !

Quand on a décrit au nègre comment le cadavre de cette grosse femme était remonté à la surface de la Chatham, il pousse un grand cri, « Oh Seigneurayépitié ! » Il faut le gifler encore pour le calmer, car tout le monde essaie de réfléchir à ce qu'il faut faire et ce ramdam de négro leur met les nerfs en pelote. Mais la minute suivante, il retrouve sa langue et il s'écrie que *missié* Cox lui a dit qu'il le descendrait s'il tirait pas sur les cadavres, s'il l'aidait pas à éventrer et à traîner, et que, si on voulait son avis, tout le blâme de ce gâchis revenait à monsieur Watson.

Ce nègre était au comble de la terreur ou de la folie pour dire une chose pareille aux hommes. Il venait d'avouer qu'il avait pris part aux meurtres, il venait d'avouer qu'il avait tiré des balles de revolver dans le corps de cette femme blanche et sans doute pire encore. Peut-être qu'il était mouillé du début jusqu'à la fin — c'est ce que les hommes ont commencé de dire, bouleversés comme ils étaient. Une espèce de grondement affreux monte alors de cette foule et l'un des garçons Weeks, qui cherche un moyen de se calmer les nerfs, se met à gifler ce négro.

— T'as tiré sur une Blanche, c'est bien ça que t'as dit, mon gars ? T'as posé tes sales pattes noires sur elle ?

Ils perdaient toute raison, voilà ce qui leur arrivait. Heureusement qu'il y avait pas de grosse branche sur cette île, sinon ils l'auraient pendu sans plus de cérémonie.

Mais s'il était coupable, que faisait-il ici ? Pourquoi racontait-il tout ça ? J'arrivais pas à croire que ce gars-là pouvait être bête à ce point. J'ai encore croisé son regard jaunasse et j'ai secoué la tête comme pour lui dire : « Mon gars, tu l'as bien cherché ! » Et de nouveau son regard m'a donné le sentiment que ce négro faisait exactement ce qu'il avait eu l'intention de faire – un coup risqué, ça oui, mais il était tout sauf un crétin.

Les journalistes ont écrit que ce nègre était jeune et terrifié, qu'il avait fait que gémir et déblatérer comme s'il avait le diable aux trousses. Eh bien, il paraissait peut-être jeune, mais il l'était pas, car je l'ai bien scruté, j'ai vu les petites mèches grises sur ses tempes. Il jouait la peur, mais derrière tous ces cris de négro terrifié y avait de la ruse. Une fois qu'il eut réussi à faire porter les soupçons sur Watson, il a changé d'histoire pour essayer de sauver sa peau. Quand il a levé les yeux juste après, j'ai bien vu le calme dans son regard et il a remarqué que je l'avais vu, car il a aussitôt baissé les yeux. Il était davantage en colère qu'effrayé, d'après moi, et puis il était amer, amer, amer.

Henry Short et Erskine Roll – nous l'appelions Pat – s'étaient écartés de la foule, car ils voulaient pas payer l'erreur de ce gars. Claude et moi les avons accompagnés jusqu'à notre bateau, au cas où il y aurait un pataquès, nous leur avons dit de rejoindre Little Pavilion, d'y passer la nuit et de revenir nous chercher le lendemain matin à la première heure.

Quand nous sommes retournés parmi les pêcheurs de clams, ils étaient furieux et frustrés. Ils se sont mis à boire et ont conclu assez vite que le nègre de Watson se porterait bien mieux une fois lynché, histoire de parer à toute éventualité. Le capitaine Thad criait à la foule que son bateau était le seul capable de les ramener sains et saufs de Pavilion Key si une grosse tempête arrivait, ce qui, d'après tous les signes, semblait très probable d'ici un jour ou deux. Il a ajouté que quiconque tenterait de monter à bord pour faire du mal à ce nègre serait abandonné sur le banc de sable.

Par mesure de sécurité, le capitaine Thad a enfermé le nègre dans la cabine de son schooner. Plus tard je suis monté à bord, j'ai dit à ce noiraud de se calmer et de garder son bon sens parce que sa vie en dépendait. Il était toujours rudement secoué, ou bien il faisait semblant, mais ce qu'il redoutait le plus, c'était que Cox ou Watson découvrent ce qu'il avait dit.

Quand on lui demanda son nom, il répondit que Petit Joe était le nom que monsieur Watson lui donnait d'ordinaire. Ça paraissait curieux, car il était tout sauf petit. Il a dit que ce nom en valait bien un autre, ce qui m'a fait comprendre que cet homme-là était très probablement recherché, comme tous les gens qui travaillaient pour Watson. Il a dit qu'il connaissait monsieur Watson depuis un bon nombre d'années, tant ici qu'ailleurs, précisa-t-il mais sans toutefois se rappeler où se trouvait au juste cet « ailleurs ». Il refusait de parler simplement, tout ce qu'il disait avait deux ou trois sens possibles. Il connaissait beaucoup d'autres choses sur Cox et Watson, je sentais tout ça qui lui bouillonnait derrière les yeux, mais ce qu'il nous serinait inlassablement, c'était son récit des meurtres à la Courbe.

Les problèmes commencèrent, nous dit-il, quand l'Andienne se pendit parce que Cox l'avait coincée de façon intime. Convaincue que sa tribu la tuerait avec son enfant, elle avait pris les devants.

— Toi aussi, tu l'as eue, je parie, lui dis-je.

— Non missié, répondit-il.

Monsieur Watson était parti voir sa famille à Chokoloskee, il avait emmené Dutchy avec lui. Les trois autres buvaient assez sec, ce temps de chien pendant toute la semaine avant la tempête usait les nerfs de tout le monde, et le nègre qui préparait le repas dans la cuisine entendait tout ce qu'ils disaient sur cette jeune Andienne que Waller avait trouvée pendue dans le hangar à bateau. Hannah était bouleversée et elle dit à Cox :

— La moindre des choses, ça serait que tu l'enterres.

— Cette squaw, c'est pas mes oignons, fit Cox.

Il a dit que, si Hannah avait tellement envie de l'enterrer, eh bien elle pouvait s'en charger elle-même ou demander au nègre de le faire.

— C'est moi, le nègre, dit Petit Joe.

A nouveau, j'ai vu quelque chose dans son œil qui m'a pas plu.

— C'est point le moment de blaguer, l'ai-je averti.

— Non missié, point le moment.

Hannah a jamais été du genre à se brider le sentiment, si bien qu'elle a sorti une vanne mettant en cause la virilité de Cox, ce qui n'a pas plu au bonhomme, lequel a appelé Hannah d'un très gros mot. Le nègre nous a alors dit qu'il avait toujours bien aimé miss Hannah, il l'avait toujours beaucoup respectée — il a répété ça deux fois, pour être sûr qu'on l'entende bien — si bien qu'il a pas osé nous révéler le nom horrible dont *missié* Cox l'avait appelée, mais c'est ce gros mot qu'a mis le bon ami d'Hannah dans le coup. Green Waller a dit à Cox que c'était pas des façons de parler à une dame, et Cox lui a répondu :

— J'ai point parlé à aucune dame, à moins que tu fasses allusion à c'te grosse pouffiasse.

Et Waller de lui rétorquer :

— Une ordure blanche comme toi reconnaîtrait pas une dame même si elle venait de l'église pour aider ta propre mère à s'tirer du bordel.

Alors Hannah a hurlé à son bon ami de fermer sa grande gueule d'ivrogne, car elle savait qu'insulter la mère de Cox constituait une grave erreur. Les ordures blanches aussi ont leur honneur et ils aiment leur mère comme tout le monde.

— Y en a marre, a dit Cox en sortant un revolver.

Waller avait peur, mais il voulait pas faire marche arrière, si bien qu'il s'est mis à rigoler. Il était fou d'amour pour cette grosse bonne femme, vous savez, il frimait pour elle, il lui faisait comprendre qu'il était pas un ivrogne doublé d'un voleur de cochons, comme disait Watson. De l'index, il a montré son propre cœur en disant :

— Tu serais donc assez lâche pour trucider un vieillard qu'a deux fois ton âge ?

Peut-être que le vieux Green prenait Cox pour un autre Dutchy Melvin, beaucoup d'esbroufe mais le cœur bien en place. Hannah Smith, elle, ne commit pas cette erreur.

Elle fait de son mieux pour s'extirper de sa chaise, pour s'interposer entre eux, elle braille à Cox :

— Fais donc pas gaffe à ce bougre d'imbécile de poivrot !

Petit Joe prétend qu'il est alors sorti de la cuisine en disant :

— L'écoutez donc pas, missié Leslie, il fait juste le ma'iole.

Mais Cox avait déjà plus de bonnes raisons qu'il en faut à ses semblables et il a braqué son arme sur Waller. Ivre comme il était, il le visait avec grand soin au bout de son bras tout tremblotant.

— Reste tranquille, espèce d'enfant de pute, il lui disait.

Waller continue de glousser, mais il voit le trou rond du canon et ses gloussements deviennent perçants, un peu comme un coq. Ses mains montent lentement au-dessus de sa tête pour pas effrayer l'homme qu'est derrière le revolver, rapport que c'est plus le moment de rire, on passe aux choses sérieuses.

Vous avez déjà entendu un coup de feu tiré dans une petite pièce ? Le nègre a cru que le toit leur tombait sur la tête. Ils sont tous restés figés pendant une bonne minute dans le vacarme et l'écho, regardant Waller, et lui leur rendant leur regard, l'air dérouté, essayant toujours de glousser comme si c'était une bonne blague, mais maintenant il crachait plein de sang et d'écume.

— Bordel, murmura le vieux Waller dans l'écho du coup de feu.

Il avait l'air tout déconfit. Et Hannah eut beau le secouer, telles furent ses dernières paroles. Avant de battre en retraite dans la cuisine, le nègre fut certain d'avoir vu la lumière divine mourir dans l'œil de Waller.

— Oh, doux Jésus, Green, t'apprendras donc jamais ? chuchota Hannah. Oh, Dieu tout-puissant, Green...

Hannah s'arracha à sa chaise et, d'un pas hésitant, rejoignit la cuisine, d'où sortit bientôt un hurlement de douleur pure. Hors d'elle-même, elle traita Cox de chien jaune ; l'arme au poing, Cox s'élança derrière elle et pensa seulement à faire un pas de côté avant de pousser la porte de la cuisine. Ce réflexe lui sauva la vie, car Hannah Smith faillit bien le décapiter. Elle fendit le chambranle en pin avec sa grande hache à deux fers, qu'elle gardait toujours derrière cette porte. Elle encaissa une balle dans l'épaule, lâcha sa hache, puis se dirigea vers l'escalier en cherchant une autre arme, car elle avait pas la moindre chance de se sauver à travers la cour.

Lorsque Cox se releva dans la cuisine, il braqua son revolver sur Petit Joe, fou furieux que le nègre l'ait pas prévenu, et il lui dit :

— Bouge pas de là, petit, j'ai deux mots à te dire.

Miss Hannah était si maladroite que Cox la rattrapa sur le palier. Connaissant la force de la bonne femme, il s'approcha pas d'elle, il fit même un pas en arrière pendant qu'ils reprenaient leur souffle. On entendait comme des ricanements, voilà ce que le nègre nous dit. Hannah était pas du genre à implorer la pitié, d'autant qu'elle savait qu'elle en obtiendrait point de Cox. Petit Joe prétend qu'il essaya encore, il dit :

— Missié Leslie !

Mais miss Hannah lui hurla aussitôt :

— Trisse-toi tant que tu le peux, mon gars, parce qu'il va te tuer !

Au premier coup de feu, le nègre sortit en courant et il avait déjà dépassé la citerne quand la fusillade a cessé. Il avait pas pris parti pendant la querelle, il était juste terrifié à l'idée que Leslie Cox décide de supprimer tous les témoins, de liquider tous les employés de Watson. Il entendit un cri, suivi d'un grand fracas. Puis Cox s'est mis à gueuler en lui disant de rapatrier son gros cul de moricaud dans l'escalier, de lui filer un coup de main pour s'occuper de cette truie de mer, c'est comme ça qu'il l'a appelée.

Ivre mort, Cox tirait très mal, et bien sûr, miss Hannah saignait comme une truie avant qu'il l'achève. Elle frisait les cent cinquante kilos, si bien qu'il arrivait pas à traîner le cadavre dans cet escalier étroit ; ses nerfs l'ont lâché et il s'est mis à rigoler si fort qu'il a dégringolé tout l'escalier cul par-dessus tête et qu'il s'est fait mal à l'épaule ; alors il s'est mis à abreuver le nègre d'injures.

Petit Joe était maintenant caché dans la mangrove et les hurlements de Cox le décident pas à coopérer ; par la fenêtre, Cox lui crie alors qu'il lui fera pas de mal, qu'il a juste besoin d'un peu d'aide et que, si le nègre refuse de sortir de son trou, eh ben il ira le chercher, il lui flanquera une balle dans le ventre et il l'abandonnera là aux gators, aux panthères, aux ours ou aux serpents, à la bestiole la plus affamée qui le bouffera en premier. Y avait aussi d'énormes crocos dans ces rivières du sud, du moins dans ce temps-là, mais peut-être que Cox le savait pas ou qu'il l'avait oublié.

Le nègre a une telle trouille qu'il en perd tout jugement, j'imagine, parce qu'au bout d'un moment il décide de sortir de son trou. Le bateau de Watson est amarré dans les mangroves en contrebas de la maison, mais il peut pas l'atteindre sans traverser la clairière. Il sait que Cox a besoin de lui, au moins pour un temps : entrer dans son jeu est le seul moyen d'atteindre ce bateau — c'est ce qu'il nous a dit, et je crois pas qu'un nègre puisse inventer un truc pareil. Il attend donc un peu que Cox se calme, puis il sort de sa planque en le suppliant de ne pas le tuer quand Cox pointe son arme sur lui. Mais Cox se contente de le guider dans la maison, de lui donner le revolver et de l'obliger à tirer sur les deux cadavres.

— Maintenant, qu'il lui dit, t'es autant mouillé que moi.

M'est avis que seul un nègre comprendra pourquoi il a pas tiré sur Cox au lieu d'ajouter des trous aux deux cadavres, mais de fait, tirer sur un Blanc est point le genre de choses que le négro moyen envisage de faire, et encore moins à cette époque-là. De plus, si ce jour-là il sucrait les fraises avec son revolver autant qu'il les sucrait à Pavilion Key, il lui aurait fallu plus de dix balles pour réussir à dégommer un grand escogriffe comme Cox.

Bref, Cox lui annonce qu'il est maintenant complice des crimes et qu'il sera pendu pour meurtre si jamais il moufte un seul mot sur cette affaire.

Ils ont donc traîné cette pauvre Hannah au bas de l'escalier puis dans la cour en mettant du sang partout.

— Va falloir lui ouvrir le ventre, dit Cox, pour qu'les gaz la fassent pas remonter.

Ils l'ont lestée avec une gueuse en fonte, même chose pour Waller, puis ils les ont fait rouler tous les deux dans la rivière ; en revanche, ils se sont pas préoccupés une seconde de cette jeune squaw pendue dans le hangar. Cox agissait comme si elle existait point.

Cox dit au nègre d'aller nettoyer tout ce sang qui salope la maison, « de tout remettre bien en ordre pour miss Edna ». Cox est très excité, mais il peut pas s'empêcher de rire en disant ça, il a descendu tellement de gnôle. Avant que Petit Joe ait le temps de trouver la serpillière, Cox lui agite son flingue sous le nez et pousse le verre de Waller devant lui.

— Faudrait voir à pas gâcher c'te bonne eau de vie, mon gars !

Il lui dit que, comme ils sont tous les deux dans le même bateau, autant qu'ils fassent ami-ami, il lui ordonne de caler ses fesses et de boire avec lui, d'essayer un peu de sa conversation de négro. On dirait que ces deux-là se connaissaient d'ailleurs, mais le nègre il a refusé de raconter cette histoire, du moins à moi.

En fait, plutôt que de causer, ils se regardent en chiens de faïence. Ils restent assis là, fin saouls et continuant de picoler, avec le revolver de Cox posé bien en vue sur la table. Non seulement Petit Joe a peur de s'asseoir à la même table qu'un homme blanc, mais il crève de trouille à l'idée que Cox lui fasse sauter le caisson pour un oui ou pour un non. Tout d'un coup, il a la tête qui lui tourne. Peut-être que Cox a oublié le bateau, peut-être qu'il a l'intention de régler son compte à son complice noir dès qu'il aura les yeux en face des trous. Sa seule chance, c'est que Leslie Cox veuille pas rester seul ici avec ses macchabées, sachant qu'il est déjà plus que bon pour l'enfer. Les voilà donc tous les deux en train de se saouler à mort tout en regardant les mouches crapahuter sur les murs pendant qu'ils pensent au boulot accompli au cours de la journée. Enfin, Cox informe le nègre que monsieur Watson aimerait bien voir la fin de Dutchy Melvin.

— Dès qu'on aura accompli c'te tâche-là, dit Les Cox, tout ira comme sur des roulettes.

A la première occasion, le nègre retourne dans les bois et n'en ressort pas avant le surlendemain. Cox se balade dans la cour en jurant et en gueulant. C'était le 13 octobre, quelques jours avant l'ouragan. Cox avait pas fermé l'œil et il avait les nerfs à vif. Il jure qu'il fera pas de mal à Petit Joe si le nègre raconte à monsieur Watson qu'il a pas fauté, s'il lui dit que ces deux crétins de poivrots ont agressé ce pauvre Les sans la moindre raison – visez un peu cette marque de hache sur la porte ! – et qu'il a pas eu d'autre choix que de les abattre en état de légitime défense. Et si monsieur Watson demande pourquoi qu'ils ont fait couler les cadavres dans la rivière, eh ben, bon Dieu, ils ont fait ça pour que personne vienne enquiquiner monsieur Watson avec des questions de fouille-merde.

Petit Joe a été surpris de voir Les Cox aussi agité. Il doutait que monsieur Watson croie à cette histoire, mais il décida qu'il devait apporter son eau à ce moulin-là. Pourtant, quand il sortit de son trou, Cox l'enferma dans la cabane en disant qu'il voulait l'avoir sous la main s'il avait besoin de lui en vitesse.

Le même soir, c'était jeudi, il entend le moteur de monsieur Watson, *put-put-put,* qui remonte la rivière. Cox arrive en courant et le libère en l'avertissant qu'il ferait mieux de soutenir sa version des faits.

Cox prit le fusil de Waller, puis alla se cacher dans le hangar à bateau, près de la piaule où Dutchy dormait. Il attendit là, près de la porte, avec cette jeune squaw qui tournicotait lentement derrière lui parmi les grains de poussière en suspension dans les rais de lumière, et Hannah et Waller qui oscillaient dans le courant de la rivière à l'endroit précis où Dutchy et Watson accostèrent.

C'était certes pas une vie d'exception que la sienne, mais Dutchy Melvin s'est fait faucher dans la fleur de l'âge. Cox l'abattit par la fente de la porte, le canon du fusil posé sur le gond. Le jeune Dutchy, qu'avait tellement fait le malin, a pris la décharge de chevrotine en plein visage et il est mort sur le chemin, la tête sectionnée et ruant des quatre fers comme un poulet égorgé. Jamais eu la moindre occasion de dégainer.

Monsieur Watson, il moufte pas, il se contente de retourner le corps avec le bout de sa botte, puis il prend les deux Colt et remonte dans son bateau. Cox se met à brailler :

– Où c'que vous allez ?

Et Watson lui répond :

– Nulle part. D'ailleurs, je suis jamais venu ici.

Petit Joe retournait à sa première version des faits et il savait que je le savais, mais avant que j'aie le temps de parler, il s'écrie :

— Non, missié ! *Non, missié !* Je m'suis mélangé les idées ! Missié Watson a déba'qué Dutchy sul quai et il est repa'ti tout de suite, l'a jamais 'ien su, jamais vu les aut' cadav' non plus !

Je lui ai demandé où allait Watson ; il l'ignorait. Je lui ai demandé pourquoi Watson était pas revenu quand il avait entendu le coup de fusil, et il m'a répondu :

— Peut-êt' que missié Watson pensait que missié Leslie tuait du gibier pou' not' dîner, là-bas dans la p'airie Watson.

Dégoûté de ses mensonges, je lui ai crié :

— Comment se fait-il que Cox t'ait pas tué ? Est-ce que ça prouve pas que t'es mouillé là-dedans jusqu'aux yeux ?

— Missié Leslie, me répondit-il, était peut-êt' enso'celé pa' tous ces cadav' et il avait besoin de quelqu'un à qui causer.

Missié Leslie croyait peut-être que les nègres comptaient pour du beurre, car aucun nègre n'osait jamais raconter la moindre histoire sur un Blanc. Peut-être aussi que *missié* Leslie en avait marre de tuer et qu'il lui laissait un sursis. Quoi qu'il en soit, Petit Joe rama comme un damné avant que Leslie change d'avis, car le nègre aurait très bien pu figurer dans le carnage.

Tout ça avait une espèce de cohérence folle, mais j'étais pas satisfait.

Je comprenais pas pourquoi il était venu raconter son boniment à Pavilion Key, pourquoi il avait sous-entendu qu'il connaissait Cox depuis un bail, à croire qu'ils étaient associés. Pourquoi avait-il reconnu avoir tiré sur les deux cadavres et posé ses mains de moricaud sur cette femme pour aider à l'éviscérer et à la jeter dans la rivière ? Et pourquoi s'était-il mis dans le pétrin en essayant de mouiller Watson ? S'il avait rien dit sur Watson, racontant seulement comment Cox avait tué deux innocents et une crapule, y aurait jamais eu personne pour douter de son récit, pas une seconde.

Le fait est que personne lui faisait confiance, même pas moi. Il me semblait que tout nègre dont les paroles faisaient autant de dégâts était sans doute trop paniqué pour fabriquer des mensonges — ou alors il était trop rancunier, têtu et fou furieux pour ne pas dire la vérité.

Mais à force de le regarder triturer son histoire dans tous les sens, j'ai compris que ce client-là jouait tout simplement la panique. Il changeait de version parce qu'il ne voulait pas mourir, mais il commençait par courir sa chance en disant la vérité. Sans doute qu'il se savait fichu de toute façon, alors il voulait que justice soit faite, et que le reste aille au diable.

Le jour que le négro s'est pointé était le 14 octobre. Ces gens avaient sans doute été tués aux alentours du 10. Le temps était instable depuis quelques jours, avec de mauvais coups de vent et des averses violentes. Une semaine plus tard, on a appris dans le journal que le Bureau de la météo avait diffusé des avis de tempête le 13 et changé ça le lendemain en un ouragan au sud de Cuba. Mais le 15, alors que la tempête semblait toute prête à nous tomber dessus, le Bureau de la météo prévoyait qu'elle se dirigerait vers l'ouest et le passage de Yucatan.

Pauvres de nous qu'habitions les Dix Mille Iles, nous avions point de radio et nous savions rien de tout ça. Tout ce qu'on savait, c'était qu'on s'inquiétait à cause du vent et puis qu'on aimait point la mine de ce ciel tout chamboulé. On était si certains de l'imminence d'une tempête qu'on a interprété les événements du Lieu de Watson comme un signe maléfique, comme cette lumière qu'avait déchiré le ciel de Dieu toutes les nuits au printemps. Tellement silencieuse et lointaine qu'elle était, comme une chose toute solitaire perdue dans les profondeurs de l'océan noir.

Le vieux Belbé Zut, dit tante Josie, avait pris le dessus. Elle tenait à ce qu'on punisse ce nègre qu'avait essayé de diffamer monsieur Watson, elle ajouta qu'elle allait s'en occuper elle-même pourvu qu'un certain nombre de ses vauriens d'anciens maris acceptent de lui filer un coup de main. Mais quand Thad déclara qu'il embarquerait point de lyncheurs sur son bateau, les hommes décidèrent de porter l'affaire devant le tribunal. Alors Josie les traita d'infâmes trouillards. Elle jura de pas mettre les pieds sur le bateau de Thad, quitte à passer la main vers l'au-delà, et pareil pour son nouveau-né qu'elle nia jamais être l'œuvre de monsieur Watson. Après ça, elle s'est mise à picoler et on l'a laissée déblatérer tout son saoul.

Samedi, tout le monde sauf Josie Jenkins était prêt à retourner à Marco avec le capitaine Thad pour aller à l'église, écouter frère Jones le dimanche, voir si ça arrangerait les choses. Josie renvoya la petite Pearl avec Albert, son dernier mari en date, puis descendit en tenant son bébé dans ses bras pour leur dire adieu. Elle jura que son petit garçon et elle s'en tireraient. Quand elle demanda à ce pauvre Tant si son propre frère accepterait de rester avec elle, Tant nous adressa une grimace comique, mais dit qu'il resterait avec sa sœur.

Le capitaine Thad quitta donc Pavilion Key le 16 octobre. Un beau temps bien dégagé avec une faible brise, mais un étrange voile pourpre tamisait tout ce ciel bleu. Nous autres, les Storter, on était sur notre petit sloop et on est restés avec les autres. Le dimanche après-midi, au large de la passe de Rabbit Key, on a essuyé un grain, mais le soir même on a déposé Henry Short à Chokoloskee. Mme Watson et sa famille logeaient, paraît-il, chez Walter Alderman, mais je les ai point vus. Avant qu'on rentre chez nous à Everglade, Claude est tombé sur monsieur Watson au magasin de Smallwood et il lui a raconté presque toute l'histoire.

UNE ÎLE DU COMTÉ DE MONROE
EST LE THÉÂTRE DE PLUSIEURS MEURTRES

Massacre perpétré par un Blanc et un nègre
la semaine dernière. Le Blanc est toujours en fuite.

ESTERO, 20 OCTOBRE 1910. Un horrible triple assassinat aurait été perpétré en dessous de Chokoloskee, sur le domaine de E.J. Watson, au bord de la Chatham. Nous avons très peu de détails, mais un nègre a néanmoins avoué que, sous la menace, il avait aidé un certain Cox à tuer trois personnes, deux hommes et une femme, qui travaillaient pour Watson, puis à immerger leurs cadavres dans la rivière. Le corps de la femme, qui flottait malgré tout, a été découvert par un marinier qui l'a repoussé sous la mangrove afin de le cacher pendant qu'il allait chercher de l'aide. A son retour, le corps avait disparu, mais une trace prouvait qu'on l'avait traîné vers l'intérieur des terres. En suivant cette trace, le marinier tomba sur Cox et le nègre en train de s'activer près dudit cadavre. La confession du nègre impliquerait que Watson avait engagé Cox pour accomplir ce forfait.

Mamie Smallwood

Lorsque monsieur Watson est venu voir sa famille ici – c'était début octobre – il nous a dit que tous les signes concordaient pour annoncer un ouragan, mais cette tempête est pas arrivée pendant encore quinze jours.

– Y a quelque chose qui va nous tomber dessus, voilà ce qu'il a dit.

Ce furent ses propres paroles ; aujourd'hui encore, rien que d'y repenser, j'en ai la chair de poule.

Je sais pas comment cet homme a deviné l'imminence de l'ouragan, mais le fait est qu'il l'avait prévu. Si vous voulez mon avis, il devinait aussi le mauvais sort qui l'attendait.

Monsieur Watson amena ses enfants ici parce que Chokoloskee était le lieu le plus élevé au sud de Caxambas. Il pensait que sa maison solide tiendrait le coup, mais vu que bébé Amy avait seulement cinq mois, il voulait pas prendre le risque de se retrouver avec une citerne inondée et plus d'eau potable. Il déclara ensuite au shérif Tippins qu'il avait amené sa famille ici rapport à ce que Leslie Cox voulait les tuer, mais à nous autres il a jamais causé de cet aspect des choses.

Le jeune Dutchy était avec lui quand il a nous a amené sa famille, puis Dutchy est retourné avec lui à la Courbe de Chatham, et quelques jours plus tard monsieur Watson est revenu tout seul. C'était le 16 octobre, un dimanche.

Ce même dimanche en fin de journée, le jeune Claude Storter est arrivé de plus bas sur la côte avec la nouvelle d'une affreuse tuerie à la Courbe. Il a dit que le nègre de Watson s'était enfui jusqu'aux cabanes à clams de Pavilion Key et il a déclaré que monsieur Watson avait commandité les trois meurtres. La famille clandestine de monsieur Watson habitait cette île, et quand Josie Parks – ou plutôt Jenkins – s'est indignée de cette histoire, le nègre a retourné sa veste et a tout mis au compte de Leslie Cox.

Après avoir entendu le récit de Claude, nos hommes ont envisagé d'arrêter monsieur Watson et de le détenir ici pour le shérif Tippins. Et alors, juste à ce moment-là, quand on parle du loup, voilà monsieur Watson qui entre dans le magasin ! Il s'assoit à sa place habituelle dans un coin de la pièce et il nous dit qu'à son avis l'ouragan va pas tarder à nous tomber dessus.

Comme personne réussissait à croiser son regard, monsieur Watson a jeté un coup d'œil autour de lui, puis il s'est remis debout en rajustant son manteau. Peut-être que ses cheveux se sont pas hérissés sur sa nuque, peut-être qu'il a pas grondé non plus au fond de sa gorge, comme Charlie T. Boggess le racontait volontiers, mais il était manifestement en rogne. Il a choisi Claude Storter dans la foule pour lui demander :

– Quelque chose qui ne va pas, Claude ?

Connaissant son tempérament et sachant très bien ce qu'il cachait sous ce manteau, Claude l'a courageusement et avec beaucoup de douceur mis au parfum des affreux meurtres perpétrés à la Courbe. Mais il a préféré laisser de côté le nom de l'homme que le nègre avait accusé en premier.

Monsieur Watson s'est rassis plutôt lentement ; soudain, le voilà qui bondit de nouveau sur ses pieds, terrifiant une bonne partie de la foule qui file aussi sec sur la galerie. Bon dieu, qu'il a juré, quelqu'un allait lui payer ça ! Quelqu'un allait morfler ! Il voulait aller à Fort Myers chercher le shérif avant que « cet enfant de putain d'assassin – excuse, miss Mamie ! – puisse se carapater ! » Eh bien, c'est E.J. Watson qui s'est carapaté, au nez et à la barbe de tous les gars réunis. Sa détermination à vouloir que justice soit faite a semblé tellement sincère que les gars ont perdu toute la leur, c'est du moins ce qu'ils se sont raconté pendant toutes les années suivantes.

M'est avis que votre servante, mamie Ulala, fut la seule à se douter que sa colère était feinte et qu'il voulait nous embobiner. On a jamais vu un gars furibard avec des yeux aussi calmes. Il file à l'étage pour embrasser sa douce épouse et ses têtes blondes, il redescend avec son gros calibre, maintenant il est bien armé et il prend la poudre d'escampette avant que personne songe à l'arrêter. Même que les gars se marchaient sur les pieds pour lui ouvrir le passage.

Nos hommes étaient pas des lâches – enfin, pour la plupart – mais monsieur Watson les prit par surprise. Mes frères étaient des jeunes qui aimaient la bagarre, tous les clans comptaient des gars qu'avaient pas froid aux yeux, mais ce jour-là les hommes étaient pleins de colère et de confusion, et puis ils avaient point de chef. Ils savaient que Ted était un ami de monsieur Watson, Willie Brown et William Wiggins aussi. Gregorio Lopez était parti dans le Honduras, D.D. House et Bill étaient à la Butte des House, et C.G. McKinney, qui habitait de l'autre côté de l'île, prétendit qu'il était au courant de rien.

Hoad Storter

Pendant la semaine d'avant la tempête, monsieur Watson a été vu par la famille de Frank Hamilton au sud de l'Homme perdu, il a prétendu qu'il cherchait Henry Thompson. Ensuite, il a disparu un ou deux jours avant de retourner à Chokoloskee. C'était dimanche soir, le 16. Quand il est arrivé de Pavilion Key et que Claude lui a appris la nouvelle, il s'est contenté de dire :

— Bon Dieu, qu'ont-ils fait de ce couillon de nègre ?

Le capitaine Thad avait emmené le nègre plus haut sur la côte dans l'intention de le livrer au shérif Frank B. Tippins. Quand monsieur Watson apprit que le nègre était arrêté et en route vers le nord, il dit que lui-même irait chercher le shérif avant de retourner à la Courbe de Chatham pour régler cette affaire. On a tous pensé qu'il avait choisi le shérif Tippins parce que son gendre était une huile à Fort Myers, moyennant quoi Tippins serait plus porté à l'indulgence que le shérif du comté de Monroe à Key West. Et peut-être qu'il pensait rattraper son nègre à Marco, lui mettre la main dessus avant le shérif.

Le lendemain matin de bonne heure, grâce à une brise du sud-est, monsieur Watson s'est rendu à Everglade dans sa chaloupe et il a offert une belle somme à mon père et à Claude pour qu'ils l'emmènent à Marco dans la matinée. Oncle George Storter s'occuperait de la *Brave,* car monsieur Watson était l'un de ses meilleurs clients. Je sais pas pourquoi il a pas pris la *Brave* — pas de carburant, j'imagine. Et puis le baromètre chutait à toute vitesse ; c'était plus raisonnable de prendre un gros bateau.

R.B. Storter a jamais aimé le mauvais temps, mais comme c'était un vieil ami qui lui demandait ce service, il a accepté. Ma mère a été toute retournée à l'idée que papa partait dans la tempête, elle avait peur pour lui et pour Claude, et puis elle craignait pour les foyers ainsi abandonnés alors que le niveau de l'eau montait sans arrêt, car à l'époque Everglade se réduisait à des berges boueuses sur un bras de rivière soumis aux marées. Par-dessus le marché, elle craignait que monsieur Watson décide de les éliminer eux aussi, car le récit horrible de ces meurtres avait déjà fait le tour de la baie, et elle le considérait comme un desperado capable de tout. Mais monsieur Watson était pas le genre d'homme à qui on disait non, c'était toujours plus facile d'accepter que de refuser.

Quand ils sont arrivés à la passe de Fakahatchee, il soufflait une bonne brise avec des pointes de quatre-vingts kilomètres à l'heure. Le *Bertie Lee* cognait dur et embarquait de l'eau ; près de Caxambas, ça n'avait plus rien d'un grain passager, de toute évidence une espèce de tempête allait nous tomber dessus. Ce vent de sud-est avait viré au sud, puis au sud-ouest en soufflant de plus en plus fort. Entre l'île de Marco et Punta Rassa au nord, un petit bateau pouvait presque tout le temps rester à l'abri des îles côtières, mais mon père a pas aimé la façon dont ces nuages barattaient le ciel d'un jaune et d'un pourpre affreux, comme si le firmament lui-même était déchiré, mis en pièces. Il s'inquiétait de plus en plus pour la famille et il finit par dire à monsieur Watson qu'on pouvait pas l'emmener jusqu'à Fort Myers, mais qu'on le déposerait à Caxambas avant de rebrousser chemin. Il lui faudrait ensuite marcher jusqu'au campement de Marco, situé à l'extrémité nord de l'île, où quelqu'un pourrait sans doute le transporter sur le continent.

Monsieur Watson les a dévisagés sans ciller pendant une bonne minute, les traits pétrifiés comme il faisait parfois. Vu qu'il avait les mains sous son manteau, Claude a craint qu'il en sorte un revolver et qu'il ordonne à notre papa de continuer. Peut-être qu'il voulait les descendre, balancer leurs corps à la baille et prendre possession du bateau. Mais sans doute a-t-il pensé qu'il avait déjà assez d'emmerdements comme ça sans avoir besoin de trucider le frère du juge de paix et son neveu en prime. Il leur a sorti quelques jurons bien sentis, mais il a laissé tomber dès qu'il a compris que ça servirait à rien. Et puis il a toujours bien aimé mon papa. Lorsqu'ils l'ont déposé sur le quai de l'usine à clams, il leur a souhaité un bon retour, il a agité la main et il est parti à pied vers le nord, les pans de son manteau battant au vent.

Le *Bertie Lee* est jamais retourné à Everglade : papa et Claude ont dû s'arrêter à Fakahatchee et s'abriter chez Jim Martin. Cette nuit-là, le schooner a ripé sur son ancre avant de dériver dans les mangroves. Claude et papa s'en sont battu l'œil, pour vous dire combien ils s'inquiétaient rapport à la famille ; le lendemain matin, papa a emprunté une barque et c'est à la rame qu'ils ont parcouru les douze derniers kilomètres jusqu'à Everglade. Ils ont appris qu'oncle George avait rejoint notre maison et embarqué tout le monde à bord de son gros rafiot que les Storter utilisaient pour transporter la canne à partir de la crique du Mi-chemin. Il a pris la moitié de la colonie à son bord, tellement y avait peu de monde là-bas à cette époque ! Les hommes ont poussé à la perche le plus loin possible, mais la rivière Storter – on l'appelait comme ça dans le temps – a monté d'un bon mètre avant minuit, jusqu'à ce que la barge se détache et soit entraînée en amont parmi les arbres. Quand le changement de marée a eu lieu avant l'aube, des tonneaux, des boîtes, des vaches, toute la création s'est mise à défiler devant eux, et puis tout à coup voilà qu'arrive la nouvelle école ! Nous autres les gamins, on a passé un moment formidable à lui dire adieu ! Mais pendant tout ce temps-là, on se faisait un sang d'encre pour Claude et pour papa. On savait pas s'ils étaient noyés ou à l'abri, jusqu'à ce que notre papa arrive le lendemain de l'ouragan en nous demandant de nos nouvelles.

Cette tempête de 1910 a duré trente heures, on aurait dit la fin du monde. Le baromètre du phare de Sand Key, là-bas à Key West, a enregistré 28,40, le plus bas niveau qu'on ait jamais vu aux Etats-Unis. Le Grand Ouragan de 1910 fut un ouragan vraiment affreux, le pire que cette côte ait jamais connu.

Les gens ont très vite fait le rapprochement entre ce terrible ouragan et le feu céleste qu'on avait vu au printemps de cette année-là et qui toutes les nuits avait embrasé le ciel. La Grande Comète fut aperçue pour la première fois le 22 avril à partir de Sand Key, dans le quartier est du ciel, entre vingt-cinq et trente degrés au-dessus de l'horizon, avec sa queue de scorpion qui s'incurvait au-dessus de nous comme le gigantesque point d'interrogation des Cieux.

Frère Jones s'enflammait pour la grande guerre entre le Bien et le Mal, clamant que cette comète était une messagère d'apocalypse. Le Seigneur voulait anéantir le monde entier, infliger une punition radicale et définitive aux pauvres pécheurs, épargner seulement quelques cœurs purs pour faire repartir le monde sur des bases nouvelles. Quand cet homme de Dieu en eut fini avec nous, seuls les cœurs purs respiraient encore librement. Mais y a jamais eu grande abondance de cœurs purs dans la baie ; une fois tous les pécheurs expédiés en enfer, le coin risquerait d'être rudement désert, et pour le coup les rescapés se mettraient à crier dans le désert.

Ainsi, quand cette tempête furieuse est arrivée après qu'on a eu vent des meurtres sanglants, on y a vu la première déflagration du Jugement dernier. Dans la ruine et le silence qui écrasaient le pays, personne pouvait plus douter que Satan redressait sa tête immonde parmi les pécheurs des Dix Mille Iles. Tous ces signes du Ciel et de la terre manifestaient forcément la colère de Dieu à cause de E.J. Watson et, pour ce qu'on en savait, peut-être que le Seigneur tout-puissant nous gardait sous le coude une calamité encore pire.

Mamie Smallwood

Ce dimanche soir dans l'ancien magasin, nos hommes se sont mis à s'accuser tant et plus. A peine monsieur Watson était-il parti que certains ont hurlé qu'on aurait dû le faire prisonnier, d'autres leur répondant sur le même ton :

— Bien sûr que non, bordel ! Ed était ici à Chokoloskee ! Y a pas la moindre possibilité qu'il soit coupable de ces crimes !

D'autres ont déclaré que c'était Cox qu'avait obligé le nègre à accuser Watson et que de toute manière on pouvait jamais faire confiance à un nègre. Là-dessus, d'autres ont dit — et sans doute moi avec eux — que, même si Cox lui avait collé une pétoire contre la tempe, aucun nègre aurait été assez crétin pour mentir sur le compte d'un homme aussi estimé que monsieur Watson.

Ted m'a entendue dire ça et ça lui a pas plu, mais j'ai pas voulu en démordre et pas davantage le regarder. J'étais sûre d'avoir dit la vérité toute crue : le nègre d'Ed Watson avait ses raisons.

A ce moment-là, monsieur Watson était parti depuis belle lurette pour Everglade. Plusieurs expériences malheureuses, nous confia-t-il un jour, lui avaient appris la rapidité avec laquelle une bande d'excités se transformait en horde assoiffée de meurtre, et il a réussi à convaincre R.B. Storter de l'emmener vers le nord jusqu'à Marco malgré l'ouragan qui menaçait. M'est avis qu'il avait dû allonger du fric à Bembery, car ces Storter vous donnent jamais rien sans rien. D'ailleurs, les Storter disent la même chose de nous, les Smallwood.

La tempête est arrivée le lendemain matin et toute la journée elle a forci. Notre maison était l'ancienne bicoque de Santini, achetée par Ted avec les terres en 1899. Les Santini l'avaient construite bien au-dessus de la ligne de crue de l'ouragan de 1873 ; ça nous avait suffi en 1893 et à nouveau en 1909, mais ç'a été loin de suffire pour cet ouragan de 1910 qui a fondu sur nous comme un dragon rugissant. La pluie et la mer étaient toutes mêlées, autour de nous les arbres se perdaient dans les tourbillons jusqu'à ce qu'on puisse plus les voir. De grosses vagues grises aussi lourdes que des blocs de pierre martelaient le rivage comme si notre île se trouvait en pleine mer dans le golfe, l'île s'est mise à rétrécir, encore et encore et toujours, au fur et à mesure que l'eau montait. A croire que notre petit lopin de terre avait été déraciné et qu'il s'en allait à la dérive, très loin vers la pleine mer.

Selon C.G. McKinney, qui dans la région passait pour un homme cultivé, les neuf dixièmes de l'île de Chokoloskee et la totalité d'Everglade furent submergés. On a dû abandonner notre pauvre maison et puis l'école, pourtant construite à trois mètres au-dessus du niveau de la mer. Edna Watson était là-bas avec les Alderman, il a porté Addison, elle serrait contre elle la petite Amy et elle tenait sa Ruth Ellen par la main.

Les eaux de la tempête ont atteint leur niveau maximum peut-être vers quatre heures du matin, elles ont laissé une marque sur le mur à vingt-cinq centimètres au-dessus du plancher de l'école. Les hommes se sont mis à démanteler l'école pour en faire un radeau, et on entendait rien que le fracas des marteaux en plus des hurlements du vent. Pendant ce temps-là, on emmenait les gamins en toute hâte vers le sommet de la Colline andienne.

La pauvre Edna était au bord de l'hystérie. Elle qui avait grandi loin à l'intérieur des terres s'était jamais doutée qu'une tempête aussi terrible était possible. Elle promit à ses enfants qu'ils resteraient tous ensemble dans le bâtiment de l'école pour affronter les dangers qui se présenteraient. Ainsi, leur dit Edna, ils seraient à l'abri de la pluie. Nous avons donc eu un mal de chien à persuader la malheureuse qu'il valait mieux se réfugier au sommet de la colline avec nous.

A la fin, les dix familles de l'île se sont retrouvées perchées là-haut comme des oiseaux tout trempés par un temps affreux. C'était fin octobre, oubliez jamais ça, on claquait des dents sous la pluie glacée. Toute la nuit on a regardé cette eau monter, jusqu'à ce que le Seigneur entende nos prières, que le tonnerre se calme un peu, que notre côte ait un semblant de répit, qu'on remarque que la mer montait plus, mais que les eaux refluaient en torrents, laissant derrière elles un chaos détrempé de silence, de boue et de ruines.

Au point du jour, c'était le 18, y a point eu d'aube du tout, le monde est resté dans une demi-obscurité. L'eau tourbillonnait encore autour de notre maison et les marchandises du magasin qui s'étaient point fait la malle dans la baie étaient éparpillées au milieu des bois. J'ai perdu tout mon service en porcelaine neuve et, voyant ça, je me suis mise à secouer la tête en riant et en pleurant. Grand-maman House hurlait :

— Comment que tu peux rire, ma fille, avec tous tes ustensiles dispersés dans la boue ?

Miss Ida Borders, de Caroline du Sud, qu'était autrefois si mutine, m'a fait l'effet d'être rudement déçue par le Seigneur.

— Tu sais, maman, que je lui ai répondu, je suis bien contente qu'on soit encore en vie, en un seul morceau et que maintenant on puisse raconter tout ça. Cette bonne vieille bouillasse m'a pas l'air trop antipathique.

Le seul à qui il est arrivé malheur, c'est Charlie T. Boggess, qui s'est démis la cheville de belle façon en s'occupant de ses bateaux. Il a sauté d'un bateau à l'endroit où le quai était submergé, mais y avait plus de quai sous ses pieds. Il a appelé le vieux McKinney à la rescousse pour lui remettre le pied d'aplomb et le bander, après quoi Ted l'a porté sur son dos tout le long du chemin jusqu'à chez lui, il lui a conseillé de rester là et de plus embêter le monde. C'est pour ça que Charlie T. boitait encore tellement derrière les autres quand tous les hommes se sont pointés sur notre embarcadère quelques jours plus tard. Mais il était dans le coup ; Charlie a jamais été le genre de gars à rater un événement important.

Sammie Hamilton

Il y a eu un peu de soleil dimanche, avec une faible brise, mais à dix heures du soir, le 16, le baromètre s'est mis à dégringoler beaucoup trop vite et le vent du nord-est à forcir, cinquante, soixante, quatre-vingts kilomètres à l'heure. A l'aube, la marée haute est montée jusqu'au chalet, la mer engloutissait tout jusqu'à la plage de l'Homme perdu. Vers midi ce jour-là, le vent qui soufflait toujours plus fort a viré au sud-est, puis au sud, et l'après-midi du 17 octobre, quand il soufflait le plus fort, c'était du sud-ouest, il traversait tout le golfe à partir du détroit du Yucatan.

J'étais qu'un petit gamin à l'époque, j'avais sept ans, mais j'oublierai jamais comment le ciel est tombé, ce terrible ciel d'encre qui se ruait vers nous à partir du golfe et toute la terre virant au noir à midi. L'eau jaillissait de l'horizon, elle se précipitait sur la côte, on entendait même plus les vagues se briser l'une après l'autre, c'était rien qu'un tonnerre continu. Et la pluie qui nous assaillait en rideaux successifs, et ce vent mugissant qui tordait les arbres quand les bourrasques nous tombaient dessus. Alors le toit en chaume de notre malheureuse maison a été arraché et nos maigres biens terrestres sont partis avec. A la tombée de la nuit, on savait qu'on était les derniers survivants du monde et que tout l'univers dégringolait sur nos pauvres âmes perdues.

Le chalet s'est mis à brinquebaler dès le crépuscule, mais il était minuit passé quand la mer est montée pour de bon. Nous avons abandonné notre foyer pour grimper dans le bateau et laisser les flots déchaînés nous emporter à l'intérieur des mangroves noires, après quoi on a amarré le bateau bien serré et on a prié le Seigneur tout-puissant pour qu'Il nous épargne. On est restés tout pelotonnés les uns contre les autres, aussi blêmes que des opossums réfugiés sur une branche, heure après heure, en nous rongeant les sangs tant et plus pour le sort de la famille de tante Gert. Les Thompson, ils ont passé l'ouragan dans une barque amarrée au milieu des mangroves, tout comme nous. Shine Thompson – c'est mon cousin Leslie – Shine était rien qu'un petit gamin à l'époque, et tante Gert a placé une grande bassine au-dessus de Shine pour le garder au sec. L'ouragan a emporté le sloop d'oncle Henry si loin dans les marais qu'on a jamais pu le tirer de là. Peut-être qu'il y est toujours.

A l'aube, le pire était passé, le vent baissait, mais toutes les berges de la rivière de l'Homme perdu étaient couvertes de souches brisées et d'une épaisse vase grise, comme un manteau de mort jeté sur toutes les choses vivantes. On voyait des arbres arrachés dériver sous nos yeux en tourbillonnant, des bêtes sauvages accrochées dans les branches, et qui nous regardaient tout en étant emportées vers la pleine mer. La plage de l'Homme perdu était submergée sous une marée si haute que la rivière paraissait large de près de deux kilomètres, la mer et la rivière étaient tout emberlificotées dans un clapot haché et des nuages tumultueux, plombés, d'un gris mortel, comme si on avait saigné la vie de toutes ses couleurs.

J'ai demandé à notre maman si c'était le Jugement dernier dont on parlait tant dans la sainte Bible. Etions-nous au purgatoire ou en enfer ?

– Non, mon chéri, m'a-t-elle répondu, pour autant que je sache, nous sommes toujours sur terre.

Grand-papa James dit alors :

– Voilà un avant-goût de l'enfer qui me suffit largement !

Frank Hamilton, mon papa, il nous déclare aussi :

– On dirait bien encore une fois le déluge de Noé, que le Seigneur nous envoie de nouveau pour nous mettre en garde.

Alors nous, on a compris qu'il pensait à monsieur Watson.

Pendant toute cette longue nuit, grand-papa James Hamilton est resté bien tranquille, sans dire un mot, et après que le vent est un peu tombé, il a ouvert les yeux sur tout ce silence comme s'il venait de se réveiller. Tout ce que ce pauvre grand-papa avait passé sa vie à réunir avait été emporté ou réduit en bouillie, mais il est pas monté sur ses grands chevaux, non, il a pas eu de parole fielleuse, simplement il a regardé tout ce désastre avec des yeux ronds, comme un petit enfant. Enfin, il s'est mis à marmonner, et il a pas cessé depuis. C'était le verbe sacré qui lui sortait de la bouche, m'a dit mon papa, pourtant m'est avis que c'étaient surtout ses vieux souvenirs d'antan.

Le mercredi, Henry Thompson a pris une barque à rames pour

remonter les rivières jusqu'au Lieu de Watson et, quand il a appelé, il a été surpris que personne lui réponde. Il a dit que cette grosse maison paraissait avoir dérivé vers l'intérieur des terres avant de s'échouer là, car autour d'elle tout était en mille morceaux, les hangars à bateaux, la cabane, le petit chalet et presque tous les arbres aussi. Oncle Henry en a conclu que monsieur Watson avait emmené toute sa bande en lieu sûr avant l'ouragan. Son schooner avait résisté, car quelqu'un l'avait solidement amarré aux poincianes proches de la maison, même que c'étaient à peu près les seuls arbres encore debout.

Henry Thompson a pensé que monsieur Watson aurait pas vu d'inconvénient à ce qu'il emmène le *Gladiator* vers le sud pour embarquer les Hamilton et rejoindre Chokoloskee. Andrew Wiggins avait parcouru toute la plage de l'Homme perdu à partir de l'embouchure de la Rodgers, avec sa femme et son bébé sans foyer, et tous les trois étaient avec nous.

Nous sommes arrivés à Chokoloskee le 21 octobre 1910 et nous avons alors entendu parler des meurtres pour la première fois. Cette nouvelle a fait rudement sursauter Henry Thompson. Maintenant qu'il y repensait, il se rappelait comme une malédiction dans l'air, il dit qu'à la Courbe le silence avait une épaisseur terrible, il dit que Cox lui avait jamais répondu parce que, planqué sous le toit, il alignait Henry dans sa mire. Nous avons imaginé la bouche de Cox serrée comme celle d'un serpent, ses lèvres étirées en une espèce de sourire, pendant que la langue fourchue, noire et brillante, en sort et y rentre très vite.

Deux semaines plus tard, quand mon père apprit à grand-papa que les hommes de Chokoloskee avaient tué Ed Watson, le vieillard secoua la tête. Il n'y croyait pas. Il se contenta de dire :

— Préviens simplement ce diable sanguinaire qu'il est le bienvenu sur ma concession de l'Homme perdu, à condition qu'il la trouve.

Presque toute la bande de Richard Hamilton s'installa à la rivière de l'Homme perdu après que l'ouragan de 1910 les eut chassés de Wood Key. De temps à autre, des gens venaient se réfugier sur notre ancien territoire, mais ces Choctaws ou peu importe le foutu nom qu'ils se donnaient, c'est à peu près les seuls qui soient jamais repartis. Je parle de gens qui s'entêtent à vouloir gagner leur croûte ici dans les Iles, et pas des bouilleurs de cru ou des renégats qu'arrêtaient pas de sillonner la région.

Ma grand-mère Sallie Daniels et Mary Hamilton étaient des sœurs Weeks de l'île de Marco, si bien que Walter, Gene, Leon et les filles étaient cousins et cousines de maman. Pourtant, ces deux familles étaient guère proches parce qu'on n'était pas trop fiers d'eux, c'était vraiment comme une meute de chiens, ces gens-là. Certains avaient la peau bien foncée, bien que les moricauds aient les traits fins et que les filles soient plutôt girondes. Maman et sa belle-sœur, tante Gertrude Thompson, décidèrent que nous n'étions parents en aucune manière. Mais je vois pas très bien comment elles ont réussi à s'en convaincre.

Je crois que j'ai jamais été fier de nos cousins, mais ils m'embêtaient pas et on s'entendait bien. Comme je dis, j'ai jamais eu honte d'eux, sauf peut-être de celui qui se sentait toujours coupable d'être qui il était. Non, Dexter et moi, on a jamais eu le moindre accroc avec ces garçons. Tous étaient gentils et bons pêcheurs, ils voulaient simplement qu'on leur casse pas les pieds, mais les gens appréciaient guère leur sauvagerie, ils refusaient de les laisser tranquilles.

D'après ce qu'on m'a dit, un jour que le vieux Richard Hamilton racontait à Henry Short, de Chokoloskee, qu'il était un Andien choctaw originaire d'Oklahoma, Henry lui a répondu :

— Z'êtes pas choctaw, z'êtes négro pur sang, comme moi !

Henry Short était un bon nègre, et je pense qu'il l'est resté, s'il est pas mort ou quelque chose.

Fidèle à l'esprit de son épigraphe (« Aucune tempête ne pénètre ici, Le joyeux printemps dure toute l'année »), le Fort Myers Press *publia en gros titre :*

LA TEMPÊTE EST ARRIVÉE, MAIS NOUS SOMMES TOUJOURS LÀ.

Le journal reconnut les dégâts provoqués par le Grand Ouragan du 17 octobre, ajoutant néanmoins que « l'optimisme est général » et que personne n'a « aucune crainte pour l'avenir ».

> *FORT MYERS, 20 OCTOBRE 1910. A Key West, la tempête a détruit les anémomètres du poste d'observation météorologique, ainsi que plus de deux cents mètres de quai en béton tout neuf construit par le ministère de la Guerre ; par ailleurs, elle a rasé l'usine de cigares de la Havana-American Company, un bâtiment de trois étages en béton, déjà gravement endommagé pendant l'ouragan de l'année dernière. Les vents ont atteint leur plus grande vitesse le lundi 17 dans l'après-midi, avec des pointes à cent soixante-dix kilomètres à l'heure. Les précipitations n'ont pas pu être enregistrées, l'appareil de mesure ayant été emporté.*
>
> *La récente tempête préoccupe tout le monde. (...) Nous nous soucions avant tout des petits propriétaires qui, dans de nombreux cas, ont dépensé toutes leurs économies pour construire leur modeste maison, souvent de manière très précaire et selon une technique qui les rend incapables de résister à la violence de la tempête. Ces maisons sont soit détruites soit si endommagées qu'elles nécessiteront d'importantes réparations avant d'être à nouveau habitables. De ce point de vue, la population de couleur a subi de lourdes pertes...*

ESTERO, 20 OCTOBRE 1910. L'une des caractéristiques de ce vent est qu'il soufflait régulièrement pendant au moins une minute et avec une violence accrue, pliant les arbres ; arrivait alors une bourrasque particulièrement violente qui semblait décrire une trajectoire circulaire, tordant et fouettant les arbres jusqu'à ce qu'ils soient réduits en morceaux ou arrachés du sol. Vers minuit, la tempête a tourné du nord-est vers le sud, et mardi matin le vent s'est mis à souffler de la direction presque opposée, c'est-à-dire du sud-ouest, avant de faiblir...

CHOKOLOSKEE, 21 OCTOBRE 1910. Nous sommes ici dans une situation critique. Certains n'ont plus de logement, plus de vêtements, seulement ceux qu'ils portaient quand l'ouragan les a frappés dans la soirée du 17.

M. J.M. Howell a perdu sa maison, tout comme un grand nombre d'habitants de la côte et de Fakahatchee. Toutes nos récoltes sont perdues. La mer est montée de presque trois mètres, submergeant d'eau salée un grand nombre de citernes. Certains habitants ont quitté leur maison pour se réfugier dans les arbres ; d'autres sont montés sur les buttes les plus élevées où, trempés jusqu'aux os, ils ont vécu des heures dramatiques. Les pêcheurs ont perdu tous leurs filets et plusieurs bateaux.

Sur Pavilion Key, une malheureuse s'est réfugiée dans un arbre avec son bébé, après quoi la violence des éléments l'a contrainte à le lâcher. Elle a néanmoins eu la chance de survivre et d'enterrer son bébé après la décrue.

Nous sommes tous dans une situation dramatique ; les provisions entreposées dans les magasins sont presque entièrement détruites.

Bien que certaines pâtures aient été submergées sous près de deux mètres d'eau, quelques bêtes ont survécu. J'ai vu des lapins morts et beaucoup de poulets noyés.

M. C.T. Boggess s'est foulé la cheville, ou au moins démis cette articulation. Son petit bateau de pêche à moteur a été emporté parmi les broussailles et aujourd'hui c'est presque une épave.

Les berges sont couvertes d'une profusion de mulets et d'autres poissons morts ; certains agonisent, incapables de nager, peut-être à cause de l'eau boueuse qui leur obstrue les ouïes.

L'école d'Everglade a été arrachée à ses fondations avant de s'en aller au fil de l'eau.

M. William Brown, sur la Turner, a perdu sa récolte ; sa citerne — la meilleure et la plus grande de la région — a été remplie d'eau salée. Celle-ci a gâché toutes les citernes d'Everglade.

Ici, beaucoup de gens ont fui leur foyer pour se réfugier dans le bâtiment de l'école. L'eau est montée à vingt-cinq centimètres au-dessus du plancher. Les hommes ont arraché la porte et les tableaux noirs pour construire un radeau de fortune avec des cordes, sur lequel fuir au cas où le bâtiment serait séparé de ses fondations. Près des trois quarts de l'île de Chokoloskee ont été submergés. Nous avons commencé de comprendre à quoi servaient ces hauts monticules.

Quant à notre famille, elle est très occupée à rechercher ses biens, les provisions de bouche, les bateaux, les filets, etc. Certains d'entre nous replantent déjà. Je retrouve quelques pousses de poivre, ainsi que des tomates et des choux qui, bien que recouverts sous deux mètres d'eau, poussent toujours. La ketmie n'a pas résisté à tous ces bouleversements, mais j'ai des navets à sept fanes qui ont survécu après avoir été submergés sous un mètre d'eau ou plus...

Sammie Hamilton

Monsieur Watson est arrivé à l'Homme perdu un vendredi, trois jours avant l'ouragan et quatre jours avant que Cox perde la tête à la Courbe de Chatham. Entre-temps, qu'a donc fait monsieur Watson ? Il nous a dit qu'il revenait de Key West, mais nous avons ensuite appris qu'il se trouvait à Chokoloskee avec Dutchy. Est-il venu nous voir après avoir déposé Dutchy quelque part ? Que faisait-il donc si loin au sud ? Où allait-il ? Désirait-il que nous confirmions son histoire de Key West afin de lui forger un alibi ? Et où était Cox ? Cet enfant de salaud aux mains pleines de sang se planquait-il sous le rouf de la chaloupe pendant que monsieur Watson nous parlait ?

Je pense qu'il était au courant des meurtres, je pense qu'il se constituait un alibi dont il n'a jamais eu besoin. En homme lucide, il savait sans doute qu'il avait de sacrés ennuis, qu'il ait commandité ces trois meurtres ou pas. Il se disait peut-être qu'en nous volant nos économies, il pourrait filer à Key West ou à Port Tampa et trouver un bateau pour quitter le pays. A Port Tampa, plus probablement – car on l'aurait recherché à Key West. Dans ce cas-là, il a sans doute changé d'avis, car il a débarqué à Chokoloskee juste avant les mauvaises nouvelles de Pavilion Key et il s'en est tiré à force de bagout, comme tant de fois auparavant. Il a juré qu'il allait trouver le shérif, juré de ramener Cox, puis il s'est défilé pendant que la voie était libre.

Quand l'ouragan a fondu sur nous, Leslie Cox était tout seul à la Courbe de Chatham, si on tient pas compte du cadavre de la squaw dans le hangar à bateau et des trois corps dans la fosse de l'autre côté de la rivière. On peut se demander ce qui lui passait par la tête, s'il était ivre mort ou simplement abruti, avec les nerfs en pelote, comme le cheval de Watson, qui hennissait tant et plus sous son abri. Cette tempête a dû lui faire l'effet de la colère divine dirigée contre lui pour l'effacer de la terre.

Nous étions là-bas dans les rivières, nous l'avons vécue et, je vous le dis tout cru, elle a empli notre cœur de terreur. Ce ciel hurlant, ces bourrasques effarantes et le rugissement de la rivière pendant cet ouragan de 1910 auraient suffi à glacer la moelle dans les os de n'importe qui, et surtout dans ceux d'un pécheur ignoble qui a massacré trois pauvres hères avant de leur vider le ventre comme à des cochons et de pousser leur cadavre dans la rivière. S'il restait une étincelle d'humanité chez Leslie Cox, il a dû passer cette nuit-là à genoux, en train de hurler après le pardon du Seigneur. Qu'il l'ait reçu ou pas, personne saurait le dire.

Quelques jours plus tard, monsieur Watson est revenu tout seul et il est parti chercher Cox sur la Chatham. Combien de fois je me le suis imaginé arpentant sa propriété, criant et tendant l'oreille, sondant les vieux fantômes. Peut-être que Cox l'a hélé dans la mangrove, peut-être qu'ils ont parlé. Mais tout ce qu'on sait, c'est qu'y avait plus le moindre signe de vie là-bas quand Henry Thompson y est allé après la tempête. Bien sûr, oncle Henry ignorait qu'y avait trois cadavres enterrés au bord de la rivière, jamais il a imaginé que Leslie Cox pouvait l'observer à travers une fissure ou une vitre brisée. Quand il l'a enfin compris, il a eu une trouille bleue. Il s'est mis à picoler une rasade par ci, une lampée par là, histoire de se calmer les nerfs, et il a jamais renoncé à cette habitude.

Oui, ce jour-là, on a rudement dégusté ! L'ouragan de 1910, le 17 octobre 1910. Cette tempête a été la pire qu'a jamais frappé la côte jusqu'à l'ouragan Donna qu'est arrivé un demi-siècle plus tard. Toutes les maisons de Flamingo rasées. Louie Bradley et les gars Roberts, tous les quais et les bâtiments de là-bas, même le vieil entrepôt de copra du cap Sable. Quant à nous autres insulaires, on habitait presque tous des baraques en planches, certains avaient installé des campements temporaires, vous voyez, ils se déplaçaient de potager en potager, à l'andienne. En dehors de la grosse bâtisse solide d'Ed Watson à la Courbe de Chatham, il restait pas un seul toit intact dans toute cette partie des Dix Mille Iles. Evidemment, Chokoloskee est à six kilomètres à l'intérieur des terres, avec un gros monticule, mais la maison de Jim Howell à Chokoloskee, elle aussi a été ratiboisée.

L'ouragan a surpris vingt-deux pêcheurs de clams sur Plover Key, il a emporté toutes leurs barcasses, sauf trois. Ils ont réussi à ramer jusqu'à Caxambas, mais ils y sont arrivés en piteux état. Ils ont apporté la nouvelle que Josie Jenkins avait perdu son bébé alors qu'elle était réfugiée dans l'arbre où son frère Tant l'avait hissée avec le petit gamin. Il lui a été arraché de ses pauvres bras quand les vagues ont envahi tout Pavilion Key. Elle a retrouvé le petit corps une fois que la mer est redescendue, à l'endroit où les bras du bébé sortaient du sable. Par la suite, on a appris que c'était un Watson, et pour ce que j'en sais, tante Josie l'a jamais nié. D'ailleurs, certains en ont fait tout un plat, que la seule âme humaine perdue pendant cet ouragan ait été le gosse de monsieur Watson.

Nous autres Hamilton, on s'en est bien tirés, loué soit le Seigneur, mais cet ouragan a emporté le peu d'esprit combatif qui restait dans notre famille. Quand cette tempête a eu fini de nous malmener, il nous restait ni maison ni potager, et il nous a fallu accepter l'aide disponible à Chokoloskee.

Après toutes ces années, le moment était venu de dire adieu à la rivière de l'Homme perdu. Grand-papa James était vieux et fatigué et l'épreuve était déjà bien assez rude comme ça sans qu'on ait besoin de se demander où Cox s'était terré. Nous avons emmené grand-papa à Chokoloskee, puis de là à Fakahatchee, mais il s'est jamais remis de l'affreuse épreuve de cet ouragan de 1910 et il est mort peu après. Avant de passer, il a avoué à ses fils que son vrai nom était John Hopkins, et non Hamilton. Il a dit qu'il venait d'une riche famille de Baltimore, mais que, parmi ses frasques de jeunesse, il avait dû trucider un salopard en duel, quelque chose comme ça, après quoi il avait changé de nom et cherché fortune dans une autre partie du pays. Ses fils sont donc allés à Everglade pour discuter de tout ça avec le juge Storter, et George Storter leur a dit :

– Ecoutez, les gars, vous êtes venus au monde avec le nom de Hamilton, alors autant que vous le quittiez pareil.

Frank B. Tippins

– Vous connaissez le shérif Tippins, les gars, dit Collier.

Sur l'île de Marco, la plupart des hommes sont réunis au magasin de fournitures générales de Bill Collier. Le modeste bâtiment de calcaire est séparé de l'hôtel Marco, qui appartient aussi à Collier, avec ses vingt petites chambres, son salon, sa salle à manger et sa salle d'eau. Construit l'année précédente en coquilles d'huître brûlées, le magasin a souffert de l'ouragan : une fissure large d'une dizaine de centimètres monte du sol jusqu'au toit, et un demi-mètre d'eau s'écoule toujours du bâtiment. Tout autour de l'hôtel comme du magasin, le sol nu est couvert de branchages marron et de palmiers tués par l'eau salée.

– Vous voulez mon avis ? Ce nègre a dit la vérité en déclarant que ce cinglé de Watson était derrière tout ça.

Harassés par le vent, abrutis d'alcool, à bout de nerfs, les hommes parlent de manière saccadée. Deux jours plus tôt, juste avant l'ouragan, le capitaine Thad Williams a amené le suspect noir à Fort Myers. Je suis retourné avec le capitaine Thad à Marco, où les Cannon, Dick Sawyer et Jim Daniels avaient confirmé le récit de Thad : lors de son premier témoignage à Pavilion Key, le nègre avait impliqué E.J. Watson dans ces meurtres.

Watson était apparemment passé ici lundi, puis il avait traversé vers le continent juste avant l'ouragan. Il était sans doute arrivé à Fort Myers dans la matinée. Il disait qu'il allait chercher le shérif, me rapporta Bill ; mais peut-être qu'il poursuivait ce nègre, tant qu'il y était.

– Le nègre a changé sa version des faits, dis-je maintenant. On a prévenu le shérif de Monroe pour qu'il vienne chercher le suspect, et je me demande si je ne devrais pas rebrousser chemin, au cas où Watson trouverait le nègre en premier.

Weeks le chaloupé renifle sa tasse en fer-blanc ; du dos de la main il essuie le chaume de son menton, puis il avise mes bottes.

— Ces putains de rois du bétail et de banquiers à la con vont encore le couvrir, pas vrai, shérif ? Sans doute qu'ils vous ont aussi dans leur poche, hein ?

Bill Collier pose l'écoute qu'il est en train d'épisser, soulève le Chaloupé, le fait pivoter d'un demi-tour en l'air, puis le repose à terre. Mais Weeks se retourne aussitôt vers nous et tire comiquement le bras en arrière en serrant le poing comme s'il voulait décocher un uppercut, sachant pertinemment que plusieurs gars lui saisiront le bras avant qu'il se mette trop d'ennuis sur le dos. Pourtant, quand personne n'intervient, il feint un brusque déséquilibre qui l'oblige à reculer à bonne distance, clopinant et oscillant presque sur place en décrivant de petits cercles sur lui-même. Voilà pourquoi Weeks le chaloupé, un ivrogne de quinze ans, a reçu son surnom. Interprétant les rires comme autant d'encouragements, le Chaloupé se rengorge, cligne de l'œil, se crache dans les mains.

— Nom de Dieu, Bill Collier, tu cherches la bagarre ? T'as trouvé ton homme !

Le capitaine Bill Collier est un homme calme, pondéré, à la carrure impressionnante. Son père a fondé la colonie de Marco en 1870. Aujourd'hui, le fils est commerçant et receveur des postes, négociant et armateur, il dirige un chantier naval et tient une taverne. Il a une plantation de copra de cinq mille palmiers et mille cinq cents orangers sur le continent, à Henderson Creek. Il est l'inventeur et le propriétaire de la drague qui travaille sur les terrains de clams de Pavilion Key.

C'est Bill Collier qui a découvert ces étranges masques calusas un peu à l'écart de la piste de Caxambas alors qu'il chargeait de la terre pour ses tomates, Bill Collier qui a perdu deux fils lors du naufrage de son schooner, le *Speedwell*, au large des Marquesas. Il a fait beaucoup de choses et en a vu bien davantage. Sans accorder la moindre attention à Weeks le chaloupé, il reprend son écoute et se remet à l'épisser.

Je demande si quelqu'un connaît le contremaître de Watson.

— C'est votre prisonnier qui l'a vu pour la dernière fois, à la Courbe de Chatham. Personne sait où qu'il peut être maintenant.

Ce que je devrais faire, me dis-je, c'est déléguer mon mandat à quelques gars et pousser vers le sud jusqu'à la Chatham, juridiction ou pas juridiction, car le gars qui a commis ces trois meurtres ne va certainement pas attendre le shérif là-bas.

— ... et *pas de la loi, putain* ! s'écrie le Chaloupé. On devrait coller une balle à tous ces cinglés d'enfants de salaud avant qu'ils se barrent de leur berceau, bordel, même que ça leur ferait les pieds !

— C'est là que vous allez, shérif ? Sur la Chatham ?

— De l'autre côté de la frontière du comté de Monroe ?

Les hommes sourient quand je leur réponds :

— C'est pas dans le comté de Lee ? Ah bon, sans doute que j'ai perdu mes cartes...

Mais ils continuent à me presser de questions.

— John Smith. Vous avez découvert qui c'est ?

— Je crois que le nègre le sait, mais il ne veut rien dire.

— J'ai vu ce jeune Noir ce soir, je crois qu'il nous le dira.

— Peut-être.

Les hommes inquiets écoutent d'une oreille distraite Dick Sawyer raconter comment, autrefois, il a sauvé la vie de Watson.

Un jour, il avise le *Gladiator* à Key West ; n'obtenant aucune réponse à ses appels, il monte à bord. Ce brave Ed est alité, tout fiévreux de typhoïde, incapable de bouger ou de parler. Dick Sawyer retourne donc dans la rue et ramène au bateau le docteur Feroni, qui soigne le malade.

— Ed, à qui j'avais sauvé la vie, m'a jamais adressé le moindre remerciement, déclare Dick Sawyer. C'est rudement bizarre, vu qu'Ed a toujours eu de si bonnes manières.

— Tu parles, fait Jim Daniels d'un air dégoûté. (Il s'inquiète pour sa sœur Josie sur Pavilion Key.) Il est célèbre pour payer ses factures rubis sur l'ongle, histoire de rester dans les bons papiers des commerçants, mais il doit toujours quatre-vingts dollars à mon fils aîné qui lui a réparé son moteur. Watson a quasiment dit à mon Henry qu'il pouvait aller se faire foutre, mais il lui a dit ça très poliment, car, n'est-ce pas, il a de si bonnes manières... Un homme très civil, très courtois, surtout quand il vous a mené par le bout du nez. Et il mène presque tout le monde par le bout du nez, pas vrai, Dick ?

— En tout cas, Jim, on peut dire qu'il a mené par le bout du nez deux de tes sœurs...

Jim Daniels, la cinquantaine, les bras musclés, les cheveux noirs striés d'argent, cloue le bec à Dick Sawyer rien qu'en restant debout très droit, immobile.

— J'étais là-bas à l'Homme perdu, en 1901, près des gens à ma fille Blanche — y avait son beau-frère, Lewis Hamilton, le cuistot de la drague à clams, vous voyez qui ? Un soir, j'avise un petit bateau en feu devant le soleil, tout là-bas sur l'horizon du golfe. On est allé voir si on pouvait aider et on a découvert ce qui restait du petit sloop de Tucker, mais y avait personne à bord. Du bel ouvrage, bien civil et bien poli. (Il regarde sombrement Sawyer.) Avant, y avait rien que des rumeurs qui circulaient. C'est juste après la mort des Tucker que les gens se sont mis à avoir peur de lui. S'il s'était pas enfui dans le nord, il aurait pu avoir tous les monticules qu'il voulait, sauf les terres de Richard Hamilton.

— La bande du vieux Richard, c'est des parents à ta femme, pas vrai, Jim ?

— Faut pas dire des choses comme ça, Dick, répond Jim.

— Enfin, Netta et Josie...

— Tu parles de mes sœurs, Albert ?

— Je parle de leurs petites filles, à Caxambas. C'est-y pas des gosses à Watson ?

L'homme qui parle est un type morose ; sa femme, Josephine, a attendu cette année pour lui donner un garçon aux cheveux couleur noisette. Josie Parks — elle conserve le nom de son premier mari — a refusé d'abandonner Pavilion Key avant la tempête, et son dernier époux, parti sans elle, picole depuis deux jours pour noyer son inquiétude.

— Je croyais que c'était de notoriété publique, ajoute-t-il prudemment en voyant l'expression de Jim.

— Vaut mieux demander son avis à Watson pour tout ce qui concerne la notoriété publique, Albert. Même qu'il pourrait bien t'apprendre des notoriétés un peu trop publiques pour ton propre bien.

Dans le feu de l'action, le mari saoul de Josie Parks pose violemment sa tasse, comme s'il voulait se battre, mais le capitaine Collier n'a aucun mal à attirer l'attention générale en agitant les bras.

— A propos de notoriété publique, Albert, dit Collier. Un jour qu'il rentrait de Fort Myers, monsieur Watson est arrivé ici et il avait besoin d'un bateau qui puisse l'emmener jusqu'à la Chatham. Hiram Newell ici présent travaillait pour Watson, mais le bateau d'Hiram était pas dans les parages, si bien qu'ils sont allés tous les deux trouver Sawyer, pas vrai, Dick ? A travers la porte, Hiram a dit à Dick que monsieur Watson était dehors ; il voulait savoir si

Dick accepterait de le ramener chez lui. Dick croit qu'Hiram lui fait une blague et il lui répond, très fort : « Allez au diable, toi et ton monsieur Watson ! » Alors il ouvre la porte et, voyant qui est debout sur le seuil, il dit d'une voix toute mielleuse : « Çà, alors ! Bonjour, monsieur Watson ! J'espère que tout va bien ! » Tu te souviens, Dick ?

– J'ai ramené cet enfant de pute jusqu'à chez lui, ça oui ! fait Dick Sawyer. J'avais trop les chocottes pour refuser.

Le mari de Josie crie alors à Sawyer :

– T'as *toujours* été son ami, pas vrai, Dick ? L'ami de Walt Smith aussi. Faut voir ce que tu dis aujourd'hui sur ces deux gentlemen !

Dick Sawyer, comme le savent tous les hommes présents, a travaillé sur le bateau de pêche à l'éponge de Walt Smith quelques années plus tôt, quand Smith a tué le garde-chasse Guy Bradley.

– J'ai travaillé avec Walt Smith, c'est vrai, rétorque Dick Sawyer. J'ai quitté Key West juste après ça et je suis venu ici. Car j'ai plus été l'ami de Smith après son forfait, et je suis plus l'ami de Watson non plus, maintenant c'est fini ! » Sawyer, le visage renfrogné, fait claquer son poing dans sa paume, mais il ne peut s'empêcher d'ajouter : « D'ailleurs, ce brave Ed me l'a dit lui-même, que j'étais pas son ami.

Et il éclate de rire.

– Un jour, reprend Dick, Tom Braman et moi on prenait un verre au *Eddie's Bar* de Key West, quand Ed Watson, fin saoul, a fait une entrée fracassante avant d'offrir des tournées générales. Deux négresses ont alors rappliqué et ont commandé du rhum, car Key West étant une base de la marine, on permettait aux nègres et aux négresses de se comporter ainsi depuis la guerre de Sécession. Watson s'est donc retourné en entendant des voix nègres et l'une des deux bonnes femmes a levé son verre pour boire à sa santé, et elle aussi était ivre. Y a eu un silence qu'a duré une bonne minute, pendant qu'il gambergeait. En tout cas, il lui a pas rendu son toast. Tout le monde s'est senti bien soulagé quand Ed a quitté son tabouret sans un mot et qu'il est sorti du bar. « Personne verra *jamais* Ed Watson boire un verre avec un nègre ou une négresse ! » Voilà ce que j'ai crié pour mettre ces deux gonzesses au parfum.

Il se trouve que deux nègres attendaient leurs greluches devant le bar. L'un d'eux a salué Watson, si bien qu'Ed a sorti son couteau pour lui régler son compte. Y a eu un cri, les amis d'Ed sont sortis du bar en courant pour lui éviter des ennuis. Ils lui ont crié : « Non, non, fais pas ça, Ed ! Tu ferais mieux de nous écouter, nous sommes tes amis ! » Watson s'est laissé rouler sur le trottoir avant de se relever tandis que la foule reculait. Il haletait, vous savez, il y voyait plus clair. Quand il a sorti un mouchoir pour essuyer son couteau, tout le monde a retenu son souffle en pensant qu'il dégainait son pistolet. Mais voici tout ce qu'il a dit, d'une voix très calme et posée : « Des amis, j'en ai pas. » Sans la moindre tristesse, plutôt d'un air absent, vous voyez, comme s'il essayait de se rappeler quelque chose.

— Watson a dit ça ? fait Jim Daniels d'un air sceptique.

— *Des amis, j'en ai pas* — c'est tout ce qu'il a dit ! Demande donc à Tom Braman ! (Dick Sawyer regarde autour de lui d'un air triomphant.) Ed a remis son chapeau noir, puis il est parti vers le quai et son schooner. En chemin, il tombe sur un adjoint au shérif, à qui il déclare : « Toi, l'adjoint, à ta place je filerais en vitesse à l'*Eddie's Bar* avant qu'on tue quelqu'un. » Bien sûr, à ce moment-là, il avait déjà tué l'un des nègres, et l'autre était sur le point de passer l'arme à gauche. Quand une bande de gars sont allés au quai pour l'arrêter, son bateau était déjà parti, et personne a pris le risque de faire cent trente bornes jusqu'à la Chatham pour aller arrêter E.J. Watson, pas à cause d'un malheureux nègre passé de vie à trépas.

— D'après ce qu'on m'a raconté, Dick, t'étais même pas là ! C'est Braman qui m'a relaté toute l'histoire et t'étais pas là !

— J'étais pas là, Jim ? Où ce que j'étais alors ?

— D'après ce qu'on m'a dit, y a pas eu de nègre mêlé à cette rixe. Ed Watson tenait un sang-mêlé par terre, il sortait son putain de couteau bowie et il a dit : « Peut-être que je vais estourbir celui-ci au cas où ce serait un salopard d'Espagnol, car j'ai jamais eu l'occasion de grimper sur la colline de San Juan. » Les gars Roberts, Gene, Melch et Jim, ils étaient venus de Flamingo et ils ont essayé de l'en dissuader. Gene Roberts a toujours été le pote de Watson, il te le dirait encore aujourd'hui. Gene est intervenu : « Allez, Ed, ça va, tu cherches des ennuis et t'as pas besoin de ça. Tu ferais mieux de nous écouter, parce qu'on est tes amis. » Alors Watson a regardé tous les gars présents et il a cligné comme s'il émergeait d'un rêve. Il a essuyé son couteau dans les cheveux de l'Espagnol, il a refermé sa lame, il a laissé ce moribond qui saignait comme un porc s'éloigner en rampant, comme s'il l'avait jamais vu ni touché. Il s'est levé, il a rangé son schlass, il s'est épousseté les frusques. Puis il a encore regardé tous les types réunis dans le bar et il a dit d'une voix très calme : « Les gars, j'ai point d'amis. »

— Je n'ai *pas* d'amis, tu veux dire, rectifie Sawyer. Ed a jamais dit *point* à la place de *pas*.

Hiram Newell, qui avait été capitaine du schooner de Watson, se racle la gorge.

— Eh ben moi, j'ai point honte de dire *point*, Dick, et j'ai point honte d'être en amitié avec Ed Watson. Si Tant était ici ce soir, il dirait la même chose. Ed Watson est un gars au grand cœur...

— Bon Dieu ! renifle Jim Daniels en tapant du pied. Il a un grand cœur qui va avec ses bonnes manières. Dommage que les Tucker ils soient pas ici ce soir, pour dire ce que *eux* pensent de tout ça ! Doux Jésus !

— Au fait, où est Tant ?

— A Pavilion Key, à moins qu'il ait été emporté. » Daniels fusille du regard le mari de Josie. « Il a dû rester là-bas pour s'occuper de sa petite sœur.

— C'est-y point aussi ta sœur ? Ou ta demi-sœur ?

— On forme une grande famille, répond Jim Daniels.

— La raison pourquoi qu'Ed et moi on est plus amis, reprend Dick Sawyer en profitant du silence, c'est qu'il a fait des embrouilles à Wakulla Springs et qu'il est reparti vers la Courbe de Chatham. Il est passé par ici, il m'a demandé de le ramener chez lui. Y avait pas de lune cette nuit-là, et pas davantage d'étoiles. Je voulais pas y aller. Mais j'ai remarqué ce regard qu'il a parfois et j'ai pas su dire non. On avait à peine quitté Marco qu'il est allé cuver sous le pont. Mais presque aussitôt il repasse la tête par le rouf pour regarder autour de lui dans la nuit. Il a secoué la tête et il m'a dit : « On voit que dalle. » Je lui ai répondu : « Ça, tu l'as dit ! Même qu'on peut presque pas naviguer ! » Je croyais qu'il me demanderait de faire demi-tour. Mais tout ce qu'il a dit, c'est : « Mon vieux, si jamais t'échoues ce rafiot, je crois que je te tue... » Ç'a été la première fois que j'ai point été si sûr qu'Ed Watson était mon ami. Peut-être que c'était une de ces petites blagues qu'il faisait quand il avait bu, mais impossible de compter là-dessus avec certitude. Alors ce que j'ai fait, je me suis éloigné du rivage et j'ai laissé la marée monter un peu avant de me rapprocher des hauts-fonds de la Chatham. Eh ben, pas une fois ma quille a raclé. J'ai déposé Ed sain et sauf à son quai ; il a bâillé, il s'est étiré, puis il m'a dit : « Viens donc boire un coup avec moi, ou casser la croûte. » « Avec plaisir », que je lui ai répondu, et que je le rejoindrais dans une minute. Mais quand il est monté vers sa maison, j'ai largué mes amarres vite fait et je me suis laissé dériver vers l'aval. Il est ressorti de chez lui pour me regarder, mais pas une fois il m'a appelé. Il restait simplement là au clair de lune, planté devant sa grande maison blanche, et il m'a regardé disparaître derrière la Courbe.

Comme j'avais peu de chances de mettre la main sur Cox, je devais localiser E.J. Watson. C'est justement à ça que je pense quand la porte s'ouvre violemment dans une bourrasque et se referme tout aussi sèchement, avec un gars adossé contre, pendant que les hommes de Marco reculent en renaclant comme du bétail. La main enfoncée dans la poche droite de son ample manteau, l'homme fixe personne d'autre que moi. Il m'a repéré par la fenêtre et il a choisi son point de vue. Il sait que tous les hommes de ce modeste campement sont réunis ici dans le magasin de Collier pendant que les femmes se terrent comme elles peuvent.

— Monsieur Watson.

L'apostrophe de Bill Collier avertit tout le monde. Collier me gratifie d'un regard vide, d'une expression aussi étonnée que comique, mais Watson a remarqué mon geste destiné à libérer mon étui, si bien que je lève le genou très lentement, les deux mains serrées autour de ma rotule, pour poser soigneusement ma botte sur un baril de clous.

Watson répond à mon signal par un petit hochement de tête et retire la main de sa poche. Il reste là, adossé à la porte, pour protéger ses arrières et avoir une vue d'ensemble de la salle. Dégoulinant d'eau, il semble épuisé par le vent et par le manque de sommeil, son visage rougeaud et couvert de coups de soleil gonflé de sang, le souffle rauque. Mais aussi bien, il paraît attentif, voire exalté, certes pas prêt à faire le moindre geste qui le mettrait à notre merci. Menacé, il est très dangereux.

— Monsieur Watson.

E.J. Watson hoche la tête. Il sourit. Il a bu. Mais monsieur Watson pourrait entrer ici fin saoul, nu comme un ver, qu'il nous estomaquerait malgré tout – pour vous dire notre surprise. D'où vient-il ? Comment est-il arrivé ici ? Des visages hagards aux joues couvertes d'une barbe naissante se tournent vers moi pour voir ce que le shérif va faire. Et moi, ce que j'essaie de faire, c'est de mettre de l'ordre dans mes idées.

Le Chaloupé fait mine de s'approcher de la porte. Quand

Watson pivote vers lui, le Chaloupé se fige comme un chien à l'arrêt et sa tasse en fer-blanc rebondit par terre avec fracas. Une voix gémit :

— Doux Jésus !

Watson enlève son chapeau et l'accroche à un portemanteau. Gardant les mains bien dégagées du corps, il écarte un peu les jambes. Il porte une chemise blanche toute sale qui a perdu son col, et une redingote du dimanche élimée par-dessus un pantalon de grosse toile. Sur son visage, l'expression amicale disparaît comme une vague brutalement absorbée par le sable.

— Je l'ai pas fait, les gars. Je veux que ce soit clair.

La salle reste silencieuse. Sawyer dit :

— Ed ? Personne a point dit que tu l'aies jamais fait, Ed.

Watson opine du chef d'un air sarcastique, comme si l'intervention de Sawyer ne faisait que confirmer la piètre opinion qu'il avait de ce crétin. Alors, Watson parle :

— Mais qu'est-ce qui vous amène ici par ce temps de chien, shérif ?

Je repousse mon chapeau sur la nuque. Je pourrais tenter une arrestation avec tous ces hommes de Marco derrière moi ; mais dans ce cas, Watson résistera et quelqu'un se fera descendre, très probablement moi.

— J'ai entendu dire que vous me cherchiez, monsieur Watson.

— Ça dépend. Peut-être qu'on ferait bien d'en discuter, shérif, histoire de savoir lequel cherche l'autre.

Je me lève lentement, en prenant une profonde inspiration pour me calmer. Voici la confrontation que j'attends depuis si longtemps ; j'ai l'estomac qui gronde et se crispe, ma voix est toute fluette :

— Restez ici, vous autres.

— Personne bouge, dit Bill Collier en épissant son écoute.

Quand Watson m'ouvre la porte, je ne veux pas lui tourner le dos. Pourtant, je sors en premier. La porte claque derrière moi et je me retrouve dans le noir.

Dans les bourrasques et les ténèbres, le canon de son arme s'enfonce dans mon dos et il me prend mon revolver.

— Quelqu'un vous a déposé sur l'île. Vous avez marché jusqu'ici.

— Connaissez Caxambas ? Au sud de l'île ?

Le canon de son revolver me pousse vers le quai.

Des nuages noirs et déchiquetés filent devant la lune, dont la faible lueur éclaire le sable blanc. Déjà, nous quittons la lumière de la lampe du magasin. Avec le trou du canon de son arme qui s'enfonce dans mes côtes, j'ai l'impression d'avoir le dos nu.

Sur le quai où le *Falcon* est amarré, je tourne la tête en gardant les mains éloignées de mon corps. Je n'arrive pas à distinguer le visage sous le chapeau, seulement la silhouette massive et les petits pieds.

— Après vous, Frank, me dit poliment E.J. Watson.

A la table du carré du schooner, nous sommes assis face à face, éclairés par une lanterne. Watson se rencogne dans l'angle de la cloison afin qu'on ne puisse pas le voir par la fenêtre de la cabine.

— Vous seriez plus en sécurité derrière les barreaux, lui dis-je.

Je ne me sens pas encore calmé.

— Vous n'avez donc jamais entendu l'histoire de Ted Smallwood sur Lemon City ? Les lyncheurs vont chercher le gars jusque dans la prison et ils abattent le geôlier noir pendant qu'ils y sont.

— On ne vous lyncherait pas à Fort Myers.

— Ah non ? Et que diriez-vous d'un lynchage légal comme celui de cet étranger, il y a deux ans, qui s'est retrouvé en état de légitime défense devant une crapule locale qui lui cherchait des crosses ? Ce gars s'est fait lyncher, selon ma Carrie, non parce qu'il méritait de mourir, mais parce que les gens du coin voulaient sa peau à tout prix. Et personne s'est sali les mains, sauf vous.

Il remet sa montre dans sa poche, puis agite la main pour m'empêcher de répondre, comme si les bourrasques hurlant dans la nuit lui rappelaient que le monde était en train de le prendre de vitesse.

— Je sais, je sais, dit-il, la loi est la loi, vous avez fait votre devoir.

— Vous connaissiez cet homme ?

— Personne le connaissait. C'est justement pour ça qu'on l'a pendu.

Après six mois passés derrière les barreaux, ce prisonnier portait toujours son chapeau, comme s'il était certain qu'on allait le libérer d'un instant à l'autre. Le dernier soir, je l'ai invité à prendre un bon dîner sur mon bureau, hors de sa cellule. Il a retiré son chapeau. Le vagabond — il s'appelait Edwards — était presque chauve sous ce chapeau, le crâne couvert d'une peau blanche et à vif. Une fois son assiette terminée, il a relevé son menton couvert de poils gris au-dessus de son assiette en fer-blanc.

— Shérif, c'est pas moi qu'ai entamé cette bagarre ; après, ç'a été lui ou moi. Et s'il m'avait occis, ce gars-là serait libre aujourd'hui, vous le savez aussi bien que moi. (Il s'est essuyé la bouche.) Dans les îles, vous avez un planteur du nom de Watson ; là d'où que je viens, il a échappé à la corde à cause que sa fille a épousé le président de la banque, d'après ce qu'on m'a dit. Mais moi, je suis un étranger sans le rond, si bien que demain matin je vais payer avec ma vie.

L'homme s'est approché de l'évier pour laver son assiette.

— La justice, a-t-il ajouté.

— Inutile de laver cette assiette.

Impassible, le condamné a continué de la laver.

— Quel genre de justice vous croyez que c'est ? insiste-t-il.

Incapable de lui répondre, je hausse les épaules, comme pour dire : la loi est la loi.

Mais c'est lui qui me le dit, d'une voix amère :

— La loi est la loi.

Puis il ajoute :

— J'en ai marre des gens, vous pigez ? Marre de vous et surtout mare de moi. C'est la première fois dans ma saleté de vie que je pense que j'en ai marre de tout.

Il pose avec soin son assiette essuyée, ainsi que son couteau et sa fourchette, puis il remet son chapeau.

— Merci pour la bouffe, me lance-t-il avant de retourner dans sa cellule et de refermer la porte derrière lui.

L'homme reste allongé sur son banc, les genoux levés et tournés vers le mur, attendant l'aube dans l'immobilité et le silence, comme s'il se préparait à naître. Quand je remarque les pitoyables trous des semelles craquelées de ses bottes, une vague de désespoir me submerge à l'idée que ce vagabond arrive au bout de sa route. J'ai envie de le rejoindre dans sa cellule, de lui toucher l'épaule, mais je comprends aussitôt que je n'ai aucune parole réconfortante à lui offrir, si bien que je l'enferme.

— Arrêtez de regarder, me dit-il d'une voix sourde. C'est point poli.

A l'aube, le prêcheur est arrivé, appréhendant l'entrevue, mais le prisonnier a refusé ses bons offices.

— Mon frère, y a belle lurette que ton Dieu et J.P. Edwards font bande à part.

Il a mouillé son pantalon avant la pendaison publique dans la cour. Qui pourrait dire si Dieu l'a regardé ou non ?

Watson vitupère, ses mots restent suspendus dans l'air.

— *Alors venez pas me raconter qu'ils pendront pas Ed Watson haut et court à la première occasion, parce que vous connaissez rien à tout ça !*

Dans l'écho de ses paroles, il sort de sa poche une petite flasque.

— Fierté des Iles ?

L'éclair blanc me frappe de plein fouet. Je frissonne comme un cheval.

— Ouh, la vache ! dis-je avec des larmes plein les yeux.

— Le bon sirop d'Ed Watson est devenu un peu âpre, c'est ce que vous pensez, non ?

J'acquiesce en essayant de maîtriser une brusque bouffée de chaleur et de ne pas sourire. Puis je lui dis :

— J'ai lu un article en août dernier, qui venait de Kansas City et qui disait qu'Ed Watson avait été pendu dans l'Arkansas pendant les années 90. Y a-t-il une part quelconque de vérité là-dedans ?

— Creusez-vous un peu les méninges et vous découvrirez que c'est vrai. Nous autres les hommes recherchés, on nous laisse jamais le temps de souffler. (Il me ressert à boire.) Mais je ne suis pas l'homme recherché que vous cherchez.

— Où puis-je le trouver ?

— Déléguez-moi vos pouvoirs. Nous irons le cueillir ensemble.

— Il est toujours là-bas ?

— Impossible de se calter. Ma chaloupe est à Chokoloskee, le nègre a pris la barque et ce John Smith a une trouille bleue de l'eau. Il en sait pas assez pour diriger le schooner tout seul, à condition que le bateau soit toujours à flot après la tempête. En plus, il a pas la moindre idée des ennuis qui risquent de lui tomber dessus, si bien que je peux l'approcher sans problème, il ne me soupçonnera pas.

— Il ne vous soupçonnera pas.

— Il ignore que les choses ont mal tourné.

— Ça a mal tourné, donc.

Le regard de Watson se fige, il me jauge. Il met un tout petit peu trop longtemps à me répondre.

— Si vous étiez à la place de ce Smith et que vous découvriez que le seul témoin de vos crimes a rejoint Pavilion Key pour raconter son histoire, je crois que vous pourriez en conclure que les choses ont mal tourné. (Le visage fermé, il m'observe.) Je serais donc suspect ? Pourtant, j'y étais pas.

— Votre nègre prétend que vous avez manigancé tout ça.

Sous le chapeau noir, les yeux pâlissent étrangement, comme si le bleu se dissolvait soudain dans le blanc. Un loup ou un chat acculé dans un arbre manifesterait davantage d'agitation que cet homme, un frémissement d'oreille, un coup d'œil affolé, un rictus dévoilant les gencives. Ce que je vois à la place, c'est le museau impavide, les yeux nus, le regard fixe de l'ours aux aguets, un faciès pétrifié comme une bille de bois couverte de poils et de cheveux — le masque antique, inexpressif, des esprits calusas. Je me sens pris de faiblesse.

— Ç'a été sa première version des faits. (Ma voix me paraît lointaine, mais étrangement calme.) Quand on lui a dit qu'il serait obligé de répéter son accusation devant vous, il s'est rétracté et il a attribué ces meurtres à votre contremaître.

La vie revient au visage de Watson, les yeux bleus s'adoucissent.

— John Smith, murmure-t-il.

— Pourquoi n'utilisez-vous pas le nom de Cox ?

Watson refuse de trahir la moindre surprise.

— Parce que *lui* ne l'utilise pas, j'imagine.

— Quels étaient les motifs de Cox, monsieur Watson ?

— Il a pas besoin de motifs. Pas pour tuer.

— Vous le saviez, et pourtant vous l'avez laissé en compagnie de votre femme et de vos enfants ?

— Il a besoin de motifs pour travailler, ça oui, mais jamais pour tuer. » Voyant que je ne souris pas, il ajoute : « Ma famille est surtout restée à Chokoloskee. Et puis j'avais une dette envers Les.

— Vous aviez une dette envers Les. Pourriez-vous préciser ?

— Non, certainement pas ! » Watson boit, grogne, fixe sa flasque d'un air mauvais pour se débarrasser de sa colère. « On dirait qu'un fumier d'enfoiré m'a distillé mon sirop.

— A quoi bon venir me trouver si vous refusez de parler sincèrement ?

Son regard se fige à nouveau et je reprends d'une voix plus prudente :

— Vous m'avez prévenu deux fois de ne pas essayer de vous arrêter. Ça s'appelle résister à une arrestation. En pointant un revolver sur le shérif du comté de Lee, par exemple. Si vous voulez que je vous aide, vous feriez mieux de cesser d'enfreindre la loi.

(Je parle beaucoup trop, mais je ne peux pas me taire.) La prochaine fois que je vous tiens en joue, vous êtes bon pour la prison.

— Vous menacez le père de Carrie Langford ? (Watson opine doucement du chef.) C'est pas la peine qu'on se querelle tous les deux, Frank. » Puis il ajoute d'une voix fatiguée : « Si jamais vous pointez un flingue sur moi, je vous conseille de tirer, car vous me jetterez jamais en taule. (Il secoue la tête.) C'est pas une menace, shérif, rien qu'une information.

— Reprenons. Qui est Leslie Cox ?

— Merde ! éructe Watson comme si je lui faisais perdre un temps précieux. (Sa paume s'abat sur la table du carré.) Je suis allé à Fort Myers en plein milieu de ce putain d'ouragan pour rapporter un crime atroce, raconter ma version de l'histoire avant qu'on me passe la corde au cou ! Vous croyez que j'ignore ma réputation ? Si j'étais coupable, est-ce que j'irais courir après le shérif ?

— Le shérif du comté de Lee. Les meurtres ont eu lieu dans le comté de Monroe. (Je marque une pause.) Vous jouez sur le fait que vous serez mieux traité à Fort Myers. (Nouvelle pause.) Vous croyez sans doute que les amis de votre fille vous aideront.

— J'ai tort ? » Watson me tend la flasque. Je secoue la tête. « Je ferais mieux de filer ? C'est ça ? J'y ai pensé, voyez-vous. J'aurais pu continuer après Fort Myers, prendre un train pour New York. (Il boit.) Mais voilà, j'en ai plus qu'assez de me tirer d'un endroit à un autre. J'ai décidé de regarder ma vie en face.

Nous restons un moment silencieux, à écouter le schooner grincer contre les piles du quai, le vent mourant qui erre toujours parmi le gréement. Là-bas près du magasin, résonne un bruit de métal qu'agite le vent du nord aspiré par le sillage de l'ouragan.

— Je veux simplement que quelqu'un entende ma version des faits. Ecoutez ma version, c'est tout. Après, vous prendrez votre décision, d'accord ? (Il incline la tête en plissant les yeux au-dessus de son verre.) J'ai jamais dit à Cox de tuer ces gens. Vous me demandez les motifs de Cox — et les miens alors ? J'ai la meilleure plantation des Dix Mille Iles, la plus belle maison. Entre Tampa et Key West, on consomme mon sirop dans toutes les cuisines. J'ai des enfants adultes et deux petites-filles que vous avez vous-même rencontrées à Fort Myers. J'ai une jeune épouse et trois gentils enfants. J'ai une excellente concession foncière en attente et j'envisage de développer toute cette côte. Et puis je suis dans les bonnes grâces du gouverneur. Pourquoi chercherais-je des ennuis ? A quoi ça m'avancerait ? Bon Dieu, j'ai connu Broward à Key West quand il livrait des armes à Cuba sur le *Three Brothers*.

La coque se soulève et cogne.

— Le gouverneur Broward est mort. Il y a quinze jours.

Watson hausse les épaules.

— Vous connaissez John Roach, l'homme qui a acheté Deep Lake avec mon gendre pour y cultiver les agrumes ? Ces deux-là veulent aménager une nouvelle route à travers la Floride pour écouler leur production, mais vu la manière dont les politiciens travaillent, ça peut prendre des années. Ils cultivent leurs agrumes, très bien, mais les fruits pourrissent sur place. (Watson se penche vers moi.) Il y a quelques années, Henry Ford est venu à Fort Myers rendre visite à Edison, et ces gars-là l'ont rencontré. Moi, voici ce que j'ai proposé à Roach : « Et si on posait vingt kilomètres de rails à faible écartement à partir de Deep Lake jusqu'à Everglade, il suffirait d'installer un moteur Ford sur un wagon de marchandises et on pourrait transporter tous ces agrumes par la mer, vers Key West ou Tampa. »

Watson se rencogne, tout excité ; ses yeux bleus scintillent.

— John Roach a trouvé l'idée formidable. Ces gars m'ont fait comprendre que, si je me tenais tranquille pendant encore quelques années, je pourrais devenir le directeur de Deep Lake, car il y a des problèmes à Deep Lake et moi j'ai des idées. Même Cole reconnaît qu'Ed Watson a la fibre des affaires. Et maintenant que Broward a commencé de creuser ces chenaux, ça va devenir rien qu'une immense ferme par ici et dans tout l'Etat. C'est *ça*, le progrès ! Et j'ai bien l'intention d'y participer !

Je garde le visage fermé, je ne sais que dire.

— Un homme capable de prospérer ici, dans l'enfer paumé de ces fichues mangroves et sur quarante acres de coquillages durs comme la pierre — que croyez-vous que cet homme pourrait faire de trois cents acres de terreau bien noir à Deep Lake ? (Watson boit encore.) Voilà la question que Roach a posée à Langford ! (Il se racle la gorge, puis reprend plus doucement.) Vous croyez pas que j'aimerais que Carrie soit fière de moi, au lieu de la voir toujours inquiète et honteuse ?

Je me sens fatigué de Watson. Pourquoi donc ? Et fatigué de Frank Tippins, quand j'y pense. Quand Watson s'est mis à parler de Carrie, une espèce d'affreuse tristesse m'est tombée dessus, et je me sens indifférent. Mes deux garçons me procurent davantage de migraines que de plaisirs, un peu comme celle qui s'appelait Fanny Yates, de Georgie, leur chère mère.

— Si j'étais vraiment le tueur que croient certains, vous croyez que ma propre famille, c'est-à-dire les gens qui me connaissent le mieux, seraient toujours loyaux envers moi ? Est-ce que ça vous semble possible ? Le seul homme qui m'en veuille est Jim Cole, et Cole est le plus grand escroc de votre satané comté. Il soutient les lois de tempérance pour faire grimper le prix de son alcool de contrebande, il se sert de la loi pour enfreindre la loi, voilà ce qu'il fait !

— Vous portez une accusation grave...

— Balivernes ! Vous ne pouvez pas l'arrêter, ou plutôt vous ne *voulez* pas l'arrêter. Vous lui devez quelque chose, tout comme moi, mais pas plus que moi vous n'appréciez cette grande gueule de salaud. Il achète, il vend, mais il produit que dalle. Il a acheté l'hôtel Royal Palm et il l'a revendu dans l'année. Il a aussi acheté la première voiture, cette fichue Reo rouge dans laquelle il sillonnait les rues l'an dernier en effrayant les chevaux. Il l'a déjà revendue, pour se payer une Cadillac.

— Sans Cole, on vous aurait pendu il y a deux ans, d'après ce qu'on m'a dit.

Watson est pris d'une quinte de toux.

— Il a manipulé le jury du comté de Madison, c'est ça qu'on vous a dit ? D'accord, il a mis son grain de sel. Il a épargné un scandale aux Langford, mais vous verrez, un jour ou l'autre il se fera payer grassement. (Sa tête dodeline comme celle d'un ivrogne.) Vous aussi, un de ces quatre, vous devrez cracher au bassinet. (Il incline la tête.) « Deep Lake ? Des forçats du comté en guise de main-d'œuvre ? (Il hausse les épaules.) Vous voyez pas ce que je veux dire, shérif ?

Envoyer des forçats du comté à Deep Lake pour aider Langford — Jim Cole avait émis cette proposition sinistre, mais Cole m'avait un jour confié que l'idée venait de l'homme que j'avais en face de moi.

— C'est votre idée, non ? dis-je avec un haussement d'épaules.

— Ecoutez, fait-il, j'ai de grands projets et je n'attendrai pas Deep Lake. Vous savez ce que signifient ces projets de drainage des Everglades ? Le progrès arrive du haut en bas de cette côte ! Et cela se passera de notre vivant !

L'espoir têtu de cet homme m'enlève tout courage.

— Pas du vivant d'Ed Watson — c'est ça que vous pensez, hein ?

Le sable charrié par le vent sur le quai désert grésille contre la fenêtre.

— Pourquoi diable est-ce que j'aurais voulu faire tuer ces gens ? C'étaient mes amis, bon Dieu ! Miss Hannah ? Green ? Certains jours, même que le jeune Dutchy me plaisait bien ! (Sa voix s'enfle.) Vous croyez que je ne connais pas toutes les rumeurs qui circulent sur mon compte ? Evidemment que je suis endetté ! Ces avocats m'ont ruiné. Mais quelques salaires économisés — c'est pas ça qui va m'aider !

J'attends.

— Ecoutez, je suis *un homme d'affaires* ! Je paie mes factures. Demandez à Ted Smallwood, demandez à C.G. McKinney. J'ai pas eu le moindre ennui depuis que je suis revenu dans les îles ! Ma femme m'a averti de ne pas laisser Cox rester à la Courbe, mais je lui devais un service, voilà tout, chacun est tenu de payer ses dettes. « Rien de plus précieux que l'honneur » — vous avez déjà entendu ça ? C'est Platon qui l'a dit. Jamais lu Platon ? (Quand je secoue la tête, Watson m'imite.) Eh bien, j'ai rendu mon service à Cox et maintenant il va me le payer. A condition que vous me déléguiez vos pouvoirs.

— Déléguer mes pouvoirs à un homme qui me menace avec une arme ?

Watson ouvre la main, fait rouler mes cartouches sur la table, puis me rend mon revolver en tournant le canon vers moi.

— Prenez-le, dit-il.

Quand je saisis le canon pointé sur ma poitrine, il retient l'arme en me regardant longtemps dans les yeux. Puis il la lâche.

— Ne la chargez pas, fait-il.

Je range mon arme, puis pose les mains à plat sur la table pour lui signifier que notre entretien est terminé, mais il lève soudain la main quand je fais mine de quitter la table.

— Tout ce que je veux...

— Si Cox est pris vivant, ce sera votre parole contre la sienne, et vu votre réputation passée, sa parole risque de vous faire pendre, même si vous êtes innocent. Si bien que, vous allez soit le tuer, soit vous arranger pour qu'il s'enfuie. (Je me sens hors d'haleine.) Vous voulez aller à la Courbe et tuer Cox parce qu'une fois mort, Cox ne pourra plus témoigner et tout ça montrera peut-être que le cœur d'Ed Watson est du côté de la justice. En plus, vous voulez que le shérif vous accompagne pour rendre tout ça légal.

Watson acquiesce.

— C'est ce que vous pensez ? (Il prend lentement son propre revolver pour l'examiner.) Là, c'est un meurtre de sang-froid, sans compter que...

— Je ne sais pas ce que je pense. » Voyant son visage, j'ai une telle trouille que j'en pisse presque dans mon froc et je ne veux pas entendre la fin de sa phrase. Où est Bill Collier ? Et tous ces hommes, que font-ils ? Pourquoi n'arrivent-ils pas ?

Plus tard, je me suis demandé pourquoi j'avais eu si peur et pourquoi, si brutalement, mon souffle s'était calmé, de sorte que je m'étais senti assez sûr de moi pour lui dire :

— Vous êtes suspecté de ces meurtres, monsieur Watson. Je ne peux pas prendre votre parti ; et même si je le pouvais, je ne le ferais pas. (Je me tais le temps de respirer profondément.) En ce qui concerne le comté de Lee, vous êtes en état d'arrestation. Watson, absorbé par l'examen de son arme, ne dit rien. Je me lève prudemment. « Votre casier est vierge dans le comté de Lee...

— Ah, la ferme !

Il bondit sur ses pieds en me tenant en joue et il me fait signe de sortir dans la nuit. Il titube et trébuche, se retourne pour fermer la porte du carré. Le voilà qui me tourne le dos. Il ne se presse pas, c'est là son mépris. Il sait que je ne vais pas lui sauter dessus par derrière en criant à l'aide. Il sait que je ne vais pas essayer de l'arrêter, mais si c'est la peur ou la pitié qui me motive, il ne le saura jamais, et moi non plus d'ailleurs.

A son dos, je dis :

— Je rentre à Fort Myers où je dois retrouver le shérif de Monroe. Si vous tuez Cox ou si vous l'aidez à s'enfuir avant que nous arrivions à la Courbe de Chatham, vous serez passible de toutes les poursuites prévues par la loi.

Watson me considère, mais il a déjà l'esprit ailleurs. Avec moi à Fort Myers, il bénéficiera d'un répit de trois jours.

— Retournez là-bas au magasin, m'ordonne-t-il, et ne vous retournez pas.

Alors que je marche sur le sable vers le magasin de Collier, je bifurque vers l'obscurité. A l'ombre du toit, en proie à des émotions plus ou moins écœurantes, je pisse dans le noir pour me calmer, harcelé par le vent de la nuit et par les eaux tumultueuses du chenal invisible. Dès que j'ai retrouvé mon souffle, je prends mes cartouches et je recharge mon revolver.

Bill House

La maison d'Ed Watson à la Courbe de Chatham était solidement bâtie, sans doute la seule construction au sud de Chokoloskee à être sortie intacte de cet ouragan de 1910. Elle se dresse sur un monticule plus élevé au-dessus de l'eau que tout ce qu'on peut trouver parmi ces rivières, probablement l'endroit le plus sûr de la région. On se demande donc pourquoi, quelques jours avant l'ouragan, Watson emmena sa famille à Chokoloskee, prenant Dutchy avec lui, puis pourquoi il retourna à la Courbe de Chatham, à moins qu'il ait eu une idée de ce qui risquait de se passer là-bas et qu'il ait voulu tenir sa famille à l'écart de tout ça. Peut-être bien qu'il voulait aussi tenir Dutchy à l'écart, laisser « John Smith » accomplir en paix sa sale besogne. On savait maintenant à Chokoloskee que le vrai nom de John Smith était Leslie Cox.

Watson déclara avoir ramené sa famille à Chokoloskee parce que, si leur citerne était submergée pendant l'ouragan, ils n'auraient plus d'eau douce pour le bébé. Il expliqua à Ted Smallwood que Dutchy et lui retournaient chercher les gens qui étaient restés à la Courbe de Chatham – Cox, le vieux Waller, Hannah Smith, le nègre et une Andienne dont on savait rien à ce moment-là. Une mission humanitaire, voilà comment Ed Watson appelait ça.

A son retour, il était seul, la veille de la tempête. Il dit qu'il avait déposé Dutchy à l'embarcadère avec la consigne de tout bien amarrer avant l'ouragan et de presser les autres de partir. Ensuite, dit-il, il est allé au sud de l'Homme perdu pour s'occuper de son schooner et prendre des nouvelles d'Henry Thompson et de son clan. En revenant vers le nord, il s'est approché de son quai et il a hélé ses gens, mais il régnait un silence de mort, personne lui a répondu. Quelque chose lui sembla bizarre, mais il se dit que ses gens avaient été pris à bord d'un bateau de pêcheurs passant par là. Il est donc remonté à Chokoloskee et il était là dimanche soir quand Claude Storter est arrivé avec les nouvelles toutes fraîches de Pavilion Key. Mais quand les Hamilton sont venus après la tempête, ils nous ont dit que monsieur Watson était passé le vendredi à l'Homme perdu, alors qu'il est seulement arrivé à Chokoloskee le dimanche matin. Que diable a-t-il fait entre ces deux dates ? Et à quoi Cox a-t-il bien pu occuper son temps pendant ces dix jours entre les meurtres et le 21 octobre, quand Watson est parti le traquer dans les rivières ?

Peut-être que Cox guettait Dutchy quand celui-ci a débarqué à la Courbe, en tout cas c'est ce qu'a dit Watson – et c'est à peu près le seul point d'accord entre lui et son nègre. Mais ce que nous ignorons, c'est si Watson était derrière tout ça. Moi, je crois que oui, et mon père aussi croit que oui. Je crois qu'il connaissait déjà l'existence des cadavres dans la rivière, quand il est allé à l'Homme perdu pour voir les Hamilton, ou pour se faire voir d'eux.

Lorsque Claude Storter a appris aux habitants de la baie qu'on avait commis des meurtres de sang-froid à la Courbe, Watson est entré dans une colère terrible, et certains gars, par exemple Ted, qui voulaient croire en Watson, ont considéré sa colère comme la preuve de son innocence. Il était furibard et sincèrement bouleversé, ça oui, mais seulement parce qu'il venait de découvrir comment le nègre avait raconté son histoire à Pavilion Key, il venait de découvrir comment Hannah Smith avait remonté du fond de la rivière en pointant son gros orteil droit vers sa porte à lui ! Son associé avait bossé comme un malpropre, voilà ce qu'il venait d'apprendre, et il brandit le poing et il jura devant le Christ que Leslie Cox serait traîné devant la justice, ou alors lui-même ne s'appelait plus Edgar J. Watson. Jamais de votre vie vous n'avez vu un homme plus sincère !

Evidemment, les gens n'avaient à la bouche que le contremaître de Watson. Constatant la trouille que provoquait chez eux cet assassin étranger, Watson décida de modifier son histoire. Avant de partir, il déclara que sa maison solide en pin du comté de Dade pourrait résister à n'importe quel ouragan, et sa citerne aussi. Il confia à Ted qu'il avait amené sa femme et ses enfants à Chokoloskee, non pas à cause de l'ouragan qui pointait son nez, mais parce que cet assassin voulait le tuer, lui, ainsi que toute sa fichue famille. Ce qu'il oublia de dire, c'est pourquoi il avait l'intention de sauver la mise à une fripouille pareille quand il est retourné à la Courbe lors de sa « mission humanitaire ». Et puis tout le temps, il appelait Cox « Smith », comme pour continuer de dissimuler son identité, un détail qui m'a mis la puce à l'oreille et qui continue aujourd'hui de me turlupiner.

Watson repartit en quatrième vitesse, il attrapa la marée haute et fila à Everglade le soir même. Il logea chez son bon ami R.B. Storter et convainquit Bembery et son fils Claude de l'emmener vers le nord. A partir de Caxambas, il marcha jusqu'à Marco, puis on l'emmena à la passe de Wiggins, où se trouve aujourd'hui Naples. Il emprunta un cheval, suivit le chemin de sable à travers bois jusqu'à Bonita Springs – qu'on appelait le bras du Géomètre à cette époque. Voilà où il se trouvait lundi soir, quand l'ouragan a atteint la côte avec toute sa puissance, des vents de cent cinquante kilomètres à l'heure et plus, déracinant des arbres jusqu'à l'aube de mardi, broyant la maison de mon beau-père, détruisant notre bonne vieille cahute de la Turner. Au matin, alors que le vent soufflait toujours en tempête, Watson remonta la côte en restant à l'intérieur des terres jusqu'à Punta Rassa. Il prit un bateau vers Fort Myers, découvrit que Frank Tippins était parti, puis le rattrapa le lendemain à Marco. Et le surlendemain – un jeudi – il passa à Chokoloskee, en route vers la Courbe de Chatham.

Maintenant, nos gens avaient une trouille bleue de Watson, car ils savaient qu'il avait peut-être commandité ces meurtres. Selon la version qu'on raconte dans notre famille, certains hommes pensaient que Watson ferait mieux d'attendre le shérif ici et mon père le lui dit. Mais Watson déclara qu'il avait suffisamment attendu, car Cox risquait de s'échapper si on ne le laissait pas partir. Nous avons remarqué qu'il l'appelait plus John Smith. Il a dit qu'il avait pas besoin de l'aide d'un foie jaune représentant de la loi pour s'occuper d'une fripouille comme Leslie Cox, que c'était son devoir sacré envers ses pauvres amis et voisins qu'avaient péri sur son domaine, que d'aller là-bas avant que Cox se défile et d'allonger une bonne fois pour toutes cet enfant de salaud couvert du sang des autres.

Pour prouver sa sincérité, Watson a dit qu'il laisserait sa femme et ses enfants en otage et aux bons soins de ses voisins :

– Que le diable emporte E.J. Watson, les gars, s'il ne revient pas dans deux jours avec la tête de Cox !

Il a fait cette promesse de tuer Cox devant tout le monde.

Comme les gens avaient davantage peur de Cox que de Watson, il en a profité tant qu'il a pu. Un père de famille doublé d'un assassin était une chose, mais ils ne voulaient pas avoir sur le dos un étranger doublé d'un tueur. Ils se sont dit que, si Ed ne tuait pas Cox, alors Cox tuerait Ed, et que dans les deux cas on ne reverrait plus ni l'un ni l'autre.

Eh bien, bon sang, ses voisins l'ont applaudi, et ils l'ont encore applaudi quand il a été acheter de la chevrotine au magasin de Smallwood pour ses canons jumelés. Mon père et les autres ont jamais compris, avant qu'il achète ses cartouches, que son putain de fusil était pas chargé tout le temps qu'il nous persuadait de le laisser repartir. Papa voulait toujours l'arrêter, mais y en a pas un seul qu'ait eu assez de tripes pour ça. Si j'avais été là pour soutenir mon père, comme j'aurais dû – c'est ce que m'a dit papa – on aurait pu lui mettre la main au collet à ce moment-là.

– Quand même, j'ai dit, quelqu'un aurait morflé, pour sûr, mais peut-être que c'est toi qu'aurais morflé !

Oh, D.D. House trépignait de rage. Il a dit que tous ces abrutis qu'il avait honte d'appeler ses voisins s'étaient fait « empapaouter » par Ed Watson, ou peut-être qu'il a dit « rouler dans la farine ». Jusqu'à son dernier souffle, mon père m'a reproché d'être resté à la Butte des House pour remettre un peu d'ordre après la tempête, mais je faisais que lui obéir.

Ainsi, ce premier détachement constitué pour arrêter Ed Watson l'a regardé agiter son chapeau tandis qu'il se faisait la malle. Un seul gars lui a rendu son salut et ç'a été mon beau-frère, Ted Smallwood.

Vrai, nos gars étaient rien que des types ordinaires qui voulaient surtout pas se frotter à un desperado, ils ont été ravis de se laisser intimider pour échapper à une épreuve de force, à condition que Watson se barre pour de bon. A force de baratin, Watson a donc réussi à s'échapper, comme tant de fois auparavant. Ce gars-là était un politicien-né, sans doute qu'il aurait même pu se faire élire président.

Dès qu'il a disparu, il se sont mis à déblatérer comme quoi ils l'auraient volontiers alpagué, sauf que ci ou sauf que ça. Une bande de gars penauds et fumasses, me dit mon père, comme si lui-même n'avait jamais figuré parmi eux. Ils marmonnaient déjà qu'ils en avaient marre des simagrées d'Ed Watson et qu'ils comptaient bien régler son compte à ce hors-la-loi la prochaine fois qu'il ferait le moindre faux mouvement.

Très vite, certains se sont mis à dire :

– Peut-être que Watson est allé là-bas pour aider Cox à s'enfuir.

Quand deux jours se furent écoulés sans qu'on ait la moindre nouvelle de lui, la rumeur se répandit qu'il avait emmené Cox jusqu'au chemin de fer de Key West qui, cette année-là, descendait déjà très au sud, jusqu'à Long Key. Mais c'était parfait, tant que Watson fichait le camp avec l'autre. Personne exprimait ça à voix haute, sauf les femmes, mais c'est ce que tous les gens espéraient, pour vous dire à quel point Chokoloskee craignait ces deux hors-la-loi. C'était pas la justice qu'ils voulaient, non, ils désiraient seulement dormir sur leurs deux oreilles.

Mamie Smallwood

Grand-maman House trouva très normal et convenable que monsieur Watson disparaisse pendant la grande tempête, comme le démon qu'elle avait toujours dit qu'il était. Et nous étions convaincus de ne plus jamais le revoir quand il est parti vers le nord la veille de l'ouragan, car il tenait là une occasion rêvée pour disparaître définitivement. Mais monsieur Watson en avait point fini avec nous, loin de là. Le 21, il est revenu de Fort Myers pour voir sa famille, il avait pris sa chaloupe à Everglade. Il était si vanné par tous ces voyages effectués de jour comme de nuit, qu'il s'est affalé sur notre comptoir tout en parlant, mais sans jamais cesser de surveiller la porte d'un œil perçant. Il nous a dit que le shérif Tippins était descendu jusqu'à Marco avant de rebrousser chemin vers Fort Myers en attendant des renforts du comté de Monroe. Le shérif avait pas voulu déléguer ses pouvoirs à monsieur Watson, si bien que monsieur Watson s'était délégué lui-même les pouvoirs nécessaires. Il était en route vers la Courbe de Chatham pour « appréhender cette crapule » avant qu'elle prenne le large.

Monsieur Watson était passé au magasin acheter quelques cartouches destinées à sa pétoire aux canons jumelés, mais à l'époque les cartouches étaient enveloppées dans du papier, et toutes celles que nous avions étaient gonflées et détrempées suite à l'ouragan.

— C'est point des cartouches convenables quand on va à la chasse à l'homme ! que je lui ai dit.

Parce que je voulais qu'il tue Cox, qu'il l'abatte comme une panthère ou un loup. Tout le monde le voulait. Il m'a alors lancé son fameux petit clin d'œil et répondu :

— Allons, miss Mamie, si ces cartouches sont les meilleures que vous ayez, eh bien elles me conviennent parfaitement.

La famille House était de retour à Chokoloskee, ainsi que Lovie

Lopez et ses fils, et puis Tant Jenkins, Henry Smith, arrivés de Pavilion Key. Beaucoup de gens de l'Homme perdu sont venus se réfugier ici après l'ouragan – les Thompson, les James Hamilton, le jeune Andrew Wiggins. Aucune de ces familles n'est jamais retournée dans le sud, car l'ouragan leur a rien laissé vers quoi retourner.

Papa House, Charley Johnson et quelques autres sont descendus à l'ancien emplacement de notre embarcadère. Ils voulaient arrêter Ed Watson, mais c'est seulement après son départ qu'ils ont révélé leur projet. Monsieur Watson tenait sa pétoire bien en vue, il était déjà allé trop loin pour supporter la moindre contradiction et personne a eu envie de se mettre en travers de son chemin, car il paraissait à moitié fou d'épuisement. Il avait le regard éteint, les dents jaunies, et ses cheveux châtains d'habitude si brillants étaient ternes et trempés.

– Je reviendrai, dit-il comme pour défier quiconque aurait tenté de l'arrêter.

Papa House, qui manquait pas de repartie, lui a dit :

– Si vous avez l'intention de revenir, vous feriez bien d'amener Cox avec vous.

– C'est un avertissement, monsieur House ? demanda monsieur Watson.

Et D.D. House de lui répondre :

– Vous pouvez le prendre comme ça, monsieur Watson.

Ed Watson a point aimé ça, mais alors pas du tout. Il a fait :

– Mort ou vif ?

– Mort suffirait largement, répondit D.D. House.

Monsieur Watson a poussé son bateau à l'eau.

– Si je le ramène pas entier, je vous rapporterai sa tête, dit-il en faisant démarrer son moteur.

Là-dessus, il s'est éloigné sans un mot, pétaradant à travers la baie vers la passe de Rabbit Key. Pour la deuxième fois de la semaine, nous nous sommes dit que, si ce gars-là avait un brin de jugeote, nous le reverrions point avant longtemps. Mais comme disait Ted, monsieur Watson a jamais bien appris à tracer des limites, il était pas du genre prudent. Peut-être que nous en avions fini avec lui, mais Ed Watson en avait pas fini avec nous, pas tant que sa famille serait ici.

Il avait à peine disparu dans la baie que sa pauvre femme a senti comme un changement d'humeur sur notre île. Maintenant, les gens faisaient comme si elle était plus là, ils refusaient de croiser son regard. Ils l'évitaient, ils faisaient un détour pour pas l'approcher. L'atmosphère est devenue si tendue qu'elle voulait plus que ses enfants s'éloignent d'elle, de peur que l'un d'eux soit soudain porté manquant.

Le silence qui accompagnait cette malheureuse sur toute notre île en ruines était rien que de la peur et de la haine à l'état pur — la peur de son mari et de son tueur acolyte, la haine de cette écervelée venue du nord qui savait certainement quelle espèce d'homme sanguinaire lui avait engendré ses enfants — voilà ce que marmonnaient les femmes — et une peur supplémentaire parce que sa présence parmi nous avec ses petits démons à tête de feu risquait de suffire à ramener le diable ici. Et les gens les plus froids de tous, me confia-t-elle ensuite, c'étaient ceux qui l'avaient invitée dans la maison où elle logeait.

Bill House

Notre maison se trouvait juste à l'est du magasin de Smallwood. Nous réparions encore après la tempête quand on a entendu ce fameux *put-put-put* venant du sud. Papa a soupiré et s'est redressé, l'oreille aux aguets. Puis il a posé sa hache, très doucement – « Les gars, c'est lui. »

Papa, moi, Dan et Lloyd, on a pris nos carabines avant de descendre à l'embarcadère de Smallwood, puis Henry Short nous a suivis. Il y a longtemps que papa avait offert son vieux fusil à Henry, mais j'ai été surpris qu'il le prenne avec lui. Personne lui avait dit de venir, et personne lui avait dit de s'en aller. Il a pas ouvert le bec, il est juste parti au milieu des arbres. J'ai jamais compris ce qu'il avait dans la caboche, on a jamais abordé ce sujet, mais Henry Short était tout sauf irréfléchi. Il savait se tenir à sa place, il l'a toujours su, et il avait sans doute conclu que sa place était parmi nous.

Mon beau-père, Jim Howell, et Andrew Wiggins, qu'a épousé la fille de Jim, Addie – ils étaient aussi avec nous. On était pas loin d'une vingtaine, presque tous les hommes de l'île de Chokoloskee. Certains avaient des fusils pour pas déchoir dans la réputation de leurs voisins, mais même ceux qui voulaient vraiment en découdre avaient une sacrée pétoche. Vu que le shérif était toujours pas là, on s'est dit qu'on essaierait de l'arrêter nous-mêmes, advienne que pourra. Certains, je dirai pas qui, bravachaient depuis trois jours que, si jamais Watson se repointait ici avant le shérif, eh bien ils étaient pour le descendre de suite et sans questions superflues, tellement ils voulaient mettre fin à cette attente usante. Autant lui régler son compte une bonne fois pour toutes, qu'ils disaient, parce qu'avec les puissants amis de son gendre et rien d'autre contre lui que la parole d'un nègre, il était sûr de tirer une fois encore son épingle du jeu, comme il l'avait déjà fait si souvent.

Ces gars-là prétendaient qu'ils craignaient une erreur judiciaire comme la peste. Mais pour moi, ils craignaient surtout qu'Ed Watson, resté vivant, revienne aussi sec régler ses comptes avec tous ceux qui, à son avis, s'étaient retournés contre lui. C'était un homme qui laissait jamais une note impayée, comme disait Ted. Œil pour œil, voilà sans doute la devise de Watson s'il en eut jamais une.

— Il assassinera pas vingt gars d'un coup, dit Papa.

Et cette bande lui aurait jamais tendu une embuscade, pas avec D.D. House fermement opposé à l'entreprise et soutenu par ses trois fils. Pourtant, on a ensuite raconté que le clan House voulait à tout prix se débarrasser de cet homme, parce que l'empereur Watson, avec ses chaudières de six cents litres et tout son équipement moderne, voulait s'emparer de notre affaire de canne à sucre à la Butte des House et nous chasser de là.

Ted Smallwood est sorti d'en dessous sa maison, mais il a refusé de se joindre à notre groupe. Il a dit qu'il voulait surtout pas être mêlé à toutes ces embrouilles, et puis qu'Ed Watson était son meilleur client, qui payait toujours rubis sur l'ongle, ajoutant qu'il avait rien à reprocher à Watson, même qu'il avait jamais rien eu contre lui. Il a dit qu'il avait rien non plus contre nous autres, qu'il souffrait de toute façon d'un accès de malaria, mais j'ai remarqué qu'il avait pourtant la force de ramper sous sa maison pour aller chercher ses leghorns noyées.

Ted a beaucoup trop parlé. Et plus il causait, plus ça devenait difficile de savoir ce qu'il voulait au juste.

Ensuite et surtout à cause de Mamie, les gens se sont mis dans l'idée que son mari a été le seul type laissé sur la touche. Mais c'est pas vrai. Certains sont arrivés sans arme, parce qu'ils passaient pour être des amis de Watson, je parle ici des hommes de la rivière de l'Homme perdu, mais en tout cas ils sont venus, sans dire un seul mot. Je crois que, comme les autres, ils désiraient que tout ça se termine enfin.

L'ouragan avait emporté le quai de Ted, si bien que Watson a dirigé la *Brave* vers la plage. La nuit tombait presque. Il avait certainement aperçu ce groupe d'hommes armés alors qu'il était encore à une centaine de mètres du rivage ; sans doute qu'il a compris que l'épreuve de force l'attendait et qu'il y survivrait peut-être pas. Pourquoi a-t-il poursuivi vers la plage, alors ? — voilà la question qui me tarabuste. Il a jamais hésité, jamais dévié d'un pouce, il a juste coupé son moteur et laissé sa vague de poupe le pousser jusqu'à la rive.

En débarquant aussi vite, il a pris tout le monde par surprise. Monsieur Watson ouvrait grand les yeux avec une expression presque comique, comme s'il découvrait tous ses voisins pour la première fois. Il a agité le bras en souriant, apparemment ravi de trouver un si bel accueil, en faisant mine de pas remarquer les regards fuyants, les visages renfrognés, les pétoires. Il semblait pressé d'entrer dans notre connivence, de découvrir ce que nous avions tous en tête.

Certains vous diront aujourd'hui qu'il a jamais quitté son bateau, mais c'est point la vérité. Il agitait encore le bras vers nous quand il a sauté sur la rive et il était déjà prêt quand ses pieds ont touché le sol, le flingue collé à la jambe gauche. Sans doute qu'il a mesuré le risque de son audace, il aurait pu se faire mettre en charpie par pure soif de tuer des autres. Mais il connaissait ses voisins, il savait que la plupart manquaient d'expérience pour pointer une arme chargée sur un gars, sans même parler de la volonté d'appuyer sur la détente. On était là, agglutinés en troupeau, avec l'impression d'être de plus en plus niais, comme si tous les hommes adultes de Chokoloskee s'étaient rassemblés sur la plage dans la soirée pour tirer le stique ou autre chose.

Ce sourire innocent, ces yeux ravis retirèrent tout courage aux quelques hommes qu'étaient pas déjà à moitié morts de trouille. Ils ont remarqué ce flingue le long de la jambe en sachant qu'en moins de deux ils risquaient de se retrouver à loucher vers les trous noirs de ses canons jumelés.

— Eh bien ! s'écria-t-il en adressant un grand sourire alentour. Où sont donc Mme Watson et les enfants ?

C'était sa manière à lui de nous rappeler qu'il était notre voisin et père de famille. Ed Watson savait parfaitement ce qu'il faisait, il nous avait déjà bluffés deux fois au cours des deux semaines passées et il doutait pas qu'il nous blufferait encore ce coup-ci. Mais juste pour assurer ses arrières, il a ostensiblement glissé la main dans sa poche, et une espèce de frisson a parcouru la foule.

Daniel David House était le plus proche de Watson. Je me tenais à côté de papa, à sa droite, les jeunes Dan et Lloyd étaient à sa gauche, et tous les autres s'entassaient pour ainsi dire de ce même côté gauche.

Quand Watson a sauté sur la rive avec son fusil, Henry Short a sans doute filé en travers derrière la foule, car très vite il s'est retrouvé juste à côté de moi. Comme il y voyait rien, il a avancé un peu dans l'eau. La mer lui montait aux genoux et il tenait sa Winchester le long de sa jambe droite. « Ce nègre va rouiller la carabine de Papa dans l'eau salée », ai-je alors pensé. Mais Henry Short ne commettait pas d'erreurs aussi bêtes, il a toujours fait attention à ce qu'il fallait, il a toujours bien entretenu et huilé sa carabine, elle était comme neuve. Le coude prêt à un mouvement rapide, il tenait sa mire à une trentaine de centimètres de la surface de l'eau.

Ed Watson, il a aussi vu Henry. Il a haussé les sourcils, relevé encore un peu la tête comme pour demander des explications à ce nègre. Henry avait travaillé pour lui à une époque et ces deux-là s'entendaient assez bien, mais Watson appréciait guère de le voir armé d'une carabine. La colère a frémi sur tout son visage avec la vivacité d'un éclair de chaleur.

Henry a lentement levé la main gauche pour retirer son chapeau de paille et le remettre aussitôt.

— B'soir, m'sieur Ed, qu'il a murmuré.

Je crois pas que personne l'ait entendu, sauf moi. Watson lui a adressé un petit signe de tête en disant quelque chose d'une voix calme, mais j'ai point entendu ça à cause des squites qui s'attaquaient méchamment à Papa, lequel se flanquait des claques. Les autres gars aussi se faisaient harceler, mais ils le remarquaient même pas, tellement qu'ils étaient tendus.

Papa a toujours été pressé, il a jamais aimé attendre. Il a dit :

— Alors, monsieur Watson, où est Cox ?

— Les gars, a répondu Watson, voici toute l'histoire.

Sûr qu'il était embêté. Il nous a dit qu'il avait flanqué une balle dans la tête de Cox quand le tueur était descendu vers le bateau, mais que par malchance il avait roulé du quai. Watson avait recherché le corps pendant deux jours, à marée haute comme à marée basse, mais sans résultat : impossible de remettre la main dessus avec ces affreuses crues qui se déversaient des Glades suite à l'ouragan. Non, les gars, le mieux qu'il pouvait faire, c'était rapporter le chapeau de cette infecte crapule. Il s'est forcé à sourire et il a sorti de son manteau un vieux chapeau en feutre.

Il tenait devant lui ce vieux galure avec un trou dedans, comme si ça prouvait quelque chose — c'était une insulte et Watson savait bien que c'en était une, d'insulte. Il a passé un doigt dans le trou laissé par la balle, puis il l'a agité comme pour amuser des enfants en bas âge ou une tripotée de crétins. Il nous agaçait avec ce chapeau à la gomme, il nous mettait au défi de réagir.

Peut-être que c'est Lloyd House qu'a chuchoté :

— Cox a *jamais* porté de chapeau. Je l'ai *vu.*

Monsieur Watson attendait notre réaction d'un air poli. On aurait dit qu'il appréciait cette petite brise et le bruit de succion des vagues près de l'embarcadère qui nous mettait davantage les nerfs en pelote que le gémissement des squites. Il se disait sans doute que le temps jouait en sa faveur. Il nous montrait toujours ce chapeau, tout en dévisageant les hommes l'un après l'autre, et il a lu de la trouille dans leurs yeux quand il a sorti la main de son manteau pour claquer un squite. Il l'a pas claqué exactement, non, il a levé lentement la main et il l'a pincé, puis il a regardé le sang entre son pouce et son index en écarquillant les yeux avec cette expression bien à lui qu'était presque comique mais pas tout à fait.

Pas un mot de tout ce temps-là. Quand quelqu'un a pété, personne a ri. Les claques tombaient maintenant en rafales, car on arrivait à l'apogée de la soirée. Sans doute que les anges des marais me tarabustaient aussi, mais j'étais trop tendu pour leur accorder mon attention. En cette soirée sombre, le seul qui paraissait à son aise — le seul « qui semblait *very well* dans sa peau », comme disait le vieux Français — c'était E.J. Watson.

Ensuite, quand mon cœur s'est calmé, j'ai entendu cette brise qui faisait son boucan parmi les palmiers déchiquetés et le sillage de la *Brave* qui n'en finissait pas de déferler à travers toute la baie, soupirant et chuchotant le long du rivage — tous ces bruits feutrés du vent et de l'eau qui me harcèlent chaque année, mais c'est la première fois que je vois pour de bon ce crépuscule d'octobre.

Enfin, mon papa a secoué la tête et m'a dit d'une voix ni forte ni faible :

— Bon Dieu, ça suffit pas.

Watson l'a entendu, parce que Papa voulait qu'on l'entende.

— Monsieur House ? Vous mettez mon honneur en question ?

— Ce chapeau suffit tout bonnement pas.

— Il suffit pas à quoi ? dit Ed Watson d'une voix tout aussi calme et très très froide.

Voyant Watson si arrogant, Isaac Yeomans tousse et crache, peut-être plus bruyamment et d'un air plus dégoûté qu'il le désire. Puis Isaac tend l'index vers le chapeau.

— Ce trou a jamais été fait par ce fusil, grommelle-t-il.

Watson l'a considéré pendant une minute, avant de lui demander :

— Alors comme ça, Isaac, tu me traites de menteur ?

Et Isaac, cherchant un peu de courage chez nous autres, dit :

— Je vous pose une question.

Watson opine du chef, très, très calme. C'est pas que ça regarde quelqu'un, qu'il a expliqué, mais il s'est trouvé qu'il avait rangé son fusil pour s'assurer que Cox s'approcherait suffisamment, à portée de voix, après quoi il l'avait descendu avec son revolver.

Papa l'informa alors qu'ils étaient désolés, mais qu'il leur fallait envoyer quelques hommes à la Courbe, pour voir si le cadavre de Cox ne se serait pas par hasard échoué sur le rivage. Monsieur Watson comprendrait sûrement pourquoi il leur fallait le retenir jusqu'à ce que ces hommes reviennent avec le corps ou jusqu'à l'arrivée du shérif.

— Faut pas nous en vouloir, a-t-il conclu, mais ce serait aussi bien si vous nous remettiez vos pétoires.

Là-dessus, j'ai entendu un cri étouffé et un piétinement sourd. J'ai pas eu besoin de tourner la tête pour savoir lesquels mouraient d'envie de se trisser.

Watson a répondu d'une voix lente et rauque :

— Non, c'est hors de question.

Autre chose qu'il comprenait pas – et il a levé son fusil –, c'est pourquoi ses voisins se méfiaient autant de lui. Quand ces meurtres ont été perpétrés, est-ce qu'il était pas ici à Chokoloskee, avec ses amis ? Et il s'est fendu d'un sourire attristé, déçu, en secouant la tête.

Papa est allé de l'avant, suivant sa nature :

— Nous vous conseillons de poser ce fusil, monsieur Watson.

Ed Watson a regardé au-dessus de nos têtes, en direction du magasin. Ses amis de l'Homme perdu observaient la scène à partir des marches, sans un mot. Il a sans doute remarqué qu'ils se tenaient à bonne distance, hors de portée de fusil. Peut-être vit-il sa femme commencer à descendre, mais peut-être que non, car ses épaules tombèrent un peu et de nouveau il secoua la tête.

Rien qu'un instant il parut hésiter, comme un homme plongé parmi ses rêves qui vient de se réveiller dans un lieu inconnu. Je me suis senti mal pour lui à ce moment-là, ou triste – cette fois où je l'ai vu manquer d'assurance fut la seule où j'ai plaint monsieur Watson. De toute manière, cette tristesse a fait long feu, je vous le dis. Son regard a brusquement changé et il a plus guère douté de rien, il a pris une mine coléreuse, dure, maligne et butée. On aurait dit un homme qui s'apprête à vous enlever la vie sans y penser à deux fois.

Non, il arrivait pas à comprendre ça, a-t-il dit, pourquoi ses bons amis et voisins le traitaient de la sorte alors qu'ils savaient bien qu'il avait pris aucune part dans ces crimes. Ils savaient bien que Les Cox était le coupable, et Cox était mort.

— Jusqu'à ce que nous en soyons sûrs, vous êtes en état d'arrestation, que je lui ai dit pour que Papa se sente soutenu.

Watson a grimacé. Il a aspiré l'air entre ses dents avant de cracher et d'enfouir son glaviot dans la boue avec sa botte.

— Non, je suis pas en état d'arrestation, dit-il en se déplaçant un peu de côté et puis en relevant un peu son fusil, parce que vous autres vous avez aucun putain de mandat.

Il a de nouveau passé les gars en revue, relevant soudain le menton quand il a croisé le regard d'Henry Short.

Entendant cette colère, si brutale et si froide, les hommes ont commencé à avoir les foies, et certains, nous dirons pas lesquels, se sont mis soudain à hocher la tête d'un air soucieux, comme si l'objection de monsieur Watson tenait debout, comme s'il valait peut-être mieux filer chacun chez soi et réfléchir à tout ça. J'ai alors entendu un chuchotis derrière moi :

— Moi je vous le dis, les gars, si y a pas de mandat, on ferait mieux de laisser tomber, peut-être qu'on devrait rentrer dans nos foyers, s'occuper de nos oignons.

Mais D.D. House était échauffé, tout comme Watson, et il comptait pas en démordre aussi facilement. Les gens ont raconté ensuite que dans son vieil âge notre Papa s'était pris d'une haine effrayante pour la vie, et qu'un vieillard colérique avait pas grand-chose à perdre à déclencher une bagarre où des jeunes gars risquaient de se faire descendre, y compris ses fils. Mais c'était pas ça, c'était pas ça du tout. Daniel David House devait finir ce qu'il avait commencé, qu'il y ait des jeunes ou non, il savait tout bonnement pas faire autrement.

Alors Papa a dit :

— Monsieur Watson, posez cette arme.

Cela en guise de dernier avertissement à Ed Watson, mais aussi pour prévenir ses fils de commencer à tirer au moindre geste suspect.

Jusque-là, Watson avait essayé de gagner du temps en pensant peut-être que cette foule perdrait sa détermination. A moins qu'il ait cru qu'on voulait le tuer, qu'il dépose les armes ou pas. Il a été obligé de prendre une décision très vite. Vrai, s'il avait renoncé à sa quincaillerie, y avait qu'un de ses voisins qu'aurait eu le tempérament pour l'abattre, mais ce gars-là avait pris le large vers le Honduras.

Connaissant la rapidité de Watson, j'ai pas douté une seconde qu'il avait calculé ses chances avant même que Papa lui réclame ses pétoires — bon sang, avant même que son bateau touche le rivage. Sans doute qu'il croyait qu'à condition d'arriver jusqu'au tribunal, il s'en tirerait sans problème, car seul un nègre l'avait impliqué dans ces crimes, un nègre qu'avait même changé de version devant témoins. Y avait donc aucune preuve solide contre Ed Watson, pas la moindre.

Malin comme il était, Watson s'était aussi dit que nous le savions et que, le sachant, on aurait envie de le lyncher, pour faire bonne mesure. Après tant de fois où il avait senti le vent du boulet — dans l'Oklahoma, à Arcadia et dans le comté de Columbia —, il croyait peut-être que sa chance le laissait tomber. Tous ces visages butés lui ont sans doute dit que, cette fois, il s'en tirerait pas à force de baratin, mais sa colère l'empêchait de céder. Il a bien vu que ces hommes avaient la trouille et que ça les rendait dangereux, mais parce qu'ils étaient immobiles et agglutinés, il avait l'avantage sur eux.

Quand Papa s'est avancé, Watson a levé sa grosse patte, comme une espèce d'ancien prophète biblique, et Papa s'est arrêté.

On a ensuite compris qu'il nous avait arrêtés à la distance idéale pour faire le maximum de dégâts dans une foule avec des canons jumelés. Peut-être que c'était pas son idée, mais n'empêche qu'on a ensuite remarqué ça. Par-dessus le marché, il avait un revolver dans son manteau, et peut-être deux. Deux décharges concomitantes de chevrotine suffiraient à occire les meneurs et à disperser les autres ; ensuite, avec son revolver, il pourrait les obliger à se tenir planqués tandis qu'il remettait son bateau à l'eau et se barrait en défouraillant sur la plage. A cette distance, devant une foule paniquée, il aurait pu s'en sortir parce que, quand la colère l'a pris, il a agi vite et sans se tromper, avant même qu'on pige ce qui se passait — avant même que ça nous effleure qu'un voisin qu'on connaissait depuis près de vingt ans nous tirait dessus comme sur une bande de dindes.

Aujourd'hui encore, certains racontent aux touristes qu'ils ont vu une rougeur subite envahir le visage de Watson et une lueur dure de colère et de folie dans son regard. Mais y a pas eu assez de temps ni de lumière pour distinguer tout ça. Ceux qui prétendent avoir vu ça avaient une telle pétoche qu'ils y voyaient plus clair, et le plus probable c'est même qu'ils étaient point là. En revanche, je jurerai sur mon lit de mort que je l'ai entendu grincer des dents quand il a remonté son fusil contre sa hanche et qu'il nous a braqués avec ses deux canons jumelés.

J'ai cru qu'on était cuits, je me suis recroquevillé intérieurement pour pas broncher quand cette décharge m'atteindrait, et je sais que Papa aussi a cru qu'il était cuit.

Watson avait enlevé une enveloppe de trop à ces cartouches humides, parce qu'elles tenaient plus. On a à peine entendu un claquement sourd dans cette poudre humide, et puis les plombs ont roulé dans les canons avant de tomber à terre. Papa, qui regardait ces deux trous noirs en même temps, a juré les avoir vus tressauter, tellement Ed Watson a appuyé fort sur ses détentes mortes.

Watson cherchait son revolver quand j'ai relevé ma carabine et pressé la détente.

P-dang – ce bruit terrible me sonne encore aux oreilles, la première détonation de carabine. Deux coups de feu simultanés. Peut-être que le premier était le mien, peut-être que non. La soirée a volé en éclats, déchirée par un chaos assourdissant.

Les jambes de Watson l'ont fait avancer de quelques pas, incliné comme un marin sur le pont au milieu d'une violente tempête. Mais alors même qu'il marchait, il tombait en avant, il tombait contre ce rugissement, contre ce vent de feu, d'abord avec une lenteur douloureuse, comme un arbre abattu. Son manteau et sa chemise tressautaient, criblés de plomb, et tout le souffle de la vie s'arrachait hors de lui. La crosse de son fusil a été pulvérisée, son revolver a sauté en l'air en tournoyant. J'ai vu sa bouche s'ouvrir, j'ai vu le sang jaillir de son œil gauche éclaté, et toujours il tombait.

Je crois que monsieur Watson est mort avant que son fusil touche terre, mais ses jambes propulsaient encore le cadavre en avant, ce corps criblé de plomb qui continuait de tomber. M'est avis que la première balle l'a tué net, mais il avançait toujours. Nous l'avons tous vu, y en a pas un qui vous dirait le contraire. Et à le voir s'avancer vers eux comme ça, la plupart des hommes ont crié en reculant et en se bousculant, même après qu'il s'est affalé à plat ventre.

Ethel Boggess disait toujours qu'elle se trouvait en bas sous le gros figuier quand Watson est tombé, elle a juré qu'il a fait dix-huit ou vingt pas avant de s'écrouler. Malgré tout ce plomb dans le corps, il refusait de tomber, tellement ce gars s'obstinait même dans la mort – c'était le diable en lui, voilà ce que ma mère a dit ensuite pendant de longues années. Elle a dit que seul un démon pouvait terrifier les hommes comme ça après qu'il était mort.

Puis la ligne des hommes s'est ruée autour de nous et ils ont bien failli me précipiter à terre. Ils tiraient toujours ! Ils étaient maintenant en pleine crise, pas de doute, ils gueulaient, ils juraient, les jeunes couraient en tous sens et aboyaient comme des chiens, les balles volaient. C'est un miracle qu'un pauvre innocent se soit pas fait descendre.

J'ai jamais vu un homme sur qui on s'acharnait autant. Il gisait là à plat ventre sur le sol tout sanglant, aucun souffle soulevait plus ce large dos, pas le moindre frémissement, rien que du tissu effiloché autour des trous qui perçaient son manteau et le vent nocturne qui soulevait les boucles rouge foncé sur son cou tout ridé.

Ces franges et ces boucles, voilà tout ce qui bougeait encore. Monsieur Watson a pas poussé le moindre hoquet. De ma vie, j'ai jamais vu un homme aussi mort.

Hoad Storter

A Everglade, les citernes descendaient à près d'un mètre cinquante sous terre, elles en émergeaient d'un demi-mètre, l'eau restait généralement fraîche et limpide, mais après la tempête nos citernes ont été pleines de vase et de boue, et y avait plus d'eau potable. Ce qu'on a eu ensuite, ç'a été une sécheresse terrible, plus d'un mois sans pluie. Le ciel semblait essoré, sec et gris comme des vieux chiffons.

Le 24 octobre en fin d'après-midi, mon frère Georgie et le jeune Nelson Noble ont ramé jusqu'à Chokoloskee pour avoir un peu d'eau potable. Ils contournaient juste la pointe ouest du magasin de Smallwood quand ils ont entendu une détonation et puis tout un boucan de coups de feu qu'ont éclaté comme des pétards. Il faisait déjà assez sombre pour qu'on voie la flamme sortir des armes, et tout ça a duré une bonne dizaine de secondes. Puis le silence est retombé sur l'île comme une chape, et dans ce silence — tous les deux en témoignent — a jailli le chant d'un engoulevent, si fort et clair qu'ils se sont demandés si cet oiseau de nuit avait chanté tout du long, sans jamais cesser de s'égosiller pour écouter la fusillade.

Le quai de Smallwood avait été emporté, la *Brave* était tirée sur la grève, et monsieur Watson gisait là comme s'il venait de tomber du ciel. Excepté deux ou trois chiens qui reniflaient, personne voulait s'approcher de lui. Nos gars sont donc restés là avec leurs cruches à eau, ils préféraient garder leurs distances.

Certains des hommes présents étaient bouleversés, d'autres fulminaient toujours, d'autres encore paraissaient en état de choc, ils voulaient parler à personne. D'autres, par contre, pouvaient plus s'arrêter de causer — ils écoutaient rien, voyez, ils déblatéraient sans discontinuer, comme font les cinglés — et ceux-là juraient que ce maudit gaillard avait tenté de les assassiner tous, qu'il avait continué d'avancer sur eux alors même qu'on l'avait déjà tué trois ou quatre fois. Et pendant tout ce temps-là, par-dessus toutes ces voix, l'oiseau de nuit chantait sans arrêt – encore et toujours, *wip, wip, wii-tou !*

Georgie et Nelson sont seulement rentrés à la maison à l'heure du coucher. George nous a raconté tout ce qu'il avait vu et entendu, mais nous on le harcelait de questions, sans trop savoir ce qu'on ressentait vraiment. Notre famille appréciait bien monsieur Watson, il venait manger avec nous tous les mardis à midi et il arrivait jamais les mains vides, toujours avec au moins des blagues inédites ou des nouvelles fraîches.

– Je parlerai plus jamais avec Ed Watson, déclara notre Papa. On était en amitié, il m'a toujours aidé quand il le pouvait, il m'a jamais fait la moindre crasse.

Malgré tout, Papa semblait soulagé et il pouvait pas le cacher.

Watson prétendait avoir tué Cox, mais le vieux D.D. House dit à Watson qu'il leur faudrait aller à la Courbe de Chatham, histoire d'en avoir le cœur net, et il demanda à Watson de déposer sa quincaillerie. Watson refusa aussi sec, c'était hors de question, car toute cette bande était réunie là pour le lyncher. Soudain il relève son fusil, le pointe sur le vieux House, appuie sur la détente, mais le coup de feu part pas – voilà l'histoire que racontaient tous ces bavasseurs. Pourtant, Georgie avait beau nous la répéter sans arrêt, y avait quelque chose qui clochait dans ce récit, même si jusqu'à aujourd'hui j'ai jamais trouvé quoi.

Papa a dit :

– Mais enfin, si le coup de fusil est jamais parti, comment peuvent-ils être si sûrs qu'il a vraiment appuyé sur la détente ?

– Ils ont vu la pétoire frémir salement quand il a voulu tirer, expliqua Georgie.

– Ils te l'ont dit, mon gars ? Ou tu l'as imaginé ?

Nous étions tous bouleversés.

– On dirait que tu doutes de la parole de ton propre fils, intervint ma mère.

– C'est pas sa parole que je mets en doute. Simplement, y a quelque chose qui colle point.

Certains gars ont craché le morceau pendant les années suivantes, ils ont dit que les gens en avaient marre de monsieur Watson et que son exécution avait été organisée, même si tous étaient pas au courant de la chose. D'autres déclarèrent alors qu'ils entendaient parler de ça pour la première fois, ajoutant que, s'ils l'avaient su, ils auraient pas participé au carnage. Les gens de la baie étaient donc partagés rapport à Ed Watson.

— Le seul truc qu'on peut point douter, dit Papa, c'est qu'ils l'ont tué.

Harry McGill, qui épousa ensuite ma sœur Maggie Eva, il était parmi les gars qu'ont tiré. Charley Johnson aussi. Le vieux Dan House, Bill House, les jeunes Dan et Lloyd — tous les quatre ont jamais nié y avoir participé. Je sais pas qui d'autre avec certitude, parce qu'il y en a trop qu'ont changé leur version des faits, mais on m'a dit qu'il y avait des hommes de presque toutes les dix familles de Chokoloskee, en plus de quelques pêcheurs de passage sur l'île. Isaac Yeomans, Andrew Wiggins, Saint Demere, Henry Smith — tous ces gars ont sans doute été de la partie. Y a eu au moins une vingtaine d'hommes armés.

Edith, la fille de Nelson Noble qu'a épousé Sammie Hamilton, elle a toujours affirmé que son papa en était, sauf qu'il y était point. Comme j'ai dit, il contournait la pointe avec mon jeune frère. Ils ont juste vu la curée. Et d'autres qu'ont prétendu qu'ils étaient juste là pour l'arrêter, pas pour le descendre, et qu'ont dit qu'ils avaient jamais tiré — eh bien, ils ont tiré tant qu'ils pouvaient !

Beaucoup de gens me posent encore des questions sur monsieur Watson. Mais j'aime pas trop parler de lui. J'aime parler de lui comme d'un gentleman, parce que c'est comme ça que les Storter s'en souviennent. Je savais pas ce qu'y avait en lui, je savais seulement que c'était un type rudement amical.

Jusqu'à cette tuerie, Ed Watson avait la cote, personne lui en voulait. Mon Papa disait toujours qu'Ed Watson serait prêt à se fendre de son dernier dollar avec sa main gauche pour vous aider, tout en vous tranchant la gorge avec sa main droite. On entend beaucoup de gens répéter ça aujourd'hui. Je me souviens de personne disant ça du vivant de monsieur Watson, mais il avait déjà une réputation à l'époque où je le connaissais.

A mon avis, les gens se sont tout bonnement lassés de lui.

Bill House

Ma Nettie m'a lu un passage d'un livre célèbre sur la Floride où c'était Luke Short, un pêcheur blanc, qu'avait tiré le premier sur Watson. C'est complètement faux, mais presque aussi vrai que le reste. Le même écrivain prétend que le meneur de la bande, C.G. McKinney, a été blessé quand Watson a tiré. Mais le vieux McKinney était pas le meneur de la bande, il était même pas là, et le seul gars qu'a été blessé ce jour-là, c'est E.J. Watson.

Tous ces récits dans les livres et les revues, ils mentionnent jamais qui a participé à cette action, tout simplement parce que personne a jamais voulu le dire. Quand des étrangers se sont pointés avec leurs questions de fouille-merde, tout le monde a refusé de leur répondre. Moi, je saurais pas dire avec certitude qui a appuyé sur la détente et qui s'en est abstenu, mais à voir à quoi il ressemblait après la fusillade, on aurait bien dit que personne s'était retenu.

Si le fusil de Watson avait pas foiré, mon papa aurait été plus mort qu'une poignée de porte. Sachant ça, il a pivoté sur ses talons et il s'est barré. Il avait pété une de ses bretelles et il serrait un bras contre son ventre pour retenir son pantalon ; il s'est éloigné tranquillement comme s'il avait mal aux boyaux ou qu'il portait contre lui une couvée de canetons. J'ai jamais oublié sa démarche ce soir-là, j'avais jamais vu mon papa ressembler autant à un vieillard.

Nous l'avons suivi, même si nous les jeunes on avait envie de rester, car on se sentait tout marris de la tournure des événements. Dan était en larmes, fou de rage, mais il savait même pas pourquoi il était fou de rage. Les hommes qui tirèrent et ceux qui restèrent sur leur quant-à-soi, ils se sentaient soulagés et en même temps écœurés, parce que tous avaient eu de l'affection pour Ed Watson et aucun grief précis contre lui – nous avions presque tous bénéficié de sa générosité, d'une manière ou d'une autre. Plein de fois on a tenté de cracher notre fiel. Mais D.D. House, lui, il en a jamais reparlé, ça a viré à l'aigre dans sa carcasse, il est devenu tout raide et amer et vieux dans l'année qui a suivi.

Quand la foule s'est dispersée parmi les ténèbres et que les chiens ont oublié pourquoi ils aboyaient, Charlie T. Boggess a clopiné jusqu'à l'embarcadère avec une lanterne, il a aidé Ted à le retourner et ils lui ont tiré une bâche dessus. Smallwood a essayé de lui replier les bras sur la poitrine, mais à chaque fois ses deux bras se rouvraient lentement, comme des pinces de crabe. C'est du moins comme ça que Charlie Boggess l'a raconté, parce que Charlie T. compensait la petitesse de sa taille par la longueur de ses histoires. Il s'est laissé ensorceler par ces deux bras qui s'ouvraient lentement, bien plus que par cet œil ensanglanté, voilà ce qu'il racontait aux visiteurs pendant les années suivantes, quand tout le monde, Charlie T. inclus, avait oublié la vérité.

Ted essaya de refermer l'œil bleu intact, mais il arrivait trop tard, la paupière morte remontait tout de suite au-dessus du globe affreux. Ils ont donc cherché parmi les ruines de l'ouragan qui s'étendaient dans tous les buissons, ils ont trouvé un drapeau du 4 Juillet qu'avait appartenu à un gosse, et ils l'ont déployé sur son visage. Ç'aurait peut-être été un sacrilège dans le Nord, allez donc savoir. Dans le Sud, cinquante ans avaient pas passé depuis la guerre de Sécession, et D.D. House, qui s'était battu comme soldat, s'est jamais habitué à la bannière étoilée.

Abandonner ce corps toute la nuit dans le froid, c'était tarabustant. Je sentais pas de culpabilité ni rien, simplement je pouvais pas dormir avec Watson allongé là-bas au bord de l'eau, si bien que je suis allé lui rendre mes hommages sous la lune. Ted et Charlie avaient voulu le traîner à l'abri, mais ils l'avaient point fait ; moi aussi, je suis descendu avec la même idée, et j'ai rien fait. Y avait plus de place pour lui, il était même pas en paix là où qu'il gisait. Des chiens ou des gosses avaient arraché la bâche et retiré le drapeau. Je l'ai comme qui dirait rebordé là-dessous, puis j'ai retiré mon chapeau et j'ai dit :

— Monsieur Ed, je regrette rien de tout ça, mais je veux vous dire que sincèrement c'était pas contre vous.

Ed Watson le borgne regardait les étoiles, les bras écartés comme pour m'accueillir. Il paraissait vraiment bizarre sans son chapeau noir, on le voyait pas souvent sans ce couvre-chef. Y avait pas eu de pluie depuis l'ouragan, il avait la barbe et la bouche tout encroûtées de poussière et de sang, comme un ours qui vient de fourrer le museau dans un nid de gators. A la lueur de ma lanterne, son unique œil nu fulminait à travers les serpents noirs de sang coagulé qui lui couvraient le front. L'une de ses petites bottes de cow-boy avait été réduite en bouillie, l'autre arrachée en guise de souvenir, et ses petits pieds étaient grisâtres comme de la pâte à pain, avec des ongles tout jaunes. Sa large ceinture en vache ouvragée de l'Ouest Sauvage était plus là, tout comme son bon chapeau noir de Fort Smith, Arkansas.

Déjà les gosses rejouaient la mort de Watson le sanguinaire, on les entendait sur toute l'île crier leurs *pan-pan-pan* ! Eux aussi se sont trop excités, ils ont mis une bonne semaine à se calmer — bien sûr, c'était normal, Watson était le premier type qu'ils avaient jamais vu mourir de mort violente. Dinks Boggess, le gamin de Charlie et d'Ethel, qui vivait en bas de la rue, je crois que Dinks a fait partie des gamins qu'ont dévalisé le cadavre, et il se rappelle peut-être celui de la bande qu'a pris le revolver de Watson. Mais sans doute que Dinks refusera d'en parler, vu que Dinks il aime pas les curieux. Billy, le gamin de Willie Brown, il était là aussi, mais en voilà un autre qu'aime pas trop les questions.

Cette nuit-là, il a été convenu sans discussion qu'y aurait pas d'enterrement sur Chokoloskee, parce que, même mort, cet homme effrayait toujours les habitants. On a voté qu'on l'emmènerait à Rabbit Key. Quand on est redescendus pour le charger, à l'aube, il avait perdu son œil intact, à cause d'un corbeau, d'une mouette, ou d'un bâton pointu.

A la lumière crue du grand jour, on a constaté que E.J. Watson était vraiment troué comme une passoire, surtout avec de la chevrotine, mais aussi plein de balles. Ses beaux vêtements étaient tout roides de sang. Watson le sanguinaire ! Une charogne aveugle et toute raidie vautrée dans la poussière, la chemise déchirée, le nombril poilu, des plombs noirs à fleur de peau, tous ces affreux trous rouges comme autant de morsures, et les mouches qui bourdonnaient autour. La bouche encadrée par les favoris poussiéreux, décolorés par le soleil, c'est ce qu'y avait de pire. Les incisives éclatées, la lippe déchirée, tendue comme s'il grimaçait, mais avec une petite expression torve qu'évoquait un sourire. Voyant ça, les hommes ont de nouveau eu les foies, gueulant que monsieur Watson ricanait en avançant sur la foule à travers le déluge de feu.

J'ai regardé autour de moi, mais j'ai point vu Edna Watson. Ma sœur s'assurait qu'elle voie pas ce qui restait de son mari.

— Filez-nous un coup de main, je leur ai dit.

Mais seul Tant s'est avancé, Tant qu'avait point participé à tout ça. Il était en larmes, peut-être qu'il avait bu. Il a pris les chevilles. En le hissant, il a émis l'opinion que les morts sont toujours plus lourds, parce que leur corps aspire au repos sous la terre.

— Tu sais, Tant, que je lui ai répondu, oublie pas qu'il est plein de plomb.

— Y a point matière à rire, Bill, dit Tant parce que Tant l'aimait.

— Non, pour sûr, dis-je.

Les hommes prévus pour l'enterrer ont poussé un gémissement de colère quand nous avons balancé ce cadavre ensanglanté vers le plat-bord. Ils refusaient de le hisser sur la chaloupe, de l'allonger dans la cabine, ils refusaient même d'y toucher — comme si le moindre contact risquait de leur coller la poisse — mais à mon avis c'était davantage une espèce d'horreur qui les fascinait. Certains ont alors annoncé qu'ils refusaient de voyager avec lui dans le bateau, à croire qu'une goutte noire du sang mort de Watson risquait de leur flanquer la peste. Il nous a fallu entendre toutes ces couillonnades superstitieuses pendant qu'on se débattait toujours pour le hisser à bord.

Alors le bateau a gîté vers nous et monsieur Watson nous a échappé, il a glissé du plat-bord et s'est écrasé dans la boue. L'horreur a commencé pour de bon et j'ai perdu la tête. Je leur ai gueulé :

— Arrêtez de faire chier ! Qu'on en finisse !

J'étais furieux sans savoir pourquoi, mais y a pas de doute que j'ai été trop cassant, et de longues années après, certains continueraient à y voir la preuve que les House avaient une dent contre E.J. Watson. J'ai pris une corde, je lui ai ligoté les bras, j'ai fait un nœud autour des chevilles en serrant de toutes mes forces comme s'il avait été une espèce de charogne de gator, puis j'ai amarré ma corde aux taquets de poupe de son bateau. Ensuite, j'ai fait démarrer le moteur et j'ai halé le corps sur la grève puis dans l'eau comme une vieille bûche. Ça l'a retourné sur le ventre, il glissait les pieds devant, le visage dans la poussière, et les gamins sont entrés dans l'eau pour lui donner des coups de pied et le flageller. J'ai repéré Jimmy Thompson, Raleigh Wiggins, Billy Brown, un ou deux autres mouflets. C'est peut-être Raleigh qui portait le chapeau de Watson.

— Allez-vous-en !

Ma voix paraissait toute fêlée, comme celle d'un dément. Mais où étaient passés leurs parents, qui prétendaient être les amis de Watson ? Comment pouvaient-ils laisser leurs gamins se comporter comme des chiens mal dressés ? La veille au soir, aucun de ses prétendus amis n'avait essayé de le prévenir, de lui faire signe de s'en aller, aucun même lui avait conseillé de baisser son arme. Craignaient-ils tant de prendre parti contre leurs voisins ? Je crois pas, c'était pas le genre des gars de l'Homme perdu. Ils ont toujours été têtus comme des ânes rouges, à n'en faire qu'à leur tête.

Pour moi, même ses amis sentaient bien que son heure était venue, et sa témérité me pousse à me demander si Ed le savait pas aussi, bien qu'y ait pas une âme de ma connaissance qui pense comme moi. Smallwood aussi le savait, malgré toutes ses protestations. Je dirai néanmoins une chose en faveur de Ted : il a pas regardé. Les autres sont restés alignés près du magasin et ils nous ont regardés le tuer.

Sur le chemin de Rabbit Key, le cadavre se prit dans un banc d'huîtres et en sortit un peu plus déchiqueté. Ses petits pieds émergeaient de l'eau comme il était roulé et ballotté par le courant. Son horrible tête cognait contre le fond, je la sentais tambouriner quand je tirais sur l'amarre. Bon sang, j'en avais les tripes toutes retournées ! On l'a enfin amené jusque dans le chenal et il s'est laissé traîner gentiment jusqu'au bout. Mais ç'a été long et laborieux, vu qu'en ce temps-là les bateaux à moteur faisaient davantage de boucan que de vitesse, et que ce poids mort à l'arrière freinait comme une ancre flottante. Quand on est arrivés à Rabbit Key, il avait plus un seul vêtement et le peu de visage qui lui restait était parti aussi. C'était plus guère un homme qu'on avait là, ça ressemblait davantage à quelque chose que la tempête aurait fait remonter du fond de l'océan. Il avait les chairs tellement à vif qu'on aurait pas su dire quel genre de monstre marin ça pouvait bien être.

On a repris la même corde pour tirer le corps des hauts-fonds jusqu'à la fosse, ficelé comme un poulet. Les gars étaient encore si fébriles qu'ils l'enterrèrent face contre terre.

Y en a un qui a dit :

— Que ce diable sanguinaire regarde un peu du côté de l'enfer !

Ils lui ont collé deux plaques de corail, une sur le haut des jambes et l'autre en travers du dos, pour être sûr que cette chose — car c'était plus rien qu'une chose, avec ses jambes et ses bras ligotés serré et son visage qu'en était plus un, bon Dieu — pour être bien sûr que cette chose irait point se relever à la tombée de la nuit et traquer tous ceux qui s'étaient retournés contre lui. Avant de le recouvrir de sable, l'un de ces courageux qui se vantait d'avoir vidé son fusil sur le cadavre — je dirai pas son nom, c'est un parent — lui passa un nœud coulant autour du cou, il serra bien fort, puis emmena l'autre bout qui puait la mort jusqu'à ce gros palétuvier tout tordu qui se dressait solitaire sur la pointe, le seul arbre épargné par la tempête.

Ces mêmes courageux étaient sacrément chamboulés par le meurtre de leur voisin E.J. Watson, vu qu'il avait jamais cadré avec leur idée du sale type — crasseux, le regard torve, vous voyez, quoi, peau grêlée, cicatrices, une oreille en moins, ou un œil peut-être. Non, Watson ressemblait pas du tout à ça. Bien sûr, on les entendait causer de ses « yeux de dément » et ils avaient raison, ces yeux bleu pâle étaient parfois durs, durs et puis fixes. Le plus souvent, c'était un bleu très pâle, comme disait Nettie, qui allait bien avec son teint rougeaud et ses cheveux châtains. Il était beau et fort, propre sur lui, en somme il présentait bien. Peut-être qu'ils le détestaient et qu'ils en avaient peur, comme ils disent aujourd'hui, mais malgré tout ils l'estimaient.

Son audace, les affronter de cette manière, ça les a salement troublés, mais c'est son tempérament coléreux qui a pris le dessus, c'est ça qui a causé sa perte. Et maintenant qu'il était en bouillie, il faisait peine à voir. C'était plus « monsieur Watson », et ils pouvaient déverser sur ce quartier de viande défiguré toute la colère et le mépris qu'il leur avait fait ravaler tant qu'il vivait — tant qu'il était encore « fait à l'image de Dieu », comme nous tous.

Je serais point étonné que ça soit moi qui aie commencé tout ça, la dureté avec laquelle je l'ai traîné de l'embarcadère, même si je voulais surtout pas la moindre mutilation. J'étais soulagé qu'il soit mort, mais tout de même il me manquait. Au cours de mon existence, j'ai rencontré plein d'hommes beaucoup moins aimables que E.J. Watson, je peux vous le dire.

Là-bas sur le rivage, ce vieux Tant racontait comment monsieur Watson l'avait si bien traité pendant toutes ces longues années. Quand nous avons vu ces gars faire sortir leur corde de la tombe, Tant a seulement haussé les épaules, il s'est pas mêlé à leur bande, mais moi je suis allé voir de quoi il retournait et je me suis trop échauffé les sangs. J'ai dit à un type d'ôter de là cette saleté de nœud coulant, car il était déjà aussi mort que la loi le permet.

Alors le type a dit :

— Tiens tiens, ce brave Bill croit que la pendaison sied point à un aussi brave homme, c'est ça, Bill ?

Et un autre a dit :

— Allez, Bill, en fais pas tout un plat, on installe juste une corde pour que les rois du bétail le retrouvent, au cas qu'ils voudraient récupérer le corps.

— Autour du *cou* ? j'ai fait.

Mais les autres ont soutenu le premier parce qu'ils se sentaient minables, ils cherchaient la bagarre, tout comme moi. Finalement, j'étais si écœuré que je m'en suis lavé les mains.

Voilà comment a débuté cette histoire sur les pauvres Blancs qu'ont transformé Watson en passoire avant de lui accrocher le cou à un arbre solitaire et de lui empiler sur le corps des plaques de corail si grosses qu'il a fallu faire appel à deux nègres de la chiourme pour les soulever quand sa famille de Fort Myers a été chercher la dépouille de monsieur Watson quelques jours plus tard.

Le shérif Tippins était arrivé de Marco avec l'homme de loi du comté de Monroe quand nous avons débarqué devant chez Smallwood, à midi passé. Bill Collier avait amené ces deux représentants de la loi à bord du *Falcon.*

Les gars racontèrent aux shérifs que personne avait tué Watson, tout le monde avait tiré en même temps.

— Est-ce qu'il vous avait d'abord tiré dessus ? fit Tippins.

Alors les hommes se grattèrent le crâne et se regardèrent pour voir si quelqu'un s'en souvenait. Isaac Yeomans, qui se fichait de cette question, grommela :

— Ben non.

— Il a essayé, rectifiai-je.

Tippins m'a dévisagé, selon son habitude. Puis il m'a imité d'un air sardonique, vous voyez :

— *Il a essayé.*

Son collègue de Monroe et lui ont échangé un regard censé vouloir dire quelque chose, sauf qu'il voulait rien dire du tout, vu qu'ils savaient rien.

Tout de suite, Frank Tippins a paru aussi enquiquiné que nous par cette mort, il restait pas en place, il fulminait. La seule différence, c'était qu'il avait quelqu'un à se mettre sous la dent.

— Ton nom, c'est bien House ? qu'il a dit comme si ce nom

m'incriminait de toute évidence. C'est toi le meneur, d'après ce qu'on m'a rapporté.

– On a pas eu de meneur. Pas de chef non plus.

Voilà qu'il me dévisage encore, tout comme son collègue de Monroe, qui porte un chapeau de cow-boy.

– Pourquoi que t'es si remonté ? T'as honte de quelque chose ?

– Non, j'ai point honte de rien. Y a rien qui pourrait me causer de la honte.

Tippins essayait de nous affoler pour qu'on se trahisse. La mort de monsieur Watson était un homicide, dit-il, « les responsables » devaient aller à Fort Myers pour être entendus, et tous ceux qui refuseraient d'y aller iraient quand même, les menottes aux poignets.

Charley Johnson demanda au receveur des postes de venir témoigner devant ces deux gars craignant Dieu, car Ted était ce que nous avions de plus proche d'un notable. Bill Collier déclara alors qu'il serait heureux de transporter gratis Mme Watson et sa famille.

Après la mort de Watson, Ted Smallwood dut se bagarrer pour retenir sa femme à Chokoloskee. Mamie était bouleversée de peur et d'horreur, elle voulait plus vivre à cet endroit, elle voulait quitter pour de bon les Dix Mille Iles. Elle avait vu clair dans le jeu d'Ed Watson et elle a jamais dit le contraire, mais elle détestait la manière dont tous ces gars lui avaient léché les bottes avant de retourner leur veste et de le descendre, voilà ce qu'elle a dit. Ma sœur a eu bien du mal à digérer tout ça.

Pourtant, ces gars étaient point des lèche-bottes, loin de là. On était rien que des hommes ordinaires et paisibles, on a jamais su quoi faire de ce *hombre* sauvage, jusqu'à ce qu'on l'ait allongé dans la poussière. Si jamais un gars l'avait bien cherché, c'était Ed Watson, mais maintenant on nous reprochait d'avoir fait ce que nos accusateurs voulaient qu'on fasse.

Contrairement à certains, j'ai jamais frayé de trop près avec Ed, et j'ai jamais eu le moindre regret, ni ce jour-là ni plus tard. On a fait ce qu'on devait faire, et je renie rien. Mais j'avoue volontiers que je suis toujours étonné que la foule ait continué de lui tirer dessus après qu'il a été mort, comme s'ils essayaient tous d'effacer son souvenir dans leur conscience. Certains ont tiré et tiré jusqu'à ce que leur fusil soit vide ; ce jour-là il restait plus une seule cartouche vaillante sur toute l'île. Même qu'il y a un jeune qui lui a couru après en lui déchargeant sa .22 dans le corps. Son frère aîné, qu'était là avec nous, il a pas levé le petit doigt pour l'en empêcher.

Les gars sont tombés d'accord pour tenir Henry Short en dehors du coup, on voulait pas causer le moindre ennui à Henry, car le bruit était venu de Deep Lake que Frank Tippins rigolait pas avec les nègres. Mais on a jamais su ce qu'était devenu l'homme de couleur de Watson qu'avait débarqué à Pavilion Key et qu'on avait remis au shérif à Fort Myers. Impossible de me rappeler son nom, si même on lui en a jamais donné un. Paraît qu'on l'a expédié à Key West, mais y en a pas beaucoup qui croient qu'il ait tenu le coup jusqu'à son procès.

Une chose que j'oublierai jamais. Après tout ce boucan, un silence plein d'échos est tombé sur nous, comme si le Seigneur allait nous envoyer sa parole céleste. Y a plus rien eu que le chant idiot d'un oiseau terrifié. Et puis on a entendu la voix claire et sonore d'Edna Watson :

— Oh ! mon Dieu, ils sont en train de tuer monsieur Watson !

A ce moment-là, évidemment, il était déjà en Enfer.

Mamie a monté la garde à l'endroit où la petite famille de Watson s'était déjà écroulée en tas devant le magasin. Ma sœur avait une expression de damnation dernière qui m'a glacé jusqu'aux os. Ma Nettie m'avait appris que depuis quelques jours nos dames de l'île tenaient Edna Watson en quarantaine et j'ai aussitôt compris que la pauvre femme mourait de peur à l'idée que cette foule nocturne d'hommes armés qu'avait déjà goûté au sang risquait de mettre à mort la femme et les petits enfants de la victime. Je déteste le dire, mais sachant la fièvre qui s'était emparée de certains, elle avait bien raison de redouter ça.

Les individus les plus dangereux de cette foule étaient ceux-là mêmes qui depuis des années regardaient ailleurs, les mêmes qui disaient qu'Ed Watson avait jamais pris une âme, sauf peut-être un nègre ou deux qu'avaient tout fait pour ça. Ces gars-là furent ceux qui se soulagèrent les nerfs en déchargeant jusqu'à leur dernière balle sur le cadavre, les mêmes qu'étaient si furieux qu'il les ait terrifiés : maintenant, ils devaient terrifier pareil Mme Watson, lui flanquer une telle trouille qu'elle a saisi ses gosses pour les entraîner à quatre pattes sous le magasin avant que Mamie puisse l'en empêcher. C'étaient ceux-là qu'affectionnaient les blagues salaces sur la chance qu'avait le vieux Watson de sauter sa jeune donzelle au corps si ferme et qui ont poussé des cris d'orfraie au joli spectacle de ses hanches girondes dans ses jupons affriolants, quand sa robe du magasin s'est accrochée à une latte pendant qu'elle rampait dans la gadoue pour sauver sa vie. Si E.J. Watson avait pu voir comment cette foule terrifiait sa pauvre jeune femme et ses enfants, il se serait relevé de sa mare de sang, il serait revenu tout droit de l'Enfer pour nous tuer tous.

J'ai eu honte, même que je me sentais tout nauséeux. Je me suis agenouillé et j'ai appelé Mme Watson là-dessous, tout va bien, madame, y a pas de quoi vous effrayer ! La pauvre femme a dû me prendre pour un cinglé : dire une chose pareille alors que mon fusil était encore chaud, le corps de son mari aussi, tout sanguinolent, les gars et les chiens courant autour, pris de folie.

Non, je valais pas mieux que les autres. Mais cette jeune femme, elle m'était entrée dans la peau, bien qu'elle l'ait jamais su, et elle a excité mon désir, juste à ce moment-là, que Dieu me pardonne. Dire que je venais juste d'épouser Nettie Howell ! J'ai eu tellement honte que j'ai abreuvé les autres d'injures, je les ai chassés de là, comme si on avait attrapé une lady dans la cambrousse par erreur.

Les anges des marais se déchaînaient quelque chose de terrible ce soir-là, mais cette pauvre petite famille est restée pelotonnée dans le noir avec ces poulets putréfiés pendant presque une heure, sans jamais pousser rien qu'un gémissement, tellement qu'ils avaient peur. Ils restaient juste là, pétrifiés comme des lapereaux nouveau-nés. Mamie faisait de son mieux pour les calmer, elle murmurait à travers les lattes du plancher soulevées par la tempête, de la même voix câline qu'elle prenait autrefois pour faire descendre d'un arbre un chat terrorisé. Quand enfin elle a réussi à calmer ces malheureux et à les convaincre de sortir de leur trou, ces Watson puaient si fort le poulet pourri que les gens où ils créchaient ont refusé de les reprendre chez eux. Ils disaient que cette famille pouvait plus remettre les pieds dans une maison décente avec cette puanteur d'Enfer sur eux, et il faisait nuit et trois petits gosses terrifiés et affamés gémissaient après leur papa et y avait aucun lieu où aller et le pauvre esprit de leur maman s'est mis à délirer en contrecoup de sa terreur.

La puanteur de cette petite famille pathétique était rien qu'un prétexte pour ce que ces gens voulaient faire de toute manière. Ils voulaient plus rester dans le voisinage d'aucun Watson, pas avec Leslie Cox toujours dans la nature. L'homme a envoyé sa femme annoncer à Edna Watson qu'ils pouvaient plus les loger. Ils les ont même pas laissés rentrer, ils leur ont glissé leurs affaires par la porte entrebâillée.

Ceux qu'ont chassé cette famille désespérée de chez eux, le mari avait soi-disant été un ami de Watson, et les épouses étaient proches – eh bien, cet homme et son frère, un gars de Marco de passage ce jour-là, ils étaient dans la foule. Il a été de ceux qu'ont ensuite prétendu avoir jamais tiré, ce qui veut dire qu'il était là avec nous pour les mauvaises raisons. Après tout, peu importe qu'il ait tiré ou pas.

Inutile que je cite des noms. Les hommes qui ont effrayé la petite famille de Watson et ceux qui les ont tirés de leur trou, ils savent bien qui ils sont aujourd'hui encore.

Mamie a donc accueilli Edna et ses enfants dans sa maison saccagée, et cette famille a jamais oublié sa bonté. Mamie avait des idées de bouseuse rapport à certaines gens, mais elle avait aussi des tripes et un grand cœur, aucun doute là-dessus. A Chokoloskee, y a plein de gens comme ça – on déteste cette ignorance butée, ces préjugés contre tout le monde sauf soi, mais on peut que les admirer malgré tout. C'est des braves gens, solides, honnêtes et craignant Dieu, avec un sacré tempérament. Ils ont la vie dure, mais ils se plaignent pas.

Les représentants de la loi sont descendus jusqu'à la propriété de Watson à bord du *Falcon*, ils ont ramené le cheval de monsieur Watson et seize mille litres de son sirop, qu'ils feraient ensuite vendre à Fort Myers. Seize mille litres ! Doux Jésus, si j'avais trimé pendant toutes ces heures torrides et pénibles sur cette terre ingrate et brûlante, à ratisser le coquillage chaque année sur quarante acres pour y faire pousser de la bonne canne, j'aurais eu le cœur brisé d'abandonner ça derrière moi. La seule raison de toute son existence, ç'a été ce lopin de canne qu'il avait cultivé avec ses mains nues dans l'espèce la plus fourbe de jungle buissonneuse infestée de serpents.

Oh, c'était une belle plantation, je la vois encore, tenez, le hangar à bateau, les cabanes, le quai et puis cette belle maison blanche ! La Courbe de Chatham, voilà ce qu'il pouvait montrer au bout de sa route si dure. C'était plus un jeune homme, il en avait marre de fuir et c'est peut-être à ce moment-là que sa vie l'a rattrapé.

Au bout d'un moment, certains des gars qui s'étaient pris d'amitié pour Ed Watson et qui étaient pas satisfaits de sa mort, ils se sont mis à raconter que tous les problèmes étaient dus à la rumeur et au malentendu, qu'avant l'arrivée de Cox y avait jamais eu de meurtre là-bas, si bien que c'était sans doute Cox qu'avait fait du tort à E.J. Watson. Ensuite, pendant quelques années, les gens ont craint que Cox soit toujours dans les parages des rivières, parce que c'était un *hombre* capable de tirer sur un homme rien que pour le voir se tortiller par terre.

A moins que les Andiens lui aient mis le grappin dessus en premier, monsieur Watson aida Cox à s'enfuir ou bien il le tua. Sinon il serait encore là-bas, vu que la Courbe de Chatham est sur une île et que Cox savait pas trop bien nager, selon le nègre, et puis de toute manière il avait peur des gros gators qui accompagnent la crue dans les Glades après un ouragan pour traquer poissons et tortues tout le long des rivières saumâtres. En dehors de Watson, personne est passé prendre Cox, pour cette simple raison que cette tempête terrible a purement et simplement ravagé les Dix Mille Iles.

Quelques années plus tard, l'un des gars Daniels prétendit avoir vu Cox à Key West. Il déclara que Cox l'avait repéré avant de filer en vitesse. On s'est dit que Cox avait peut-être fui sur un cargo. Ce fut la première fois qu'on entendit parler de lui depuis longtemps, et la dernière aussi.

J'ai encore jamais rencontré personne qui croie que Watson a tué Cox. Pour croire ça, faudrait se convaincre que cet *hombre* est resté à la Courbe jour après jour à remâcher ses pensées, jusqu'à ce que monsieur Watson revienne chez lui et lui fasse sauter le caisson. Mais si vous y croyez pas, alors vous devez expliquer comment diable Cox a bien pu se trisser, où il est parti et où il vit aujourd'hui.

En tout cas, ils ont tiré E.J. Watson de sa fosse pour l'enterrer définitivement aux côtés de Mme Jane Watson dans le vieux cimetière de Fort Myers. J'ai toujours l'intention d'aller là-bas y jeter un coup d'œil, mais je m'y résous jamais. J'ai ouï dire que ses aînés ont construit une statue à Ed Watson près de la grille du cimetière, mais peut-être que c'est un faux bruit. En tout cas il est toujours là-haut, j'imagine, à reposer en paix comme tous les autres, pour ce que j'en sais.

UNE TERRIBLE TRAGÉDIE TROUVE SON DÉNOUEMENT PRÈS DE CHOKOLOSKEE

FORT MYERS, 30 OCTOBRE 1910. Le 23 octobre, il y a une semaine, les représentants de la loi enquêtant sur les récents drames de la rivière Chatham sont partis pour Chokoloskee, arrivant là-bas le 25 octobre. Le hasard voulut qu'un groupe de citoyens de cette île revenaient de Rabbit Key où, dirent-ils, ils venaient d'enterrer M. E.J. Watson, propriétaire de la plantation où les meurtres avaient eu lieu.

Le shérif Tippins apprit alors qu'après leur rencontre du 19 octobre à Marco, M. Watson s'était arrêté à Chokoloskee afin d'avertir Mme Watson qu'il était en route pour la Courbe de Chatham. Sur l'île, les gens étaient dans un état d'agitation extrême, surtout à cause du meurtre de la femme, miss Hannah Smith, originaire de Georgie, qui avait de nombreux amis au sein de la communauté. A cause de sa réputation, on soupçonna M. Watson d'être mêlé à ces meurtres, mais personne ne tenta de l'arrêter. Néanmoins, déclarèrent les hommes, M. Watson devait ramener Leslie Cox mort ou vif, s'il ne voulait pas subir les conséquences de ce manquement ; là-dessus, il dit son intention de revenir avec la tête de Cox.

Quand M. Watson revint à Chokoloskee dans la soirée du 24 octobre, il montra un chapeau percé d'une balle, qu'il dit avoir appartenu à Cox. Il déclara qu'il avait tué Cox et que c'en était la preuve. Jugeant tout cela insuffisant, un groupe de citoyens exigea qu'il retourne avec eux à la Courbe de Chatham et qu'il leur montre le corps. Il refusa, arguant que le cadavre de Cox était tombé dans la rivière et que seul son chapeau avait refait surface. Lorsque les citoyens de Chokoloskee contestèrent cette version des faits, M. Watson s'indigna, semble-t-il, que ses voisins pussent mettre sa parole en doute, et l'altercation s'envenima. Les témoins déclarèrent ensuite que, lorsqu'on lui ordonna de baisser son arme, M. Watson essaya de tirer dans la foule et que les hommes rassemblés le tuèrent.

Ainsi s'achève l'une des plus sombres tragédies jamais enregistrées dans l'histoire de cet État. Leslie Cox — si, comme la plupart le croient, il est toujours vivant — est encore en liberté dans les Dix Mille Iles. Même si l'on peut accepter comme authentique le récit des meurtres fait par le nègre, on ne saura peut-être jamais ce qui s'est vraiment passé ce jour-là ni pourquoi ces trois personnes ont été tuées.

Mamie Smallwood

Je ne tiens pas à parler de ce qui s'est passé. Trois garçons House et leur père ont joué un rôle là-dedans ; peut-être qu'ils expliqueront pourquoi, peut-être pas. Mais Ted a joué aucun rôle. C'est l'un des rares qu'a pu garder la tête haute au cours des longues années suivantes, car il avait pas la moindre raison d'avoir honte. Bien sûr, les garçons House ont jamais ressenti la moindre honte non plus, ce qui explique sans doute pourquoi on a toujours de la rancune dans notre famille.

Le 25, le shérif Frank Tippins arriva enfin avec le shérif de Monroe, Clement Jaycox, amenés sur l'île par le capitaine Collier à bord du *Falcon*. C'était une semaine après l'ouragan et les gars de Chokoloskee étaient encore en plein nettoyage. Les hommes déclarèrent au shérif qu'il arrivait trop tard, si bien qu'ils avaient été obligés d'appliquer la loi tout seuls. D'autres portèrent la mort de monsieur Watson au compte de leur retard.

Certains partirent sur les rivières traquer Cox avec les hommes de loi. Comme de juste, ils en ont pas trouvé la moindre trace. Ils ont embarqué une grande quantité du sirop de monsieur Watson et puis ils sont revenus.

Le shérif Tippins a assigné les hommes qui avaient pris part à la mort de E.J. Watson. Il en avait le droit, car en 1910 Chokoloskee était encore dans le comté de Lee et E.J. Watson était mort à Chokoloskee. Les hommes voulaient que le receveur des postes les accompagne à Fort Myers pour témoigner sur leur moralité, ce qu'il a fait. A ce moment-là, quelques-uns se sont plaints que le seul dispensé d'y aller était justement celui qui l'avait tué — il comptait pour rien, j'imagine.

J'ai interrogé mon frère Bill là-dessus et il s'est contenté de secouer la tête.

— Bon Dieu, Bill, dis-je, au nom de la vérité, qu'est-ce que tu veux me dire avec ton fichu hochement de tête ? C'est oui ou c'est non ?

Et Bill m'a répondu :

— Mamie, y a rien à expliquer. C'est point un problème de oui ou de non, alors oublie tout ça.

On a fait de notre mieux pour oublier ce meurtre, mais personne a oublié l'ouragan, pas dans la région. Tout a été saccagé, plein de sel et pourri, couvert de moisissure, partout des arbres abattus et de la boue à perte de vue. On aurait dit que notre univers était couvert de gadoue et que plus jamais il redeviendrait propre. Les mulets pris par cette tempête s'entassaient sur trente centimètres tout le long de la plage. Le pauvre Ted a ratissé presque tous nos poulets noyés pendant la première semaine, mais la putréfaction s'élevait encore à travers les planches disjointes un mois et plus avant qu'il puisse remettre le magasin en état et prendre le temps de ramper là-dessous, pour enterrer la dernière volaille.

La pauvre Edna était bien contente qu'on l'ait accueillie à la maison, mais l'odeur de corruption était affreuse. Maman appelait ça la puanteur du soufre de Satan qui remontait de l'enfer. Peut-être qu'elle avait le nez bouché ou quelque chose. En tout cas, elle désolait Edna, pour qui cette pestilence de poulet se mêlait à tout, au point qu'elle redoutait de la conserver dans les narines jusqu'au jour de sa mort.

CHOKOLOSKEE, 27 OCTOBRE 1910. Il y a encore eu du grabuge. Le 24, M. E.J. Watson est arrivé de son endroit à bord de sa chaloupe, il a abordé au rivage et eu des mots avec certains citoyens. Il y a eu un léger malentendu, M. Watson a braqué son fusil et essayé de tuer certains de nos voisins. Mais son fusil n'a pas fonctionné, il a perdu et il est mort sur-le-champ. Son corps a été transporté à Rabbit Key et enterré le 25. Je ne connais aucune autre tombe là-bas. Le lendemain, un groupe nombreux s'est rendu sur la propriété de M. Watson pour y traquer un certain Leslie Cox que M. Watson prétendait avoir tué, mais ils ne le trouvèrent pas.

FORT MYERS, 27 OCTOBRE 1910. Thomas A. Edison, le célèbre électricien, a télégraphié mardi pour connaître la profondeur de l'eau sur la Caloosahatchee...

Mme Watson et ses enfants arrivent ce jour du sud de la côte...

Hoad Storter

Les années suivantes, le vieux Willie Brown racontait souvent comment il avait tenté de freiner les hommes ce jour-là, essayé de voir le juge Storter pour causer des mesures à prendre, pour obtenir un mandat afin d'arrêter monsieur Watson. Mais le bateau de Willie était toujours à l'embarcadère de Smallwood après la fusillade, juste à côté de la *Brave,* si bien que j'ignore s'il se souvient vraiment des choses ou pas.

Mon oncle George Washington Storter junior était juge de paix pour la région de la baie de Chokoloskee, le notable le plus proche d'un représentant officiel qu'on avait à cette époque. Mais oncle George était à Fort Myers, requis par ses devoirs — il était membre du jury, tout comme C.G. McKinney. A mon avis, c'étaient les deux citoyens les plus respectables de la baie de Chokoloskee, avec Smallwood. Ils étaient là-bas au tribunal quand le shérif Tippins a fait entrer ces hommes de Chokoloskee pour une audience avant de finir par les mandater. Il les a nommés adjoints au shérif pour arrêter un gars qu'ils avaient déjà trucidé une bonne douzaine de fois avant de l'allonger dans le sable tout sanglant de Rabbit Key.

Mais avant de les mandater, le shérif Tippins a recueilli quelques dépositions sur le meurtre, et l'employé du tribunal qu'a tout noté était Eddie Watson. Après la mort de leur mère, en 1901, Eddie et Lucius avaient vécu un temps chez leur sœur, Mme Langford, mais assez vite le jeune Ed était parti habiter avec son papa dans le nord de la Floride, sans jamais revenir avant 1909. Walter Langford et Tippins étaient bons amis — Tippins a baptisé son cadet Walter Tippins —, et Tippins a veillé à ce qu'Eddie Watson décroche un boulot au tribunal quand il est revenu dans la région.

Eh bien, oncle George s'est jamais remis du spectacle d'Eddie Watson ce jour-là. Les propres enfants d'oncle George avaient fait leurs études à Fort Myers et il connaissait très bien les fils aînés de

Watson, même qu'il avait de l'affection pour eux. Ce jour-là au tribunal, nous raconta oncle George, on aurait dit que le jeune Eddie Watson venait d'avoir eu l'échine brisée par la foudre. Il a pas craqué une seule fois pendant l'audience, mais par la suite il s'est jamais redressé non plus. Dans la vie il a fait son devoir de mari et de père de famille, il fréquentait l'église comme pas deux, toujours assis au premier rang où qu'on pouvait pas le rater. Il dirigeait une bonne affaire d'assurances, il caressait qui il fallait dans le sens du poil et il blaguait de temps à autre. Mais il y avait quelque chose de tout raidi chez Eddie Watson, comme un arbre au cœur mort : si jamais il tombait, il risquait de se fendre en deux.

James Hamilton, Henry Thompson et leur famille, ils ont définitivement quitté la rivière de l'Homme perdu, de même que presque tous les autres. Leurs maisons étaient démolies, leurs potagers noyés et fichus sous plus d'un mètre d'eau salée. Il leur a fallu repartir à zéro ailleurs, parce que cette tempête leur a rien laissé avec quoi travailler. Y avait donc beaucoup d'insulaires à Chokoloskee quand monsieur Watson est revenu de la Courbe.

Les gens se sont incrustés dans les Dix Mille Iles après les mauvais ouragans de 1873, de 1894 et de 1909, mais cet ouragan de 1910 les a dégoûtés à tout jamais. A mon avis, Watson et Cox y ont aussi été pour beaucoup. Cette muraille de mangrove ténébreuse qui isolait du reste du monde, les Everglades tout vides à l'est, là où le soleil se lève, et ce golfe tout aussi vide à l'ouest, là où le soleil se couche, le silence et les moustiques et la solitude, la lourde grisaille de la terre et de la mer pendant les pluies, l'angoisse qu'une tempête pouvait effacer en une seule nuit toutes vos cultures et vos bâtisses, le fruit de tout votre labeur obstiné pendant des années et des années – ajoutez à ça la crainte que le premier inconnu aperçu au détour d'une rivière risquait d'être celui qui se faisait appeler John Smith, revenu spécialement pour prendre votre vie. Ce bouquet de terreurs les avait épuisés, sans parler de tout le sang charrié par ces rivières noires.

Frank B. Tippins

Quand ces hommes m'ont raconté la mort de E.J. Watson, j'ai gardé mes bottes bien écartées et les bras croisés sur la poitrine. Je ne leur ai pas manifesté la moindre sympathie, je n'ai pas émis de commentaires, je me suis contenté de grogner, si bien que leur baratin s'est bientôt réduit à des marmonnements.

Quelque chose manquait dans leur histoire et je le leur ai dit. Le shérif Jaycox a pigé, il s'est mis à siffloter, à faire *tss, tss, tss* d'un air dubitatif. Une fois leur parole mise en doute, ils ont fait corps et se sont tus, apeurés comme une bande de cailles. Leurs visages se sont fermés. Ils avaient raconté leur histoire et maintenant c'était aux shérifs de l'accepter en bloc ou de la refuser, mais aucun témoin de cette bande n'y changerait jamais un iota.

— Eh bien, les gars, la loi est la loi, les informa Jaycox.

Ils avaient agi en tant que représentants de la loi alors que personne leur avait délégué ce pouvoir. Peu importait que monsieur Watson ait eu ce qu'il méritait ou pas, il y avait eu meurtre sur les rivages du comté de Monroe, dit le shérif Jaycox.

— Je vous demande pardon, shérif, objectai-je, mais ici c'est le comté de Lee depuis 1902, quand ils ont refait le cadastre. Monsieur Ed Watson a été assassiné dans le comté de Lee, en Floride, et le shérif du comté de Lee ne peut pas fermer les yeux là-dessus, faire comme si de rien n'était. En plus, la victime a des parents à Fort Myers, des citoyens tout ce qu'il y a de plus honorables.

— Bah, on s'en fiche de quel comté qu'on dépend, intervint Charlie Boggess. Ce qu'on veut, nous, c'est la loi. Et de la loi, on en a pas beaucoup vu dans les parages ces derniers temps.

Charlie T. Boggess était l'acolyte de Ted Smallwood et comme un parent de mon clan à Arcadia ; il se sentait donc en droit de dire ce qu'il avait sur le cœur. Mais quand j'ai sorti un calepin de ma poche, Charlie T. s'est ravisé en expliquant que lui-même, estropié par l'ouragan, n'avait pas pris part à la fusillade, mais qu'il ne fallait surtout pas compter sur lui pour blâmer ses voisins à cause de ce qu'ils avaient fait en état de légitime défense.

— Ah bon ? fis-je.

— C'est comme ça que je vois les choses, conclut modestement Charlie T., et tout le monde opina du chef, tout le monde sauf Smallwood qui se racla bruyamment la gorge et se mit les mains derrière le dos, comme pour nous encourager, nous les représentants de la loi, à verbaliser et à appliquer le règlement.

— Très bien, leur dis-je en marchant sur des œufs, il faut malgré tout que j'emmène les responsables à Fort Myers pour qu'ils fassent leur déposition avant de comparaître devant un grand jury.

Ça leur a flanqué les foies et certains ont voulu que le receveur des postes vienne avec eux expliquer leur situation, quand bien même il désapprouvait ce qu'ils avaient fait.

Smallwood avait un sacré bordel à nettoyer dans son magasin, mais après avoir réfléchi une minute à cette proposition, il accepta d'y aller.

— D'accord, Bill ? demanda-t-il à son beau-frère.

— A toi de voir, fit W.W. House qui ce jour-là envoyait presque tout le monde sur les roses.

A la Courbe de Chatham, nous n'avons trouvé aucune trace de Leslie Cox ou de la squaw morte — c'est par là, paraît-il, que tous les ennuis avaient commencé. Les hommes décidèrent que les gens de sa tribu « l'avaient sans doute décrochée et rapatriée », mais comment les Indiens avaient-ils appris la mort de cette squaw ? Le nègre avait-il menti sur le compte de cette fille et de Cox ? Et dans ce cas-là pourquoi ? Et puis s'il mentait sur l'Indienne, mentait-il sur autre chose encore ?

Nous avons embarqué seize mille litres de sirop pour le mettre en lieu sûr. Le vieux canasson de monsieur Watson ne portait pas de licou et courait en liberté sur les trente acres du champ de canne ; les hommes perdirent la moitié de l'après-midi à essayer de l'attraper. Pour ce que j'en sais, cette bête à moitié sauvage y galope peut-être encore.

A Chokoloskee, sur le chemin du retour, nous avons fait embarquer les témoins. M. D.D. House était le seul à porter une valise. Il restait sur son quant-à-soi, les mains sur les hanches, tout près d'exploser. Bill House déclara d'un ton péremptoire qu'il était scandaleux d'emmener ainsi son papa comme un criminel quand il avait toujours bénéficié d'une réputation d'honnêteté. Si son père restait là et ses frères cadets aussi, eh bien il pourrait s'exprimer à leur place. Les jeunes Dan et Lloyd se tenaient fin prêts à embarquer, chaussures aux pieds, mais D.D. House pivota sur ses talons pour les ramener chez eux, sans jamais dire au revoir ni regarder derrière lui, sans prononcer un seul mot.

La veuve et ses enfants aussi étaient prêts à embarquer. Il n'était pas tombé une seule goutte de pluie ; sur la grève, un endroit tout taché de sombre la fit se raidir quand elle s'approcha de l'embarcadère. Avisant les hommes sur le pont du *Falcon*, elle serra ses enfants contre elle, se mit à trembler comme une feuille, puis s'enfuit vers la maison. Un gars lui cria :

— Vous avez droit au corps si vous retrouvez la corde !

Bill House lui dit de la fermer.

— La corde ? fis-je.

Quelques hommes baissèrent les yeux. Je retournai vers le magasin.

Mme Watson était dans tous ses états et ses enfants pleuraient. Elle me dit qu'elle pardonnait à ces hommes, mais qu'elle craignait de voyager avec eux à bord du *Falcon*. Mme Smallwood m'avisa alors qu'elle s'occuperait de Mme Watson et de ses enfants et qu'elle la mettrait sur le bateau du courrier dans quelques jours. Elle était furieuse. Elle redescendit avec moi jusqu'au bateau et leur cria :

— Lequel d'entre vous lui a volé sa montre ?

Personne ne répondit. Eux aussi étaient furieux.

Pendant le trajet jusqu'à Fort Myers à bord du *Falcon*, plus d'un, hors de portée de voix des autres, m'expliqua le rôle qu'il avait joué dans la fusillade. Tous sans exception plaidaient la légitime défense — ils avaient bien peaufiné leur baratin : le célèbre desperado E.J. Watson avait menacé d'occire une bonne vingtaine de citoyens armés. Ils s'étaient aussi concertés pour déclarer que tous sans exception avaient tiré exactement au même instant, rendant du même coup impossible toute identification de l'assassin.

— Va falloir nous pendre tous autant qu'on est ! se gaussa Isaac Yeomans.

Certains étaient convaincus d'avoir raté leur cible, il y en avait même un qui se targuait d'avoir tiré exprès à côté. Bill House était à peu près le seul à ne pas nier les faits, à ne pas se défendre ni émettre le moindre commentaire.

Pendant qu'ils parlaient, je repensais à la semaine précédente, quand cet homme désormais mort s'était assis face à moi à cette même table de carré. Nous n'avions pas sympathisé, pas tout à fait, mais une espèce d'amitié était née entre lui et moi, nous avions ri, un peu. Je n'arrivais pas à oublier la voix de Watson. Peut-être qu'en affirmant avoir tué Cox, il disait vrai.

Chaque heure qui passait me rendait plus insupportables les hommes de Chokoloskee. J'avais beau écouter leur sempiternelle rengaine, leur baratin me laissait sur ma faim, et pourtant je ne doutais pas de leur sincérité. Ces pionniers de Chokoloskee étaient de bons et d'honnêtes colons qui avaient été quérir un maître d'école pour leurs enfants et avaient organisé des réunions de prières chaque fois qu'ils arrivaient à mettre la main sur le prêcheur ambulant. C'étaient des pêcheurs et des fermiers, ils avaient des femmes et des enfants, depuis quinze ans ou plus ils enduraient la pluie, la chaleur et les moustiques dans ces îles perdues où ils essayaient de prendre racine. Aucun n'avait l'étoffe d'un menteur. Pourtant, quand vingt hommes en tuent un, il y a forcément un coupable. J'espérais seulement que toute la vérité et rien que la vérité se manifesterait lors des dépositions sous serment au tribunal.

Bill Collier emprunta la passe de Rabbit Key pour me montrer où était la tombe. Rabbit Key se trouvait à six kilomètres à l'ouest de Chokoloskee, sur le golfe, et la frontière du comté de Monroe traversait l'île. L'un des gars se mit alors à plastronner :

— On a fait bien gaffe de le planter du côté de Monroe !

Un autre cria :

— On a chassé ce démon hors du comté de Lee !

Voyant que personne ne riait, ces deux gars la bouclèrent.

De Rabbit Key, il ne restait qu'une pointe de sable déserte, avec un énorme palétuvier solitaire et tout tordu par le vent. Le vieux Gandees dit alors :

— Les gars ont noué une corde autour de cet arbre. Suivez cette corde, creusez bien profond et vous trouverez sa charogne.

Il haussa les épaules quand je lui demandai : « Pourquoi cette corde ? » et les autres regardèrent ostensiblement ailleurs.

Isaac Yeomans déclara que, bras et jambes ligotés, le corps se laissait mieux remorquer, mais entendant cette explication Ted Smallwood se mit à siffler très fort :

– C'est pas la seule raison ! Les hommes craignaient qu'Ed Watson se relève, reprenne vie et revienne à Chokoloskee en marchant sur l'eau, dit Smallwood d'un air dégoûté.

Quand je demandai pourquoi ils l'avaient remorqué au lieu de l'envelopper dans une bâche et de l'installer à la poupe du bateau, Ted Smallwood me répondit qu'en traitant Ed Watson comme une saleté quelconque, ils se sentaient justifiés de l'avoir tué. En le traitant comme une ordure, peut-être qu'ils se sentaient plus propres.

Bill House n'apprécia guère la théorie de Ted, mais il réfléchit longtemps avant de parler. Enfin, il dit :

– Ted ? Comment peux-tu prétendre savoir ce qu'on ressentait, quand toi-même tu sais pas très bien ce que tu ressentais ?

Smallwood lui répondit alors :

– Cette affaire-là est pas près d'être réglée, Bill. Non, c'est pas demain la veille.

Ted Smallwood retira son chapeau lorsque le *Falcon* passa devant la tombe, mais les autres, lèvres serrées, lançaient des regards furieux sous le rebord déchiqueté de leur chapeau de paille. Assis dans un silence de mort, ils fixaient le large.

Le *Falcon* mit cap au nord au-delà d'Indian Key et de la passe de Fakahatchee. La conversation, décousue, tournait autour de cette étrange sécheresse. Il n'était pas tombé une seule goutte d'eau depuis l'ouragan, mais il n'y avait pas de soleil non plus ; les gars devaient ramer jusqu'à tout près de l'embouchure de la Turner pour trouver une eau potable correcte.

Au large de Panther Key, Bill Collier montra l'endroit où Hiram Newell et le gamin de Dick Sawyer avaient trouvé le cadavre du vieux Juan Gomez en 1900. Alors les hommes se remirent à parler et l'un d'eux dit bientôt que les James Hamilton et Henry Thompson avaient l'intention de s'installer près de J.H. Daniels à Fakahatchee, à quelques kilomètres du début de la passe. Ces gars-là en avaient marre de la rivière de l'Homme perdu.

Les eaux du golfe se firent plus agitées au changement de marée, quand le courant alla en sens inverse du vent. Au large de cap Romaine, Isaac Yeomans se mit à vomir et les hommes le traitèrent de couillon de fermier en riant. Smallwood raconta comment, des années plus tôt, alors qu'il traversait le Gulf Stream vers Bimini avec Isaac et son frère aîné malades dans la cabine, il avait dit au pilote des Bahamas :

— La mer est plutôt dure, non ?

Et le nègre de lui répondre :

— Non, missié cap'taine boss, le Gulf il est doux comme un agneau.

Jim Yeomans était en cavale après avoir tué un type à Fakahatchee à cause de dettes impayées. Isaac se redressa pour expliquer que la veuve du type vint trouver Jim le lendemain matin, quand Jim se préparait à partir. Une fois qu'elle lui eut remboursé l'argent, Jim lui dit :

— C'est-y pas pitié que vous ayez pas fait ça hier ?

Isaac Yeomans se moucha, cracha, rigola. Puis il s'écria :

— Le Gulf, il est doux comme un agneau !

Et il vomit encore.

Lorsqu'il se releva en s'essuyant la bouche, il m'adressa un signe de tête :

— Ensuite, Jim a habité un bateau à Clearwater. Un jour qu'il se baladait devant le drugstore en s'occupant de ses oignons, voilà le nouveau shérif qui se pointe devant lui et qui l'arrête.

— Tippins, dit Bill House, je crois qu'il s'appelait Tippins.

— Quelque chose comme ça, Bill, fis-je.

— Il emmène Jim au tribunal, reprit Isaac Yeomans. La femme de Jim témoigne que Jim lui a *dit* qu'il avait l'intention de descendre ce type qui refusait de rembourser sa dette à Jim et que Jim avait pas d'autre choix que de tenir parole. Dossier ouvert et aussitôt clos, dit le nouveau shérif ; mais ce dossier était pas aussi bien refermé qu'il le pensait, car étant la femme de Jim, sa parole valait même pas le bout de papier sur lequel on l'avait écrite. Il a donc fallu libérer Jim pour manque de preuves, voilà comment ça s'est passé.

— Jim est rentré chez lui, d'après ce qu'on m'a toujours dit, ajoutai-je aussi doucement que possible.

Isaac se retourna vers le sud-est pour regarder Fakahatchee à travers la brume.

— Peut-être qu'il en tue quelques autres aujourd'hui, lâcha-t-il.

— Ça ne m'étonnerait pas, fis-je.

Yeomans cracha.

— Tu te rappelles ces deux gars du Texas, Ted, à Lemon City ? Ils disaient qu'ils étaient venus descendre Ed Watson, mais ils se sont fait dégommer par Sam Lewis en deux temps trois mouvements.

Isaac ajouta que les gens de Lemon City avaient craint Lewis comme ceux de cette côte Cox.

— Chaque fois que Sam Lewis appuyait sur sa détente, y avait un homme en moins, répondit Ted Smallwood comme s'il avait déjà dit ça un nombre incalculable de fois.

Isaac se rembrunit :

– J'y arrivais juste ! se plaignit-il.

Et Ted fit :

– Alors vas-y !

Mais quand Isaac se mit à évoquer un gamin de Lemon City que ça démangeait de transformer Lewis en passoire, les hommes sentirent comme un malaise.

Pour les surprendre, je dis aussitôt et durement :

– J'ai cru comprendre qu'il y a eu des gamins tout aussi excités que les adultes autour du corps de Watson.

Personne ne moufte. Les hommes plongés dans leurs ruminations regardent à nouveau la mer. Puis quelqu'un reprend la parole pour dire que c'est sans doute un gamin qui a fauché cette saleté de montre. Isaac termine rapidement son histoire et dit à Ted :

– Tu te rappelles bien les choses comme ça, toi aussi, non ?

– C'est à peu près ça, opine Smallwood.

– Bref, dit Isaac, vexé, ces deux Texans de Dallas étaient des potes à Belle Starr et ils tenaient à mettre la main sur la crapule de foie jaune qu'avait tendu une embuscade à leur copine.

Ted intervient alors :

– C'étaient rien que des rumeurs, Isaac, et ces deux olibrius avaient pas la tête assez claire pour les confirmer.

– Si si, reprend Isaac, ces flingueurs du Texas en avaient après E.J. Watson ! Ted Highsmith l'a dit à Ed Brewer. Ted Highsmith, il le répétait à tous ceux qui voulaient bien l'écouter !

– *Ed* Highsmith, rectifie le receveur des postes.

Isaac Yeomans est maintenant prêt à se battre, mais Bill House lui dit de mettre la pédale douce s'il veut pas se retrouver aussi sec à la baille.

C'était seulement la deuxième fois que Bill House parlait, il était resté à l'écart depuis le début, à remâcher Dieu sait quoi. Lorsque je lui dis qu'il allait simplement faire sa déposition, il me rétorqua qu'il détestait qu'on l'emmène de force au tribunal quand, à sa connaissance, aucun crime n'avait été commis. Ne m'avait-il pas déjà expliqué qu'ils avaient tous tiré ensemble, en état de légitime défense ? Le shérif doutait-il de leur parole ?

– La victime a-t-elle d'abord blessé quelqu'un ?

A cette question directe, les autres se regardèrent comme pour essayer de se rappeler si l'un d'eux avait été blessé. Bill House me répondit alors :

— Non. Mais c'est sûr qu'il a essayé.

Furieux, il me tourna le dos, convaincu que je tentais de semer la zizanie parmi eux. Il m'avait déjà dit qu'il aimait bien Ed Watson — « on pouvait pas faire autrement que bien aimer Ed Watson » — mais il n'avait ni doutes ni regrets pour ce qui s'était passé. Les gens qui habitaient un endroit où il n'y avait pas de loi étaient bien obligés de s'en inventer une, conclut Bill House, et il m'avait regardé droit dans les yeux en me disant ça.

Le *Falcon* fit escale à Caxambas pour prendre de l'eau — Caxambas, expliqua Bill Collier, signifait « puits » pour les Indiens arawaks. Les hommes de Chokoloskee semblèrent surpris. Le vieux Henry Smith dit qu'il avait passé presque toute son existence sur cette côte, avant même la naissance de ces gars-là, et qu'il avait jamais entendu que Caxambas voulait dire quoi que ce soit.

Comme celles d'Everglade et de Chokoloskee, la petite colonie de Caxambas semblait avoir été soufflée par un cataclysme. L'ouragan avait arraché le toit de l'usine de clams de E.S. Burnham, entièrement démoli le magasin de Jim Barfield et des gamins plongeaient dans le chenal pour récupérer ses boîtes de conserve. Toutes les familles s'étaient réfugiées pour la nuit au *Barfield Heights Hotel* qui se dressait sur un tumulus indien à quelques mètres au-dessus du niveau de la crue.

Josie Jenkins, qu'on avait ramenée de Pavilion jusqu'à chez elle, avait apparemment bu avec son fils Leroy Parks, et elle a amené sa petite Pearl jusqu'au quai pour injurier « les hommes qui avaient massacré le papa de Pearl ». Alors âgée d'une dizaine d'années, Pearl Watson détournait constamment ses yeux rougis et terrifiés. Elle avait des cheveux couleur caramel, un joli minois, un corps svelte, maigrichon et tout brun — trop frêle et trop jeune, pensai-je, pour se demander ce qu'elle ferait plus tard dans la vie.

— Honte à vous ! hurlait sa mère. Honte à vous ! Dire qu'il a fallu toutes ces ordures pour l'abattre !

Cette femme menue et déchaînée avait dénoué sa longue chevelure, ce qu'on trouvait indécent à l'époque ; elle en agitait toute la masse noire et elle maudit ces hommes en termes crus jusqu'à ce que je la prévienne qu'elle troublait l'ordre public.

— Et alors, shérif, me rétorqua-t-elle, une dame se prescrit quelques remontants pour sa maladie de cœur et vous trouvez ça criminel ?

Elle finit pourtant par se calmer, par laisser sa fille lui prendre la main pour l'éloigner du bateau.

Tout le monde savait alors que Josie Jenkins avait essuyé l'ouragan sur Pavilion Key, que son frère Tant l'avait poussée dans un palétuvier avec son petit garçon de cinq mois, et que des vagues énormes lui arrachèrent son nouveau-né qu'elle retrouva par quelque sombre miracle après la décrue des flots. Lorsque Josie hurla que c'était la main de Dieu qui lui avait repris son garçon, les hommes de Chokoloskee lui dirent qu'elle avait mille fois raison, rapport que ce gosse était le maudit rejeton du pécheur à la main couverte de sang qui avait attiré la punition de Dieu sur leurs têtes à tous, moyennant quoi il avait été le seul à perdre sa vie parmi les Dix Mille Iles.

— La preuve flagrante, voilà comment Charley Johnson appela le petit garçon décédé dans l'ouragan.

Quand je fis entrer les hommes dans le tribunal, le jeune Eddie Watson, adjoint au greffier, se leva derrière son bureau. Je l'avais embauché à son retour du nord de la Floride parce que Walt Langford m'avait demandé ce service, et puis Eddie me promit que je ne le regretterais pas, ce qui ne m'arriva jamais, du moins jusqu'à ce jour.

Ce bon Dieu de crétin, qui avait le visage en feu et qui n'arrêtait pas de faire tomber ses papiers, me déclara qu'il était venu finir un travail pendant son jour de congé.

Je décidai de ne pas le présenter, mais l'un des gars le connaissait de vue et les autres apprirent très vite son identité. Bill House me chuchota :

— Pour l'amour du Ciel, shérif, donnez donc sa journée à ce freluquet !

Je détestai le ton de Bill et je lui lançai un regard mauvais, qu'il me rendit aussitôt, mais il avait raison. Je pris Eddie Watson à part pour lui demander de rentrer chez lui, de prendre son jour de congé, ajoutant que je trouverais bien quelqu'un pour enregistrer les dépositions. Mais Eddie me répondit que pour rien au monde il ne voulait manquer ces salauds de lyncheurs. En tant qu'adjoint au greffier, on le payait pour effectuer un certain boulot et il avait bien l'intention de le faire, me dit-il en avançant le menton pendant que j'essayais de maîtriser mon exaspération.

Le jeune Eddie habitait la pension de Taff O. Langford, notre ancien tenancier de saloon. Il gardait entièrement pour lui ce qu'il savait sur le procès de son père dans le nord de la Floride, deux ans plus tôt, si bien que j'ignorais tout de son opinion là-dessus ; mais depuis son retour à Fort Myers, il ne manquait jamais une occasion d'annoncer qu'il n'était pas et qu'il n'avait jamais été E.J. Watson junior. Il se disait son propre maître, monsieur E.E. Watson.

Eddie alla chercher son calepin et s'installa à la place du greffier, le dos raide comme un bâton. Il était rouquin comme son père, il avait le même genre d'entêtement bourru, mais lui manquaient la sauvagerie et l'audace du regard.

Les hommes paraissaient plus gênés que le jeune Eddie. Certains, pour se justifier, essayèrent de témoigner en prenant des accents scandalisés ; d'autres semblaient abattus et tristes, comme pour sous-entendre que cette expérience malheureuse les avait plus durement secoués que E.J. Watson. Deux types tentèrent de sourire à Eddie, qui fit semblant de ne rien remarquer. Ce garçon consigna tout cela avec l'air détaché d'un journaliste du *Press* qui prend quelques notes sur un dîner de charité. Quand les hommes en eurent fini, il abattit son crayon sur le calepin et le referma bruyamment, histoire de manifester son opinion — *peu importent ce tissu de mensonges et ces faux témoignages, vous l'avez lynché !*

Bill House adressa un signe de tête à Eddie avant d'entamer sa déposition, c'était un geste amical, mais qui ne réclamait aucune contrepartie. Il ne souriait pas. Au fur et à mesure qu'Eddie enregistrait comment Bill et les autres avaient mis en pièces le papa d'Eddie, on voyait bien que ce House se décomposait. Mais c'était la version de la mort de Watson selon tous les hommes de Chokoloskee, et la déposition de William Warlick House constituait leur version officielle. Les autres n'y ajoutèrent que quelques détails. Ted Smallwood parla en dernier pour dire qu'il n'avait pas assisté à la fusillade, mais qu'il l'avait entendue, bien sûr.

— Dans l'ensemble, déclara-t-il, j'ai aucune raison de douter de la déposition de House.

Et c'en fut fini. Je réussis à faire signer Smallwood ainsi que deux témoins ; quant aux autres, ils mirent un temps fou à tracer leur « X », à s'assurer qu'on ne les confondrait pas avec autrui. Je leur dis qu'ils pouvaient rentrer chez eux et attendre que le grand jury décide si et quand on les inculperait.

— Vous allez décider si on est des criminels, fit House. C'est ça que vous nous dites ?

— Un shérif n'a pas le droit de prendre cette décision, répondis-je. Surtout pas au tribunal.

Walter Langford et Jim Cole arrivèrent juste à temps pour m'entendre dire « grand jury », et Cole se mit à brailler avant que j'aie fini ma phrase. Comment un grand jury pourrait-il statuer sur cette affaire quand les seuls témoins oculaires étaient aussi les accusés ? Selon la constitution américaine, on ne pouvait pas obliger les hommes ici présents à s'incriminer eux-mêmes.

— Bon Dieu de bordel, cria-t-il, ça n'a franchement aucun sens de convoquer un grand jury !

Walt Langford leva les mains pour essayer de calmer Cole. Le président de la First National Bank pour la Floride arborait désormais les bajoues du vrai banquier, et tout ce lard enrobait les bons os du brave cow-boy. Il portait un col dur et une cravate assortie à son sourire à un million de dollars qu'il servait chaque fois qu'il ouvrait le bec. Ses ongles étaient roses, ses cheveux couleur de miel tirés en arrière et aussi lisses que l'aile d'un canard, et puis ce bon vieux Walt embaumait le barbier à plein nez. Pourtant, sa lotion ne parvenait pas à couvrir la puanteur du whisky. Walt buvait, je le savais, il avait toujours bu et il ne s'arrêterait pas de sitôt, même s'il faisait des pieds et des mains pour rester discret.

Walt s'exprima d'une voix étouffée « au nom de la famille de la victime », en jetant un coup d'œil à Cole toutes les deux ou trois secondes pour s'assurer qu'il ne se gourrait pas de registre. Il nous serina que « la solution la plus humaine » consistait à « oublier toute cette affreuse tragédie » dès que possible plutôt que de « gâcher l'argent du contribuable en traînant ces hommes devant les tribunaux alors qu'on ne pouvait espérer que justice soit faite ». Il était si pressé de cracher son laïus qu'il ne fit même pas attention au fils de la victime, sans parler des sentiments de mes suspects.

Isaac Yeomans s'écria alors :

— La justice *a été faite*, espèce de sale con, et je suis fier qu'on s'en soit chargés !

Les hommes étaient déjà bien bouleversés par la présence d'Eddie Watson ; Langford leur fournit un excellent prétexte pour sortir de leurs gonds. Bill House abattit violemment sa main sur la table, puis il se leva en disant :

— *Sa* mort a pas été une grande tragédie ! La tragédie, ç'a été toutes ces morts à la Courbe de Chatham !

Walt est soudain devenu tout rouge.

– Oh, Seigneur, j'essaie de vous aider, vous ne comprenez donc pas ?

– Alors rentrez chez vous, dit Isaac Yeomans.

Après que le calme fut un peu revenu, je dis au banquier et à son ami qu'un meurtre était un meurtre et que la loi ne pouvait pas fermer les yeux. Il fallait entreprendre toutes les démarches nécessaires pour établir les responsabilités dans cette fusillade – enquête, audiences en présence d'un grand jury, mise en accusation, jugement devant le tribunal. A ce moment-là, Cole me saisit par le coude à sa manière habituelle et m'entraîna à l'écart comme si tous les deux on était de mèche. Il avait une voix sifflante et, comme d'habitude, son haleine empestait l'oignon.

– Pourquoi pas laisser tomber ? me dit Jim Cole. Oublier tout ça ?

– Le comté de Lee ne peut pas « laisser tomber » un meurtre.

– Ce sera pas un meurtre si tu délègues tes pouvoirs à ces gars-là, Frank.

– C'est un peu tard pour leur déléguer mes pouvoirs, mon sieur Cole.

– Tiens donc ? Le procureur de l'Etat me doit un service, il sera donc pas trop pointilleux sur les dates. T'as ma parole.

– Votre parole, fis-je en me sentant de nouveau écœuré. Et la justice alors ?

– La justice, Frank ?

Cole aboya un rire sonore en m'abattant le dos de sa grosse patte sur le biceps pour me rappeler que, moi aussi, je lui devais un service – pour me rappeler une fois encore que dix ans plus tôt le jeune Frank B. Tippins « était entré pieds nus dans le bureau du shérif », comme disait Cole.

J'y étais entré pieds nus, d'accord, mais aussi honnête. Je n'avais jamais demandé le soutien de Cole. Le jeune Frank Tippins apprit à la dure que ces bétaillers et leurs laquais dirigeaient cette ville comme ils l'entendaient. Pour faire mon boulot, je devais manœuvrer ces rois du bétail en douceur, pratiquer le prêté-pour-un-rendu et j'avoue que je finis par mettre de l'eau dans mon vin, par arrondir quelques angles. Ma pire erreur fut d'embaucher des nègres de la chiourme locale pour fournir de la main-d'œuvre bon marché à Deep Lake. Cole décida avec Langford de me payer neuf dollars par tête et par semaine de boulot, plus le défraiement des Indiens qui leur couraient après dans la cambrousse quand ils s'échappaient.

Payer des condamnés à la chiourme pour bosser était illégal. J'avais eu l'intention de décider quand ils auraient purgé leur peine, mais très peu venaient me réclamer leur solde, ils se contentaient de filer à l'anglaise. Et comme cette caisse était illégale elle aussi, je piochais dedans pour payer mes factures.

Jim Cole m'adressait un clin d'œil appuyé chaque fois qu'il m'apportait l'argent.

— Je voudrais pas te prendre en train de donner un seul sou au noir à ces sales nègres, Frank. Notre shérif a jamais rien fait d'illégal, pas vrai ?

Le dos de ses doigts s'abattait alors sur mon bras avec la même mollesse que maintenant, pour me rappeler qu'il me tenait tout au fond de sa poche crasseuse, avec ses pièces toutes poisseuses et ses miettes de tabac rance.

Et voilà, je retournai dans la salle du tribunal pour faire prêter serment à tous les hommes, sauf House et Smallwood. Aucune action ne fut engagée, ni alors ni plus tard, pour établir les responsabilités du meurtre, car déléguer mes pouvoirs aux assassins revenait à légaliser cet assassinat. Langford et Cole furent ravis de clore ce dossier sans procès — la dernière chose que désiraient ces piliers de la bonne société était un scandale — et le jeune Eddie parut voir les choses de la même façon. Quant aux nouveaux représentants de la loi, ils rentrèrent chez eux en se sentant grandement soulagés rapport aux événements du 24 octobre.

Les seuls mécontents furent House et moi. Bill s'écarta des autres en fulminant et se mit à frapper le mur avec ses poings fermés. Puis il revint vers nous. Devant tout le monde, il dénonça l'entourloupe qui permettait d'éviter toute accusation, quand bien même à son avis aucun crime n'avait été commis. Il déclara qu'il préférait aller en enfer plutôt que d'accepter l'ignominie de ce mandat du shérif, il dit qu'il était fichtrement prêt à se laisser juger tout seul si c'était la seule façon de faire valoir ses droits.

Bill House s'attarda derrière les autres après leur départ. Près du bureau du greffier où je triais les documents d'Eddie, il me demanda d'un ton accusateur :

— Qu'est-ce qui va arriver à ce nègre, shérif ?

— Key West, lui répondis-je sans lever les yeux pour lui montrer que j'étais occupé.

Quand je compris qu'il restait planté là en attendant la suite, j'ajoutai :

— La justice.

Enfin, je relevai la tête pour le regarder et je lui dis :

— Ce nègre va se frotter à la justice, Bill.

Je réussis à grimacer un sourire, à transformer ça en blague, mais je n'étais pas d'humeur à sourire, lui non plus d'ailleurs. Je soutins son regard, histoire de l'avertir, et il n'en démordit pas.

— La même justice que vous avez offerte à Watson, Bill, ajoutai-je, selon votre récit de Chokoloskee.

Pour un gars au teint fleuri, le visage de House vira à une couleur inquiétante. Quand je lui dis « Sans rancune » en lui tendant la main, il secoua la tête, se dirigea vers la porte et continua de marcher derrière les autres qui sortaient au soleil avant de redescendre vers le quai.

Cox avait refermé le dossier de Dutchy Melvin, l'homme le plus recherché de tout Key West. Quant à Green Waller, si tel était son vrai nom, il figurait ici dans les registres de Fort Myers en qualité de voleur de cochons, deux fois condamné à la fin des années 90. Ensuite, personne ne savait ce qu'il était devenu. Il en eut marre de fuir, j'imagine, il se laissa dériver vers le sud et les Dix Mille Iles. Ed Watson avait une kyrielle de cochons pour le plus grand bonheur de Green, et puis Big Hannah arriva là-bas un peu plus tard pour lui tenir chaud.

De l'avis de mes nouveaux adjoints, Cox était peut-être encore dans les Iles et personne n'aurait su dire quand ni où il referait surface. Ils avaient décidé que Cox était cinglé et qu'il tuerait encore. Si E.J. Watson lui avait sauvé la mise en le déposant quelque part sur la terre ferme, Cox serait sans doute prêt à tout pour le venger, par exemple en se faufilant nuitamment à Chokoloskee afin de tuer quelques adjoints.

Au moins, ils avaient fréquenté Watson, discuté des récoltes avec lui ; au moins, leurs femmes avaient passé la journée avec son épouse et ses enfants. Pour le meilleur comme pour le pire, Ed Watson avait été leur voisin. Mais Cox était un étranger que personne ne connaissait, et les étrangers étaient capables de tout ou presque.

Ensuite, quand j'essayai de reconstituer les événements, je découvris davantage de questions insolubles que de réponses valables. Je savais une chose : mon témoin avait embobiné les hommes de Pavilion Key en jouant le rôle d'une andouille terrifiée après avoir fait de son mieux pour mouiller Ed Watson. J'ai eu beau le tabasser sans ménagement dans sa cellule, ce nègre malin et dur à cuire s'est accroché à sa seconde version donnée à Thad Williams comme du riz trop cuit à la casserole, et Thad avait encore embrouillé les choses en contestant la première version des meurtres. « Non missié, non missié, m'sieu Ed a jamais 'ien connu de c't histoi' ! Ah, j'l'ai seulement accusé pa'ce que m'sieu Leslie i' m'a dit de l'accuser ! »

Thad reconnut qu'il avait toujours eu un faible pour « ce brave E.J. », tout comme son neveu Dickie Moore et toute sa famille. Ils désiraient croire à l'innocence de ce brave E.J. et ils n'étaient pas les seuls. Mais si Watson était innocent, alors pourquoi ce nègre de malheur avait-il concocté sa première histoire, qui pouvait seulement lui causer des ennuis supplémentaires ? Etait-il à ce point terrifié par Cox qu'il ne savait plus ce qu'il racontait ?

A mon avis, il dit la vérité la première fois et il alla à Pavilion Key pour la dire. Si Jim Cannon et son gamin n'étaient pas passés dans les parages le jour où cette femme remonta du fond de la rivière, les requins et les gators auraient fait disparaître la preuve du crime avant que les humains s'en avisent, et si ce nègre n'avait pas dit la vérité à Pavilion Key, personne ne se serait jamais douté du sort de ces trois âmes perdues, sans parler de la squaw. Il y aurait seulement eu quelques rumeurs de plus à propos de monsieur Watson.

Je remis le prisonnier entre les mains du shérif Jaycox pour qu'il l'emmène à Key West. Sur le quai, Jaycox résuma ce qu'il savait de l'affaire tandis que son prisonnier se tenait debout devant lui.

– Une femme blanche. Assassinée dans des conditions atroces, mutilée, abandonnée nue, dit Clem Jaycox.

– Exact.

– Aucun jury laissera passer une horreur pareille, qu'est-ce t'en penses, Frank ? Ça paraît même pas souhaitable de demander aux citoyens du comté de Monroe de dépenser leur fric pour un procès, alors qu'on connaît tous le verdict avant même qu'il commence, ce procès.

– Entièrement d'accord.

Jaycox ajusta son chapeau et attendit. Je n'aimais pas beaucoup ça. Son prisonnier refusait de s'asseoir sur les marchandises que je lui montrais, il restait droit comme un piquet, les mains ligotées derrière le dos, en train de nous observer.

— Qu'est-ce tu regardes comme ça, le négro ? fit Jaycox d'une voix douce et à peine audible en remontant sa ceinture.

— Ce prisonnier est maintenant sous la responsabilité de Monroe, dis-je, si bien que vous devez faire ce que Monroe croit juste de faire.

Clem Jaycox me lança un clin d'œil pour me montrer qu'il comprenait, ce qui n'était sans doute pas le cas.

— Et moi, Frank, j'ai eu grand plaisir à travailler avec le comté de Lee.

Nouveau clin d'œil de Jaycox.

J'essayais toujours de faire baisser les yeux à ce nègre, mais en vain. Il savait sans doute qu'il n'avait plus rien à perdre.

— Je te donne une dernière chance, garçon, lui dis-je. Monsieur Watson a-t-il ordonné, oui ou non, ces trois crimes ?

Pas une seule fois il n'a cligné des yeux ni remué la tête. Un genre de nègre très très dangereux. J'ai pas été surpris quand la rumeur est arrivée de Key West qu'il était tombé par-dessus bord avant de se noyer en essayant de s'enfuir.

Lorsque Carrie Langford arriva au tribunal pour réclamer la dépouille de son père, mes nouveaux adjoints étaient déjà repartis — Dieu soit loué ! J'admirai beaucoup son courage. En apprenant d'Eddie que « l'affreux cadavre » de leur père — ce furent les paroles d'Eddie — avait été remorqué sur six kilomètres jusqu'à une pointe de sable dans le golfe, puis jeté dans une fosse improvisée sans le moindre cercueil, Carrie fondit en larmes à cause de « ces horribles individus » et du sort terrible de son pauvre papa. J'eus alors la chance de la prendre dans mes bras, pour la première fois de ma vie. Je lui dis que je serais heureux de m'occuper, avec le capitaine Collier, de rapporter la dépouille de son père à Fort Myers en vue d'un enterrement décent, comme elle le souhaitait.

— La dépouille, répéta-t-elle.

Je lui dis que le shérif irait aussi là-bas pour s'assurer que tout se passerait décemment, et le lendemain je décidai d'emmener aussi le coroner. Jim Cole voulut savoir pourquoi, puisque ni la famille ni l'Etat ne demandaient d'autopsie, puisque personne ne réclamait d'autopsie, sauf moi. Bref, comme le souligna le docteur Henderson, tout cela aurait pu se faire plus aisément « à la maison ». Le toubib, qui avait déjà sur son marbre toute une tripotée de macchabées pourris des deux sexes, n'avait guère besoin d'entendre des fers de pelle racler l'os d'un nouveau client. Il va falloir mettre celui-là en boîte, dis-je ; inutile donc de le faire deux fois, autant apporter la boîte là-bas. Il reconnut enfin qu'il avait peur de voir Ed Watson le fusiller du regard, du fond de sa fosse creusée dans le sable.

— Vous inquiétez donc pas, lui dis-je, il repose face contre terre.

Lucius Watson, un garçon très doux, très civil, ressemblait à sa défunte mère. Il fredonnait souvent des petits airs pour montrer aux gens qu'il était là, car on avait du mal à s'apercevoir de sa présence. Ce calme qui caractérisait le benjamin d'Ed Watson décontenançait déjà certains citoyens, et sa détermination, inattendue de sa part, renforça ce sentiment.

Je dis à Lucius qu'il ne viendrait pas, point final. Mais Lucius me suivit jusqu'au quai de l'Irlande ; silencieux comme mon ombre, il m'emboîta le pas. Ce grand escogriffe — il allait sur ses vingt et un ans — aurait pu exécuter des sauts périlleux en plein tribunal, qu'on aurait à peine remarqué sa présence, alors qu'au contraire il suffisait à son frère Eddie d'apparaître à une fenêtre pour que sa fichue présence se fasse sentir dans tout le bâtiment.

— Je vous accompagne, shérif, dit doucement Lucius. Je tiens à m'assurer qu'on le traite avec respect.

La veille, il avait protesté contre la décision familiale de ne pas poursuivre en justice les assassins de son père, une décision pourtant approuvée par son frère et sa sœur. Lucius pensait qu'il fallait inculper les hommes de Chokoloskee devant les tribunaux. Il avait, dit-il, passé ces deux dernières années à la Courbe de Chatham sans voir la moindre preuve de leurs histoires, alors que personne et pas même les coupables n'avaient jamais contesté le meurtre de son père.

— Bon, écoute, fils, c'est pas si simple...

— Un meurtre est un meurtre. Vous auriez pu les inculper avec ou sans l'aide de sa famille.

Lucius avait beau être furieux, jamais il ne prit les choses personnellement, jamais en fait il n'éleva la voix. Et il avait raison, aucun doute là-dessus. Bill House et les autres m'avaient peut-être dit rien que la vérité, mais ce n'était pas *toute* la vérité, et je le savais. Lucius reconnut qu'il n'avait aucune expérience de la mort et qu'il ignorait comment il risquait de réagir.

— Tu ne viens pas avec nous, lui répétai-je alors qu'il montait sur le bateau. Un jour, tu m'en seras reconnaissant.

Monsieur Watson gisait face contre terre sous deux grosses plaques de corail que l'ouragan avait détachées d'un récif avant de les rejeter au rivage. Ses poignets et ses chevilles étaient ligotés serré pour décourager toute velléité de déplacement et la chair grise qui avait gonflé autour de cette étreinte mortelle cachait presque la corde. Dick Sawyer passa d'autres cordages sur ces liens, puis mes nègres hissèrent le cadavre hors de son trou comme un quartier de bœuf avant de le déposer sur une bâche de toile apportée par le coroner. La puanteur et le spectacle atroces arrachèrent un cri d'horreur aux terrassiers qui firent mine de reculer.

Le toubib, un homme soigné aux cheveux argentés, dit :

— Prêts ?

La gaze qu'il se plaquait contre le nez étouffait sa voix. Lorsqu'il eut fait rouler le cadavre sur le dos, Lucius se détourna pour regarder la mer par-dessus son mouchoir.

Feu E.J. Watson était tout encroûté de sable noirci par le sang, aveugle, les dents éclatées par les balles, le nez et la lèvre inférieure à moitié déchiquetés, le visage, le cou et les bras couverts d'hématomes, son corps blanc de fermier virait à un gris violacé insoutenable autour de l'impact des balles et des déchirures de la chevrotine, sans parler des puces des sables qui grouillaient sur tout ce gâchis.

Je frissonnai des pieds à la tête, mais une seule fois, du frisson spasmodique d'un cheval, ou d'un chien trempé. Lucius se mit à tousser, puis à vomir. Il revint aussitôt. Il s'agenouilla pour trancher les liens de son père et eut l'air surpris quand les membres enfin libérés restèrent inertes.

— Vous êtes sûrs que c'est lui ? dit-il d'une voix faible.

Le toubib pivota brusquement vers Lucius, la main pleine de petits couteaux, comme si on venait d'insulter son métier de précision, et je dis à Lucius :

— Retourne au bateau.

— On dirait une chose rejetée par la mer, chuchota Lucius, très pâle.

Je m'approchai de lui par derrière, au cas où il se serait évanoui.

— Non, pas d'accord, fit le toubib dont les mains tremblaient à la moindre contrariété. Pour moi, c'est le cas d'assassinat le plus atroce que j'aie jamais rencontré dans toute ma carrière !

Lucius se redressa, faillit perdre l'équilibre, redevint livide, se mit à trembler et je lui dis assez sèchement :

— Tu as vu ce que tu étais venu voir ? Alors maintenant va-t'en, et ne te retourne pas.

Mais il ne m'entendit pas et il se mit à trembler comme une feuille. Je le giflai trois fois à toute volée en lui criant *Calte !* à chaque claque, puis je lui saisis les épaules, le fis pivoter et le ramenai au bateau.

— Reste ici jusqu'à ce que ça soit fini.

Le toubib tranchait les derniers lambeaux de vêtement. Ses petits couteaux scintillaient. L'autopsie eut lieu sous le soleil implacable et dans l'air marin ; les vaguelettes du golfe s'écrasaient sur le sable blanc, l'eau verte miroitait contre la peinture blanche de la coque et les mouettes criaillaient dans la lumière fuligineuse de la dernière journée brûlante de ce long mois d'octobre saturé d'ombres. Une heure s'écoula, où l'on entendit seulement le bruit infime des chairs entaillées, les hommes reprenant leur souffle. Le toubib ne s'intéressait pas à la chevrotine. Trente-trois balles, l'une après l'autre, tintèrent dans la tasse en fer-blanc.

Lucius était revenu. Il se racla la gorge et dit de sa voix douce :

— Vous l'avez bien assez découpé comme ça, non ?

Les oreilles du toubib rougirent, ses mains se figèrent, mais il ne leva pas les yeux.

— Sans doute qu'il en reste encore quelques-unes, dit-il.

— On le saura jamais, fit Dick Sawyer avec un clin d'œil destiné à Lucius pour s'attirer ses faveurs. Si on veut en avoir le cœur net, on peut pas le laisser en un seul morceau. Comme disait ce brave Ed ici présent, bien heureux l'homme qui va dans sa tombe en un seul morceau.

Je dis au toubib que le représentant du comté de Lee était maintenant convaincu de connaître la cause probable de la mort. Sawyer rit, mais le coroner me rabroua d'un aboiement plaintif, comme un chien qui essaie de vomir un os. Ce qui était allongé devant eux sur le sable, me reprocha-t-il, ne prêtait pas à rire.

— D'une certaine manière, pourrait-on dire — le toubib s'interrompit pour mettre en place une espèce de pagne, histoire de rendre le cadavre décent — je considère cette chose comme mon patient.

— Allez chercher la boîte, ordonnai-je aux terrassiers.

Le toubib essuya ses petits couteaux contre son talon pendant que nous reculions tous pour respirer un peu d'air frais.

Les terrassiers hissèrent le cadavre et le déposèrent dans une solide boîte en pin. Ils s'entourèrent les mains avec des chiffons avant de le toucher, mais aucune exhortation ni aucune menace n'interrompit leurs gémissements, leurs prières, leurs jappements et tout leur boucan de nègres. Bah, difficile de leur en vouloir. Entre les blessures et les entailles de l'autopsie, cette carcasse toute boursouflée, rouge, grise et bleue, ressemblait davantage à un animal écorché qu'au dangereux individu avec lequel j'avais bu à bord du *Falcon*.

Sawyer émit ce commentaire :

— J'ai lu qu'on plombait les gens à mort là-bas dans l'Ouest, mais j'ai jamais pensé voir ça un jour dans le sud de la Floride.

— Tu causes trop, lui dis-je.

Lucius s'agenouilla avant de tomber. Son doigt toucha le front de son père.

— Que le Seigneur ait pitié de toi, papa, chuchota-t-il.

Il mit le couvercle en place, prit les clous et le marteau des mains de Dick Sawyer et fit de son mieux pour bien colmater toute cette infection.

Comme Dick Sawyer le déclarerait pendant des années :

— On l'a transbahuté, c'est la vérité vraie. Mais aujourd'hui encore, il suffit de mettre les pieds à Rabbit Key pour respirer une bonne bouffée de ce sacré démon !

Carrie Langford

25 octobre 1910. C'est fini. Je me sens épuisée, comme si j'avais fui ce jour depuis vingt ans, hors d'haleine, remplie de terreur et de désespoir.

Doux Seigneur, je savais que cette heure douloureuse devait arriver, et maintenant elle est là. Une souffrance aiguë me déchire le cœur, la *douleur* terrible de la perte et de l'affliction, que jamais rien ici-bas ne pourra guérir : *Sa fille aurait pu faire quelque chose, mais elle n'a rien fait. A la place, elle a renié son père.*

Mon accablement est bien réel, mais est-ce vraiment du chagrin ?

Oh ! maman, si seulement tu pouvais te glisser par cette porte pour me serrer dans tes bras et guider mes pensées, car personne autour de moi ne peut me comprendre. En cette vie, le Seigneur paraît si lointain, et ainsi, j'ouvre mon cœur vers toi en sachant que tu es plus proche de Dieu, je prie pour que tu m'entendes et me pardonnes, pour que tu me guérisses, car tu sais que j'aimais papa, malgré tout.

Je suis *contente*, maman. Je souffre mais je suis contente. Je me repens mais je suis contente.

Je suis contente, contente ! Que Dieu me pardonne.

27 octobre 1910.

« C'est fini, Carrie », voilà tout ce que me répète Walter pour me consoler.

« Ça vaut mieux ainsi », dit Eddie (qui, imitant Walter, paraît aussi pompeux que Walter lorsqu'il copie M. Cole).

Je n'arrive pas à comprendre ce qui se passe dans la tête d'Eddie. Je l'aime beaucoup, cela me peine de le voir aussi embarrassé, mais j'ai envie de le gifler. Tout jeune, il était tellement ouvert à la vie et plein de curiosité ; mais à son retour du nord de la Floride, quelque chose avait épaissi en lui. Il ne semblait plus curieux de rien. Il parle trop, il pérore, il fait le fanfaron. Son emploi de greffier au tribunal le rend vaniteux, alors que tout le monde sait que sans le shérif Tippins il ne l'aurait jamais décroché. Il arbore ce sourire satisfait comme une cravate à deux sous.

Quand j'ai demandé à Eddie comment, au tribunal, il avait pu coucher sur le papier les mensonges de ces hommes ignobles, il me répondit d'un air las :

— Qui démêlera le vrai du faux ? Et puis, ce ne sont pas des hommes *ignobles.* Ce sont simplement des hommes.

Il fait tellement son malin que j'ai envie de le rouer de coups de poing. Le boulot c'est le boulot, il faut bien que quelqu'un le fasse — voilà le genre de bêtise pontifiante qu'il affectionne et accompagne d'un haussement d'épaules philosophique. Il s'est mis à fumer la pipe, ce qui ne lui sied guère, mais l'encourage seulement à lester de plomb la moindre de ses paroles dépour vues de poids.

Il suffit qu'on cite le nom de Papa pour qu'Eddie fasse la sourde oreille ; il se comporte ainsi depuis qu'il est revenu du procès de papa. C'est à peine s'il a adressé la parole à papa depuis deux ans. Je lui ai demandé — je l'ai *supplié* de me répondre :

— Papa était innocent, n'est-ce pas ? N'est-ce pas, Eddie ?

Mon frère a fini par grommeler :

— C'est ce que le jury a déclaré.

Il a refusé d'en dire plus.

A cause de cette douleur secrète et partagée, nous sommes comme deux étrangers. Ce n'est pas la faute de notre pauvre Papa, bien sûr.

Eddie vivait avec Papa à Fort White quand les ennuis leur sont tombés dessus dans le nord, mais il refuse d'en parler à personne, il qualifie cela de « chapitre clos de son existence ». Il refuse même d'en parler avec ce pauvre Lucius, qui semble moins chagriné par les assassins de Papa que par les prétendus amis de Papa à Chokoloskee, tous ces gens qui ne sont pas intervenus.

Malgré tout cela, Lucius est allé trouver Eddie pour lui réclamer la liste des noms des hommes présents au tribunal, et quand Eddie a refusé de la lui transmettre — il a *au moins* eu ce bon sens —, ils se sont affreusement querellés en public ! Que vont penser les gens de notre pauvre famille ruinée ? Eddie s'est déclaré soucieux de la sécurité de son jeune frère, et puis le fait de révéler les noms des témoins allait à l'encontre de l'éthique de l'adjoint au greffier du tribunal. Lucius lui a crié que l'adjoint au greffier du tribunal se fichait de son propre père et ne s'intéressait à rien d'autre qu'à son f...u titre, qui était loin d'être aussi important qu'il le croyait !

Perdre la tête et hurler de la sorte ressemble si peu à ce pauvre Lucius, qui prend la mort de Papa plus à cœur que n'importe qui. Après le retour de Papa, il y a deux ans, Lucius passa presque tout son temps à la Courbe de Chatham et il s'était lié d'amitié avec les malheureuses victimes. L'été dernier, il passa plusieurs semaines avec son ami Dick Moore, il chassa et pêcha pour la table de la maison, il travailla dans les champs et sur les bateaux, il partit en excursion à Key West avec son père — aujourd'hui, il refuse de croire que ce père chaleureux et généreux qu'il pensait connaître était aussi l'assassin diabolique dont parlent les gens. Lucius a l'intention d'aller à Fort White pour apprendre la vérité dans cette partie du pays, après quoi il retournera dans les Dix Mille Iles pour poser quelques questions. Lucius a déjà parlé à quelqu'un qui a assisté au drame, il est en train de dresser la liste des hommes et des garçons qui ont participé au massacre de son père.

Avec un clin d'œil destiné à Walter, Eddie a conseillé à « son cher petit frérot » d' « oublier ce mauvais homme ». L'expression, prononcée avec la voix blasée d'Eddie, parut injurieuse envers notre père ; Lucius bondit sur ses pieds, exigeant qu'Eddie la retire ou prenne la porte !

— Je voulais seulement te conseiller d'oublier ce *bonhomme,* fit Eddie avec un nouveau clin d'œil à Walter, qui froissait son journal d'un air gêné en feignant de ne rien remarquer.

Et Lucius de lui rétorquer :

— Ce qui est bon pour toi ne l'est peut-être pas pour moi.

J'ai vu notre Eddie serrer les poings, furieux de cette impertinence. Eddie ressemble à papa, il est plus massif que Lucius, lequel est grand et mince. Mais Eddie retrouva son sang-froid et haussa les épaules, comme si on ne pouvait prendre au sérieux aucune entreprise de son petit frère.

Walter raccompagna Lucius jusqu'à la porte puis revint, l'air soucieux.

— C'est sa manière à lui d'extérioriser son chagrin. Il fera du mal à personne.

— Peux-tu imaginer Lucius faire du mal à quelqu'un ? dis-je avec impatience.

Walter ne dit rien. Il se rassit et reprit son journal, me rendant folle de colère.

— Enfin, pour l'amour de Dieu, Walter, qu'y a-t-il ?
— Il ferait mieux de pas retourner là-bas pour chercher des noms.
— Empêche-le de le faire, alors. Je ne veux pas qu'il y aille !
Walter refuse de se mêler des affaires de la famille Watson, il n'a jamais voulu s'y intéresser et il ne s'y intéressera jamais. Il s'est caché derrière son journal.
— Ce garçon est aussi têtu que l'était son père, dit sa voix. Y a point personne qui pourra l'empêcher.
— *Personne ne pourra l'en empêcher*, rectifiai-je.
— D'accord, comme tu voudras, fit Walter avant que je lui arrache son journal des mains.
— Tel que je le connais, dit-il doucement en récupérant son journal, il va passer le restant de ses jours à leur poser des questions gênantes.

30 octobre 1910. Comme elle a changé, cette pauvre et jeune veuve Watson ! Plus rien à voir avec la pétillante Kate amenée ici par papa il y a quatre ans. Miss Kate Edna Bethea, comme je l'appelle toujours quand je pense à elle, ne possédait ni l'élégance ni l'éducation de notre Maman, mais je remarquai aussitôt son esprit enjoué, sa poitrine haute et ses hanches de cheval de trait, son babil léger sur les animaux de la ferme là-bas à Fort White — cette belle plante convenait mieux à notre vigoureux Papa que toutes les vertus de femme d'intérieur de Maman.

Oh, c'était bel et bien la jeune jument de Papa ! Je le dis sans arrière-pensée ! Quant à Papa, il marchait et parlait de nouveau comme un jeune homme, il se pavanait même. Il avait arrêté de boire — enfin, presque — et il débordait de plans mirifiques pour les Iles, il était plein de *vie* !

Tout cet affreux épisode est « un chapitre clos de ma vie », dit Edna Watson. A-t-elle copié cette expression sur Eddie ou bien Eddie l'a-t-il trouvée chez elle, à moins qu'il ne s'agisse tout simplement d'une expression populaire à Fort White.

Ma belle-mère Edna a trois ans de moins que moi. Je lui ai rendu visite à son hôtel. Elle a le regard vitreux, un air terne et morbide. Elle a fait de son mieux pour se montrer polie, mais elle réussit à peine à parler de tout ça. Curieux, non ? La fille vieillissante pleurait et reniflait, mais la jeune veuve n'a pas versé une seule larme, elle restait là très droite, hébétée, terrifiée, cassant son biscuit sans le manger, ne buvant pas une seule gorgée de son thé. Edna refuse de retourner dans sa famille à Fort White, elle veut vivre avec sa sœur dans l'ouest de la Floride, où personne ne la connaît. Elle veut partir d'ici, dit-elle, afin de pouvoir *réfléchir*. Je me demande bien à quoi elle a envie de réfléchir...

Edna porte de beaux vêtements (Papa y veillait), mais elle ne sait pas les assortir et ils donnent évidemment l'impression qu'elle a dormi avec, ce qui est peut-être le cas. J'ai pressé mes enfants chéris de jouer avec leur petite « tante » Ruth Ellen, mais la progéniture de papa se réduit à des créatures désespérées. Addison reste dans les jupes d'Edna. « Quand est-ce que papa arrive ? Où est papa ? » Les grands yeux de bébé Amy regardent partout d'un air effaré, même quand elle tète, à peine cinq mois de vie et déjà l'inquiétude !

Edna remarque à peine tout cela, elle ne les entend pas, elle surveille ses enfants d'un air absent comme si elle s'en occupait en rêve. En temps normal, c'est sûrement une excellente mère, puisque que même aujourd'hui elle se montre très douce, alors que cette pauvre femme n'a pas la moindre idée de ce qu'elle va devenir. Tout ce que notre cher petit Papa ne possédait pas en mains propres est immobilisé : la maison, les bateaux, le bétail et l'équipement de la ferme. Walter a expliqué à Edna que les énormes frais juridiques engagés par papa il y a deux ans l'ont beaucoup endetté, mais elle l'écoute à peine, elle paraît se désintéresser de la question. Elle n'a pas davantage trouvé ses mots pour le remercier lorsqu'il a promis de lui envoyer le solde de l'héritage, une fois les dettes remboursées. Je crois que Walter lui a avancé l'argent de leur voyage et qu'elle lui a donné tous pouvoirs pour vendre les derniers bidons du sirop de papa. D'ailleurs, elle aurait accordé ces pouvoirs au premier venu qui les aurait demandés.

Quand je lui dis que nous allions retirer Papa de sa tombe perdue et solitaire dans le golfe pour lui offrir des funérailles décentes ici même, à Fort Myers, elle s'est contentée de répondre :

— A côté de Mme Watson ?

Elle n'a pas dit ça avec le moindre ressentiment envers maman, mais simplement pour être polie — elle aurait aussi bien pu me rétorquer : *Quelle bonne idée !* Au bout de cinq années de vie commune, après trois enfants et ce veuvage si brutal, elle ne se considère toujours pas comme l'épouse de Papa !

Comme Walter et Eddie, Edna croit que moins on en dit sur Papa, mieux cela vaut. L'essentiel, c'est de protéger nos enfants contre les mauvaises langues. Ce sera plus facile pour elle que pour nous. Notre vie est ici, nous ne pouvons pas fuir, comme elle, dans l'ouest de la Floride, tout laisser derrière nous, jusqu'au cadavre ! Elle est convaincue qu'elle-même et ses enfants ne sont pas à l'abri de leurs anciens voisins ; ainsi, elle ne veut même pas attendre de voir son mari enterré décemment. Pour cette raison, je ne peux pas lui pardonner.

Mais si, Maman, je lui pardonne de tout mon cœur ! Penser aux épreuves que cette pauvre femme a endurées ! Son hébétude trahit sa terreur passée et son désir désespéré de mettre cette maudite côte derrière elle !

Nous l'avons accompagnée à son train dans la nouvelle Ford — c'était la première fois qu'ils montaient dans une auto ! Elle restait recroquevillée sur la banquette en serrant ses enfants contre elle avec ses maigres biens, attendant avec impatience le coup de sifflet du train qui l'emporterait loin d'ici. J'ai remarqué — mes chères filles aussi l'ont remarqué ! — qu'elle regardait sans arrêt par-dessus son épaule, comme si les ignobles habitants de Chokoloskee pouvaient encore la rattraper !

Puis elle est sortie de notre vie, un visage abattu derrière la fenêtre. Je lui ai dit que j'étais sûre que nous nous reverrions un jour. Elle a détourné les yeux, puis a murmuré assez fort, comme un hoquet :

— Non, je ne crois pas.

Elle ne voulait pas me blesser, mais son absence du moindre regret m'a néanmoins choquée. Suis-je toujours aussi naïve ? Le fait est que j'ai eu envie de la serrer dans mes bras, de serrer quelqu'un contre moi, et presque n'importe qui aurait fait l'affaire. Car après tout, Edna est *quand même* ma belle-mère.

— Dites au revoir pour moi, murmura-t-elle en pleurant pour la première fois, comme si le premier soubresaut du train qui allait l'emporter sur ses rails brillants vers une vie nouvelle lui avait arraché ces larmes.

— Au revoir ? reniflai-je, trop émue par mes propres pleurs pour comprendre que son esprit était retourné vers l'enterrement.

J'ai marché un moment le long de la voie en restant à sa hauteur, les doigts posés sur le rebord de la fenêtre, cherchant son contact. Elle avait conscience de la présence de ma main, mais ce ne fut qu'au dernier moment qu'elle posa timidement ses doigts sur les miens.

— Dites au revoir à monsieur Watson, murmura Edna.

3 novembre 1910. Le jour où nous avons enterré Papa, le vent du nord soufflait. La lumière dure et froide qui miroitait sur la rivière nimbait les dernières feuilles des magnolias. Notre petit groupe se réunit sous le banian, puis franchit le portail principal derrière le cercueil. Les épineux avaient envahi le cimetière depuis qu'on y avait enterré Maman et le papa de Walter, dix ans plus tôt, mais aujourd'hui il est clôturé et entretenu « par respect pour nos morts » — au fait, sommes-nous propriétaires de nos morts ? Comme ils doivent se sentir reconnaissants, d'être ainsi revendiqués ! Notre maman sourit certainement dans sa tombe en entendant pareilles fadaises, son petit crâne sourit, je veux dire. Oh, *mais non !* J'essaie de me rappeler — Maman a-t-elle jamais éclaté de rire à cause de la joie de l'existence ?

Nous avons enterré Papa à côté de Maman. Quel réconfort de penser que Papa est ainsi réuni à notre chère maman, bien que pas très présentable, comme il disait. Quand j'ai fait part de mes réflexions à Eddie, il m'a rétorqué :

— Non, ils ne sont pas réunis. Maman est au Ciel, mais cet homme est en Enfer.

Les fossoyeurs noirs s'arrêtèrent pour regarder, chapeau bas. Peut-être que ceux qui descendirent dans le sud pour le tirer de sa fosse révélèrent ensuite l'identité de l'homme qu'on allait enterrer une seconde fois, car ces fossoyeurs savaient tout du cadavre enfermé dans le cercueil. Et comment ! Je ne fais pas de la sensiblerie. Je jure qu'ils *savaient* quelque chose !

Frank Tippins arriva, se posta derrière moi et je l'entendis leur ordonner durement de se remettre au travail. La voix du shérif paraissait très sonore dans ce vieux cimetière.

Dieu sait que notre petit groupe éploré avait besoin de tout le soutien qu'il pouvait trouver et je suis reconnaissante envers Frank Tippins d'être venu, sans doute par loyauté envers Walter. Mais d'un autre côté, je regrette sa présence au cimetière. Vêtu de son costume noir, il se penchait au-dessus du cercueil de Papa avec une expression pleine de colère, comme s'il livrait un prisonnier entre les mains du Seigneur. Lorsque je le remerciai d'être venu, il s'écria :

— Monsieur Watson avait tout mon respect, madame, quoi qu'il arrive !

Il se trouva très gêné, comme s'il venait de proférer une grossièreté ou une impolitesse ; une fois encore, il épancha sa colère sur les pauvres Noirs. Mais il semblait perdu. La moustache de Frank, trop longue et tombante, lui donne un air de chien battu. Il s'imagine qu'il a toujours été amoureux de moi.

Après le procès de Papa, quand je compris qu'il s'en était tiré grâce à ses appuis politiques, j'essayai à mon tour d'avoir une influence d'ordre politique. J'allai trouver le shérif à propos de ce malheureux prisonnier, condamné à la pendaison. Pour une fois, Papa et Walter étaient d'accord. Si ce prisonnier avait eu le moindre appui, disaient-ils, il serait libre, car il avait tué en état de légitime défense. Quand je suggérai cela à Frank, il parut troublé et se mit à opiner du chef comme si mes paroles l'avaient convaincu. J'en fus tout excitée ! J'avais sauvé une vie et sans doute cet exploit servirait-il d'expiation pour les vies que notre papa avait peut-être brisées.

Mais Frank me dit :

— Miss Carrie, vous essayez d'infléchir le bras de la justice.

J'entrai alors dans une fureur noire :

— C'est cette pendaison que vous qualifiez de « justice » ? Alors que c'est un cas criant de légitime défense ? Pour mon père, il s'agit d'un lynchage pur et simple !

— Ce prisonnier a été déclaré coupable par un jury et condamné à mort, me rétorqua le shérif. Peut-être que c'est pas bien, mais c'est la justice pour sûr. La justice en application de la loi.

Auprès de la tombe de papa, je murmurai à Frank Tippins :

— Justice a été faite ici aussi ?

Il comprit aussitôt ce que je voulais dire et il se mit à s'agiter.

— Non, madame ! s'écria-t-il. Aucune procédure légale ! Il s'agit d'un meurtre !

S'apercevant trop tard de la violence de sa repartie, il resta là à déglutir comme une oie, le visage tout rouge. Puis il se reprit :

— Si, madame.

Et il chuchota :

S'agit bien d'un meurtre, miss Carrie, pour sûr. Mais peut-être que c'était aussi justice.

Trois hommes seulement étaient venus des Dix Mille Iles. Guindés et timides, ils se tenaient à l'écart avec leur costume élimé, leur chemise blanche toute raidie d'amidon et boutonnée jusqu'au col, sans cravate. Je ne leur parlai pas avant que Lucius leur serre la main et me les présente — le capitaine R.B. Storter, Gene Roberts, Willie Brown. Où donc, pensai-je alors, était son ami le receveur des postes Smallwood ? Où donc Henry Thompson et Tant Jenkins, qui nous avaient connus tout enfants dans les Iles ?

Tout près d'eux se tenait une petite bonne femme – jolie, j'imagine – aux grands yeux sombres et aux longs cheveux noirs dénoués, contrairement à l'usage pour quelqu'un de son âge. Une enfant d'une dizaine d'années l'accompagnait, assez laide et les yeux tout rougis de larmes. Mais c'était l'évidence de leur chagrin, et non leurs vêtements dépenaillés, qui les distinguait. Quand l'enfant surprit ma curiosité, elle hasarda un pauvre sourire, puis détourna les yeux.

Lucius les salua avec un peu trop de familiarité à mon goût. Quand je lui demandai qui elles étaient, il me répondit :

– C'est la sœur de Tant, installée à Caxambas, et sa fille, Pearl.

– Celle qui s'occupait de la maison de papa ? fis-je. Celle qui a perdu son bébé dans l'ouragan ?

Lucius acquiesça.

– Est-ce cette femme qu'il appelait Netta ? repris-je.

– Non, dit Lucius. C'est la demi-sœur de tante Netta.

Je m'obstinai, par pure mesquinerie :

– Cette femme était-elle proche de Papa, comme ta tante Netta ? Pourquoi renifle-t-elle autant ? Elle aime les enterrements ?

Il me regarda en se demandant ce que je savais.

– Je crois qu'elle prend ça très à cœur, fit-il avec ce petit sourire tout tordu qui lui creusait une fossette près de la bouche et qui me rappelait tellement notre chère maman.

Frank Tippins faisait les gros yeux à Lucius en secouant la tête. Les gens commençaient à nous regarder, si bien que Lucius s'éloigna de moi.

– Mon père n'était certes pas un saint, murmurai-je pour rassurer Frank.

– Non, m'dame, il l'était point

– Cette enfant est donc ma demi-sœur, insistai-je pour le mettre à nouveau sur les charbons ardents.

– Oui, m'dame, fit le shérif.

L'entaille dans la terre nue semblait hostile et désolée. J'étais heureuse de ce vent du nord glacé, car même au milieu de ses bourrasques l'odeur qui suintait du cercueil était épouvantable. Vraiment choquante. Tous ces gens en deuil détestaient sans doute le corps putrescent dont l'horrible visage grimaçait à l'intérieur sous son couvercle de pin. Je me suis sentie prise de nausées — et malade de honte à cause de ma propre honte — en pensant que ma chair et mon sang pouvaient sentir aussi mauvais. La puanteur infernale de Satan, disaient tous ces visages de Baptistes, une infection remontée de l'Enfer ! Les hommes, qui se retenaient tant bien que mal de respirer, semblaient bouffis, et les femmes toussaient dans leur mouchoir. Tout le monde se démenait sans doute contre notre pauvre papa, en faisant comme si tout allait pour le mieux.

Oh, doux Seigneur, puissent-ils enterrer au plus vite ma dépouille mortelle avant que personne n'ait le temps de penser aux vers, à l'odeur, aux cheveux et aux ongles gris et humides qui poussent, paraît-il, comme champignons bourgeonnant sur notre pauvre chair morte enfouie dans la tombe. Et puissent-ils se rappeller « mon vrai moi », la jeune fille naïve et romantique qui sentait si bon, miss Carrie Watson !

Walter m'enlaça les épaules et, par ce geste tendre, attira l'attention sur mon désespoir.

Lucius grinçait des dents, il ne tenait pas en place. Il était dans une fureur noire, contre Dieu, je suppose. Il s'écarta de notre modeste groupe éploré pour se camper près de la petite femme de papa et de cette demi-sœur toute maigrichonne dont j'ignorais l'existence jusqu'à cette heure ! Quant à Eddie, le pauvre garçon était si bouleversé par la puanteur de la corruption de son père qu'il se tenait raide comme un Indien de bois, prêt, eût-on dit, à basculer dans la fosse.

Le seul homme qui sortit de sa poche son grand mouchoir pour se le presser contre le nez, le seul qui graillonnait et crachait, était Jim Cole, arrivé en retard dans sa Cadillac flambant neuve, à croire qu'on enterrait M. Edison en personne. J'ai été très, très fâchée de sa venue et je ne l'ai pas salué. Même Walter se détourna de lui après un bref signe de tête. Il n'avait rien à faire ici parmi tous ces gens affligés. Le capitaine Jim Cole haïssait papa, simplement parce que papa le méprisait et ne faisait rien pour cacher son sentiment.

Suis-je injuste envers « capitaine Jim » ? Oui, je le suis et je m'en fiche. Il était seulement venu pour ne pas rater un événement scandaleux dont il pourrait ensuite jaser et se moquer.

Ma chère et douce maman ne supportait pas celui que le *Press* appelait « l'un de nos meilleurs citoyens ». Un jour, Maman me dit :

— Ton père est sujet à des accès de violence, il est maudit et je crains pour son âme immortelle, mais aussi bien il sait se montrer aimable et généreux, il est viril, il ne lésine jamais. Au contraire, cet homme cupide et cruel, avec toutes ses manigances, fait violence à l'esprit, et je comprendrais mieux le Seigneur si je savais lequel des deux Il compte absoudre le jour du Jugement dernier.

Quand Papa, en route vers le nord, passa à Fort Myers peu de temps avant la mort de notre pauvre mère, elle comprit qu'il était en fuite. Il lui dit au revoir et s'en alla très vite en maudissant le sort qui l'empêchait de s'occuper d'elle. Maman me confia qu'elle lui avait alors demandé où était ce pauvre Rob, et qu'il lui avait répondu :

— Si le Bon Dieu le sait, Il ne m'en a rien dit.

Maman prit alors un air effaré, comme si elle se demandait à la dernière minute si, tout compte fait, elle avait réellement connu son mari.

Maman reposait, les mains allongées sur le couvre-lit, ses belles mains aux longs doigts sensibles qui avaient cette même teinte cireuse dans la mort comme dans la vie. Elle rassemblait ses dernières forces, je crois. Pendant que j'étais descendue lui préparer son thé, elle me griffonna un billet.

Il y a une blessure chez ton pauvre père que je n'ai jamais réussi à guérir ; puisse le Seigneur qui lui a accordé la vie lui donner aussi la pitié et le pardon ultime, et lui accorder le repos. Car Papa aussi est fait à l'image de notre Seigneur. C'est un homme, un être humain dont la violence n'est que la partie obscure ; il y a également chez lui une générosité aimante qui s'épanouit en pleine lumière. Cet aspect est joyeux, plein de chaleur et de courage ; c'est cet aspect que tu dois chérir, en sachant qu'il aime très tendrement ses enfants.

La famille avait décidé qu'il n'y aurait pas d'éloge funèbre, mais j'avais conservé ce pitoyable bout de papier, que je lus à voix haute près de la tombe de papa. Il se tacha encore de larmes à mesure que je lisais ces mots ; pourtant, mes larmes ressemblaient à des gouttes de pluie perdues dans le soleil, car tout chagrin m'était inaccessible. Le pauvre Lucius pleurait sans changer d'expression, ses larmes lui couvraient les joues comme une rosée paisible.

J'espérais que cette lettre rédimerait un peu de la colère d'Eddie et lui ouvrirait la porte du chagrin, mais je ne saurais dire comment les mots de Maman l'affectèrent. Il fit comme si ma supplique ne l'atteignait pas, on l'aurait cru presque entièrement absent.

Nos papa et maman reposent tout près de la concession Langford, avec ses deux petites pierres tombales : *John Roach Langford, 1906-1906. Bébé Langford, 1907.* Deux petites pierres. Voilà pour maman Carrie.

Où qu'on m'enterre un jour, je serai près de papa. Les Langford avaient commandé une petite stèle, sans épitaphe :

EDGAR J. WATSON
11 NOVEMBRE 1855 — 24 OCTOBRE 1910

Ma Fay demanda alors de sa belle voix limpide ce que signifiait le « J » de son nom et les gens présents manifestèrent une certaine perplexité. Pendant toutes ces années on l'avait connu sous le nom de E.J. Watson, et il fallait que ce soit une enfant qui demande le sens de ce « J » ! Maman me révéla un jour que le vrai nom de son mari était E.A. Watson. Quand et pourquoi il changea le A en J, elle l'ignorait. Notre grand-maman Ellen à Fort White ne peut plus nous l'apprendre, car elle est morte avant son fils, au début de l'année — ultime miséricorde divine ! Quant à tante Minnie Collins, qu'on disait si belle, elle était « indisposée », nous écrivit sa famille, et dans l'incapacité de venir.

La femme de papa originaire de Caxambas avait déjà fait demi-tour pour partir lorsqu'elle entendit la question de Fay. D'une voix avinée, semblable à un croassement, elle lança :

— Jack !

Quand Lucius la pressa gentiment de partir, elle recula en titubant, cherchant toujours mon regard. Et quand je me tournai vers elle, elle s'écria :

— E. Jack Watson !

Alors que nous quittions le cimetière, Poke, la tante de Walter, demanda à voix haute pourquoi Eddie n'utilisait pas son deuxième prénom. Ne pouvait-il donc se faire appeler Elijah, comme son grand-père ? Pour cette femme, un changement de nom aurait pu éviter des difficultés ultérieures à ce pauvre garçon (comme elle l'appelait) — « enfin, à condition qu'il veuille rester ici à Fort Myers », précisa tante Poke.

Nous avions tous pensé au prénom d'Eddie, le malheureux

Eddie encore plus que les autres, mais seule tante Poke avait abordé le problème. Eddie savait que tante Poke parlait « pour la famille ». Moi aussi, je le savais. Nous avons cru qu'elle lui suggérait de s'en aller. Eddie rougit, mais réussit à contrôler sa colère, à refréner un éclat que tous auraient jugé déplacé.

Lucius rétorqua pourtant d'une voix sans expression :

— Changer de nom signifierait seulement qu'Eddie devrait avoir honte de quelque chose.

Et il adressa à la vieille dame un regard appuyé qui la mettait au défi d'exprimer le fond de sa pensée. Tante Poke porta la main à sa gorge, mais aucun son n'en sortit. Ce fut seulement plus tard qu'elle dit à Walter :

— Ce jeunot a en lui quelque chose de son papa, tu ne trouves pas ?

Je fus très fière de mes deux frères et le chagrin arriva doucement, enfin, enfin.

IMPRIMERIE S.E.P.C. À SAINT-AMAND (CHER).
DÉPÔT LÉGAL AVRIL 1992, N° 004 (1108-783).